KU-107-723

PIERRE CHODERLOS DE LACLOS

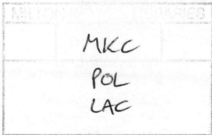

Niebezpieczne ZWIĄZKI

CZYLI LISTY ZEBRANE W JEDNYM SPOŁECZEŃSTWIE
A OGŁOSZONE KU NAUCE INNYCH

MILTON KEYNES LIBRARIES

MKC
POL
LAC

Z francuskiego przełożył
Tadeusz Żeleński (Boy)

Przekład uzupełnił i posłowiem opatrzył
Andrzej Siemek

Educational
OXFORD

Tytuł oryginału
LES LIAISONS DANGEREUSES

Opracowanie graficzne okładki
Studio Print

Redaktor prowadzący
Ewa Niepokólczycka

Korekta
Tadeusz Mahrburg

Copyright © for the Polish edition by
Bertelsmann Media sp. z o.o., Warszawa 2008

Seria Love&Story na zlecenie Oxford Educationa Sp. z o.o.

Druk i oprawa
GGP Media GmbH, Pössneck

ISBN serii 978-83-252-0401-3
ISBN 978-83-247-1520-6

Nota wydawnicza

Przekład Tadeusza Boya-Żeleńskiego został w odpowiednich miejscach uzupełniony tłumaczeniem brakujących fragmentów. Wyróżniono je kursywą. Przypisy „redaktora" u Laclosa, należące do tekstu *Niebezpiecznych związków*, są sygnalizowane gwiazdką, natomiast wyjaśniające przypisy Andrzeja Siemka ujęto w nawias kwadratowy, opatrzono numerem i inicjałami A. S.

Patrzyłem na obyczaje epoki i ogłosiłem te listy.

Przedmowa do *Nowej Heloizy*
J. J. Rousseau

Przedmowa nakładcy[1]

Poczuwamy się do obowiązku uprzedzenia czytelników, że mimo tytułu dzieła *oraz tego, co mówi o nim w swej przedmowie redaktor,* nie ręczymy za autentyczność tego zbioru, a nawet mamy poważne przyczyny mniemać, iż jest on jedynie prostym powieściowym zmyśleniem.

Co więcej, zdaje się nam, że autor, mimo iż wyraźnie zabiega o prawdopodobieństwo, zniweczył je sam, i to bardzo niezręcznie, przez wybór epoki, w której umieścił opisywane wypadki. W istocie, większość osób, które wprowadza, tak mocno szwankuje na punkcie obyczajów, iż niepodobna przypuszczać, aby żyły w naszym stuleciu, w stuleciu filozofii, w którym rozlewająca się na wszystkie strony oświata uczyniła, jak każdemu wiadomo, mężczyzn tak pełnymi zacności, a kobiety wzorami skromności i cnoty.

Sądzimy zatem, iż jeżeli wypadki opisane w tym dziele mają jakiś podkład prawdy, mogły się one zdarzyć jedynie albo w innym miejscu, albo w innym czasie. Mamy wielce za złe autorowi, że uwiedziony wyraźnie nadzieją wzbudzenia żywszego interesu czytelnika przez większe zbliżenie się do swego kraju i epoki ośmielił się, we współczesnych kostiumach i w świetle naszych stosunków, odmalować obyczaje tak bardzo nam obce.

Aby, o ile w naszej mocy, uchronić zbyt dobrodusznego

---

[1] Przedmowa nakładcy jest również pióra Laclosa i stanowi jedynie ironiczną mistyfikację czytelnika. (Przyp. tłum.)

czytelnika od pułapki, którą zastawiono jego łatwowierności, poprzemy nasz pogląd pewnym rozumowaniem. Przedkładamy mu je z całą ufnością, gdyż wydaje się nam przekonywającym i nieodpartym; a mianowicie: te same przyczyny musiałyby przecież sprowadzać te same skutki, a przecież nie widujemy dzisiaj, aby panna mająca sześćdziesiąt tysięcy funtów rocznej renty wstępowała do klasztoru, ani też, aby jaka prezydentowa, do tego młoda i ładna, umierała ze zgryzot sumienia.

Przedmowa redaktora[1]

Czytelnicy znajdą być może to dzieło, lub raczej ten zbiór, zbyt obszernym. Zawiera on jednak ledwie część listów składających się na całość korespondencji, z której został wyjęty. Kiedy osoby, w których rękach się znalazła i które zamierzały ją ogłosić, poruczyły mi jej uporządkowanie, poprosiłem jedynie w zamian za me wysiłki o to, by mi zezwolono odrzucić wszystko, co zdałoby mi się niepotrzebne. Jakoż starałem się zachować te tylko listy, które uznałem za konieczne, już to do zrozumienia zdarzeń, już to do śledzenia rozwoju postaci. Jeśli do tej niewielkiej pracy dodać ułożenie w kolejności wybranych przeze mnie listów — a ustalając tę kolejność szedłem prawie zawsze za porządkiem dat — oraz sporządzenie kilku przypisów, krótkich zresztą i rzadkich, umieszczonych przeważnie jedynie po to, by wskazać źródło jakiejś cytaty lub usprawiedliwić owe pominięcia, na które sobie pozwoliłem, znany będzie cały udział, jaki wniosłem do tego dzieła. Na tym kończyło się moje zadanie*.

Proponowałem wszakże znacznie większe zmiany, wszystkie niemal tyczące czystości wypowiedzi i stylu, której nie dostaje za sprawą licznych błędów. Chciałem również, aby pozwolono mi okroić listy zbyt

---

[1] [Opuszczona przez Boya „Przedmowa redaktora" to również tekst Laclosa i kolejna mistyfikacja czytelnika – A. S.].

* *Winienem uprzedzić, iż wykreśliłem lub zmieniłem nazwiska osób, o których mowa w tych listach, i że jeśli wśród tych, które zmyśliłem znalazłby kto takie, co należą do jakiejś znanej familii, oznaczałoby to tylko moją pomyłkę, z której nie należy wyciągać żadnych wniosków.*

długie, z których kilka mówi osobno i niemal bezładnie o rzeczach nie mających z sobą żadnego związku. Poprawki te, na które się nie zgodzono, zapewne nie przydałyby dziełu wartości, ale przynajmniej usunęłyby część jego usterek.

Oświadczono mi, że celem jest właśnie ogłoszenie samych listów, a nie dzieła podług tych listów sporządzonego, i że byłoby rzeczą nieprawdopodobną i nieprawdziwą, gdyby osiem czy dziesięć osób uczestniczących w tej korespondencji pisało w równie nieskazitelnym stylu. A gdy zauważyłem, że jest akurat odwrotnie, albowiem żadna z nich nie uniknęła poważnych błędów, które z pewnością spotkają się z krytyką, odpowiedziano mi, iż każdy rozsądny czytelnik spodziewa się przecie, że niechybnie znajdzie błędy w zbiorze listów kilku prywatnych osób, skoro nie ustrzegły się ich dotąd dzieła różnych szanowanych autorów, nawet członków Akademii. Te racje nie przekonały mnie: wydało mi się – i dalej mi się wydaje – że łatwiej je przedkładać niż przyjąć. Nie mnie jednak było rozstrzygać, więc się podporządkowałem. Zastrzegłem sobie tylko prawo do sprzeciwu i do oświadczenia, że nie byłem tego zdania: to właśnie czynię w tej chwili.

Co się tyczy wartości dzieła, nie ja chyba winienem o niej orzekać, jako że mój pogląd nie powinien ani nie może wpływać na poglądy któregokolwiek z czytelników. Ci wszelako, którzy zasiadając do lektury lubią wiedzieć choć trochę, czego po niej oczekiwać, niechaj dalej czytają niniejszą przedmowę; pozostali uczynią lepiej przechodząc od razu do samego utworu: wiedzą już o nim dosyć.

Mogę powiedzieć od razu, że choć uważałem, przyznaję, iż należy ogłosić te listy, daleki jestem od mniemania, że zyskają powodzenie. Niech ta szczerość z mojej strony nie będzie poczytana za udawaną skromność autora, oświadczam bowiem z równą otwartością, że gdyby ów zbiór nie wydał mi się godnym przedstawienia czytelnikom, nie zająłbym się nim zgoła. Spróbujmy wyjaśnić tę pozorną sprzeczność.

Na wartość dzieła składa się jego użyteczność lub jego powab, a nawet jedno i drugie razem, kiedy je połączyć umie. Lecz powodzenie, nie zawsze będące dowodem wartości, zależy często bardziej od wyboru tematu niż od wykonania, bardziej od rodzaju przedstawionej materii niż od sposobu, w jaki jest traktowana. Owóż, ponieważ zbiór ten, jak obwieszcza tytuł, zawiera listy z wielkiego towarzystwa, rozmaitym rzeczom poświęca się tu uwagę, a to osłabia uwagę czytelnika. Nadto, jako że wszystkie niemal uczucia wyrażone na tych kartach są udawane bądź skrywane, mogą tylko budzić powierzchowną ciekawość, znacznie niżej zawsze stojącą od zainteresowania samym uczuciem; sprawia to, że mniej jesteśmy pobłażliwi dla błędów autorów i dostrzegamy je tym łatwiej w szczegółach, im bardziej owe szczegóły kłócą się bez przerwy z jedyną chęcią, jaką pragniemy zaspokoić.

Wady te równoważy być może po części zaleta, która także wynika z natury dzieła: to różnorodność stylu, która jest trudną umiejętnością dla pisarza, a która tu została dana od razu, ratując nas przynajmniej przed nudą monotonii. Niejakie uznanie części czytelników zdobędą też może dość liczne spostrzeżenia i przykłady, całkiem nowe albo mało znane, rozsiane w listach tu i ówdzie. Do tego, jak sądzę, ograniczają się powaby dzieła, nawet gdyby rzecz oceniać z największą wyrozumiałością.

Jego użyteczność atoli, choć pewnie dla niektórych jeszcze bardziej wątpliwa, łatwiej daje się udowodnić. Sądzę bowiem, że czyni się przysługę obyczajom, odsłaniając sposoby tych, co sami hołdują złym i deprawują dobre. Myślę, iż niniejsze listy skutecznie służą temu celowi. Czytelnik znajdzie w nich również dowód i przykład na dwie ważne prawdy, o których widać zapomniano, skoro ludzie kierują się nimi tak rzadko: pierwsza mówi, że każda kobieta, która godzi się przyjmować w swym towarzystwie mężczyznę wyzutego z czci, staje się w końcu jego ofiarą; druga — że każda matka popełnia nieostrożność, gdy dopuszcza, by kto inny niż ona cieszył się zaufaniem jej córki. Młodzi ludzie obojga płci dowiedzieliby się również, że przyjaźń, którą osoby złych obyczajów zdają się im okazywać tak łatwo, jest zawsze tylko niebezpieczną pułapką, równie zgubną dla ich szczęścia, co dla ich cnoty. Bałbym się tu wszakże przesady, która zawsze z dobrymi chęciami chodzi w parze, i nie polecałbym tej lektury młodzieży, a wręcz wydaje mi się rzeczą wielkiej wagi, aby odsuwać od niej wszelkie książki tego rodzaju. Jedna ze znanych mi matek, obdarzona nie tylko bystrością, ale i mądrością umysłu, dobrze pojęła, jak mniemam, w którym okresie życia ten utwór może przestać być niebezpieczny i stać się pożyteczny dla osób płci słabej. „Myślę – rzekła mi, przeczytawszy rękopis korespondencji – iż oddałabym prawdziwą przysługę mej córce, wręczając jej tę książkę w dniu ślubu". Jeżeli wszystkie matki myślą podobnie, będę sobie winszował po wsze czasy, że ją ogłosiłem.

Lecz nawet czyniąc tak korzystne supozycje, zdaje mi się ciągle, że ów zbiorek spodoba się nielicznym. Mężczyznom i kobietom zepsutym będzie zależało na tym, żeby oczernić dzieło, które może im zaszkodzić, a że nie brakuje im zręczności, uda im się być może przyciągnąć do swego obozu cnotliwych rygorystów, przerażonych obrazem złych obyczajów, które odważono się opisać.

Tych, co uchodzą za niedowiarków, nie przejmie los kobiety pobożnej, którą dla jej pobożności właśnie uznają za naiwną gąskę, dewoci zaś oburzą się, widząc, jak upada cnota, i będą się skarżyć, że wiara zbyt słabo się tu broni.

Nadto, osoby delikatnego smaku odstręczy nie dość wyszukany i wadliwy styl niektórych listów; zaś w innych ogół czytelników, zwiedzionych przeświadczeniem, iż wszystko, co wydrukowane, jest owocem twórczej pracy, dostrzeże wymuszoną manierę pisarza, ukazującego się zza postaci, której udziela głosu.

Wreszcie, wielu pewnie powie, że każda rzecz jest dobra na swoim miejscu i że jeśli zbyt wygładzony styl pisarza istotnie ujmuje zazwyczaj wdzięku listom towarzyskim, to jednak niestaranności, jakie w tych ostatnich występują, stają się prawdziwymi i nieznośnym błędami, kiedy korespondencję oddaje się do druku.

Przyznaję szczerze, iż wszystkie te zarzuty mogą być uzasadnione; sądzę również, że zdołałbym na nie odpowiedzieć, i to nie wydłużając zanadto przedmowy. Każdy jednak pojmie, że gdybym się czuł zmuszony odpowiedzieć na wszystko, znaczyłoby to, że dzieło nie umie odpowiedzieć na nic, i że gdybym tak uważał, nie wydałbym ani przedmowy, ani książki.

Część pierwsza

LIST I
Cecylia Volanges do Zofii Carnay
w klasztorze urszulanek w ***

Widzisz, droga przyjaciółko, że dotrzymuję słowa i że czepeczki i stroiki nie pochłonęły tak dalece mego czasu, aby mi go zawsze nie zostało dla ciebie. A przecież w tym jedynym dniu napatrzyłam się więcej strojów niż przez cztery lata, które spędziłyśmy razem w klasztorze. *I zdaje mi się, że bardziej zmartwię dumną Tanville* przy mojej pierwszej wizycie – a niechybnie poproszę ją zaraz do mównicy – niźli ona martwić nas zdołała, gdy przychodziła zawsze cała w kokardach.* Mama zasięga we wszystkim mego zdania; czuję, że jestem w jej oczach daleko mniej pensjonarką niż poprzednio. Mam własną pannę służącą, pokój i salonik wyłącznie dla siebie; piszę do ciebie na ślicznym biureczku, do którego dostałam klucz i gdzie mogę chować i zamykać, co mi się podoba. Mama oznajmiła, że będę ją widywała codziennie przy wstawaniu; wystarczy, jeżeli będę uczesana do obiadu, wówczas uwiadomi mnie co dzień, gdzie mam się z nią spotkać po południu. Resztą czasu mogę rozporządzać do woli; mam swoją harfę, rysunki i książki, jak w klasztorze; z tą różnicą, że nie ma matki Anuncjaty, która by mi sypała bury, i że gdybym chciała,

---

* *Pensjonariuszka tego samego klasztoru.*

15

mogłabym nic nie robić od rana do wieczora; że jednak nie mam przy sobie mojej Zosi, z którą bym mogła śmiać się i gawędzić, wolę skracać czas jakimś zatrudnieniem.

Jest ledwie piąta; z mamą mam się spotkać dopiero o siódmej; czasu więc byłoby aż nadto, gdybym tylko miała coś do zwierzenia! Ale jeszcze nic a nic nie wiem; gdyby nie przygotowania, na jakie patrzę co dzień, i nie mnóstwo robotnic, które kręcą się tu wyłącznie dla mnie, mogłabym myśleć, że nikomu się nie śni wydawać mnie za mąż i że to była zwykła gadanina poczciwej Józefy. Jednakże matka powtarzała mi tak często, że panienka powinna zostawać w klasztorze aż do chwili zamążpójścia, że skoro mnie odebrano, Józefa musi chyba mieć słuszność.

Jakiś pojazd zatrzymał się przed bramą i mama kazała mnie zawołać natychmiast do siebie. Czyżby to miał być... Jestem nie ubrana, ręce mi drżą i serce tłucze się we mnie. Pytam panny służącej, czy nie wie, kto jest u matki. „Owszem – odparła – pan G***". To mówiąc zaczęła się śmiać. Och, mam jakieś przeczucie, że to on. Wrócę zaraz, aby ci opowiedzieć, jak się wszystko odbyło. Wiem już przynajmniej, jak się nazywa. Spieszę, aby nie dać na siebie czekać zbyt długo. Do widzenia, za małą chwileczkę.

Toż będziesz sobie żartować z głupiutkiej Cesi! Och, jak się zawstydziłam! Ale i ty byłabyś się złapała tak samo.

Wszedłszy ujrzałam czarno ubranego pana, który stał koło mamy. Ukłoniłam się najwdzięczniej i zatrzymałam się niby wrośnięta w posadzkę. Możesz sobie wyobrazić, jak mu się przyglądałam!

„Pani margrabino – rzekł do matki oddając mi ukłon – córeczka pani jest zachwycająca i tym żywiej przychodzi mi odczuwać łaskę, jaką mnie pani darzy".

Na tak wyraźne oświadczyny poczęłam drżeć na całym ciele, nie mogłam się utrzymać na nogach; szczęściem spostrzegłam fotel; usiadłam, cała czerwona i pomieszana. Ledwiem zdążyła to uczynić, już człowiek ten znalazł się u moich kolan. Wówczas twoja biedna Cesia straciła do reszty głowę; byłam, jak mówi mama, zupełnie nieprzytomna.

Zerwałam się, wydając przeraźliwy krzyk... ot, jak wtedy, podczas burzy, pamiętasz? Na to mama parsknęła śmiechem, mówiąc: „Co tobie, dziecko? Usiądźże i podaj panu nogę". Moja złota, pokazało się, ze ten pan to po prostu... szewc. Nie umiem ci opisać, jak się zawstydziłam; na szczęście nikogo nie było prócz mamy. Sądzę, iż skoro wyjdę za mąż, nigdy nie wezmę już tego szewca.

Przyznaj, że my, doprawdy, dużo wiemy o świecie! Do widzenia. Już blisko szósta; panna służąca mówi, że czas się ubierać.

Do widzenia, Zosiu droga; kocham cię tak, jak gdybym jeszcze była w klasztorze.

PS. Nie wiem, przez kogo posłać list; zaczekam, aż przyjdzie Józefa.

Paryż, 4 sierpnia 17**

LIST II
Markiza de Merteuil do wicehrabiego de Valmont
w zamku ***

Wracaj, drogi wicehrabio, wracaj; cóż ty tam robisz, co możesz robić u starej ciotki, która cały majątek zapisała już tobie? Ruszaj natychmiast w drogę: potrzebny jesteś!

Przyszła mi do głowy wspaniała myśl i tobie pragnę powierzyć jej wykonanie. Tych kilka słów powinno by wystarczyć; aż nazbyt zaszczycony wyborem, powinien byś stawić się z całym pośpiechem, aby na kolanach odebrać me rozkazy. Ale ty nadużywasz mej dobroci nawet wówczas, kiedy przestałeś z niej korzystać; w wyborze, jaki mam przed sobą, albo wieczystej nienawiści, albo bezgranicznego pobłażania, jedynie szczęściu swemu zawdzięczasz, iż dobroć moja bierze górę.

Zatem spieszę wtajemniczyć cię w swoje zamysły, lecz przysiąż, że, jako wierny rycerz, nie pogonisz za inną przygodą, póki tej nie doprowadzisz szczęśliwie do końca. Jest

17

ona zaprawdę godna bohatera: masz służyć razem miłości i zemście; słowem, będzie to jeden czyn* więcej do twoich pamiętników; tak, pamiętników, gdyż chcę koniecznie, aby kiedyś ukazały się w druku, i sama podejmę się je spisywać.

Ale zostawmy je na razie, a wróćmy do tego, co mnie w tej chwili zaprząta.

Pani de Volanges wydaje za mąż córkę: to jeszcze tajemnica, ale zwierzyła mi ją od wczoraj. I kogo, myślisz, wyszukała za zięcia? Hrabiego de Gercourt. Któż by powiedział, że ja mam zostać kuzynką Gercourta? Wściekam się po prostu. Jak to! Nie domyślasz się jeszcze? O niepojętna głowo! Czyżbyś mu już przebaczył przygodę z intendentową? A ja, czyż nie więcej jeszcze mam przyczyn gniewać się nań, ty potworze?** Ale panuję nad gniewem i nadzieja zemsty rozpogadza mą duszę.

Sto razy musiała ci się dać we znaki, jak i mnie, owa uroczysta nadętość, z jaką Gercourt rozprawia o tym, co za przymioty musi posiadać jego przyszła żona, oraz głupia zarozumiałość, która mniema, iż on właśnie zdoła uniknąć nieuniknionego losu. Znasz jego śmieszną wiarę w klasztorne wychowanie i jeszcze śmieszniejszy bodaj przesąd co do chłodnego temperamentu blondynek.

---

* *Słowa „roué" i „rouerie", od których na szczęście dobre towarzystwo zaczyna się odzwyczajać, były nader często używane w czasach, gdy te listy były pisane.* [Boy przełożył *rouerie* jako „czyn"; tymczasem chodzi o specyficzny termin oznaczający łajdactwo libertyna; można by od biedy zaproponować „szelmostwo" – A.S.].

** Aby zrozumieć ten ustęp, trzeba wiedzieć, że hrabia de Gercourt opuścił markizę de Merteuil dla intendentowej***, która poświęciła dla niego wicehrabiego de Valmont, i że wówczas markiza i wicehrabia zbliżyli się do siebie. Ponieważ zdarzenie to sięga znacznie wcześniej niż wypadki, o których mowa w niniejszych listach, przeto autor uważał za stosowne pominąć całą dotyczącą korespondencję. [Nie autor oczywiście – w oryginale to słowo nie pada – lecz stworzony przez niego „redaktor", twórca drugiej „przedmowy", którego poglądy nie są bynajmniej tożsame z poglądami Laclosa, jest autorem wszystkich przypisów. Boy arbitralnie dodaje przy każdym z nich „przyp. aut.", który to skrót usuwam – A.S.].

W istocie mogłabym się założyć, że mimo sześćdziesięciu tysięcy renty małej Volanges nigdy nie przyszłoby mu na myśl małżeństwo, gdyby panna była brunetką lub gdyby się nie chowała w klasztorze. Przekonajmy go zatem, że jest tyl ko głupcem i... czymś więcej: zostałby nim z pewnością prędzej czy później; nie o to się też kłopocę; lecz byłoby zabawne, gdyby już od tego zaczął. Jakżebyśmy się przednio bawili nazajutrz, słysząc, jak się chełpi! Bo będzie się chełpił z pewnością; a przy tym, skoro już raz ty pokierujesz pierwszymi krokami tej dziewczyny, trzeba by dziwnego nieszczęścia, aby Gercourt nie stał się z czasem, jak tylu innych, przedmiotem zabawy całego Paryża.

Zresztą bohaterka tego nowego romansu zasługuje w zupełności na twoje starania: jest naprawdę ładna; ot, dzieciak piętnastoletni, istny pączek róży; nieprawdopodobnie naiwna i bez najmniejszej sztuki; ale was, mężczyzn, taka rzecz nie odstrasza; ma przy tym w oczach jakąś tkliwą omdlałość, doprawdy bardzo obiecującą. Dodaj do tego, że ja ją polecam; nie pozostaje ci nic, jak tylko podziękować i posłuchać.

List ten dojdzie twoich rąk jutro rano. Rozkazuję, abyś jutro o siódmej wieczór zjawił się u mnie. Nie przyjmuję nikogo przed ósmą, nawet mego p a n u j ą c e g o kawalera; on nie ma dosyć głowy na tak ważne przedsięwzięcie. Widzisz, że mnie miłość nie zaślepia. O ósmej zwrócę ci swobodę, o dziesiątej zaś wrócisz, aby wieczerzać wraz z pięknym przedmiotem twoich zabiegów: matka i córka będą jutro u mnie.

Do widzenia! Minęło już południe. Niebawem przestanę się tobą zajmować.

Paryż, 4 sierpnia 17**.

Cecylia Volanges do Zofii Carnay
w klasztorze urszulanek w ***

Niczego się jeszcze nie dowiedziałam, droga. Wczoraj było u mamy dużo gości. Mimo ciekawości, z jaką przypatrywałam się towarzystwu, zwłaszcza panom, wynudziłam się straszliwie. Wszyscy, mężczyźni i kobiety, przyglądali mi się, a potem szeptali sobie do ucha; wiedziałam doskonale, że rozmawiają o mnie: czułam, że się czerwienię, a nie mogłam się powstrzymać. Bardzo zła byłam na siebie, bo uważałam, że gdy się przyglądają innym kobietom, one się nie czerwienią. A może to tylko dlatego nie widać po nich, że się różują, bo trudno chyba nie zaczerwienić się, kiedy mężczyzna wpatruje się tak natarczywie.

Najwięcej niepokoiło mnie to, że nic nie wiem, co oni sobie wszyscy o mnie myślą. Zdawało mi się, że dosłyszałam parę razy słowa ł a d n a, ale na pewno słyszałam również n i e z r ę c z n a; i to musi być prawdą, gdyż pani, która to mówiła, jest krewną i przyjaciółką matki; zdaje się, że i do mnie nabrała od razu dużo sympatii. To jedyna osoba, która trochę rozmawiała ze mną. Jutro mamy być u niej na kolacji.

Słyszałam jeszcze później, jak jakiś pan (jestem pewna, że mówił o mnie) odezwał się do drugiego: „Niechże to jeszcze dojrzeje, zobaczymy tej zimy". Może to on właśnie ma się ze mną żenić, ale to by znaczyło, że dopiero za cztery miesiące! Chciałabym bardzo wiedzieć, jak jest w istocie.

Przyszła właśnie Józefa, aby zabrać list; mówi, że jej pilno. Ale muszę ci opowiedzieć jeden jeszcze przykład mojej niezręczności. Och, zdaje mi się, że ta pani ma słuszność!

Po kolacji wszyscy zasiedli do gry. Usadowiłam się tuż koło mamy; nie wiem, jak się stało, ale zasnęłam prawie natychmiast. Obudził mnie głośny wybuch śmiechu. Nie wiem, czy ze mnie się śmiano, ale przypuszczam. Mama pozwoliła mi iść do siebie, czym mi zrobiła wielką przyjemność. Wyobraź sobie, było już po jedenastej! Do widzenia, Zosiu droga, kochaj zawsze mocno swoją Ceśkę. Zaręczam ci, że świat nie jest tak zabawny, jak mi się wydawał w marzeniach.

Paryż, 4 sierpnia 17****

LIST IV
Wicehrabia de Valmont do markizy de Merteuil
w Paryżu

Rozkazy twoje, markizo, są czarujące; sposób, w jaki je wydajesz, jeszcze bardziej uroczy; przy tobie, pani, byłbym zdolny pokochać despotyzm. Nie pierwszy to raz, jak ci wiadomo, ubolewam, że nie jestem już twym niewolnikiem; mimo nazwy potwora, jaką mnie obdarzasz, najmilej wspominam czasy, kiedy zaszczycałaś mnie słodszymi imiony. Często nawet marzę o tym, aby zasłużyć je na nowo i aby już do końca dni wytrwać u twoich stóp, pani, dając światu przykład stałości. Ale ważniejsze przeznaczenia wołają nas w tym życiu; losem naszym jest zdobywać; trzeba iść tedy drogą, jaką nam pisano. Może kiedyś, na schyłku naszego zawodu, spotkamy się jeszcze; bo – niech mi wolno będzie powiedzieć bez urazy – ty, śliczna markizo, postępujesz co najmniej równym krokiem, i od czasu jak, rozłączywszy się ku pożytkowi świata, niesiemy naszą ewangelię każde na swoją rękę, zdaje mi się, że w tym posłannictwie miłości ty więcej ode mnie zdobyłaś już wyznawców. Znam twoje poświęcenie, twą płomienną żarliwość; zaprawdę, gdyby to bóstwo miało nas sądzić po dziełach, ty byłabyś kiedyś patronką dużego miasta, gdy twój przyjaciel i sługa zostałby ledwie pokątnym świętym jakiej mizernej wioseczki. Ten budujący styl musi cię nieco dziwić, markizo, nieprawdaż? Ale już od tygodnia nie słyszę innego, nie mówię innym; co więcej, aby się w nim doskonalić, muszę ci być, pani, nieposłusznym.

Nie gniewaj się, markizo, i wysłuchaj. Tobie, skarbniczce tajemnic mego serca, powierzę największy zamiar, jaki kiedykolwiek urodził się w mej głowie. Do czegoż ty mnie chcesz

21

użyć? Bym uwiódł młodą dziewczynę, która nic nie widziała, o niczym nie ma pojęcia; która byłaby mi wydana na łup bez żadnej obrony; którą wprawiłby w upojenie pierwszy hołd w życiu, a ciekawość poprowadziłaby szybciej jeszcze niż miłość. Dwudziestu mogłoby dojść do celu nie gorzej ode mnie. Zupełnie inaczej w przedsięwzięciu, które mnie zaprząta: tutaj powodzenie zapewnia mi tyleż chwały co rozkoszy! Miłość, która gotuje się wieńcem przystroić mą głowę, waha się sama między mirtem a laurem lub raczej połączy oba, aby godnie uczcić zwycięstwo. Ty sama, piękna przyjaciółko, staniesz, przejęta świętym podziwem, i wykrzykniesz z zapałem: „Oto, zaprawdę, mąż wedle serca mojego".

Znasz, markizo, prezydentową de Tourvel, jej pobożność, jej miłość małżeńską, jej surowe zasady. Oto forteca, do której szturm przypuszczam; oto godny mnie nieprzyjaciel, oto cel.

A jeśli chlubnej ceny nie sięgnę zwycięstwa,
Zdobędę bodaj zaszczyt daremnego męstwa.

Można cytować liche wiersze, gdy są pióra wielkiego poety*.

Dowiedz się zatem, że prezydent bawi w Burgundii, dokąd udał się dla ważnego procesu (mam nadzieję, że ze mną przegra jeszcze ważniejszy). Niepocieszona połowica ma zostać tutaj przez czas żałosnego wdowieństwa. Codzienna msza, biedni w okolicy, ranna i wieczorna modlitwa, samotne przechadzki, nabożne rozmowy z moją starą ciotką i od czasu do czasu nudna partia wiska miały stanowić jedyne jej rozrywki. Tuszę, że uda mi się zgotować jej inne, nieco bardziej ożywione. Dobry anioł przywiódł mnie tutaj dla jej i mego szczęścia. Szalony! Żałowałem doby, którą musiałem poświęcić rodzinnej powinności. Jakże czułbym się ukarany, gdyby mi ktoś dziś kazał wracać do Paryża! Na szczęście, potrzeba czterech osób, aby grać w wiska, że zaś jest tu pod ręką jedynie proboszcz, moja nieśmiertelna ciotka nalegała

---

* La Fontaine'a.

bardzo, abym jej darował choć kilka dni. Zgadujesz, markizo, że nie dałem się prosić. Nie wyobrażasz sobie, jak poczciwinka rozpływa się nade mną od tego czasu, a zwłaszcza jak jest zbudowana tym, iż regularnie zjawiam się na codziennych modłach i na mszy. Ani podejrzewa, jakiemu bóstwu niosę hołdy.

Oto więc od czterech dni pochłania mnie namiętność. Znasz mnie; wiesz, czy umiem żywo pragnąć, czy umiem dawać sobie rady z przeszkodami; ale nie wiesz, jak bardzo osamotnienie wzmaga gorączkę pragnienia. Żyję wyłącznie jednym: myślę o niej we dnie, śnię w nocy. Muszę mieć tę kobietę, aby się ocalić od śmieszności zakochania: dokąd bowiem nie zdoła zaprowadzić nie zaspokojone pragnienie? O słodka sytości! Przyzywam cię dla mego szczęścia, a zwłaszcza spokoju. Jakież to szczęście dla nas, że kobiety tak słabo się bronią! Inaczej bylibyśmy stadem kornych niewolników. W tej chwili ogarnęło mnie uczucie głębokiej wdzięczności dla kobiet łatwych, które to uczucie najprostszą drogą zawiodło mnie do twoich stóp, markizo. Pochylam się do nich, aby uzyskać przebaczenie, i kończę zbyt długi list; do widzenia, urocza przyjaciółko, i bez urazy.

Z zamku***, 5 sierpnia 17**

LIST V
Markiza de Merteuil do wicehrabiego de Valmont
w zamku ***

Czy wiesz, wicehrabio, że twój list przekracza dozwolone granice zuchwalstwa i że miałabym prawo obrazić się? Dowiódł mi jednak zarazem, iż straciłeś zupełnie głowę, i to jedno ocaliło cię od mego oburzenia. Jako wspaniałomyślna i tkliwa przyjaciółka zapominam o mej zniewadze, aby myśleć jedynie o twoim niebezpieczeństwie, i jakkolwiek nudną jest rzeczą przemawiać do rozsądku, i na to się odważę przez wzgląd, iż bardzo snadź tego potrzebujesz.

Ty, zdobywający prezydentową de Tourvel! Cóż za pocieszny kaprys! Poznaję twoją wariacką głowę, która umie pragnąć tylko tego, co wydaje się niepodobieństwem. Cóż ty widzisz w tej kobiecie? Rysy regularne, jeżeli chcesz, przyznaję, ale bez cienia wyrazu; nieźle zbudowana, ale bez wdzięku, ubrana wprost śmiesznie! Te chusteczki, które opatulają jej piersi, ten biust sięgający gdzieś pod brodę! Powiadam ci, jako przyjaciółka: wystarczyłoby ci mieć już nie dwie, ale jedną kobietę tego pokroju, by stracić całą reputację. Przypomnij sobie tylko dzień, w którym ona kwestowała u Św. Rocha, kiedy tak dziękowałeś mi, że ci dostarczyłam tego widowiska. Widzę ją jeszcze, jak się prowadzi pod rękę z tą swoją długowłosą tyczką, gotowa przewrócić się przy każdym kroku, jak wiecznie zawadza o czyjąś głowę swym łokciowym robronem, jak się rumieni przy każdym ukłonie! Któż by wówczas powiedział, że tobie się zachce kiedyś tej kobiety? Ech, wicehrabio! Ty sam zarumień się ze wstydu i opamiętaj się zawczasu. Przyrzekam ci solenną tajemnicę.

A zresztą zastanów się nad zawodami, jakie cię czekają! Co za rywala wypadnie ci zwalczać? – Męża! Czy nie upokarza cię już samo zestawienie? Cóż za hańba, jeżeli poniesiesz klęskę, a w razie zwycięstwa jak mało zaszczytu! Więcej powiem: nie spodziewaj się żadnej przyjemności. Czyż można zaznać jej ze skromnisiami? Mówię oczywiście o szczerych: czyste nawet w godzinie upojenia, zawsze dadzą ci tylko jakieś pół rozkoszy. To zupełne oddanie, ten szał zmysłów, w którym rozkosz oczyszcza się własnym bezmiarem, ta najwyższa łaska miłości, to wszystko jest im zupełnie nie znane. Przepowiadam ci – w przypuszczeniu najszczęśliwszym – twoja prezydentowa będzie sądziła, iż wszystko uczyniła dla ciebie, racząc cię tak, jak raczy swego małżonka: w małżeństwie zaś, choćby najczulszym, zostaje zawsze dwoje, a nie jedno. Tutaj rzecz ma się jeszcze o wiele gorzej: twoja skromnisia jest nabożna, i to ową nabożnością kumoszek, która skazuje kobietę na wieczne dziecięctwo. Może uda ci się nagiąć tę zaporę, lecz nie pochlebiaj sobie, byś ją zniweczył; zwyciężysz może miłość Boga, lecz nie obawę przed diabłem; skoro trzymając kochankę w ramionach uczujesz, iż serce jej bije, będzie ono biło ze strachu, a nie z miłości. Gdybyś poznał tę kobietę wcześniej, może byłbyś coś z niej zrobił, ale dziś ta lala ma dwadzieścia dwa lata, a już blisko dwa lata, jak wyszła za mąż. Wierzaj mi, wicehrabio, gdy kobieta „zapuści" się do tego stopnia, trzeba ją zdać jej losowi; na zawsze zostanie tylko kwoczką.

I dla tego uroczego przedmiotu odmawiasz mi posłuszeństwa, zakopujesz się żywcem w grobowcu swej ciotki i wyrzekasz się przygody najrozkoszniejszej w świecie i najwięcej wróżącej ci chwały? Cóż za fatalność chce, aby ten Gercourt zawsze miał pierwszeństwo przed tobą? Słuchaj, mówię bez gniewu, ale w tej chwili skłonna byłabym uwierzyć, żeś niewart swojej reputacji, przede wszystkim zaś jestem skłonna odebrać ci moje zaufanie. Nie umiałabym zwierzać swoich tajemnic kochankowi pani de Tourvel.

Dowiedz się zresztą, że mała Volanges zdążyła już zawrócić komuś głowę. Młody Danceny szaleje za nią. Śpiewali kiedyś razem: ta gąska śpiewa o wiele lepiej, niżby przystało wychowanicy klasztoru. Mają przechodzić z sobą różne duety i sądzę, że, co do niej, chętnie gotowa by się dostroić do unisona; ale ten Danceny to dzieciak, straci drogi czas na gruchaniu i do niczego nie dojdzie. Osóbka jest, ze swej strony, dosyć dzika i gdyby nawet coś się stało, będzie to z pewnością o wiele mniej zabawne, niż gdybyś ty się chciał tym zająć; toteż wściekła jestem i z pewnością zrobię scenę kawalerowi, skoro się pojawi. Radzę mu, aby był potulny; w tej chwili nic by mnie nie kosztowało zerwać z nim na dobre. Jestem pewna, że gdyby mi przyszło do głowy teraz go rzucić, byłby w prawdziwej desperacji, a nic mnie tak nie bawi, jak te miłosne rozpacze; z pewnością nazwałby mnie „przewrotną". To słowo „przewrotna" zawsze robiło mi przyjemność; jest to po słowie „okrutna" najsłodsza nazwa dla ucha kobiety, a mniej ciężko przychodzi na nią zapracować. Doprawdy, muszę zastanowić się poważnie nad tym zerwaniem. No i sam widzisz, czego stałeś się przyczyną! Niech to spadnie na twoje sumienie. Do widzenia. Chciej mnie polecić modłom prezydentowej.

Paryż, 7 sierpnia 17**

LIST VI
Wicehrabia de Valmont do markizy de Merteuil
w Paryżu

Czyż nie ma na świecie kobiety, która by nie nadużywała władzy, jaką zdobędzie? Więc i ty, ty, którą nazywałem tak często najpobłażliwszą przyjaciółką, i ty zrzucasz się z roli i nie wzdragasz się ranić mnie tak dotkliwie w przedmiocie mych uczuć! Jakimi rysami ośmielasz się malować panią de Tourvel!... Któryż mężczyzna życiem by nie przypłacił tego zuchwalstwa? Na którąż inną kobietę nie ściągnęłoby to przynajmniej bolesnego odwetu? Przez litość! Nie wystawiaj mnie na tak ciężkie próby; nie ręczę, czybym je przetrzymał. W imię przyjaźni zaczekaj, aż będę miał tę kobietę, jeżeli chcesz ją zohydzać. Czy nie wiesz, że jedynie rozkosz ma prawo zdejmować z oczu przepaskę miłości?

Ale co ja mówię? Czyż pani de Tourvel potrzebuje pomocy złudzeń? Nie; aby być godną uwielbienia, wystarczy jej być sobą. Zarzucasz jej, że się źle ubiera; chętnie wierzę: wszelkie ubranie jej szkodzi, wszystko, co ją zakrywa, ujmuje jej wdzięku. Dopiero w prostocie domowego stroju staje się naprawdę czarująca. Dzięki straszliwym upałom, jakie nam tu dokuczają, zwykły szlafroczek płócienny pozwala mi podziwiać jej krągłą i gibką kibić. Cieniutki muślin zaledwie przysłania piersi; spojrzenia moje, przelotne, lecz bystre, zdołały już ogarnąć ich niezrównane kształty. Twarz, powiadasz, nie ma wyrazu. I cóż miałaby wyrażać, gdy nic nie przemawia do jej serca? Nie, to pewna, nie spotkasz u niej, jak u naszych zalotniś, owego kłamliwego spojrzenia, które czaruje nas niekiedy, a zawodzi zawsze. Ona nie umie pokrywać pustki zdawkowych wyrazów wyuczonym uśmiechem; cho-

26

ciaż posiada ząbki najładniejsze na świecie, śmieje się tylko z tego, co ją bawi. Ale trzeba widzieć w czasie najniewinniejszej igraszki, ile w jej twarzy odbija się naiwnej i szczerej wesołości! Jak wobec nieszczęśliwego, któremu śpieszy z pomocą, spojrzenie jej zwiastuje czystą radość i dobroć tak pełną współczucia! Trzeba widzieć przede wszystkim, jak przy najmniejszym słowie pochwały lub komplementu maluje się na jej niebiańskiej twarzy cudowne zakłopotanie zgoła niepodrabianej skromności!... Jest skromna i nabożna: stąd wnosisz, iż musi być zimna i bezduszna? Ja myślę zupełnie inaczej. Jakież dary tkliwości trzeba posiadać, aby je przelewać aż na własnego męża i kochać stale przedmiot stale nieobecny? Jakiegoż silniejszego dowodu mogłabyś jeszcze pragnąć? A jednak umiałem postarać się jeszcze o inny.

Pokierowałem wspólną przechadzką w ten sposób, że trzeba było nam przebyć dość głęboki rów; pani zaś de Tourvel, jakkolwiek bardzo zręczna, jest jeszcze bardziej bojaźliwa; pojmujesz że jako skromnisia, lęka się każdego fałszywego kroku!* Trzeba się było zatem powierzyć mej pomocy, i oto wcielenie skromności znalazło się w mych objęciach. Nasze przygotowania i przeprawa starej ciotki pobudziły do głośnego śmiechu rozbawioną prezydentową; skoro zaś ją z kolei uniosłem w górę, ramiona nasze, dzięki mej zręcznej niezaradności, oplotły się wzajem. Przycisnąłem ją do piersi i w tej króciutkiej chwili uczułem, że jej serce bije żywszym tętnem. Rumieniec okrasił twarzyczkę; pełne skromności zakłopotanie przekonało mnie dostatecznie, że s e r c e j e j z a b i ł o z m i ł o ś c i, a nie ze strachu. Ciotka popełniła tę samą omyłkę co i ty, markizo, i rzekła: „Przestraszyła się dziecina"; lecz cudowna prostota d z i e c i n y nie pozwoliła jej na kłamstwo, toteż odparła naiwnie: „Och, nie!

---

* *Dostrzegamy tu nieznośną modę na kalambury, która wówczas się zaczynała i która odtąd tak wielkie poczyniła postępy. [W oryginale jest nie tyle kalambur, ile dwuznaczność: une prude craint de sauter le fossé to „każda skromnisia boi się przeskoczyć na drugą stronę" – A. S.].*

27

Tylko..." To jedno słowo oświeciło mnie. Od tej chwili słodka nadzieja zajęła miejsce okrutnego niepokoju. Będę miał tę kobietę; odbiorę ją mężowi, który nie jest jej godzien, ośmielę się ją wydrzeć nawet Bogu, którego uwielbia. Cóż za rozkosz być kolejno powodem i zwycięzcą jej wyrzutów! Ani mi w głowie niszczyć przesądy, które ją pętają! One to przysporzą mi szczęścia i chwały zarazem. Niech wierzy w cnotę, lecz niech ją dla mnie poświęci; niech z przerażeniem patrzy na własny upadek, niezdolna zatrzymać się w drodze, i niechaj, miotana wyrzutami, nie umie zapomnieć o nich ani ukryć się przed nimi inaczej niż w moich ramionach. Wówczas niechaj mi powie: „Ubóstwiam cię"; zgoda: ona jedna ze wszystkich kobiet będzie godna wymówić to słowo. Będę w istocie Bogiem, którego uwielbiła nad wszystko.

Bądźmy szczerzy: w stosunkach naszego światka, zarówno chłodnych, jak łatwych, to, co nazywamy szczęściem, wszak jest zaledwie przyjemnością. Mam ci się przyznać, markizo? Byłem pewny, iż serce moje zwiędło już zupełnie; nie znajdując w sobie nic, jak tylko zmysły, ubolewałem nad swą przedwczesną zgrzybiałością. Pani de Tourvel wróciła mi czarowne złudzenia młodości. Przy niej nie trzeba mi nawet posiadania, abym się czuł szczęśliwy. Jedyna rzecz, która mnie przeraża, to czas, jaki zajmie cała ta przygoda; bo nie ważyłbym się nic zdawać na los przypadku. Próżno przywodzę sobie na pamięć moje szczęśliwe zuchwalstwa; nie mogę się zdecydować na tę drogę. Abym się czuł zupełnie szczęśliwy, ona musi mi się oddać; a to nie jest byle co!

Pewien jestem, markizo, że podziwiałabyś moją ostrożność. Nie wymówiłem jeszcze słowa „miłość", ale już zdołaliśmy dotrzeć do zaufania i sympatii. Aby ją okłamywać jak najmniej, a zwłaszcza aby uprzedzić plotki, które mogłyby dojść do jej uszu, sam, niby to obwiniając się, opowiedziałem parę swoich najbardziej głośnych figielków. Uśmiałabyś się słysząc, z jaką prostodusznością ona prawi mi kazania. Pragnie, powiada, nawrócić mnie. Ani jej w głowie świta, ile ją będzie kosztowała ta próba. Daleka jest od przypuszczenia, że przemawiając (to jej styl) imieniem nieszczęsnych, które ja zgubiłem, ujmuje się z góry za własną sprawą. Ta myśl nasunęła mi się wczoraj w czasie jej kazania; nie mogłem odmówić sobie przyjemności przerwania jej zapewnieniem, że mówi jak prorok. Do widzenia, urocza przyjaciółko! Widzisz, że nie jestem jeszcze zgubiony bez ratunku.

PS. Ale, ale, czy biedny kawaler nie odebrał sobie życia z rozpaczy? Doprawdy, markizo, ty masz w sobie sto razy więcej szelmostwa ode mnie i gdybym posiadał nieco miłości własnej, czułbym się głęboko upokorzony.

***, 9 sierpnia 17**

LIST VII

Cecylia Volanges do Zofii Carnay*
w klasztorze urszulanek w ***

Jeżeli dotąd nie pisałam nic o moim małżeństwie, to dlatego że ani na jotę więcej nie wiem niż pierwszego dnia. Przyzwyczajam się nie myśleć o tym i czuję się wcale dobrze. Pracuję dużo nad śpiewem i harfą; mam uczucie, że bardziej je polubiłam od czasu, jak nie mam już nauczyciela, lub raczej, odkąd dostałam o wiele lepszego i milszego. Kawaler Danceny, ten pan, o którym ci mówiłam, że śpiewałam z nim u pani de Merteuil, jest tak uprzejmy, że przychodzi do nas co dzień i śpiewa ze mną całymi godzinami. Bardzo jest miły. Śpiewa jak anioł i układa prześliczne melodie, do których sam pisze słowa. Wielka szkoda, że on jest kawalerem maltańskim! Myślę, że gdyby się ożenił, żona jego byłaby bardzo szczęśliwa... Ma w sobie jakąś czarującą słodycz. Nigdy nie ma się wrażenia, aby prawił komplementy, a mimo to wszyst-

---

* Aby nie nadużywać cierpliwości czytelnika, autor pomija wiele listów w tej codziennej korespondencji; podaje jedynie te, które wydawały mu się potrzebne do zrozumienia biegu wypadków. Z tego samego powodu pomija również wszystkie listy Zofii Carnay i wiele listów innych osób biorących udział w tych wydarzeniach.

ko, co mówi, gładzi po sercu tak mile. Ciągle mnie za coś łaje, za muzykę, jak i za inne rzeczy, ale umie włożyć w każdą naganę tyle przymilności i humoru, że niepodobna go nie polubić. Wystarczy, żeby na ciebie popatrzył, a już masz wrażenie, że chce ci powiedzieć coś bardzo przyjemnego. A przy tym jest ogromnie grzeczny. Na przykład wczoraj: był proszony na jakiś wielki koncert, a przecież wolał zostać cały wieczór u mamy. Bardzo się ucieszyłam, bo kiedy jego nie ma, nikt się do mnie nie odzywa i nudzę się; kiedy on jest, cały czas śpiewamy i rozmawiamy z sobą. Zawsze ma mi coś do powiedzenia. On i pani de Merteuil to jedyne dwie sympatyczne osoby. Ale teraz bądź zdrowa, droga; przyrzekłam, że wyuczę się na dziś aryjki z bardzo trudnym akompaniamentem, a nie chciałabym zrobić mu zawodu. Posiedzę nad tym, dopóki on nie przyjdzie.

7 sierpnia 17**

LIST VIII
Prezydentowa de Tourvel do pani de Volanges

Trudno mi wyrazić pani, jak jestem wdzięczna za dowód ufności, którym mnie zaszczycasz, i jak żywo mnie obchodzi zamęście panny de Volanges. Z całej duszy, z całego serca życzę jej szczęścia, którego jest godna *i co do którego mogę z pewnością zawierzyć pani przezorności*. Nie znam hrabiego de Gercourt, ale skoro na niego padł tak zaszczytny wybór, mogę mieć o nim jedynie najlepsze wyobrażenie. Poprzestaję, pani, na życzeniu, aby to małżeństwo uwieńczone było równie pomyślnym skutkiem jak moje, które również jest twoim dziełem i za które każdy dzień pomnaża mą wdzięczność. Oby szczęście twej córki, pani, stało się nagrodą za to, które ja otrzymałam z twej ręki; oby najlepsza z przyjaciółek mogła być i najszczęśliwszą z matek!

Szczerze zmartwiona jestem, że nie mogę osobiście złożyć ci, pani, tych życzeń, a zarazem, czego bym bardzo pragnęła, zapoznać się z panną de Volanges. Doznawszy od ciebie tyle prawdziwie macierzyńskiej dobroci, mam prawo spodziewać się, że znajdę u niej tkliwą przyjaźń siostry, na którą będę się starała zasłużyć.

Przypuszczam, iż zostanę na wsi przez całą nieobecność pana de Tourvel. Skorzystałam z tego czasu, aby się nacieszyć towarzystwem czcigodnej pani de Rosemonde. Czarująca osoba: sędziwy wiek nie odebrał jej nic z dawnego uroku; zachowała całą wesołość i żywość. Ciało jej jedynie liczy osiemdziesiąt cztery lata; duch nie więcej niż dwadzieścia.

Samotność naszą ożywiło nieco przybycie siostrzeńca pani de Rosemonde, wicehrabiego de Valmont, który ma zamiar pozostać tu kilka dni. Znałam go jedynie z rozgłosu, który niezbyt zachęcał do bliższego poznania; zdaje mi się jednak, że pan de Valmont więcej jest wart od swej reputacji. Tu, gdzie wir światowych uciech nie wiedzie go na pokuszenie, bardzo trzeźwo patrzy na siebie i z rzadką prostotą przyznaje się do błędów. Rozmawia ze mną nieraz nader rozsądnie, a ja roztrząsam mu sumienie, i to bardzo surowo. Pani, która go znasz, przyznasz, iż nawrócenie takiego człowieka byłoby pięknym dziełem; nie wątpię jednak, że mimo wszystkich obietnic poprawy tydzień Paryża wystarczy, aby zapomniał o moich kazaniach. Przynajmniej ten czas, który tu spędzi, będzie stanowił przerwę w jego zwykłym trybie, co wyjdzie tylko na korzyść, jeżeli nie jemu, to innym[1]. *Sądzę bowiem, znając jego tryb życia, że wtedy robi najlepiej, kiedy nic nie robi.* Pan de Valmont wie, że piszę w tej chwili do pani, i prosi, abym jej przedłożyła wyrazy najgłębszego szacunku. Chciej przyjąć i moje z dobrocią, która ci jest właściwa, i racz nie wątpić nigdy o najszczerszych uczuciach, z jakimi mam zaszczyt etc.

***, 9 sierpnia 17**

---

[1] [Słów „co wyjdzie tylko na korzyść, jeśli nie jemu, to innym" nie ma w oryginale – A. S.].

LIST IX
Pani de Volanges do prezydentowej de Tourvel
w zamku ***

Nie wątpiłam nigdy, młoda i piękna przyjaciółko, ani
o twej przyjaźni, ani o szczerym udziale we wszystkim, co
mnie dotyczy. Nie po to też, aby poruszać tę materię, która,
sądzę, na zawsze jest ustalona, odpowiadam jeszcze na twą
o d p o w i e d ź; ale nie mogę pominąć sposobności przesłania
ci kilku słów tyczących wicehrabiego de Valmont.
Wyznaję, że nie spodziewałam się spotkać kiedykolwiek
z tym nazwiskiem w twoich listach. Zaprawdę, cóż może
istnieć wspólnego pomiędzy nim a tobą? Nie znasz tego
człowieka; i skąd mogłabyś mieć pojęcie o duszy rozpust-
nika? Mówisz mi o jego r z a d k i e j p r o s t o c i e; och, tak!
Prostota pana de Valmont musi być w istocie dość rzadka!
W jeszcze wyższym stopniu fałszywy i niebezpieczny niż
gładki i pełen pawabu, nigdy od najwcześniejszej młodości
nie uczynił kroku, nie powiedział słowa bez jakiegoś zamiaru, nigdy zaś nie powziął zamiaru, który by nie był nie-
uczciwy lub zbrodniczy. Znasz mnie, droga przyjaciółko;
wiesz, że ze wszystkich cnót, jakie staram się sobie przyswoić, najwyżej cenię pobłażliwość. Toteż gdyby Valmont
działał w porywie namiętności, gdyby, jak tylu innych, dał
się pociągnąć błędom swego wieku, wówczas potępiając
uczynki zachowałabym współczucie dla jego osoby i czeka-
łabym w milczeniu, czy nie przyjdzie czas, w którym opamiętanie wróci mu szacunek uczciwych ludzi. Ale w Valmoncie nie ma tego wszystkiego: postępowanie jego jest
wynikiem zasad. Umie on doskonale obliczyć, na ile bezeceństwa może pozwolić sobie mężczyzna, nie gubiąc się
w oczach świata; toteż aby bezkarnie dać folgę swej złości
i okrucieństwu, obrał sobie kobiety na ofiary. Nie próbuję
nawet policzyć, które uwiódł, ale ile zgubił po prostu!
Przy cichym i bogobojnym życiu, jakie prowadzisz, nie
dociera do ciebie wieść o owych gorszących przygodach.
Mogłabym opowiedzieć niejedną, która by ci zadrżeć kazała

ze zgrozy; ale spojrzenia twoje, czyste jak twoja dusza, zbrukałyby się od takich obrazów; spokojna, że Valmont nigdy nie będzie dla ciebie niebezpieczny, nie potrzebujesz takiego pancerza, aby się obronić. To jeszcze mogę ci powiedzieć, że ze wszystkich kobiet, które miały nieszczęście stać się celem jego zabiegów, uwieńczonych powodzeniem czy nie, każdej gorzko przyszło opłakiwać tę niebezpieczną znajomość. Jedyna markiza de Merteuil stanowi wyjątek; ona jedna umiała mu się oprzeć, a zarazem nałożyć hamulec jego niegodziwości. Wyznaję, że ten rys najwięcej przynosi jej zaszczytu w moim pojęciu; to jedno wystarczyłoby już, aby w oczach świata w całej pełni okupić parę lekkomyślności, jakie miano jej do zarzucenia w początkach wdowieństwa[*].

Jak bądź się rzeczy mają, moja urocza przyjaciółko, z prawa wieku, doświadczenia, a przede wszystkim przyjaźni, na jedno muszę ci zwrócić uwagę; mianowicie, że w Paryżu zdołano już zauważyć nieobecność Valmonta. Jeżeli się rozgłosi, iż spędził czas w wyłącznym towarzystwie ciotki i twoim, twoja dobra sława znajdzie się w jego rękach: największe nieszczęście, jakie może się zdarzyć kobiecie. Radzę ci więc, uproś ciotkę, aby go nie zatrzymywała dłużej; gdyby się opierał, sądzę, iż powinnaś bez wahania ustąpić mu miejsca. Ale czemuż miałby tam siedzieć? Po co mu się zakopywać na wsi? Gdybyś kazała śledzić jego kroki, odkryłabyś z pewnością, że dom ciotki obrał jedynie jako wygodne schronienie dla jakiejś miłostki w okolicy. Ale gdy nie w naszej mocy zapobiec złemu, poprzestańmy na tym, aby ubezpieczyć bodaj samych siebie.

Do widzenia, droga przyjaciółko; małżeństwo córki opóźnia się nieco. Hrabia de Gercourt, którego oczekiwaliśmy z dnia na dzień, donosi, że pułk jego wysłano na Korsykę; że zaś trwają tam jeszcze rozruchy, niepodobieństwem mu będzie uwolnić się przed zimą. Bardzo mi to nie w smak; w za-

---

[*] Błąd, w jakim pozostaje pani de Volanges, świadczy nam, że podobnie jak inni zbrodniarze Valmont umiał nie wydawać swoich wspólników.

mian pocieszam się nadzieją, że będziemy miały przyjemność ujrzenia cię na weselu; przykro mi było, iż miało się obyć bez ciebie. Do widzenia; masz we mnie, bez czczych zapewnień, zawsze oddaną przyjaciółkę.

PS. Chciej mnie przypomnieć pani de Rosemonde, którą kocham tak, jak na to zasługuje.

Paryż, 11 sierpnia 17**

LIST X
Markiza de Merteuil do wicehrabiego de Valmont
w zamku ***

Czy dąsasz się na mnie, wicehrabio? Czy może umarłeś albo, co niemal na jedno wychodzi, żyjesz jedynie dla swej prezydentowej? Ta kobieta, która ci wróciła złudzenia młodości, wróci ci wkrótce również i jej śmieszne przesądy. Oto już czujesz się nieśmiałym niewolnikiem; lepiej przyznaj od razu, iż jesteś po prostu zakochany. Wahasz się uciec do szczęśliwego zuchwalstwa. W ten sposób właśnie postępujesz sobie zupełnie bez zasad, zdając wszystko na los przypadku, a raczej kaprysu. Czyżbyś już nie pamiętał, że miłość jest jak medycyna jedynie sztuką pomagania przyrodzie? Widzisz, że cię pobijam własną bronią; nie rosnę zbytnio w pychę z tej przyczyny, boć to najłatwiejszy sposób pobicia mężczyzny na głowę. Musi ci się oddać, powiadasz; no dobrze, musi, to pewna, toteż odda się jak inne, z tą różnicą, że zrobi to niezgrabnie i bez wdzięku. Ale żeby skończyła na oddaniu, najlepszy sposób jest zacząć od wzięcia. Jakimż dzieciństwem miłości jest to śmieszne odróżnienie! Mówię „miłości", bo ty jesteś zakochany, wicehrabio. Mówić inaczej znaczyłoby oszukiwać cię, znaczyłoby ukrywać przed tobą twą chorobę. Powiedz mi więc, sentymentalny kochanku: te kobiety, które w życiu miałeś, czy ty myślisz w istocie, że je gwałciłeś? Ależ choćby która z nas miała największą ochotę oddać się komu, choćby nam nie wiem jak było do tego pilno, i tak trzeba jakiegoś pozoru; a czyż może istnieć wygodniejszy niż ten, który pozwala odgrywać rolę słabej istoty ulegającej sile? Co do mnie, przyznam się, iż w kampanii miłosnej najwyżej cenię żywy i dobrze przeprowadzony atak, w którym wszystko postępuje po sobie w porządku, choć szybko; który nie zostawia nas nigdy w tym kłopotliwym położeniu, abyśmy same musiały naprawiać niezręczność nieprzyjaciela; atak, który pozwala zachować pozory przemocy w tym nawet, na co same się godzimy, i zręcznie głaska dwie nasze arcysłabostki: chwałę obrony i przyjemność porażki. Wyznaję, ten talent rzadszy o wiele, niżby można mniemać, zawsze zyskiwał moje uznanie i nieraz zdarzyło mi się ulec, jedynie aby uwieńczyć męstwo zasłużoną nagrodą. *Podobnie, podczas dawnych turniejów, względy damy były nagrodą za dzielność i wprawę.*

Ale ty, ty, który *nie* jesteś już sobą, ty postępujesz tak, jakbyś obawiał się zwycięstwa. Ech, odkądże ty podróżujesz w ten sposób, popasając co chwilę, bocznymi dróżkami? Mój przyjacielu, gdy chcesz dojechać do stacji, bierz konie pocztowe i jazda! Gościńcem! Ale zostawmy ten przedmiot, który drażni mnie tym więcej, że pozbawia mnie przyjemności ujrzenia cię rychło. Przynajmniej pisuj częściej i donoś o wszystkim w miarę postępów. Czy wiesz, że już przeszło dwa tygodnie pochłania cię ta śmieszna miłostka i że zdołałeś przez ten czas zaniedbać wszystkie inne obowiązki?

Ale, ale, gdy mowa o zaniedbaniu: przypominasz mi, wicehrabio, ludzi, którzy zasięgają regularnie wiadomości o chorych przyjaciołach, lecz nigdy nie są ciekawi odpowiedzi. Kończysz ostatni list pytaniem, czy kawaler nie rozstał się ze światem. Ja nie odpowiadam, a ty przestajesz się o to troszczyć. Czyż zapomniałeś, że mój kochanek jest, już z urzędu, twoim najserdeczniejszym przyjacielem? Ale uspokój się: nie umarł; lub gdyby mu się to miało przytrafić, to chyba z nadmiaru szczęścia. Biedaczek mój, jakiż on tkliwy! Cóż to za urodzony kochanek! Jak on umie żywo czuć i wyrażać uczucia! W głowie mi się kręci na samo wspomnienie. Doprawdy, bezmiar szczęścia, jaki on znajduje w przekonaniu o mojej miłości, gotów mnie jeszcze do niego przywiązać.

Tego samego dnia, w którym – jak ci pisałam – obudziła się we mnie chętka zerwania z kawalerem, ileż szczęścia czekało go jeszcze! A przecież w chwili gdy mi go oznajmiono, rozmyślałam zupełnie poważnie nad sposobem doprowadzenia go do rozpaczy. Nie wiem, kaprys czy inna przyczyna, ale nigdy nie wydał mi się tak uroczy. Mimo to przyjęłam go kwaśno. Liczył, że spędzi ze mną ze dwie godziny, zanim drzwi otworzą się dla wszystkich. Powiedziałam, że wychodzę; zapytał, dokąd? Odmówiłam odpowiedzi. Zaczął nalegać. „Tam gdzie pana nie będzie" – odparłam opryskliwie. Szczęściem dla siebie, stanął jak skamieniały; gdyby był wyrzekł jedno słowo, wybuchłaby niechybnie scena i skończyłoby się zerwaniem. Zdziwiona tym milczeniem, zwróciłam nań oczy bez innego zamiaru, przysięgam, jak tylko, aby zobaczyć jego minę. Spostrzegłam na tej ślicznej twarzy ten smutek zarazem głęboki a tkliwy, któremu, sam przyznałeś, trudno w istocie się oprzeć. Ta sama przyczyna wywołała ten sam skutek: znów poczułam się zwyciężona. Od tej chwili poczęłam jedynie myśleć nad sposobem oczyszczenia się w jego oczach. „Wychodzę w pewnej sprawie – rzekłam łagodniej – w sprawie dotyczącej i pana; ale nie pytaj o nic. Wieczerzam w domu, przyjdź, a dowiesz się wszystkiego". Wtedy dopiero odzyskał mowę, ale nie pozwoliłam mu mówić. „Śpieszę się bardzo – rzekłam. – Zostaw mnie; do zobaczenia". Pocałował mnie w rękę i wyszedł.

Aby mu powetować to rozstanie, może aby powetować je samej sobie, wpadam na myśl zapoznania go z moim domkiem, o którego istnieniu nie miał pojęcia. Dzwonię na wierną Wiktorię. Dostaję migreny, każę oznajmić wszystkim, że kładę się do łóżka; zostawszy wreszcie sama z mą powiernicą, stroję się za pannę służącą, gdy ona przebiera się za lokaja. Następnie Wiktoria sprowadza do bramy ogrodowej dorożkę i pomykamy w drogę. Przybywszy do świątyni miłości, wyszukuję negliżyk najpowabniejszy, jaki posiadam, po prostu rozkoszny, najzupełniej własnego pomysłu: nie pozwala nic oglądać, a wszystkiego każe się domyślać. Przyrzekam ci przesłać wzór dla prezydentowej, skoro ją już uczynisz godną takiego rynsztunku.

Po tych przygotowaniach, gdy Wiktoria zajmuje się resztą, odczytuję jeden rozdział *Sofy*[1], jeden list Heloizy i dwie powiastki La Fontaine'a, aby dostroić rozmaite struny, jakie zamierzam potrącić. Tymczasem kawaler zjawia się u mnie, jak zawsze niecierpliwy. Szwajcar odprawia go oznajmiając, że jestem niezdrowa: pierwsza niespodzianka. Równocześnie oddaje bilecik ode mnie, ale nie przeze mnie pisany, zgodnie z mą roztropną zasadą. Kawaler otwiera i widzi rękę Wiktorii: „Punkt o dziewiątej, na bulwarze, naprzeciw kawiarni". Udaje się na miejsce; tam lokajczyk którego *nie zna, a tak mu się przynajmniej wydaje, bo jego* rolę odgrywa wciąż Wiktoria, każe mu odprawić powóz i iść za sobą. Cały ów romantyczny aparat miał ten skutek, iż rozpalił głowę mego kawalera, rozpalona zaś głowa ma zawsze swoje zalety. Przybywa wreszcie oszołomiony zdumieniem i miłością. Aby mu pozwolić przyjść nieco do siebie, przeprowadzam go chwilę po ogrodzie, następnie kieruję ku domowi. Widzi stolik i dwa nakrycia; obok posłane łóżko. Przechodzimy do przystrojonego odświętnie buduaru. Tam, na wpół z rozmysłu, na wpół ze szczerego serca, otoczyłam go ramionami i osunęłam mu się do kolan. „O mój najdroższy – rzekłam – aby ci zgotować słodką niespodziankę, popełniłam tę zbrodnię, iż udanym gniewem sprawiłam ci przykrość i na chwilę pozbawiłam cię widoku ukochanej. Przebacz mi winy, a okupię je potęgą miłości". Możesz sobie wyobrazić skutek tej sentymentalnej przemowy. Kawaler, uszczęśliwiony, podniósł mnie co żywo i rozgrzeszenie moje zostało przypieczętowane na tej samej otomance, na której ty i ja pieczętowaliśmy tak wesoło i w ten sam sposób wieczyste zerwanie.

Ponieważ mieliśmy przed sobą całe sześć godzin, a postanowiłam sobie, iż czas ten upłynie mu w niezmąconej roz-

---

[1] Romans Crébillona-syna, treści niezmiernie swobodnej. (Przyp. tłum.)

koszy, powściągnęłam jego uniesienia. Powabna zalotność zajęła miejsce gorętszej czułości. Nigdy jeszcze nie dołożyłam tylu starań, aby się komuś podobać, nigdy też nie byłam równie zadowolona z siebie. Po kolacji, na przemian dziecinna i pełna rozsądku, swawolna i tkliwa, niekiedy nawet nieco wyuzdana, starałam się obchodzić z lubym niby z sułtanem zasiadającym pośród swego seraju, w którym ja grałam kolejno rolę rozmaitych faworyt. W istocie jego wielokrotne hołdy, jakkolwiek wciąż przyjmowała je ta sama kobieta, skłaniały się do stóp coraz to nowej kochanki.

Wreszcie o brzasku trzeba się było rozłączyć; co bądź kawaler powiadał, czynił nawet, aby temu przeczyć, rozstanie to było dlań równie potrzebne jak bolesne. Gdy nadeszła chwila ostatniego pożegnania, wzięłam klucz szczęsnego ustronia i wręczając mu go rzekłam: „Zgotowałam je tylko dla ciebie; słusznym jest, abyś był jego panem: rzeczą Ofiarnika jest rozporządzać Świątynią". W ten sposób zręcznie uprzedziłam podejrzenia, jakie mogłoby mu nasunąć to zagadkowe nieco posiadanie sekretnego domku. Znam kawalera i nie lękam się, aby do sanktuarium wprowadził inną kobietę, gdyby mnie zaś przyszła fantazja zagościć tam bez niego, pozostaje mi zawsze drugi klucz w odwodzie. Chciał za wszelką cenę umówić następną schadzkę, ale za wiele mi wart jeszcze mój kawaler, abym go chciała zużywać tak szybko. Można sobie pozwolić na takie wybryki jedynie z kimś, kogo się ma zamiar niebawem porzucić. On tego nie wie, biedaczek, ale na szczęście ja wiem za nas oboje.

Widzę, że już trzecia rano i że napisałam cały tom usiadłszy dla skreślenia paru słówek. Oto co może czar przyjacielskiej ufności; ona też sprawia, że ty mi jesteś zawsze najdroższy ze wszystkich; ale jeśli mam wyznać prawdę, milszy jest mi dziś mój kawaler.

12 sierpnia 17**

LIST XI
Prezydentowa de Tourvel do pani de Volanges
w Paryżu

Surowy twój list, szanowna przyjaciółko, przeraziłby mnie z pewnością, gdybym, na szczęście, nie znajdowała tutaj więcej rękojmi bezpieczeństwa, niż ty mi kreślisz, pani, przyczyn do obawy. Ów groźny pan de Valmont, który ma być postrachem kobiet, odłożył, zdaje się, swe mordercze bronie, zanim przestąpił mury tego zamku. Daleki od jakich bądź zamysłów, wyzbył się niemal wszelkiej kokieterii; talenty uroczego światowca, które przyznają mu nawet wrogowie, znikły prawie, aby zostawić jedynie przymioty dobrego i sympatycznego chłopca. Widać wiejskie powietrze jest przyczyną tego cudu. O jednym mogę panią upewnić, mianowicie iż mimo że pan de Valmont przebywa bezustannie w moim towarzystwie i nawet zdaje się w nim podobać, nie wymknęło mu się dotąd ani jedno słowo, które by bodaj trochę trąciło oświadczynami, ani jedna z owych aluzji, na jakie pozwalają sobie wszyscy mężczyźni, nie mając nawet jak on warunków na ich usprawiedliwienie. Nigdy nie zmusza mnie do owej baczności, jaką musi dziś rozwijać każda szanująca się kobieta, aby powstrzymać zapędy otaczających mężczyzn. Umie nie nadużywać wesołości, którą promieniuje dokoła. Lubi może nadto chwalić, ale czyni to w sposób tak delikatny, że zdołałby Skromność samą oswoić z pochlebstwem. Słowem, gdybym miała brata, pragnęłabym, aby był taki, jakim pan de Valmont tutaj się przedstawia. Wiele kobiet życzyłoby sobie może wyraźniejszego nadskakiwania z jego strony; co do mnie, wyznaję, wdzięczna mu jestem, iż umiał mnie ocenić dość dobrze na to, by mnie nie stawiać w ich liczbie.

Ten obraz pana de Valmont różni się bez wątpienia bardzo od wizerunku, który ty mi nakreśliłaś; mimo to oba mogą być wierne, zależnie od czasu. On sam przyznaje, iż popełnił wiele błędów; może i świat dorzucił niejedno na jego rachunek. Ale niewielu mężczyzn zdarzyło mi się spotkać, którzy by mówili o uczciwych kobietach z większym szacunkiem, powiedziałabym, prawie uwielbieniem. Z listu pani wnoszę, że przynajmniej ta jego cnota nie jest obłudą. Sposób, w jaki odnosi się do pani de Merteuil, jest tego dowodem. Często mówi o niej, a zawsze z takimi pochwałami i z akcentem tak szczerego przywiązania, iż mniemałam do pani listu, że to, co on nazywa ich przyjaźnią, jest, w gruncie, miłością. Wyrzucam sobie obecnie sąd tak niebaczny, w którym ponoszę tym większą winę, ile że pan de Valmont sam niejednokrotnie dokładał starań, aby uchronić tę zacną osobę od takich podejrzeń. Wyznaję, iż uważałam jedynie za dyskrecję to, co było z jego strony uczciwą szczerością. Nie wiem, nie wydaje mi się, że ktoś, kto jest zdolny do równie stałej przyjaźni dla kobiety tak godnej szacunku, nie może być beznadziejnym lekkoduchem. Poza tym nie wiem, czy owo stateczne prowadzenie się, jakiego tu daje dowody, zawdzięczamy jakiejś miłostce w okolicy, jak pani przypuszcza. Jest wprawdzie parę powabnych kobiet w sąsiedztwie, ale pan de Valmont wychodzi z domu w ogóle mało, wyjąwszy rano: mówi, że idzie polować. To prawda, rzadko przynosi zwierzynę, ale zapewnia, iż bardzo zeń niezręczny myśliwy. Zresztą, niezbyt się troszczę, co on może robić poza domem; jeżeli pragnęłabym wiedzieć, to jedynie, aby mieć jedną przyczynę więcej przychylenia się do twego zdania lub też przekonania cię o słuszności mego.

Co się tyczy rady twojej, droga przyjaciółko, abym postarała się o skrócenie pobytu pana de Valmont, wyznaję, że nie wiem czy ośmieliłabym się prosić jego ciotkę, aby odmówiła gościny siostrzeńcowi, zwłaszcza że jest doń bardzo przywiązana. Przyrzekam jednak — jedynie, by iść za twą radą, a nie z istotnej potrzeby — że chwycę się jakiejś sposobności i spróbuję przedłożyć tę prośbę albo jej, albo wprost jemu. Co się mnie tyczy, mąż mój wie, iż miałam zamiar zostać tutaj do jego powrotu, i zdziwiłby się, nie bez słuszności, gdybym tak lekko odmieniła postanowienie.

Rozpisałam się może zbyt długo, ale zdawało mi się, że winna jestem prawdzie owo pochlebne świadectwo dla pana de Valmont, świadectwo, którego w twoich oczach, pani, bardzo potrzebował. Niemniej szczerze wdzięczną jestem za przyjaźń, która podyktowała ci twoje przestrogi. Jej również zawdzięczam wszystkie miłe słowa, jakimi mnie obdarzasz z okazji małżeństwa córki. Dziękuję serdecznie za zaproszenie, ale mimo całej przyjemności, jaką sobie obiecuję po chwilach spędzonych w pani towarzystwie, poświęciłabym je chętnie, gdyby przez to panna de Volanges prędzej mogła stać się szczęśliwą, o ile w ogóle może być nią bardziej niż teraz, przy boku matki, tak godnej jej czułości i szacunku. Podzielam z nią oba te uczucia i proszę, abyś raczyła przyjąć to zapewnienie ze zwykłą dobrocią.

Mam zaszczyt etc.

*** 13 sierpnia 17**

LIST XII
Cecylia Volanges do markizy de Merteuil

Donoszę pani, że mama jest cierpiąca; nie wychodzi dzisiaj i muszę dotrzymywać jej towarzystwa, nie będę więc miała zaszczytu towarzyszyć pani do Opery. Zapewniam panią, o wiele bardziej żałuję, że nie będę razem z panią, niż całego widowiska. Mam nadzieję, że pani nie wątpi o tym, bardzo o to proszę. Ja panią tak kocham! Czy będzie pani tak dobra powiedzieć panu kawalerowi Danceny, że nie mam zbiorku, o którym mówił, i że jeżeli może go przynieść jutro, sprawi mi wielką przyjemność? Gdyby przyszedł dziś, powiedziano by mu, że nas nie ma w domu: mama nie chce nikogo dziś przyjmować. Mam nadzieję, że jutro będzie jej już lepiej.

Mam zaszczyt etc.

13 sierpnia 17**

LIST XIII
Markiza de Merteuil do Cecylii Volanges

Bardzo jestem zmartwiona, ślicznotko, że nam się tak nie składa, ale mam nadzieję, że sposobność jeszcze się powtórzy. Wywiążę się z twego zlecenia wobec kawalera Danceny, który z pewnością bardzo się trapi wiadomością, że mama chora. Jeżeli pani de Volanges zechce mnie przyjąć jutro, przyjdę dotrzymać jej towarzystwa. Wyzwiemy we dwie kawalera de Belleroche* do walki w pikietę, a ogrywając go będziemy miały na domiar przyjemności satysfakcję przysłuchiwania się, jak śpiewasz ze swoim miłym nauczycielem. Jeżeli to dogadza matce i tobie, ręczę za siebie i za moich kawalerów. Do widzenia, moja śliczna; pozdrowienia drogiej pani de Volanges. Ściskam was z całego serca.

13 sierpnia 17**

LIST XIV
Cecylia Volanges do Zofii Carnay
w klasztorze urszulanek w***

Nie pisałam wczoraj, droga Zosiu, ale nie nadmiar przyjemności jest tego przyczyną, możesz mi wierzyć. Mama była chora, nie opuściłam jej cały dzień ani na chwilę. Wieczorem, kiedy znalazłam się w swoim pokoju, nie miałam głowy do niczego; czym prędzej położyłam się, aby się upewnić, że dzień się już skończył: jeszcze mi się nigdy nie wydał równie długi. To nie znaczy, abym nie kochała mamy, ale nie wiem, co to takiego. Miałam iść do Opery z panią de Merteuil; kawaler Danceny z nami. Wiesz dobrze, że to są dwie osoby, które lubię najwięcej w świecie. Skoro nadeszła godzina, o której się zaczyna przedstawienie, serce mi się ścisnęło mimo woli. Wszystko mi zbrzydło nagle; płakałam, płakałam tak, że nie mogłam się powstrzymać. Na szczęście, mama

---

* Ten sam, o którym mowa w listach pani de Merteuil do Valmonta.

leżała w łóżku i nie mogła widzieć. Jestem pewna, że kawaler Danceny był także zmartwiony; ale on miał przynajmniej na pociechę widowisko i ludzi: to całkiem co innego.

Na szczęście, mama dziś ma się lepiej i pani de Merteuil przyjdzie z kawalerem Danceny i innym jakimś panem; ale pani de Merteuil przychodzi zawsze bardzo późno, a jak się jest tak długo samej, to strasznie nudno. Dopiero jedenasta. Prawda, że muszę pograć trochę na harfie; przy tym toaleta także zajmie nieco czasu, bo chciałabym być dziś dobrze uczesana. Zdaje się, matka Anuncjata miała słuszność: kiedy człowiek zaczyna żyć w świecie, robi się zalotny. Od kilku dni strasznie chciałabym ładnie wyglądać, a ze smutkiem widzę, że nie jestem tak ładna, jak mi się dawniej wydawało; przy tym, przy kobietach, które się różują, straszliwie się traci. Na przykład pani de Merteuil; widzę dobrze, że wszyscy mężczyźni uważają ją za ładniejszą ode mnie: to mnie niezbyt martwi, bo ona mnie bardzo lubi; a przy tym zapewnia mnie, że kawalerowi Danceny ja się więcej podobam. Bardzo szlachetnie z jej strony, że mi to powiedziała! Zdawało mi się nawet, że jest z tego rada. Tego to już nie rozumiem. Jak ona mnie lubi! A on!... Och, tym to strasznie się cieszę! Toteż zdaje mi się, że wystarczy mi na niego popatrzeć, aby już stać się ładniejszą. Patrzałabym też ciągle, gdybym się nie lękała spotkać jego oczu; za każdym razem, kiedy mi się to przytrafi, mieszam się zaraz i jakoś mi się robi przykro; ale to nic.

Do widzenia, jedyna; zabieram się do toalety. Kocham cię zawsze jak dawniej.

Paryż, 14 sierpnia 17**

LIST XV
Wicehrabia de Valmont do markizy de Merteuil

Bardzo to ładnie z twojej strony, markizo, że niezupełnie zapominasz o mnie w moich smutnych losach. Życie, jakie tu wiodę, jest w istocie nużące przez nadmierny spokój i bezbarwną jednostajność. Odczytując twój list i szczegóły owego rozkosznego dnia, doznawałem po dwadzieścia razy pokusy, aby zmyślić jakąś pilną sprawę, polecieć do twoich stóp i wybłagać, abyś bodaj na chwilę sprzeniewierzyła się kawalerowi, który, bądź co bądź, nie zasługuje na swoje szczęście. Czy wiesz, markizo, sprawiłaś, iż uczułem się zazdrosny? Cóż ty mi mówisz o wieczystym zerwaniu? Odwołuję te śluby, wyrzeczone kiedyś w jakimś obłędzie; nie bylibyśmy godni ich uczynić, gdybyśmy istotnie mieli ich dotrzymać. Ach, gdybym mógł kiedyś pomścić w twych ramionach mimowolną przykrość, która stała się przyczyną szczęścia kawalera! Jestem oburzony, wyznaję, gdy pomyślę, że ten człowiek, bez żadnego planu, nie zadając sobie najmniejszego trudu, ot, idąc po prostu za własnym sercem, znajduje szczęście, którego ja nie mogę dosięgnąć. Och, ja mu je zamącę... Przysiąż mi, że je zamącę. Ty sama czyż nie czujesz się upokorzona? Ty sobie zadajesz tyle trudu, aby go oszukiwać, a on się czuje szczęśliwszy od ciebie! Tobie się zdaje, że go trzymasz w niewoli, a to ty raczej dźwigasz jego kajdany. On śpi spokojnie, gdy ty czuwasz, łamiąc sobie głowę nad jego przyjemnościami. Cóż innego czyniłaby jego niewolnica?

Tak, piękna przyjaciółko, dopóki dzielisz się między kilku, nie czuję cienia zazdrości: widzę wówczas w twoich kochankach jedynie następców Aleksandra, niezdolnych utrzymać społem królestwa, którym ja władałem sam jeden. Ale abyś się miała oddać wyłącznie jednemu! Aby inny mężczyzna miał posiąść szczęście, które było moim udziałem! Tego nie ścierpię: nie myśl, bym zdołał to przenieść. Albo mnie weź z powrotem, albo przynajmniej weź jeszcze kogoś: nie zdradzaj, przez wyłączność swego kaprysu, owej niezniszczalnej przyjaźni, którąśmy sobie poprzysięgli.

Dosyć już chyba złego, jeśli miłość jest mi niełaskawa. Widzisz, markizo, że skłaniam się do twych poglądów i przyznaję do własnych słabości. W istocie, jeżeli być zakochanym znaczy nie móc żyć bez posiadania tego, czego się pragnie, poświęcać temu swój czas, swoje przyjemności, życie, to naprawdę jestem zakochany. W niczym to zresztą nie polepsza sprawy. Nie miałbym ci nawet nic do doniesienia w tym przedmiocie, gdyby nie pewien wypadek, który mi daje dużo do myślenia i który nie wiem jeszcze, czy mnie winien przejąć obawą, czy nadzieją.

Znasz mego strzelca; wiesz, co to za skarbnica przebiegłości, istny sługus z komedii; zgadujesz łatwo, że z urzędu swego miał robić słodkie oczy do panny służącej i rozpajać ludzi. Szelma, ma więcej szczęścia ode mnie: już coś uzyskał. Odkrył mianowicie, że pani de Tourvel poleciła któremuś z ludzi, aby się wywiedział o moje prowadzenie, a nawet, aby mi towarzyszył z daleka rano, o ile mu się to uda bez zwrócenia uwagi. Cóż ona sobie myśli? Ona, ta skromnisia, ośmiela się brać na sposoby, na które zaledwie my byśmy się odważyli! Klnę się, że... Ale nim zacznę myśleć nad zemstą za tę babską sztuczkę, zajmijmy się sposobami obrócenia jej na swoją korzyść. Aż dotąd te podejrzane wycieczki nie miały żadnego celu; trzeba im go wynaleźć. Zadanie to wymaga całego skupienia umysłu, opuszczam cię więc, markizo, aby się nad tym zastanowić.

Do widzenia, piękna przyjaciółko!

Zawsze z ***, 15 sierpnia 17**

LIST XVI
Cecylia Volanges do Zofii Carnay

Ach, moja Zosiu, ileż nowin! Nie powinnam ci może mówić, ale muszę przecież zwierzyć się przed kimś; nie umiałabym się powstrzymać. Kawaler Danceny... Jestem tak wzruszona, że nie mogę wprost pisać: nie wiem, od czego zacząć. Od czasu jak ci opowiadałam o przemiłym wieczorze*, który spędziłam u mamy z nim i z panią de Merteuil,

---

* List, w którym mowa jest o tym wieczorze, nie odnalazł się. Można przypuszczać, że to ów wieczór projektowany w bileciku pani de Merteuil, o którym jest również mowa w poprzedzającym liście panny de Volanges.

45

nie mówiłam ci o nim więcej: nie chciałam już mówić, ale myślałam o nim ciągle. Od tego czasu on się zrobił smutny, ale taki smutny, że mi aż przykro było; kiedy pytałam, czemu, mówił, że nie; ale ja widziałam dobrze! Wreszcie wczoraj był jeszcze smutniejszy niż zazwyczaj. Mimo to był na tyle uprzejmy, że śpiewał ze mną jak zawsze, ale za każdym razem, kiedy na mnie popatrzył, serce mi się ściskało. Skoro skończyliśmy śpiewać, poszedł schować harfę, następnie zaś oddając klucz od puzdra prosił, abym przegrała sobie jeszcze wieczorem, skoro znajdę się sama. Nie podejrzewałam nic a nic; wymawiałam się nawet; ale on tak prosił, aż powiedziałam, że dobrze. Wiedział czemu! Zatem, skoro wróciłam do siebie i kiedy panna służąca sobie poszła, wyjęłam harfę i, wystaw sobie, znalazłam między strunami list od niego, złożony tylko i nie zapieczętowany! Ach, gdybyś ty wiedziała, co on mi tam pisze! Od czasu jak przeczytałam ten list, taka jestem szczęśliwa, że nie mogę myśleć o niczym innym. Odczytałam go cztery razy z rzędu, a potem zamknęłam w sekretarzyku. Umiałam calutki na pamięć; kiedy już leżałam, powtarzałam sobie tyle razy, że do spania zupełnie odeszła mi ochota. Jak tylko zamknęłam oczy, widziałam go tuż przed sobą, jak mi powtarza sam to wszystko, com wyczytała przed chwilą. Usnęłam bardzo późno; ledwiem się obudziła (było jeszcze bardzo wcześnie), poszłam wydobyć list, aby znowu odczytywać do syta. Zabrałam go z sobą do łóżka, a potem całowałam tak, jak gdyby... To może niedobrze całować list w taki sposób, ale nie mogłam się wstrzymać.

Z tym wszystkim, droga Zosieńko, chociaż jestem bardzo rada, mam i wielki kłopot; bo to pewna, że nie powinnam odpowiadać na taki list. Wiem dobrze, że nie trzeba, ale cóż, kiedy on prosi; jeżeli nie odpowiem, znowu będzie taki smutny. To naprawdę strasznie niedobrze! Cóż mi radzisz? Ale ty tak samo nic nie wiesz jak ja. Mam wielką ochotę zwierzyć się pani de Merteuil, która mnie bardzo kocha. Chciałabym go strasznie pocieszyć, ale nie chciałabym zrobić nic, co by było nie tak, jak trzeba. Tyle nam mówią, że powinno się mieć dobre serce! A potem, jak tylko chodzi o mężczyznę, zabraniają iść za tym, co ono mówi! Co za niesprawiedliwość! Czy mężczyzna nie jest naszym bliźnim tak samo jak kobieta, i bardziej jeszcze? Bo przecież ma się tak samo ojca jak matkę, tak samo brata jak siostrę! Zostaje więc jeszcze mąż jako nadwyżka. Jednak gdybym miała zrobić coś, co nie trzeba, może i sam pan Danceny nie miałby o mnie dobrego wyobrażenia! Och, gdyby tak, już wolę, żeby był smutny, a zresztą zawsze mam czas to naprawić. Że on napisał do mnie wczoraj, to jeszcze ja nie jestem obowiązana pisać zaraz dziś; dziś wieczór zobaczę panią de Merteuil i jeżeli się na to zdobędę, opowiem jej wszystko. Zrobię po prostu to, co ona powie, nie będę miała sobie nic do wyrzucenia. A może ona powie, że mogę odpowiedzieć troszeczkę, żeby nie był smutny! Och, straszniem zmartwiona. Do widzenia, moja złota. Powiedz mi, w każdym razie, co myślisz.

Paryż, 19 sierpnia 17**

LIST XVII
Kawaler Danceny do Cecylii Volanges

Pani! Zanim się oddam – nie wiem, jak to nazwać – szczęściu czy też potrzebie pisania do pani, błagam, abyś mnie raczyła wysłuchać. Rozumiem, iż ważąc się na zwierzenie mych uczuć potrzebuję całej twej pobłażliwości; byłaby ona zbyteczna, gdyby chodziło tylko o usprawiedliwienie tego, co czuję. Bo czymże jest to wyznanie, jeśli nie stawieniem ci przed oczy twego własnego dzieła? I co mogę ci powiedzieć, pani, czego by moje spojrzenia, moje wzruszenie, zachowanie się, milczenie nawet nie zdradziły ci wcześniej, nim ja się ośmieliłem to uczynić? I czemu byś się miała gniewać o uczucie, które sama zbudziłaś? Natchnione przez ciebie, nie może być ciebie niegodnym: jeśli jest płomienne jak moja dusza, czyste jest jak twoja. Miałożby być zbrodnią, iż umiałem ocenić uroczą twarzyczkę, czarujące talenty, nieodparty wdzięk i wzruszającą niewinność, która dodaje ileż

47

ceny tym tak już cennym przymiotom? Nie, z pewnością nie: ale nie będąc winnym, można być nieszczęśliwym; oto los, który mnie czeka, jeśli ty, pani, odtrącisz moje uwielbienie. Jest to pierwszy hołd, jaki serce me złożyło komukolwiek. Bez ciebie byłbym dotąd, nie powiem – szczęśliwy, ale spokojny. Ujrzałem ciebie: spokój odleciał, a szczęście tak niepewne! Mimo to dziwisz się memu smutkowi; pytasz o przyczynę; czasem nawet zdawało mi się, że on i ciebie dotyka. Ach, powiedz słowo, a szczęście moje stanie się twym dziełem! Ale nim je wypowiesz, pomyśl, że jedno słowo może również dopełnić miary nieszczęścia. Bądź zatem władczynią mego losu. Przez ciebie mogę być na wieki zbawiony lub przeklęty. W jakież droższe ręce mógłbym złożyć sprawę większej dla mnie wagi?

Kończę, jak zacząłem: odwołaniem się do twej pobłażliwości. Prosiłem, abyś mnie wysłuchała; odważę się na więcej: błagam, byś raczyła odpowiedzieć. Odmówić znaczyłoby pozwalać mi przypuszczać, że czujesz się obrażona, serce zaś moje jest rękojmią, że mój szacunek dorównywa miłości.

PS. Gdybyś raczyła mi, pani, odpowiedzieć, możesz się posłużyć sposobem, którego ja użyłem; zdaje mi się równie pewny, jak dogodny.

18 sierpnia 17**

LIST XVIII
Cecylia Volanges do Zofii Carnay

Jak to, Zosiu, z góry już potępiasz to, co chcę uczynić; dość miałam niepokojów, a ty je jeszcze pomnażasz! To jasne, powiadasz, że nie powinnam odpowiadać. Łatwo tobie mówić; zresztą, ty nie wiesz naprawdę, jak jest; nie widzisz na własne oczy. Jestem pewna, że na moim miejscu zrobiłabyś jak ja. Z pewnością, w zasadzie nie należy odpowiadać; widziałaś po moim wczorajszym liście, że i ja nie chciałam; bo też nie przypuszczam, aby ktoś kiedy znajdował się w podobnym położeniu!

Do tego musiałam rozstrzygać zupełnie sama! Pani de Merteuil, którą spodziewałam się zobaczyć wczoraj, nie przyszła. Wszystko obraca się przeciw mnie; przecież to ona jest przyczyną, że jego poznałam. Prawie zawsze przy niej widywałam go, rozmawiałam z nim. To nie znaczy, abym miała żal do niej, ale zostawia mnie tak samą w chwili największego kłopotu. Biedna ja, doprawdy!

Wyobraź sobie, on wczoraj przyszedł jak zwykle. Byłam tak zmieszana, że nie śmiałam nań popatrzeć. Nie mógł mówić ze mną: mama była w pokoju. Domyślałam się, że będzie zmartwiony, skoro zobaczy, że nie ma listu. Nie wiedziałam, jak się zachować. W chwilę potem zapytał, czy ma przynieść harfę. Serce mi biło tak mocno, że nic nie byłam w stanie odpowiedzieć, tylko: „Tak". Kiedy wrócił, było jeszcze gorzej. Popatrzyłam nań tylko króciutko. On nie patrzał na mnie, ale wyglądał tak, że można by pomyśleć, że jest chory. Strasznie mi było ciężko. Zaczął stroić harfę, a potem podając ją, rzekł: „Ach, pani!..." Tylko tyle, ale takim tonem, że wszystko się we mnie zatrzęsło. Wzięłam parę akordów nie wiedząc zupełnie, co czynię. Mama spytała, czy nie będziemy śpiewać. On wymówił się, że jest nieco cierpiący, ale ja nie miałam wymówki. Byłabym wolała nigdy nie mieć głosu. Wybrałam umyślnie jakąś arię, której nie przerabiałam, bo byłam pewna, że nie umiałabym śpiewać i że musiano by się czegoś domyślić. Szczęściem, zjawił się ktoś; skoro tylko usłyszałam turkot karety, przerwałam i poprosiłam go, aby odniósł harfę. Bałam się strasznie, że już całkiem sobie pójdzie, ale nie: wrócił.

Gdy mama i ta pani, która przyjechała, rozmawiały z sobą, chciałam nań popatrzeć jeszcze chwileczkę. Spotkałam się z jego oczami i niepodobna mi już było się oderwać. W chwilę później spostrzegłam, jak mu łzy płyną po twarzy; musiał się odwrócić, aby kto nie zauważył. Wówczas nie mogłam już się opanować; czułam, że sama się rozpłaczę. Wyszłam z pokoju i naprędce napisałam ołówkiem na kar-

49

teczce: „Niech pan nie będzie taki smutny, proszę bardzo; przyrzekam, że panu odpowiem". Nie możesz chyba powiedzieć, żeby w tym było co złego; zresztą, to było już nad moje siły. Założyłam za struny, jak on tamten list, i wróciłam. Czułam się znacznie spokojniejsza. Pilno mi było, żeby ta pani już odeszła. Na szczęście, śpieszyła się gdzieś i poszła niedługo. Zaledwie się zabrała, powiedziałam, że mam ochotę jeszcze pograć trochę, i prosiłam go, aby przyniósł harfę. Widziałam z twarzy, że niczego się nie domyśla. Ale z powrotem, och, jakiż był szczęśliwy! Ustawiając harfę, umieścił się w ten sposób, że mama nie mogła widzieć, i wziął mnie za rękę, przy tym uścisnął... ale jak!... Trwało to tylko chwilkę, ale nie umiem ci powiedzieć, jakie było przyjemne. Mimo to cofnęłam rękę, więc nie mam sobie nic do wyrzucenia.

Teraz, moja jedyna, widzisz, że nie mogę już nie napisać, skoro przyrzekłam; a przy tym nie umiałabym mu zrobić takiej przykrości, bo ja przez to cierpię bardziej jeszcze od niego. Gdyby chodziło o coś złego, z pewnością bym tego nie uczyniła. Ale cóż może być złego w napisaniu listu, zwłaszcza gdy chodzi o to, aby ktoś nie był nieszczęśliwy? Boję się tylko, że nie będę umiała dobrze napisać: ale on przecie zrozumie, że to nie moja wina; zresztą jestem pewna, że już przez to samo, że ode mnie, list zrobi mu przyjemność.

Do widzenia, Zosieńko najdroższa. Jeżeli myślisz, że źle uczyniłam, powiedz szczerze; ale nie zdaje mi się. W miarę jak zbliża się chwila pisania, serce mi bije tak, że nie możesz sobie wprost wyobrazić. Ale cóż, trzeba, skoro przyrzekłam.

21 sierpnia 17**

LIST XIX
Cecylia Volanges do kawalera Danceny

Był pan wczoraj tak smutny i robiło mi to taką przykrość, że to skłoniło mnie do przyrzeczenia, iż odpowiem panu na list. Zdaję sobie dobrze sprawę, że nie powinnam; ale skoro przyrzekłam, nie chcę uchylać się od danego słowa: to chyba dosyć świadczy o przyjaźni, jaką mam dla pana. Teraz, kiedy pan już wie, spodziewam się, że już pan nie będzie żądał, abym więcej pisała. Spodziewam się również, że pan nikomu nie powie, żem do pana pisała; z pewnością wzięto by mi to za złe i miałabym w domu wiele przykrości. Spodziewam się przede wszystkim, że pan sam nie będzie miał o mnie złego wyobrażenia; to by mnie zmartwiło daleko więcej jeszcze niż wszystko. Mogę upewnić, że nie zgodziłabym się na to dla nikogo prócz pana. Chciałabym bardzo w zamian, aby pan nigdy nie był już taki smutny jak wtedy; to mi odbiera całą przyjemność widzenia pana. Widzi pan, mówię bardzo szczerze. Z całego serca bym chciała, aby nasza przyjaźń trwała wiecznie, ale proszę bardzo, niech pan już nie pisze.

Mam zaszczyt pozostać...

Cecylia Volanges

Paryż, 21 sierpnia 17**

LIST XX
Markiza de Merteuil do wicehrabiego de Valmont

Ej, wicehrabio, nic dobrego z ciebie, przymilasz mi się z obawy, abym sobie nie drwiła! Ale nie lękaj się, przebaczam: piszesz mi w swoim liście tyle szaleństw, że muszę ci wybaczyć statek, jaki narzuca ci prezydentowa. Nie zdaje mi się, aby mój kawaler zdobył się na równą pobłażliwość; sądzę, przeciwnie, że takie odnowienie naszego kontraktu nie bardzo by mu się podobało i że twój szalony pomysł nie wydałby mu się zabawny. Co do mnie, uśmiałam się z całego serca i doprawdy żałowałam, że musiałam śmiać się sama jedna. Gdybyś w tej chwili znalazł się gdzie pod ręką, nie wiem, dokąd by mnie zaprowadziło rozbawienie; ale miałam czas opamiętać się i uzbroić w pancerz surowości. Nie znaczy to, abym odmawiała na zawsze; ale odraczam; mam powody. Gotowa by się we mnie obudzić miłość własna,

51

a skoro ona wejdzie w grę, nigdy nie wiadomo, dokąd może zaprowadzić. Byłabym zdolna na nowo chcieć zakuć cię w kajdany i wybić ci z głowy twoją prezydentową; a gdybym ja, niegodna, miała obrzydzić ci powab cnoty, pomyśl, co za zgorszenie! By uniknąć tego niebezpieczeństwa, oto moje warunki:

Skoro tylko zdobędziesz nabożnisię i będziesz mi mógł dostarczyć dowodów w tej mierze, przybywaj, a jestem twoja. Ale nie potrzebuję ci mówić, że w sprawach tej wagi dowody muszą być na piśmie. Przez taki układ, z jednej strony, ja stanę się nagrodą zamiast być pocieszeniem, ta myśl bardziej mi się uśmiecha; z drugiej, zwycięstwo twoje nad tą cnotką nabierze ostrzejszego smaku stając się tym samym drogą do tym rychlejszej niewierności. Przybywaj więc, przybywaj jak najśpieszniej z zakładem swego tryumfu, podobny dawnym chrobrym rycerzom, którzy u stóp swych dam składali trofea zwycięstwa. Doprawdy, szczerzem ciekawa, co może pisać skromnisia po takim momencie i w jakie zasłony spowija jeszcze swoje banialuki, wówczas gdy osobę pozwoliła już rozebrać ze wszystkich. Twoją rzeczą rozważyć, czy stawiam za siebie zbyt wysoką cenę; ale uprzedzam, nic nie opuszczę. Do tego czasu, drogi wicehrabio, pozwolisz, że zostanę wierna kawalerowi i że nadal będę się zabawiała uszczęśliwianiem go, mimo drobnej przykrości, jaką ci to sprawia.

Jednakże gdybym mniej miała zasad moralnych, obawiam się, iż miałby on w tej chwili niebezpiecznego rywala: małą Volanges. Szaleję wprost za tym dzieckiem: to istna namiętność. Albo się bardzo mylę, albo to będzie kiedyś jedna z naszych najbardziej rozrywanych piękności. Patrzę, jak stopniowo rozwija się to serduszko; obrazek wprost zachwycający. Kocha się już w Dancenym bez pamięci, ale jeszcze nic o tym nie wie. On, zakochany po uszy, ale niezdarny jak młokos, nie śmie jej nadto okazywać swych zapałów. Oboje ubóstwiają mnie po prostu. Mała zwłaszcza ma straszliwą ochotę zwierzyć mi swą tajemnicę; od kilku dni widzę, że rady sobie dać nie może. Wyświadczyłabym jej dobrodziejstwo, gdybym jej trochę pomogła, ale nie zapominam o tym, że to zupełne dziecko, i nie chcę się narażać. Danceny wynurzał się nieco wyraźniej; co do niego, droga moja jest zupełnie jasna: nie chcę słyszeć o niczym. Co się tyczy małej, nieraz bierze mnie pokusa, aby z niej zrobić swoją uczennicę; miałabym wielką ochotę oddać tę przysługę Gercourtowi. Czasu zostawia mi aż nadto, skoro do października ma tkwić na Korsyce. Bardzo mi się coś zdaje, że skorzystam z odwłoki i że w miejsce niewinnej pensjonarki damy mu za żonę gotową już kobietkę. Cóż bo w istocie za pewność siebie u tego człowieka, który ośmiela się zasypiać spokojnie, gdy obrażona przezeń kobieta nie zemściła się jeszcze? Ot, gdybym miała w tej chwili pod ręką tę małą, nie wiem, czego bym jej nie naplotła.

Bywaj mi zdrów, wicehrabio; życzę ci dobrej nocy i powodzenia w zamysłach; ale, na miłość Boga, postępujże trochę. Pomyśl, że jeżeli ty nie będziesz miał tej kobiety, wszystkie inne będą musiały się rumienić, iż miały ciebie.

Paryż, 19 sierpnia 17**

LIST XXI
Wicehrabia de Valmont do markizy de Merteuil

Nareszcie, piękna przyjaciółko, zrobiłem krok, ale krok nie lada; jeżeli nie doprowadził mnie do celu, to przynajmniej pouczył, że znajduję się na dobrej drodze, i rozprószył obawy, czym przypadkiem nie zbłądził na manowce. Nareszcie wyznałem miłość i jakkolwiek zachowano w tej mierze najupartsze milczenie, zdobyłem mimo to odpowiedź równie pochlebną, jak nie zostawiającą wątpliwości. Ale nie uprzedzajmy wypadków, sięgnijmy do początków.

Przypominasz sobie może, iż pani moja kazała śledzić me kroki. Zapragnąłem tedy, aby to gorszące przedsięwzięcie obróciło się ku powszechnemu zbudowaniu; oto co uczyniłem. Poleciłem memu *factotum*, aby mi znalazł w okolicy jakiegoś potrzebującego pomocy biedaka. Zlecenie nietrudne. Wczoraj po południu przyszedł mi oznajmić, że dziś rano komornik ma zająć cały dobytek ubogiej rodziny nie mającej z czego opłacać podatku. Upewniłem się, że nie ma w tym domu żadnej dziewczyny ani kobiety, których wiek i uroda mogłyby być podejrzane, i gdy już dokładnie zasięgnąłem języka, objawiłem przy wieczerzy zamiar polowania nazajutrz wczesnym rankiem.

Tu muszę oddać sprawiedliwość prezydentowej: musiały ją dręczyć wyrzuty sumienia, iż puściła się na śliską drogę śledzenia cudzych postępków, nie mogąc zaś zwalczyć ciekawości, zdobyła się na odwagę zwalczania mego zamiaru. „Zapowiada się na jutro straszne gorąco; mogę się nabawić choroby; nic nie zabiję, tylko zmęczę się na próżno" etc., etc. W ciągu tych perswazji spojrzenia jej wymowniejsze może, niżby pragnęła, dostatecznie świadczyły, jak gorąco sobie życzy, abym te racje przyjął za dobrą monetę. Ani mi w głowie było się poddawać, jak łatwo się domyślisz, markizo; oparłem się nawet małej wycieczce przeciw polowaniu i myśliwym, jak również chmurce niezadowolenia, która przesłoniła na resztę wieczoru niebiańskie oblicze. Obawiałem się przez chwilę, aby nie odwołała poleceń i aby ten spóźniony skrupuł nie pokrzyżował mych planów. Nie brałem w rachubę kobiecej ciekawości; toteż omyliłem się. Strzelec mój rozproszył moje obawy jeszcze tego wieczora; za czym, pełen zadowolenia, udałem się na spoczynek.

Z pierwszym brzaskiem zrywam się i wychodzę. Ledwie o pięćdziesiąt kroków od zamku – spostrzegam szpiega, który postępuje trop w trop za mną. Wchodzę na teren polowania i posuwam się ku wiosce będącej celem mej wyprawy, nie mając innej rozrywki, jak tylko porządne przepędzenie gamonia, który bojąc się zejść z gościńca musiał przebiegać przy każdym zwrocie potrójną drogę. Jednakże pędząc go w ten sposób i sam zgrzałem się porządnie; aby odpocząć chwilę, usiadłem pod drzewem. Patrzę spod oka, a ten hultaj posuwa bezczelność tak daleko, że skrada się wzdłuż krzaków, odległych nie więcej niż o dwadzieścia kroków, i również się rozsiada! Przez chwilę korciło mnie, aby mu posłać z jeden nabój, który, choć z drobnego śrutu, pouczyłby go o niebezpieczeństwach ciekawości: szczęściem dlań, przypomniałem sobie, że ten szpieg jest użyteczny, a nawet potrzebny dla moich zamysłów; to go ocaliło.

Niebawem znalazłem się we wsi; widzę zbiegowisko; zbliżam się, wypytuję; opowiadają mi wydarzenie. Każę wołać komornika i idąc za popędem szlachetnego współczucia płacę wspaniałomyślnie pięćdziesiąt funtów, za cenę których pięć osób miało pastradać dach nad głową i możność pracy. Po tym uczynku tak prostym nie wyobrażasz sobie, markizo, jakie błogosławieństwa posypały się na mą głowę, jakie łzy wdzięczności płynęły z oczu starca, głowy rodziny, i jaką pięknością uszlachetniły to oblicze patriarchy, które chwilę przedtem było niemal wstrętne z piętnem najstraszliwszej rozpaczy! Przyglądałem się temu, gdy nagle inny wieśniak, młodszy, prowadząc za rękę żonę i dwoje dzieci i zbliżając się żywo, rzekł: „Padnijmy wszyscy do nóg tego pana, dobrego jak sam Bóg". W tej chwili ujrzałem całą rodzinę klęczącą u mych kolan. Przyznaję się do słabości: oczy zwilżyły mi się łzami, uczułem wzruszenie niezależne od woli, ale pełne rozkoszy. Zdumiony byłem odkryciem, jak wiele przyjemności znajduje się czyniąc dobrze, i skłonny jestem przypuszczać, że ci, których zwykliśmy nazywać cnotliwymi, nie mają może takiej zasługi, jak by się zdawało. Tak czy owak, uważałem za słuszne zapłacić biednym ludziom przyjemność, jaką mi sprawili. Wziąłem z sobą dziesięć ludwików; rozdałem je.

Tak tedy pośród obfitych błogosławieństw całej rodziny wyglądałem sobie na jakiegoś bohatera dramatu w chwili szczęśliwego rozwiązania. Pojmujesz, że w tym tłumie główną osobą był dla mnie gorliwy szpieg. Cel był osiągnięty; uwolniłem się od gromady i wróciłem do zamku. Razem wziąwszy, mogę sobie powinszować pomysłu. Ta kobieta warta jest niewątpliwie, aby sobie zadać dla niej tyle trudów; kiedyś staną się one dla mnie brzęczącą walutą; w ten sposób, zapłaciwszy niejako z góry, będę mógł rozrządzać jej osobą bez najmniejszego wyrzutu.

Zapomniałem dodać, że chcąc już wszystko wyzyskać, prosiłem poczciwych ludzi, aby się modlili do Boga za spełnienie mych zamiarów. Zaraz przekonasz się, czy ich prośby nie zostały już w części wysłuchane... Ale oto oznajmiają mi, że wieczerza na stole; byłoby już za późno na wysłanie listu, gdybym go miał kończyć dopiero udając się na spoczynek. Zostawiam więc resztę do następnej przesyłki. Żałuję bardzo, bo reszta jest najciekawsza. Do widzenia, miła przyjaciółko. Okradasz mnie o jedną chwilę rozkoszy oglądania mego bóstwa.

Zamek***, 18 sierpnia 17**

LIST XXII
Prezydentowa de Tourvel do pani de Volanges

Sądzę, iż rada pani będzie zapoznać się z pewnym rysem pana de Valmont, rysem, który – o ile mi się zdaje – odbiega od tych, jakimi go pani odmalowano. Tak przykro jest myśleć źle o kimkolwiek, tak boleśnie znajdować jedynie błędy w tych, którzy by mieli wszelkie warunki, aby przedstawić cnotę we wszystkich jej powabach! Wreszcie, pani tak ceni pobłażliwość, że jedynie można się ucieszyć, dostarczając motywów cofnięcia nazbyt może surowego sądu. Zdaje mi się, że pan de Valmont miałby prawo do tej łaski, powiedziałabym, niemal do tej sprawiedliwości; i oto na czym buduję to mniemanie.

Dziś rano wybrał się na jedną z owych przechadzek, które mogły pani nasunąć przypuszczenie, że pan de Valmont ma już jakąś miłostkę w okolicy, przypuszczenie, którego – przyznaję się do winy – chwyciłam się może zbyt żywo. Szczęściem dlań, a zwłaszcza szczęściem dla nas (ocala nas to od niesprawiedliwości), któryś z moich ludzi szedł właśnie w tę stronę*; dzięki temu ciekawość moja, karygodna, ale

---

* Czyżby pani de Tourvel nie śmiała wyznać, iż było to z jej rozkazu?

w tym wypadku zbawienna, została zaspokojona. Człowiek ów przyniósł wiadomość, że pan de Valmont, znalazłszy we wsi*** nieszczęśliwą rodzinę, której dobytck właśnie miano zająć, bo nie miała z czego opłacić podatków, nie tylko pośpieszył wyrównać dług biednych ludzi, ale nawet wręczył im dość znaczną kwotę. Biedacy wspominali również o jakimś służącym, który z opisu wygląda na służącego pana de Valmont, a który poprzedniego dnia zasięgał wiadomości o najbardziej potrzebujących pomocy. Jeżeli tak było w istocie, nie jest to nawet przelotne i wynikłe z przypadku współczucie; to już zamiar czynienia dobrze; dobroczynność uprawiana ze zrozumieniem; najwznioślejsza cnota najpiękniejszych dusz na ziemi. Zresztą, z rozmysłu czy z przypadku, jest to w każdym razie czyn zacny i chwalebny; samo opowiadanie o nim wzruszyło mnie do łez. Dodam więcej, również dla sprawiedliwości, że kiedy wspomniałam panu de Valmont o zdarzeniu, o którym sam nie rzekł ani słowa, zrazu się zapierał, a skoro wreszcie się przyznał, uczynił to ze skromnością zwiększającą jeszcze zasługę.

A teraz powiedz mi, czcigodna przyjaciółko: jeżeli pan de Valmont jest w istocie zakamieniałym niegodziwcem, a postępuje w ten sposób, cóż zaprawdę wypadnie czynić ludziom poczciwym? Jak to! Źli mieliby dzielić z dobrymi święte rozkosze zacnego uczynku? Bóg miałby pozwolić, aby cnotliwa rodzina otrzymywała z ręki nędznika ratunek i składała zań dzięki Jego boskiej Opatrzności? Mógłby sobie podobać w tym, aby słyszeć, jak czyste usta zlewają błogosławieństwa na wyrodka? Nie! Wolę przypuścić, że błędy jego, choć zastarzałe, nie płyną z jego natury; nie mogę myśleć, aby ten, który czyni dobrze, miał być wrogiem cnoty. Pan de Valmont jest może tylko jednym przykładem więcej niebezpieczeństwa złych wpływów. Chwytam się tego przypuszczenia, w które rada bym uwierzyć.

Mam zaszczyt być etc.

PS. Wybieramy się w tej chwili wraz z panią de Rosemonde, aby poznać tę zacną a nieszczęśliwą rodzinę i dołączyć naszą spóźnioną pomoc do ofiary pana de Valmont.

Weźmiemy go ze sobą. W ten sposób damy przynajmniej tym dobrym ludziom przyjemność oglądania swego dobroczyńcy; to zdaje się wszystko, co nam pozostawił do zrobienia.

Z ***, 18 sierpnia 17**

LIST XXIII
Wicehrabia de Valmont do markizy de Merteuil

Przerwaliśmy tedy korespondencję na chwili mego powrotu; idźmy dalej. Przebrałem się śpiesznie i udałem się do salonu, gdzie moja pani pracowała nad haftem, gdy proboszcz czytał ciotce gazetę. Zbliżyłem się i siadłem przy krosnach. Parę spojrzeń, słodszych jeszcze niż zazwyczaj, niemal pieszczotliwych, pozwoliło mi domyślić się, że służący zdał już sprawę z poselstwa. Jakoż ciekawa istotka nie umiała długo utrzymać tak chytrze zdobytej tajemnicy i nie wahając się przerwać czcigodnemu pasterzowi, którego czytanie mocno przypominało kazanie niedzielne, rzekła: „I ja też mam coś do opowiedzenia", po czym z miejsca wyrecytowała całą mą przygodę, z dokładnością zaszczytnie świadczącą o jej talencie dziejopisa. Wyobrażasz sobie, jak skwapliwie rozwinąłem skarby skromności: ale któż byłby zdolny powstrzymać kobietę śpiewającą bezwiednie pochwały tego, którego kocha? Ostatecznie, trzeba jej było zostawić wolne pole. Podczas tego panegiryku ja, śledząc ją spod oka, czerpałem najrozkoszniejsze nadzieje w tkliwym spojrzeniu, w ruchach bardziej ożywionych niż zwykle, a przede wszystkim w głosie, który już samym brzmieniem zdradzał stan jej duszy. Ledwie skończyła mówić, ozwała się pani de Rosemonde: „Pójdź, chłopcze, niech cię ucałuję". Połapałem się natychmiast, że piękna kaznodziejka również nie będzie mogła się obronić przed mym uściskiem. Mimo to chciała uciekać, ale w tejże chwili znalazła się w mych ramionach: nie tylko że nie miała mocy się opierać, ale ledwie zdołała utrzy-

58

mać się na nogach. Im dłużej patrzę na tę kobietę, tym bardziej staje mi się pożądaną. Z pośpiechem wróciła do krosien i na pozór zabrała się do haftu; ale widziałem, że drżenie rąk nie pozwala jej rozpocząć.

Po obiedzie panie zapragnęły ujrzeć ową tak wspaniałomyślnie ocaloną rodzinę; musiałem im towarzyszyć. Oszczędzę ci, markizo, nudy z drugiej serii pochwał i wdzięczności. W ciągu drogi piękna prezydentowa, pogrążona w zadumie, nie rzekła ani słowa. Ja też milczałem, myśląc nad sposobami rychłego wyzyskania dzisiejszych wypadków. Jedynie pani de Rosemonde usiłowała gawędzić, odbierając zaledwie skąpe i krótkie odpowiedzi. Musieliśmy ją znudzić; leżało to w moich planach i powiodło się w zupełności. Toteż wysiadłszy z powozu udała się do siebie, zostawiając nas sam na sam w słabo oświetlonym salonie: łagodny półmrok, dodający odwagi trwożliwej miłości.

Bez trudu udało mi się skierować rozmowę na zamierzone tory. Zapał uroczej kaznodziejki przyszedł mi z pomocą. „Skoro się jest tak powołanym do tego, aby czynić dobrze – rzekła patrząc na mnie ze słodyczą – jak można trawić życie na złym?" – „Nie zasługuję – odparłem – ani na tyle pochwał, ani na tyle potępienia; nie pojmuję, w jaki sposób przy swoim rozumie i bystrości nie przeniknęła jeszcze pani mojej tajemnicy. Chociażby szczerość miała mi zaszkodzić w pani oczach, zbyt godna jej jesteś, bym mógł przed tobą coś ukrywać. Klucz do mego życia znajdziesz w charakterze, niestety zbyt słabym. Otoczony ludźmi bez zasad, naśladowałem ich błędy; może nawet siliłem się przywyższyć ich jeszcze. Tak samo teraz, pociągnięty przykładem cnoty, choć bez nadziei dorównania ci, pani, chciałem próbować bodaj zbliżyć się do ciebie. Kto wie? Czyn, za który chwalisz mnie dzisiaj, straciłby może całą wartość w twych oczach, gdybyś znała jego pobudki! (Widzisz, markizo, jak bliski tu byłem najistotniejszej prawdy.) Wcale nie mnie – ciągnąłem – ci biedacy zawdzięczają ratunek. Tam gdzie pani widzisz chwalebny postępek, ja szukałem jedynie sposobu zyskania w twych oczach. Byłem, skoro mam wyznać całą prawdę, jedynie słabym narzędziem bóstwa, które uwielbiam (tu chciała przerwać, lecz nie pozwoliłem). I dziś – dodałem – jedynie słabość charakteru zdradziła ci mą tajemnicę. Przyrzekłem sobie zmilczeć ją przed panią; szczęściem było mi nieść twoim cnotom, jak i twoim wdziękom, czysty hołd, o którym nigdy nie miałaś się dowiedzieć. Nie zdołałem wytrwać, ale w ten sposób nie będę sobie bodaj wyrzucał wobec ciebie niegodnej obłudy. Nie sądź, pani, iż śmiem cię obrażać zuchwałą nadzieją. Będę nieszczęśliwy, wiem o tym; ale cierpienia moje zostaną mi zawsze drogie: będą świadectwem bezmiaru mej miłości; u twoich stóp, na twym łonie pragnę złożyć swoje udręki. Tam będę czerpał siły do nowych cierpień; tam znajdę pełną współczucia dobroć i ulgę w niedoli, skoro ty, pani, mnie się użalisz. O ty, którą ubóstwiam, wysłuchaj mnie, ulituj się nade mną, wesprzyj mnie". W ciągu tej przemowy znalazłem się u jej kolan i tuliłem jej ręce; ale ona, uwalniając je nagle z mego uścisku i cisnąc je do oczu z wyrazem rozpaczy, wykrzyknęła: „Ach, ja nieszczęśliwa!", po czym zalała się łzami. Na szczęście, ja przejąłem się do tego stopnia rolą, że płakałem również; ujmując jej ręce, oblałem je obficie łzami. Było to prawie konieczne, gdyż pochłonięta własną boleścią nie byłaby zauważyła mego wzruszenia. Dzięki temu mogłem napatrzyć się tej czarującej twarzy, którą przemożny powab łez czynił jeszcze piękniejszą. Głowę miałem całą w ogniu i tak dalece nie byłem panem siebie, że już chciałem się pokusić o wyzyskanie sytuacji.

Ach, jakiż słaby jest człowiek! Jakąż władzę mają nad nami okoliczności, skoro ja sam, zapominając o mych zamiarach, gotów już byłem przez takie przedwczesne zwycięstwo poświęcić urok długich walk i słodycze powolnego upadku; skoro uniesiony pragnieniem godnym młokosa, miałem już narazić zwycięzcę pani de Tourvel na to, aby otrzymał jako owoc mozołów jedynie mdłą przyjemność posiadania jednej kobiety więcej! Och, nie! Niech się podda, ale niech walczy; niech nie mając dość siły, aby zwyciężyć, ma jej na tyle, aby się opierać: niech karmi się do syta poczuciem własnej słabości i niech będzie zmuszona sama uznać swą porażkę. Zostawmy raubszycom zabijanie jelenia z zasadzki: prawdziwy myśliwiec musi go ująć w regularnym pościgu. Jest coś szczytnego w tym zamiarze, nieprawdaż? Ale kto wie, czy zdołałbym w nim wytrwać, gdyby przypadek nie przyszedł w pomoc rozsądkowi.

Usłyszeliśmy szelest. Ktoś wszedł. Pani de Tourvel, przestraszona, wstała śpiesznie, chwyciła świecznik i wyszła. Nie mogłem jej zatrzymywać. Okazało się, że to tylko służący. Skoro tylko upewniłem się o tym, podążyłem za nią. Ledwiem zrobił kilka kroków, ona, zdjęta nieokreślonym lękiem, przyśpieszyła kroku i raczej wpadła, niż weszła do swego pokoju, zamykając gwałtownie drzwi. Chciałem się wśliznąć za nią, ale zamknęła się na klucz. Nie zapukałem oczywiście; byłbym jej dał sposobność do nazbyt łatwego oporu. Wpadłem na szczęśliwą a prostą myśl, aby zajrzeć przez dziurkę od klucza: ujrzałem tę anielską kobietę na kolanach, zalaną łzami, pogrążoną w gorącej modlitwie. Jakiegoż Boga ważyła się przyzywać? Czyż istnieje potężniejszy niż Miłość? Próżno sili się uciekać do obcej pomocy; w moim już ręku spoczywają jej losy.

W przekonaniu, iż dosyć zdziałałem jak na jeden dzień, udałem się też do siebie i zabrałem się do tego listu. Myślałem, że ujrzę panią de Tourvel przy wieczerzy; kazała oznajmić, że jest cierpiąca i położyła się. Pani de Rosemonde chciała ją odwiedzić; wymówiła się straszliwym bólem głowy. Pojmujesz, że po wieczerzy niedługo trwała zabawa w salonie i że ja również dostałem migreny. Wróciwszy do siebie, napisałem długi list z wyrzutami za takie postępowanie i położyłem się z zamiarem oddania go nazajutrz rano. Nie mogąc usnąć wstałem, aby jeszcze odczytać swoje bazgroty, i stwierdziłem, że nie dość czuwałem nad sobą: więcej w nich przebija żądzy niż miłości i więcej irytacji niż smutku. Będę musiał przerobić; ale na to trzeba by mieć spokojniejszą głowę.

Już pierwszy brzask; może on mi sen przyniesie. Wracam do łóżka; mimo całej władzy, jaką ma nade mną ta kobieta, przysięgam ci, markizo, aż nazbyt często nawiedza mnie w snach twoja urocza postać. Do widzenia, piękna przyjaciółko.

Z ***, 19 sierpnia 17** o godzinie 3 rano

LIST XXIV
Wicehrabia de Valmont do prezydentowej de Tourvel

Przez litość, pani, chciej uśmierzyć niepokój mej duszy; chciej mi objawić, czego mam się spodziewać lub lękać. Zawieszonemu między bezmiarem szczęścia lub niedoli niepewność nazbyt jest bolesna. Po cóż uczyniłem to wyznanie? Czemuż nie umiałem się oprzeć czarowi, który zdradził przed tobą, pani, tajniki mych myśli? Szczęśliwy, iż mogłem uwielbiać cię skrycie, upajałem się własną miłością; uczucie, którego nie mącił wówczas obraz twego cierpienia, zaspokajało chęci mego serca: ale to źródło szczęścia stało się źródłem rozpaczy, od chwili gdy ujrzałem łzy płynące z twych oczu, od czasu gdy usłyszałem owo okrutne: „Ach, ja nieszczęśliwa!" Pani! Te dwa słowa dźwięczeć mi długo będą w sercu! Przez jakąż fatalność to najsłodsze z uczuć mogło obudzić w tobie jedynie zgrozę? Jakiż widzisz powód do obawy? Ach, nie ten chyba, byś miała kiedy podzielić to uczucie: ty, pani, mimo iż łudziłem się dotąd w tej mierze, nie jesteś stworzona do miłości; moje jedynie serce, które ty spotwarzasz bezustannie, zdolne jest do uczucia, twoje nawet litować się nie umie. Inaczej nie byłabyś odmówiła słowa pociechy nieszczęśliwemu, który zwierzył ci swe cierpienia; nie byłabyś okradła jego spojrzeń ze swego widoku, gdy on nie posiada innej rozkoszy niż słodycz twego obrazu; nie byłabyś sobie uczyniła okrutnej igraszki z jego niepokoju, byłabyś odczuła, że ta noc – dla ciebie jedynie dwanaście godzin spoczynku – miała być dlań wiekiem cierpienia.

I czym, powiedz, zasłużyłem na tę bezlitosną surowość? Nie lękam się ciebie samej wziąć za sędziego: cóż więc uczyniłem prócz tego, że niezależnie od mej woli uległem uczuciu natchnionemu przez twą piękność i cnotę, uczuciu, które nigdy nie przekroczyło granic szacunku, a którego niewinne wyznanie było skutkiem zaufania, nie zaś nadziei. Czyż chciałabyś, pani, zdradzić ufność, którą sama niejako ośmieliłaś i której ja się oddałem bez zastrzeżeń? Nie, nie mogę uwierzyć; to znaczyłoby szukać w tobie błędu, a serce moje buntuje się na myśl znalezienia go w tobie: cofam wszystkie wyrzuty; mogłem to napisać, ale nie mogłem pomyśleć. Ach, pozwól mi, pani, wierzyć, iż jesteś doskonałą! Oto jedyne szczęście, jakie mi pozostało. Czyż zdarzyło ci się kiedy użyczyć pomocy nieszczęśliwemu, który by jej bardziej potrzebował? Nie opuszczaj mnie w obłędzie, w jakim mnie pogrążyłaś: użycz mi swego rozumu, skoro wydarłaś mi własny; nawróciwszy mnie, oświeć mnie jeszcze, aby dokończyć swego dzieła.

Nie chcę cię oszukiwać, pani: nie dokażesz tego, byś miała zwyciężyć mą miłość; ale nauczysz mnie panować nad nią; kierując mymi postępkami, dyktując słowa ocalisz mnie bodaj od nieszczęścia obrażenia ciebie. Racz przede wszystkim rozprószyć tę rozpaczliwą obawę; powiedz, że mi przebaczasz, że się litujesz; upewnij mnie o swym pobłażaniu. Nie będziesz go miała z pewnością nigdy tak wiele, ile ja bym pragnął; ale błagam bodaj o tyle, ile mi jest niezbędne do życia: czy i tego odmówisz?

Bądź zdrowa, pani, racz przyjąć z dobrocią ten hołd mych uczuć; nie jest zdolny w niczym osłabić mego bezgranicznego szacunku.

19 sierpnia 17**

LIST XXV
Wicehrabia de Valmont do markizy de Merteuil

Oto przebieg wczorajszego dnia: o jedenastej udałem się do pani de Rosemonde i pod jej ochroną dostałem się do rzekomej chorej, która jeszcze spoczywała w łóżku. Oczy

63

miała bardzo zmęczone; przypuszczam, że i ona źle spała tej nocy. Skorzystałem z tego, że pani de Rosemonde oddaliła się na chwilę, i podałem list; zrazu nie chciała przyjąć, ale położyłem go na łóżku i poszedłem najniewinniej przysunąć fotel staruszki, która chciała usiąść tuż koło swej pieszczotki; trzeba więc było ukryć list, aby uniknąć skandalu. Chora, bardzo nieostrożnie, napomknęła coś o gorączce. Pani de Rosemonde poleciła mi ująć ją za puls, wysławiając moje doświadczenie lekarskie. Panią de Tourvel spotkała więc podwójna przykrość: jedna, iż musiała powierzyć mi rękę, druga, iż drobne kłamstwo wyszło natychmiast na jaw. Ująłem dłoń, ściskając ją czule; równocześnie drugą ręką ślizgałem się po świeżym i pulchnym ramieniu. Przebiegła osóbka nie odpowiedziała najmniejszym znakiem życia, rzekłem więc, puszczając rękę: „Nie ma wcale przyśpieszenia". Czułem, iż minkę musi mieć bardzo surową, toteż za karę nie szukałem jej spojrzeń. W chwilę potem rzekła, iż pragnie wstać, zostawiliśmy ją więc samą. Obiad upłynął dość niewesoło, po czym pani de Tourvel oświadczyła, iż nie pójdzie na przechadzkę, dając mi tym samym do zrozumienia, że nie będę miał sposobności z nią mówić. Uczułem, iż tu jest właściwy moment na westchnienie i wzrok przepełniony boleścią; widać spodziewała się tego, gdyż spojrzała na mnie; była to jedyna chwila w dniu, w której udało mi się spotkać jej oczy. Mimo całej cnoty i ona ma swoje sztuczki jak każda. Znalazłem okazję, aby zapytać, czy była na tyle łaskawa, aby uwiadomić mnie o moim losie. Zdziwiłem się nieco, usłyszawszy: „Owszem, odpisałam panu". Pilno mi było do tej epistoły; ale czy to przez chytrość, czy przez niezręczność lub bojaźliwość oddała mi ją dopiero wieczorem, w chwili rozstania. Posyłam ci, markizo, ten list, równie jak brulion mego; czytaj i sądź; widzisz, z jaką skończoną obłudą ta dama twierdzi, że mnie nie kocha, gdy rzecz się ma wręcz przeciwnie; i jeszcze gotowa się żalić, jeśli ja ją będę oszukiwał potem, gdy ona nie waha się oszukiwać mnie już przedtem! Tak, piękna przyjaciółko, najprzebieglejszy mężczyzna nie dorówna w fałszu najszczerszej

kobiecie. Mimo to trzeba będzie udawać, iż wierzę tej ga-
daninie, i odgrywać sceny rozpaczy, bo damulce przyszła
chętka bawić się w niezłomną cnotę! I jak tu się nie mścić
za takie szelmostwa!... No, cierpliwości!... Ale do widzenia.
Mam jeszcze dużo do pisania.

Ale, ale, nie zapomnij odesłać mi listu mojej tyranki. Kto
wie? Mogłaby w przyszłości przywiązywać wagę do takich
głupstewek; chcę być na wszelki wypadek w porządku.

Nie piszę nic w kwestii małej Volanges; pomówimy przy
najbliższej sposobności.

Z ***, 20 sierpnia 17**

LIST XXVI
Prezydentowa de Tourvel do wicehrabiego de Valmont

Może pan być pewny, iż nie otrzymałby pan żadnej odpowiedzi, gdyby moje niemądre zachowanie wczorajsze nie
zmuszało mnie do paru wyjaśnień. Tak, płakałam, przyznaję;
może i te dwa słowa, które pan przytacza tak skwapliwie,
wymknęły się z mych ust; widzę, że nic nie uszło pańskiej
baczności; trzeba więc wszystko wytłumaczyć.

Ponieważ przywykłam wzbudzać tylko zacne i godziwe
uczucia, brać udział jedynie w rozmowach, których mogę
słuchać bez rumieńca, słowem, cieszyć się bezpieczeństwem,
na które zasługuję, nie umiem ani udawać, ani ukrywać wrażeń. Zdumienie i pomieszanie, wywołane pańskim zachowa-
niem, niezrozumiały lęk, spowodowany sytuacją, w jakiej nie
powinnam się była nigdy znaleźć – może wzburzenie, iż widzę się zrównaną z owymi kobietami, którymi pan pogar-
dzasz, i traktowaną przezeń równie lekko – oto co było powodem łez i wydarło mi z ust słowa skargi. Wyrażenie, które
wydało się panu tak silnym, byłoby z pewnością o wiele za
słabe, gdyby mój płacz i wykrzyknik miały inną jeszcze po-
budkę; gdybym miast potępiać pańskie obrażające uczucia,
mogła się lękać, iż kiedykolwiek mogłabym je podzielić.

Nie, panie wicehrabio, nie mam tej obawy; gdybym ją miała, uciekłabym o sto mil; udałabym się na pustynię, aby tam płakać nad nieszczęściem, iż spotkałam pana na mej drodze. Może nawet, mimo całej pewności, że pana nie kocham, że go nigdy nie pokocham, może byłabym lepiej uczyniła idąc za radą przyjaciół i nie pozwalając panu nawet zbliżyć się do mnie.

Uwierzyłam – to moja jedyna wina – uwierzyłam, że pan potrafi uszanować uczciwą kobietę, która najszczerzej pragnęła i pana uważać za uczciwego człowieka; która stawała nawet w pańskiej obronie, gdy pan znieważałeś ją przez swe zbrodnicze zamiary. Pan mnie nie zna; nie, panie, pan mnie nie zna. Inaczej nie przyszłoby panu na myśl brnąć z jednego zuchwalstwa w drugie. Stąd iż ośmieliłeś się mówić rzeczy, których nie powinnam słuchać, uczułeś się w prawie napisania listu, którego nie powinna bym czytać; i po tym wszystkim prosisz, abym kierowała twymi postępkami, dyktowała ci słowa! Dobrze więc, stanie się, jak pan żąda; milczenie i niepamięć – oto rady, jakich mnie przystoi udzielić, panu – usłuchać; wówczas będziesz miał w istocie prawa do mego pobłażania: od pana zależałoby jedynie zdobyć sobie prawa do mej wdzięczności... Ale nie, nie zwrócę się z prośbą do tego, który mnie nie uszanował: nie dam dowodu ufności człowiekowi, który nadużył mego bezpieczeństwa. Zniewala mnie pan, bym się go musiała obawiać, może nawet nienawidzić; nie chciałam tego; pragnęłam widzieć w panu jedynie siostrzeńca mej najczcigodniejszej przyjaciółki; przeciwstawiałam głos przyjaźni głosowi ogółu, który pana oskarżał. Zniszczyłeś wszystko; i – przewiduję to – nie będziesz chciał niczego naprawić.

Poprzestaję na tym, aby oznajmić panu, że jego uczucia obrażają mnie, że ich wyznanie jest dla mnie zniewagą. Nie tylko nie zdobędziesz wzajemności, ale jeśli sobie nie nakażesz milczenia, którego, sądzę, mam prawo oczekiwać, a nawet wymagać od pana, zmusisz mnie, abym pana nigdy nie oglądała na oczy. Dołączam do tego pisma pański list w nadziei, że i pan również zechce mi zwrócić mój własny; byłoby dla mnie wielką przykrością, gdyby został jakikolwiek ślad zdarzenia, które nigdy nie powinno było mieć miejsca.

19 sierpnia 17**

LIST XXVII
Cecylia Volanges do markizy de Merteuil

Mój Boże, jaka pani dobra! Tak pani dobrze odczuła, że łatwiej mi będzie pisać niż mówić! Bo też to, co mam pani powiedzieć, bardzo ciężko wyznać, ale przecież pani jest moją przyjaciółką, prawda? Och, tak, ukochaną przyjaciółką! Będę się starała nie bać; mnie tak trudno dać sobie rady bez pani, bez pani wskazówek! Bardzo mi ciężko; zdaje mi się, że każdy od razu pozna po mnie, co myślę; zwłaszcza kiedy on jest, czerwienię się zaraz, jak tylko kto spojrzy na mnie. Wczoraj, kiedy pani widziała, że płakałam, to z tego, że chciałam coś pani powiedzieć, a potem nie mogłam wydobyć słowa, i kiedy pani spytała, co mi jest, łzy mi same napłynęły do oczu. Nie umiałam po prostu zapanować nad sobą. Żeby nie pani, mama byłaby wszystko spostrzegła, i co by się wówczas ze mną stało? Oto jakie jest teraz moje życie, zwłaszcza od czterech dni!

Całe cztery dni upłynęło już, tak, wszystko muszę pani powiedzieć, od czasu jak pan kawaler do mnie napisał. Och, zaręczam pani, że kiedy znalazłam jego list, zupełnie nie wiedziałam, co to takiego! Ale żeby już nic nie skłamać, nie mogę się zaprzeć, że strasznie mi się przyjemnie zrobiło, kiedym czytała; widzi pani, wolałabym już mieć zmartwienie przez całe życie, niż żeby on nie był do mnie napisał. Wiedziałam dobrze, że nie powinnam mu tego powiedzieć, mogę pani zaręczyć nawet, powiedziałam, że jestem bardzo rozgniewana; ale on mówi, że to było nad jego siły, i ja to rozumiem; bo i ja postanowiłam sobie, że mu nie odpowiem, a i tak nie mogłam się powstrzymać i odpowiedziałam. Och, tylko raz napisałam do niego, i to nawet głównie po to, żeby mu powiedzieć, żeby już nie pisał; ale mimo to on ciągle pisuje; a że ja mu nie odpowiadam, widzę, że jest taki smutny, a mnie to martwi jeszcze bardziej, tak że nie wiem już, co robić ani jak postępować, i doprawdy jestem bardzo biedna.

Niech mi pani powie, proszę pani, czy to bardzo byłoby źle odpisać od czasu do czasu? Tylko dopóty, aż on potrafi przemóc na sobie, żeby nie pisać więcej i zostać tak, jak byliśmy przedtem: bo, co do mnie, jak tak dalej będzie, to nie wiem, co się ze mną stanie. O, kiedym czytała ostatni list, tom płakała, płakała tak, żem się nie mogła uspokoić; jestem pewniutka, że jeżeli mu jeszcze teraz nie odpowiem, znowu będziemy mieli masę zmartwienia.

Poślę pani jego list albo odpis i niech pani osądzi; zobaczy pani, że to naprawdę nic złego, o co on prosi. Jednakże jeżeli pani się będzie zdawało, że nie trzeba, to przyrzekam pani, że się wstrzymam; ale pewna jestem, że pani będzie myślała tak jak ja, że w tym nie ma nic złego.

Kiedy już o tym mówimy, niech mi pani pozwoli zadać jeszcze jedno pytanie: mówiono mi, że to źle kogoś kochać; ale czemu? Dlatego się pani pytam, bo kawaler Danceny utrzymuje, że w tym nie ma nic złego i że prawie wszyscy kogoś kochają. Gdyby tak było w istocie, nie wiem, czemu ja jedna miałabym sobie zabraniać: lub może to jest co złego tylko u panien? bo przecież słyszałam, jak nawet mama mówiła, że pani D... kocha pana M..., i nie mówiła o tym, jak o czymś bardzo złym; a przecież pewna jestem, że pogniewałaby się na mnie, gdyby choć trochę domyślała się mojej przyjaźni dla pana Danceny. Mama uważa mnie zawsze za dziecko i o niczym ze mną nie mówi. Myślałam, kiedy mnie odbierała z klasztoru, że to po to, aby mnie wydać za mąż; ale teraz wydaje mi się, że nie: nie, żeby mi chodziło o to, zaręczam pani; ale pani, która jest z nią w takiej przyjaźni, może pani wie, jak jest naprawdę; jeżeli pani wie, mam nadzieję, że mi pani powie.

To dopiero długi list mi się napisał! Ale skoro pani pozwala pisać do siebie, korzystam z tego, aby powiedzieć wszystko, i liczę na pani przyjaźń.

Mam zaszczyt pozostać etc.

Paryż, 23 sierpnia 17**

LIST XXVIII
Kawaler Danceny do Cecylii Volanges

Jak to, panno Cecylio, zawsze wzdraga się pani odpowiedzieć! Nic nie zdoła pani ugiąć? Każdy dzień unosi z sobą nadzieję, która mi zaświtała z jego brzaskiem? Cóż warta nasza przyjaźń, której nie zaprzesz się chyba, jeśli nie posiada dość siły, by cię uczynić tkliwą na moją niedolę; jeśli ci pozwala zachować chłód i spokój, gdy ja cierpię męczarnie nieugaszonych płomieni; jeżeli nie tylko nie zdoła obudzić w tobie zaufania, lecz nie wystarcza nawet, aby cię natchnąć odrobiną litości? Jak to, przyjaciel cierpi i ty nie czynisz nic, aby mu pomóc! Błaga o jedno słowo tylko i ty mu go odmawiasz! Chcesz, aby się zadowolił uczuciem tak wątłym, o którym obawiasz się nawet upewnić go powtórnie!

Nie chciałabyś być niewdzięczną, mówiłaś wczoraj. Ach, wierzaj mi, pani, płacić miłość przyjaźnią to nie znaczy obawiać się niewdzięczności, to znaczy obawiać się jej pozoru. Mimo to nie śmiem dłużej mówić o uczuciu, które, skoro pani go nie dzieli, może ci być jedynie ciężarem; trzeba mi je za jaką bądź cenę zamknąć w sobie, czekając, aż je pokonam. Czuję, jak praca ta będzie uciążliwa; nie taję, że będę potrzebował wszystkich moich sił w tym celu; ucieknę się do wszelkich środków: jest między nimi jeden, który najcięższy będzie memu sercu, mianowicie przypominać sobie często, że twoje jest dla mnie z głazu. Spróbuję nawet rzadziej panią widywać; już myślę nad tym, aby znaleźć jakąś wymówkę.

Jak to! Miałbym się wyrzec słodkiego nałogu codziennego widywania pani! Ach, jedno jest pewne, że nigdy nie przestanę boleć nad tą stratą. Wieczna niedola będzie nagrodą najtkliwszej miłości; tyś tak chciała, to twoje dzieło! Nigdy, czuję to, nie odnajdę szczęścia, które dziś tracę; ty jedna byłaś stworzona dla mego serca; z jakąż rozkoszą uczyniłbym ślub, że będę żył jedynie dla ciebie! Ale ty nie chcesz przyjąć tego ślubu; milczenie twoje przekonywa mnie dosyć, że w sercu twoim nic za mną nie przemawia; milczenie to jest zarazem i dowodem obojętności, i najokrutniejszym sposobem jej okazania. Żegnam więc panią.

Nie śmiem się już łudzić nadzieją odpowiedzi. Miłość byłaby ją skreśliła z zapałem, przyjaźń z życzliwością, litość nawet z wyrozumieniem, ale litość, przyjaźń i miłość zarówno są obce twojemu, pani, sercu.

Paryż, 23 sierpnia 17**

LIST XXIX
Cecylia Volanges do Zofii Carnay

Dobrze mówiłam, Zosiu, są wypadki, w których można pisywać; i bardzo sobie dziś wyrzucam, żem poszła za twoją radą, która sprawiła nam tyle zgryzoty. Musiałam chyba mieć słuszność, kiedy pani de Merteuil, osoba, która z pewnością wie dobrze, co trzeba, a co nie, sama wreszcie doszła do tego samego przekonania. Ze wszystkiego się jej zwierzyłam. Z początku powiedziała to, co i ty; ale kiedy jej dobrze wytłumaczyłam, przyznała, że to zupełnie co innego; żąda tylko, abym jej pokazywała wszystkie nasze listy, aby być pewną, że nie napiszę nic, czego nie trzeba; toteż jestem już całkiem spokojna. Mój Boże, jak ja kocham panią de Merteuil! Jaka ona dobra! A to jest kobieta ze wszech miar szanowna. Teraz więc wszystko jest bez zarzutu.

Dopieroż teraz będę pisała do pana Danceny, a on jaki będzie szczęśliwy! Jeszcze więcej, niż sam przypuszcza, bo dotąd mówiłam mu tylko o przyjaźni, a on zawsze chciał o miłości. Myślałam, że to jedno i to samo; ale jakoś nie śmiałam, i jemu było przykro. Powiedziałam to pani de Merteuil. Rzekła, że miałam słuszność i że nie trzeba przyznawać, że się kocha kogoś, dopiero wtedy, jak już się nie można wstrzymać; otóż ja pewna jestem, że już nie będę mogła się wstrzymać; ostatecznie to na jedno wychodzi, a jemu będzie przyjemniej.

Pani de Merteuil powiedziała także, że mi pożyczy książek, w których mowa jest o tym wszystkim i z których nauczę się postępować i także nauczę się pisać lepiej niż teraz. Widzisz, ona mi wytyka wszystkie braki; to najlepszy dowód, że mnie bardzo kocha. Zaleciła tyko, żeby nic mamie nie mówić o tych książkach, boby to wyglądało na wymówkę, że mama zaniedbała moje wykształcenie, i to by mogło ją zmartwić. Och, ani słóweczka nie pisnę!

To jednak szczególne, żeby osoba, która ledwo że jest moją krewną, więcej troszczyła się o mnie niż rodzona matka! Co za szczęście, że ją spotkałam!

Poprosiła także mamy, żeby pozwoliła wziąć mnie pojutrze do Opery, do jej loży; powiedziała mi, że będziemy zupełnie same i będziemy sobie rozmawiały cały czas bez obawy, żeby kto usłyszał: wolę to jeszcze o wiele niż Operę. Pomówimy także o moim małżeństwie, bo powiedziała, że to prawda, że mam iść za mąż; ale nie mogłyśmy o tym dłużej porozmawiać. Doprawdy, czy to nie dziwne, że mama nie mówi ze mną o tym ani słowa?

Do widzenia, Zosieńko, muszę pisać do kawalera Danceny! Ach, jakam ja teraz szczęśliwa!

24 sierpnia 17**

LIST XXX
Cecylia Volanges do kawalera Danceny

Zatem, panie kawalerze, godzę się napisać do pana, upewnić go o mej przyjaźni, o mej miłości, skoro inaczej miałby pan być nieszczęśliwy. Mówi pan, że ja nie mam dobrego serca; zaręczam, że się pan myli, i spodziewam się, że teraz już pan nie wątpi. Jeżeli pan się martwił, że ja nie pisałam, czy myśli pan, że i mnie nie było ciężko? Ale też za żadne skarby nie chciałabym zrobić coś, co nie trzeba: z pewnością nawet nie byłabym się przyznała do mej miłości, gdybym się mogła powstrzymać; ale zanadto mi przykro patrzeć, jak pan jest smutny. Mam nadzieję, że teraz już pan nigdy nie będzie taki i że będziemy bardzo szczęśliwi.

Spodziewam się, że pana ujrzę dziś wieczorem i że pan przyjdzie wcześnie: dla mnie nigdy dość wcześnie! Mama spędza wieczór w domu i pewno pana zechce zatrzymać; mam nadzieję, że pan nie będzie zaproszony gdzie indziej, jak przedwczoraj. Musiała być bardzo przyjemna ta kolacja, na którą pan poszedł? Jakoś strasznie się panu śpieszyło! Ale nie mówmy już o tym: teraz, kiedy pan wie, że go kocham, mam nadzieję, że będzie się pan starał być ze mną, ile tylko się da; co do mnie, jest mi dobrze tylko wtedy, kiedy jestem z panem, i chciałabym bardzo, aby i panu było tak samo.

Bardzo zmartwiona jestem, że pan jest jeszcze smutny w tej chwili, ale to nie z mojej winy. Poproszę pana o harfę zaraz, jak tylko pan przyjdzie, żeby pan dostał mój list jak najprędzej. Więcej już nie mogę zrobić.

Do widzenia panu. Kocham pana bardzo, z całego serca: im częściej to powtarzam, tym więcej rada jestem; mam nadzieję, że i pan także.

24 sierpnia 17**

LIST XXXI
Kawaler Danceny do Cecylii Volanges

O tak, z pewnością, pani, będziemy szczęśliwi! Moje szczęście jest pewne, skoro posiadam twe serce; twoje nie skończy się nigdy, jeżeli ma trwać tak długo jak miłość, którą mnie natchnęłaś! Jak to! Kochasz mnie, nie wzdragasz się już upewnić mnie o swej miłości! Im częściej mi to powtarzasz, tym więcej rada jesteś! Gdy przeczytałem to czarujące: „kocham pana", napisane twoją ręką, zdawało mi się, że słyszę twoje cudne usta, jak powtarzają mi to wyznanie. Ujrzałem zwrócone ku mnie te niebiańskie oczy, upiększone jeszcze wyrazem czułości. Usłyszałem zaklęcie, iż żyć pragniesz jedynie dla mnie. Och, przyjm i moje śluby, iż życie całe poświęcę twemu szczęściu; przyjm je i bądź pewna, że nie złamię ich nigdy!

Jakiż szczęśliwy dzień spędziliśmy wczoraj! Ach, czemuż pani de Merteuil nie co dzień ma jakieś sekrety z twoją matką? Czemuż trzeba, aby myśl o tym skrępowaniu, jakie nas czeka, musiała się mieszać do czarujących wspomnień przepełniających mą duszę? Czemuż nie mogę bez przerwy pieścić drobnej rączki, która mi napisała: „Kocham pana", okrywać jej pocałunkami i mścić się w ten sposób za odmowę, jakiej doznałem, gdym sięgał po większą jeszcze łaskę!

Powiedz, Cesiu ubóstwiana, skoro mama wróciła do pokoju, kiedy byliśmy zmuszeni wskutek jej obecności zwracać na siebie jedynie obojętne spojrzenia, kiedy nie mogłaś mnie już pocieszać zapewnieniami miłości po odmowie, jakiej doznałem, gdy zapragnąłem od ciebie żywszego jej dowodu, czy nie uczułaś w sercu żalu? Czy nie powiedziałaś sobie: ten pocałunek uczyniłby go jeszcze szczęśliwszym, i to ja pozbawiłam go tego szczęścia! Przyrzeknij, ubóstwiana, że przy najbliższym widzeniu nie będziesz już taka surowa. Dzięki tej obietnicy znajdę odwagę znoszenia przeciwności, jakie gotują nam losy; chwile okrutnej rozłąki mniej będą mi bolesne, jeśli będę miał pewność, że i ty dzielisz me żale.

Do widzenia, Cesiu urocza; nadchodzi pora, w której mam udać się do waszego domu. Niepodobieństwem byłoby mi rozstać się z tobą, gdyby to nie było po to, aby oglądać ciebie samą. Do widzenia, ukochana, teraz, zawsze i na wieki.

25 sierpnia 17**

LIST XXXII
Pani de Volanges do prezydentowej de Tourvel

Żądasz zatem, dobra przyjaciółko, abym uwierzyła w cnotę pana de Valmont? Wyznaję, nie mogę się na to odważyć i równie trudno by mi było uznać go poczciwym na podstawie jednego faktu, jak dla jednego błędu potępić jako zbrodniarza człowieka znanego z zacności. Ludzkość nie jest doskonała w żadnym kierunku, ani w złym, ani w dobrym. Zbrodniarz ma swoje cnoty, uczciwy człowiek swoje słabości. Prawda ta wydaje mi się tym godniejsza pamięci, ile że z niej właśnie płynie potrzeba wyrozumiałości tak dla złych, jak i dla dobrych; ona to winna chronić jednych od pychy, drugich od zrozpaczenia o sobie. Pomyślisz zapewne, że ja w tej chwili bardzo niedoskonale stosuję tę pobłażliwość, której zasady wyznaję; ale bo też cnota ta staje się w mych oczach jedynie niebezpieczną słabością, kiedy prowadzi nas do tego, aby jednaką miarą mierzyć niegodziwca i poczciwego człowieka.

Nie pozwolę sobie z pewnością dociekać pobudek pana de Valmont; chcę wierzyć, iż są nie mniej chwalebne od samego uczynku: ale czyż to zmienia fakt, iż strawił życie na tym, aby szerzyć wśród rodzin niepokój, hańbę i zgorszenie? Słuchaj, jeżeli chcesz, głosu nieszczęśliwego, którego on wspomógł, ale niech ci ten głos nie przeszkadza słyszeć jęków stu ofiar, które pognębił. Choćby pan de Valmont był, jak powiadasz, jedynie przykładem niebezpieczeństwa złych wpływów, czyż, na odwrót, jego wpływ nie jest co najmniej równie niebezpieczny? Wierzysz, droga, że on może być zdolny do szczęśliwego nawrócenia? Idźmy jeszcze dalej; przypuśćmy nawet, że ten cud nastąpił. Czy nie zostaje zawsze przeciw niemu wyrok opinii publicznej i czy sam wyrok ów nie wystarcza, aby wytyczyć twoje postępowanie? Bóg jeden może odpuścić winy za chwilę skruchy; on czyta w sercach; ale ludzie mogą sądzić myśli jedynie na podstawie uczynków i nikt, postradawszy szacunek drugich, nie ma prawa skarżyć się na nieufność, z jaką się spotyka. Pomyśl zwłaszcza, moja młoda przyjaciółko, że nieraz do utraty tego szacunku wystarcza, że ktoś nie dość ceny zdaje się doń przywiązywać. Nie nazywaj tego surowego prawidła niesprawiedliwością; prócz tego, że ludzie mają powód mniemać, iż nie wyrzeka się tak cennego dobra ktoś, kto ma do niego pełne prawo, pewnym jest, że łatwiej może ulec złemu ten, komu nie stanie za zaporę owego potężnego hamulca. W takim zaś świetle postawiłoby cię zbliżenie z panem de Valmont, chociażby najniewinniejsze.

Przestraszona zapałem, z jakim występujesz w jego obronie, śpieszę uprzedzić możliwe zarzuty. Przytaczasz panią de Merteuil, której świat zdołał wybaczyć tę przyjaźń; zapytasz, czemu go przyjmuję w swym domu; powiesz, iż pana de Valmont nie tylko nie wykluczono z grona uczciwych ludzi, ale, przeciwnie, jest mile widziany, poszukiwany nawet w całym tak zwanym dobrym towarzystwie. Sądzę, że mogę odpowiedzieć na wszystko.

Przede wszystkim pani de Merteuil, w istocie osoba ze wszech miar godna szacunku, posiada może jedną jedyną wadę, mianowicie zbytnią ufność w swoje siły; jest to zręczny sternik, któremu sprawia przyjemność prowadzić łódź pośród skał i wirów. Dobry wynik starczy za usprawiedliwienie tej śmiałości: ale o ile można ją podziwiać, o tyle byłoby nieroztropnie wstępować w jej ślady; ona sama to przyznaje i wini się o tę słabostkę. Im dłużej obraca się w świecie i patrzy nań, tym zasady jej stają się surowsze; i nie waham się zaręczyć, że przychyliłaby się do mego poglądu.

Co się mnie tyczy, nie będę się uniewinniała. Istotnie, przyjmuję pana de Valmont jak wszyscy: jedna niekonsekwencja więcej pośród tysiąca innych. Wiesz dobrze, jak i ja, że życie spływa na tym, aby je widzieć, narzekać na nie i poddawać się im! Pan de Valmont, przy pięknym nazwisku, dużym majątku i wielu ujmujących zaletach, zrozumiał rychło, że aby stać się panem otoczenia, wystarczy posługiwać się zręcznie pochlebstwem i szyderstwem. Nikt nie posiada w tym co on stopniu tego podwójnego talentu: jednym zdobywa sobie ludzi, dzięki drugiemu umie wzbudzać postrach.

Nikt go nie szanuje, ale wszyscy się z nim liczą. Oto jego rola w świecie, który z większą ostrożnością niż odwagą woli oszczędzać go niż otwarcie stanąć przeciw niemu.

Ale to pewna, że ani sama pani de Merteuil, ani żadna inna nie odważyłaby się zakopać gdzieś na wsi, prawie sam na sam z człowiekiem tego pokroju. I oto właśnie najcnotliwsza, najskromniejsza ze wszystkich daje przykład tej niewłaściwości; wybacz, proszę, to słowo, ale wydarło się ono z ust przyjaźni. Wierzaj, droga przyjaciółko, właśnie twoja nieskazitelność zwraca się przeciw tobie, wpajając ci uczucie zwodnego bezpieczeństwa. Pomyśl więc, że będziesz miała za sędziów z jednej strony ludzi lekkich, i ci nie będą zdolni uwierzyć w cnotę, której przykładów nie widzą koło siebie; z drugiej złych, którzy będą udawać, że nie wierzą. Pomyśl, że czynisz w tej chwili coś, na co nie każdy mężczyzna by się ważył. To pewna, że spośród młodych ludzi, między którymi pan de Valmont aż nadto umiał się stać wyrocznią, każdy stateczniejszy strzegłby się pozorów zbyt ścisłej z nim zażyłości; a ty nie obawiasz się tego! Ach, cofnij się, cofnij, zaklinam!.... Jeśli moje wywody nie zdołały cię przekonać, ustąp mojej przyjaźni; ona to każe mi ponawiać przestrogi, ona niechaj starczy za usprawiedliwienie. Znajdziesz mnie zbyt surową; chciałabym, aby surowość ta była zbyteczna; ale wolę, byś się miała użalać na mą zbytnią gorliwość niż na mą opieszałość.

24 sierpnia 17**

LIST XXXIII
Markiza de Merteuil do wicehrabiego de Valmont

Z chwilą kiedy obawiasz się dojść do celu, drogi wicehrabio, z chwilą gdy twoim zamiarem jest dostarczyć broni przeciw sobie i nie tyle pragniesz zwyciężyć, ile walczyć, nie mam już nic do powiedzenia. Postępowanie twoje jest arcydziełem roztropności. Byłoby arcydziełem głupstwa w razie odwrot-

nego przypuszczenia; i jeśli mam być szczera, obawiam się,
że ulegasz złudzeniom w tej mierze.

Nie to ci wyrzucam, że nie skorzystałeś z chwili. Z jednej
strony nie jest mi wcale jasne, czy ta chwila nadeszła; z drugiej wiem dobrze, że – wbrew przysłowiu – utraconą sposobność zawsze się da odzyskać, gdy wszystko można zepsuć
przedwczesnym pośpiechem.

Ale czynem istotnie godnym uczniaka jest to, że się pu-
ściłeś na pisanie. Zechciej się tylko zastanowić, dokąd to za-
prowadzi? Masz może nadzieję przekonać na drodze argumentów tę kobietę, że się powinna oddać? Zdaje mi się, że
taką prawdę można jedynie odczuć, nie dowieść, i że aby ją
kobiecie narzucić, jedyną drogą jest wzruszyć ją, nie zaś rezo-
nować, lecz na cóż by się zdało, gdybyś ją i wzruszył swymi
epistołami, skoro nie będzie cię w owej chwili na miejscu,
aby z tego skorzystać? Choćby nawet twoje piękne frazesy
zdołały nadprzyrodzoną mocą wprawić ją w miłosne upojenie, czy pochlebiasz sobie, iż starczy tej mocy na to, aby jeszcze przed wyznaniem nie przyszła chwila opamiętania? Pomyśl, ile czasu potrzeba na napisanie listu; ile go upływa, nim
się dostanie do rąk odbiorcy; i zastanów się, czy zwłaszcza
kobieta z zasadami może hodować przez tak długi czas pokusę, którą stara się wszelkimi siłami zwalczać?

Ten sposób może być skuteczny u dzieci, które kiedy
piszą: „Kocham", nie wiedzą, że tym samym mówią: „Jestem
twoja". Ale rezonująca cnota pani de Tourvel zdaje się znać
bardzo dobrze wartość i znaczenie wyrazów. Toteż mimo
przewagi, jaką uzyskałeś nad nią w rozmowie, ona cię bije na
głowę w swym liście. A potem, czy wiesz, co się dzieje? Przez
to samo, że ktoś się spiera, nie chce ze swego ustąpić. Siląc
się na wyszukanie argumentów, znajduje je wreszcie, wyraża
je i później już upiera się przy nich, nie tyle dlatego, że są coś
warte, ile aby nie przeczyć samemu sobie.

Wreszcie jedna jeszcze uwaga; dziwię się, że jej sam sobie
nie uczyniłeś. Nie ma nic równie trudnego w miłości, jak
pisać w sposób dający złudzenie prawdopodobieństwa: czyniąc to na chłodno, używasz niby tych samych wyrażeń, ale

nie układasz ich jakoś tak samo, a raczej układasz je, i to już wystarczy. Odczytaj swój list: jest w nim jakiś porządek, jakiś ład, który zdradza się w każdym zdaniu. Chcę przypuszczać, że prezydentowa zbyt mało jest wyrobiona, aby się na tym poznać: cóż stąd? Wrażenie niemniej chybione. To wada wszystkich romansów; autor dobywa ostatniego tchu, aby się rozgrzać, a czytelnik pozostaje zimny. Jedna *Heloiza* stanowi może wyjątek; toteż, mimo całego talentu autora, nigdy nie mogłam oprzeć się wrażeniu, że tło tego romansu musi być prawdziwe. Całkiem co innego w rozmowie. Wprawa w modulowaniu głosu może mu dać akcenty uczucia; łatwość wylewania łez pomnaża to wrażenie; pożądanie miesza się w oczach z wyrazem tkliwości; mniejsza wreszcie ciągłość ustnej rozmowy łatwiej pozwala udać owo pomieszanie, które jest prawdziwą wymową miłości; przede wszystkim zaś obecność kochanej osoby paraliżuje refleksje i budzi w nas bezwiedną chęć uznania swej porażki.

Wierzaj mi, wicehrabio: żąda, abyś nie pisał więcej, skorzystaj z tego, aby naprawić błąd, i czekaj na sposobność rozmowy. Czy wiesz, że ta kobieta silniejsza jest, niż przypuszczałam? Obrona wcale tęga: gdyby nie rozmiar listu i nie furtka, jaką zostawia, byś mógł powrócić do przedmiotu na temat nie dokończonego zdania o wdzięczności, nie byłaby się zdradziła ani na chwilę.

Moim zdaniem, wiary w zwycięstwo powinno ci dodać to, że ona zużywa za wiele sił naraz: przewiduję, że wyczerpie je na walkę o s ł o w a i że ich zbraknie na obronę r z e c z y.

Odsyłam ci oba listy; jeżeli masz nieco zastanowienia, będą to ostatnie aż do szczęśliwego n a z a j u t r z. Gdyby nie było tak późno, pomówiłabym z tobą o małej Volanges, która czyni dość szybkie postępy: jestem z niej bardzo rada. Spodziewam się skończyć z nią jeszcze przed tobą, ku tym większemu twemu zawstydzeniu. Do widzenia na dzisiaj.

22 sierpnia 17**

LIST XXXIV

Wicehrabia de Valmont do markizy de Merteuil

Mówisz wspaniale, piękna przyjaciółko, ale po co zadawać sobie tyle trudu, aby udowodnić coś, o czym nikt nie wątpi. Aby szybko iść naprzód, lepiej mówić niż pisać; to, jak sądzę, sens moralny całego twego listu. Ależ to są najelementarniejsze zasady uwodzenia! Pozwolę sobie tylko zauważyć, że ty dopuszczasz jeden tylko wyjątek od tej zasady, gdy tymczasem istnieją dwa. Do dzieci, które wstępują na tę drogę przez nieśmiałość, a wydają się na łup przez niewiedzę, trzeba dołączyć jeszcze pięknoduszki, które dają się wciągnąć przez miłość własną i które próżność zapędza do pułapki. Tak na przykład jestem pewny, że gdy hrabina de B... odpowiedziała bez trudności na mój pierwszy list, nie kochała się wówczas we mnie ani trochę więcej niż ja w niej i chwyciła się jedynie sposobności porozprawiania na temat, w którym da się powiedzieć wiele ładnych sentencji.

Jak bądź się rzeczy mają, mówiąc po adwokacku, kwestia zasad jest w tym przypadku zgoła bezprzedmiotowa. Jak widzę, przypuszczasz, że ja mam wolny wybór między pisaniem a rozmową: tak nie jest. Od wypadku z dnia 19. okrutna piękność, obwarowana jak forteca, unika wszelkiego spotkania, i to ze zręcznością, wobec której moja staje się bezradna; do tego stopnia, że jeżeli to ma potrwać dłużej, będę musiał poważnie zastanowić się nad odzyskaniem straconej przewagi. Listy moje nawet stały się przedmiotem cichej wojny; nie dość, że nie odpowiada, ale wprost nie chce ich przyjmować. Za każdym razem trzeba nowego podstępu, a i to nie zawsze się udaje.

Przypominasz sobie, jak prostego sposobu użyłem przy pierwszym liście; z drugim również poszło gładko. Prosiła, bym zwrócił jej własny list; wręczyłem mój w jego miejsce, bez najmniejszego podejrzenia z jej strony. Ale czy to ze złości, że dała się oszukać, czy przez kaprys, czy też z pobudek cnoty (bo wreszcie zmusi mnie, abym uwierzył w cnotę!), stanowczo wzbraniała się przyjąć trzeciego. Mam nadzieję jednak, że przykre położenie, w jakim omal się nie znalazła wskutek tej odmowy, poprawi ją na przyszłość.

Nie bardzo mnie dziwiło, że nie chce przyjąć tego listu, który próbowałem jej wręczyć całkiem po prostu; byłoby to już pewnym ustępstwem z jej strony; ja zaś byłem przygotowany na długą walkę. Po tym usiłowaniu, które było jedynie mimochodem uczynioną próbą, włożyłem list w kopertę i wybrawszy chwilę, kiedy pani de Rosemonde i panna służąca znajdowały się w jej pokoju, posłałem go przez strzelca, każąc oznajmić, że są to papiery, o które mnie prosiła. Zgadłem, że w obawie przykrych wyjaśnień nie odważy się wprost odrzucić zuchwałej przesyłki; w istocie, wzięta list, a wysłannik mój, który miał rozkaz śledzić wyraz jej twarzy (a jest wcale bystry), zauważył jedynie lekki rumieniec i więcej zakłopotania niż gniewu.

Tryumfowałem zatem, pewny, że albo zachowa list, albo też, jeżeli zechce go zwrócić, będzie musiała znaleźć się ze mną sam na sam. Jakoż w niespełna godzinę służący wchodzi do mego pokoju i oddaje zwitek, na którego kopercie poznaję upragnione pismo. Otwieram z pośpiechem... Mój własny list, nie otwarty i złożony we dwoje!

Znasz mnie, markizo; nie potrzebuję ci malować mej wściekłości. Trzeba jednak było przywołać na pomoc całą zimną krew i szukać nowych sposobów. Oto jedyny, jaki znalazłem.

Codziennie rano posyła się stąd po listy na pocztę odległą o trzy ćwierci mili. Do tego celu służy zamknięta puszka, od której poczmistrz ma jeden klucz, pani de Rosemonde drugi. Każdy wrzuca do niej listy, kiedy mu się podoba; ktoś ze służby niesie je na pocztę, rano zaś odbiera te, które nadeszły. Cała służba, tutejsza czy obca, wypełnia ten obowiązek kolejno. Nie była to wprawdzie kolej mego służącego; mimo to podjął się iść pod pozorem, że ma coś do załatwienia w tej stronie.

Zabrałem się tedy do mej epistoły. Zmieniłem charakter pisma na adresie i podrobiłem na kopercie wcale nieźle pieczątkę z Dijon. Obrałem to miasto, ponieważ bawiło mnie, skoro ubiegam się o te same prawa co mąż, pisać z tego samego miejsca, a także ponieważ dama kładła nam cały tydzień w uszy, iż pragnęłaby bardzo mieć wiadomości z Dijon. Uważałem za sprawiedliwe dostarczyć jej tej przyjemności.

Uporawszy się z wszystkimi ostrożnościami, bez trudu zdołałem wmieszać list pomiędzy inne. Zyskiwałem na tym sposobie i to, że mogłem być świadkiem doręczenia: obyczaj bowiem tutejszy każe zbierać się na śniadanie i wspólnie oczekiwać poczty. Wreszcie nadeszła. Pani de Rosemonde otwarła skrzynkę. „Z Dijon" – rzekła oddając list pani de Tourvel. – „To nie pismo męża" – odparła z niepokojem, żywo rozrywając pieczątkę. Pierwszy rzut oka objaśnił wszystko; wyraz takiego pomieszania odmalował się na jej twarzy, że pani de Rosemonde spostrzegła to i rzekła: „Co tobie, dziecko?" Zbliżyłem się również, mówiąc: „Musi być chyba coś bardzo strasznego w tym liście?" Skromnisia nie śmiała oczu podnieść, nie wyrzekła słowa i aby pokryć zakłopotanie, udawała, że przebiega oczami list, którego czytać nie była zdolna. Cieszyłem się jej pomieszaniem i dosyć rad, że mogę się z nią podrażnić, dodałem: „Uspokoiła się pani trochę: wolno przypuszczać, iż list ten sprawia więcej zdziwienia niż przykrości". Wówczas gniew natchnął ją lepiej, niżby to mogła uczynić rozwaga. „List ten rzekła – zawiera rzeczy, które są dla mnie obrazą, i dziwię się, że ktoś ośmielił się go do mnie napisać". – „Któż taki?" – przerwała pani de Rosemonde. – „Nie jest podpisany – odparła – ale i list, i autor budzą we mnie jednaką wzgardę i bardzo bym pragnęła nie słyszeć o nich więcej". Mówiąc to przedarła zuchwałe pismo, schowała kawałki do kieszeni, wstała i wyszła.

Mimo tego gniewu, bądź co bądź, odebrała list, a polegam już na jej ciekawości, że go przeczyta od deski do deski.

Dalsze szczegóły dnia zaprowadziłyby mnie zbyt daleko. Załączam brulion listów; w ten sposób będziesz mogła zdać sobie sprawę ze wszystkiego. Jeżeli pragniesz, markizo, śledzić bieg korespondencji, przyzwyczaj się odcyfrowywać moje gryzmoły: za żadne skarby świata nie zdobyłbym się na nudę przepisywania. Do widzenia, piękna przyjaciółko.

25 sierpnia 17**

LIST XXXV
Wicehrabia de Valmont do prezydentowej de Tourvel

Trzeba ci być posłusznym, pani; trzeba dowieść, że pośród tylu błędów, których podoba ci się we mnie doszukiwać, zostało mi przynajmniej dość delikatności, bym sobie nie pozwolił na żadne wyrzuty, i dość siły woli, bym umiał sobie nałożyć najcięższe ofiary. Milczenie i niepamięć! Dobrze więc! Nakażę mej miłości, aby zamilkła; zapomnę, jeśli zdołam, okrutny sposób, w jaki przyjęłaś jej wyznanie. Podoba ci się, pani, patrzeć na mą miłość jak na zniewagę; zapominasz, że gdyby mogła być winą, ty byłabyś tej winy przyczyną i usprawiedliwieniem. Zapominasz również, iż mnie, nawykłemu otwierać ci mą duszę nawet wówczas, kiedy ta ufność mogła mi zaszkodzić, niepodobna było ukryć przed tobą uczuć przepełniających me serce. Na to co było dziełem dobrej wiary, ty, pani, patrzysz jako na owoc zuchwalstwa. W nagrodę najczulszej, pełnej szacunku, najszczerszej miłości odtrącasz mnie. Mówisz w końcu o swej nienawiści... Któż inny nie skarżyłby się na mym miejscu, gdyby się z nim obchodzono w ten sposób? Ja jeden poddaję się; cierpię wszystko i nie szemram; ty wymierzasz cios, ja ubóstwiam rękę, która go zadała. Niepojęta władza, jaką posiadasz nade mną, czyni cię wszechmocną panią mych uczuć; jeśli miłość moja ci się opiera, jeśli nie zdołasz jej zniweczyć, to dlatego że twoim jest dziełem, nie moim.

Nie żądam wzajemności, którą się nigdy nie łudziłem. Nie oczekuję nawet tej litości, której nadzieję mogłaby we mnie obudzić okazywana mi niekiedy sympatia. Ale mniemam – przyznaję – że mam prawo odwołać się do twej sprawiedliwości.

Mówi pani, że próbowano mi szkodzić w twej opinii.

Gdybyś słuchała rady przyjaciół, nie byłabyś mi pozwoliła nawet zbliżyć się do siebie: to twoje słowa. I któż są owi tak gorliwi przyjaciele? Ludzie tak surowi, tak nieokazitelni zgodzą się z pewnością, aby ich wymienić; nie pragną chyba okrywać się tajemnicą, która by ich stawiła w rzędzie nikczemnych potwarców; toteż mniemam, wolno mi dowiedzieć się, kto oni są i co mi zarzucają. Zrozum, pani, mam prawo do tego, skoro na tej podstawie opiera się twój wyrok. Nie skazuje się winnego nie wymieniając mu jego występku ani nazwisk oskarżycieli. Nie żądam innej łaski i z góry zobowiązuję się usprawiedliwić, zmusić ich, by odwołali zarzuty.

Jeśli zanadto może gardziłem w życiu czczym sądem gawiedzi, inaczej mają się rzeczy, gdy idzie o twój, pani, szacunek. Skoro życie poświęcić chcę na to, aby nań zasłużyć, nie pozwolę go sobie wydrzeć bezkarnie. Jest mi tym bardziej cenny, iż jemu z pewnością mógłbym zawdzięczać ową prośbę, przed którą się tak wzdrygasz, a która dałaby mi, jak mówisz, prawa do twej wdzięczności. Ach, nie żądam jej od ciebie! Ja to raczej będę czuł wdzięczność niewygasłą, jeśli dasz mi sposobność, bym się w czymkolwiek tobie stać mógł miłym. Zacznij więc postępować nieco sprawiedliwiej: nie ukrywaj dłużej, czego ode mnie pragniesz. Gdybym mógł odgadnąć, oszczędziłbym ci trudu mówienia o tym. Do rozkoszy oglądania ciebie dorzuć szczęście służenia ci, pani, a będę wielbił twą łaskawość. Cóż może cię wstrzymać? Chyba nie lęk odmowy? Tego, czuję, nie mógłbym ci, pani, przebaczyć. Bo nie jest odmową to, iż dotychczas nie zwróciłem ci listu. Pragnąłbym, bardziej jeszcze niż ty, aby mi nie był już potrzebny: ale nawykły uwielbiać twą duszę tak pełną słodyczy, jedynie w tym liście mogę cię odnaleźć taką, za jaką pragniesz uchodzić. Gdy marzę o tym, aby zmiękczyć twe serce, czytam oto, iż nimbyś się miała na to zgodzić, raczej uciekłabyś o sto mil; gdy cała twa luba istota potęguje i usprawiedliwia mą miłość, list powtarza mi znowu, że miłość moja jest dla ciebie zniewagą; skoro zaś patrząc na cię, czuję, iż uczucie to jest dla mnie najwyższym dobrem, muszę odczytać twe słowa, by pamiętać, że jest ono mą najsroższą niedolą. Pojmujesz teraz, pani, że mym największym szczęściem byłoby oddać ci ten list złowrogi; żądając zwrotu, uprawniłabyś mnie, bym przestał wierzyć w to, co on zawiera: nie wątpisz chyba, jak bardzo rad bym cię usłuchać.

21 sierpnia 17**

LIST XXXVI
Wicehrabia de Valmont do prezydentowej de Tourvel
(z pieczęcią Dijon)

Surowość twoja, pani, wzmaga się co dzień: zdawałoby się, iż w stosunku do mnie mniej lękasz się być niesprawiedliwą niż zdolną do wyrozumiałości. Wydawszy wyrok bez wysłuchania mnie, musiałaś uczuć, w istocie, że łatwiej będzie nie czytać mych racji niż na nie odpowiedzieć. Odmawiasz uparcie przyjęcia listów; zwracasz je ze wzgardą. Zmuszasz mnie wreszcie, bym uciekał się do podstępu w tej chwili właśnie, w której mym jedynym celem jest przekonać panią o mej rzetelności. Konieczność obrony, w jakiej mnie postawiłaś, usprawiedliwia wszakże wszystkie środki. W poczuciu szczerości mych uczuć, w przekonaniu, że wystarczy objawić ci je w ich prawdziwej istocie, aby się uniewinnić w twoich oczach, odważyłem się na ten niewinny podstęp. Ośmielam się mniemać, że mi go przebaczysz; nie powinno cię dziwić, iż miłość przemyślniejsza jest w wynurzaniu uczuć niż obojętność w oddaleniu ich od siebie.

Pozwól więc, pani, aby me serce otwarło się przed tobą całkowicie. Masz prawo, masz obowiązek poznać je do głębi.

Przybywając do pani de Rosemonde daleki byłem od przewidywania losu, który mnie tu oczekiwał. Nie wiedziałem, że tu przebywasz; dodam nawet z właściwą mi szczerością, że gdybym i wiedział, nie byłoby mnie to zaniepokoiło; nie, iżbym nie oddawał twym wdziękom sprawiedliwości, ale nawykły podlegać jedynie zachceniom, a poddawać się im tylko wówczas, kiedy je podsycała nadzieja tryumfu, nie znałem po prostu, co udręki miłosne.

Byłaś, pani, świadkiem, jak bardzo nalegała pani de Rose-monde, bym u niej pozostał przynajmniej czas jakiś. Spędziłem już jeden dzień w twoim towarzystwie; mimo to uległem jedynie – przynajmniej tak mi się zdawało – naturalnej i usprawiedliwionej przyjemności okazania względów sędziwej i czcigodnej krewnej. Życie, jakie prowadzimy tutaj, różniło się bardzo, zaiste, od tego, do jakiego przywykłem; mimo to nic mnie nie kosztowało zastosować się do niego! Nie zgłębiając przyczyn zmiany, jaka odbywała się we mnie, przypisywałem ją jedynie łatwości mego charakteru, o której, zdaje mi się, wspominałem już kiedyś.

Na nieszczęście (czemuż trzeba, aby to było nieszczęściem?), poznając cię, pani, lepiej, poznałem wkrótce, że twoja urocza postać – jedyne, co z początku ściągnęło mą uwagę – była najmniejszą z twych zalet; twoja niebiańska dusza wprawiła w zdumienie, porwała za sobą moją. Podziwiałem piękność, ubóstwiałem cnotę. Nie kusząc się zdobywać cię, pragnąłem stać się ciebie godny. Polecając twemu pobłażaniu mą przeszłość, marzyłem o twej sympatii na przyszłość. Szukałem jej w słowach, śledziłem w spojrzeniach, z których płynęła trucizna tym niebezpieczniejsza, że sączona bez zamiaru, wchłaniana bez lęku.

I tak poznałem miłość. Ale jakże daleki byłem wówczas od rozpaczy! Gotów pogrzebać ją w wieczystym milczeniu, oddawałem się bez obawy, zarówno jak bez miary, rozkosznemu uczuciu. Każdy dzień mnożył jego potęgę. Wkrótce rozkosz widywania cię stała się koniecznością. Skoro tylko oddaliłaś się na chwilę, serce moje ściskało się z żalu; szelest, który zwiastował twój powrót, przyprawiał je o drżenie. Istniałem już jedynie dla ciebie i przez ciebie. Mimo to ciebie samej wzywam na świadectwo: czy kiedykolwiek, bądź wśród niewinnych igraszek, bądź gdy nas pochłaniała poważna rozmowa, wymknęło mi się bodaj jedno słowo zdolne zdradzić tajemnicę mego serca?

Wreszcie nadszedł dzień, w którym miała się rozpocząć moja niedola: przez jakiś niepojęty fatalizm dobry uczynek stał się jej zwiastunem. Tak, pani, w obliczu tych nieszczęśliwych, którym użyczyłem pomocy, ty, pani, objawiając skarby swej najcenniejszej tkliwości, która upiększa piękność samą i dodaje blasku cnocie, obłąkałaś do reszty serce, już nieprzytomne z nadmiaru miłości. Przypominasz sobie może zadumę, w jakiej utonąłem w czasie owego powrotu! Niestety! Starałem się jeszcze walczyć ze skłonnością, która – czułem – stawała się mocniejsza ode mnie.

Wówczas to, kiedy już wyczerpałem siły w nierównej walce, przypadek, którego nie mogłem przewidzieć, kazał mi znaleźć się sam na sam z tobą. Tutaj uległem, wyznaję. Serce moje zbyt wezbrane nie zdołało powstrzymać ani słów, ani łez, które się zeń wydarły. Ale czyż to jest zbrodnią? A jeśli nawet, czy nie dosyć ukarany jestem przez straszliwe cierpienia, których doznaję?

Pożerany miłością bez cienia nadziei, błagam cię, pani, o litość i znajduję nienawiść; jedyne szczęście czerpiąc w twym widoku, mimo woli szukam cię oczyma i drżę przed spotkaniem twych spojrzeń. W okropnym stanie, do jakiego mnie doprowadziłaś, trawię dni na skrywaniu mych cierpień, noce zaś na oddawaniu się im ze zdwojoną siłą; gdy ty, spokojna i obojętna, jeśli znasz te męczarnie, to tylko stąd, że umiesz je zadawać i dumę czerpać z własnych okrucieństw. Mimo to ty, pani, się skarżysz, a ja się usprawiedliwiam!

Oto wszystko, pani, oto wierny obraz moich, jak je nazywasz, błędów, które słuszniej może byłoby nazwać mym nieszczęściem. Miłość czysta i szczera, cześć nie zmącona ani na chwilę, poddanie się bez granic – oto uczucia, jakimi mnie natchnęłaś. Takiego hołdu nie obawiałbym się przedłożyć samemu bóstwu. O ty, która jesteś jego najpiękniejszym dziełem, chciej naśladować je w dobroci i pobłażaniu! Wejrzyj na me okrutne męczarnie; pomyśl zwłaszcza, że nieszczęsnemu, postawionemu przez ciebie między najwyższym szczęściem a najstraszliwszą rozpaczą, pierwsze słowo, które wyrzekniesz, będzie wyrokiem wiekuistego losu.

23 sierpnia 17**

LIST XXXVII
Prezydentowa de Tourvel do pani de Volanges

Poddaję się, pani, radom, które dyktuje ci przyjaźń. Przywykła szanować we wszystkim twe poglądy, zawsze gotowa jestem wierzyć w ich słuszność i rozum. Przyznam nawet, że pan de Valmont musi być w istocie człowiekiem bardzo niebezpiecznym, jeżeli potrafi równocześnie udawać takiego, jakim jest tutaj, a w głębi zostać tym, jakim go pani maluje. Jak bądź się rzeczy mają, skoro ty tego żądasz, oddalę go od siebie: uczynię przynajmniej, co będzie w mej mocy, nieraz bowiem rzeczy, w treści bardzo proste, stają się kłopotliwe przez swą formę.

Ciągle wydaje mi się niepodobieństwem prosić o to jego ciotkę; żądanie takie uchybiałoby zarówno jej, jak jemu. Niechętnie również zdecydowałabym się sama wyjechać; pomijam już przyczyny, które przytoczyłam poprzednio; ale gdyby mój wyjazd, co bardzo być może, był nie po myśli pana de Valmont, czyż nie mógłby z łatwością pośpieszyć za mną do Paryża? Powrót zaś ten, którego ja, przynajmniej w oczach ludzi, byłabym powodem, czyż nie bardziej byłby rażący niż spotkanie się na wsi u osoby, o której cały świat wie, iż jest jego krewną a moją przyjaciółką?

Pozostaje mi więc tylko skłonić jego samego, aby zechciał się usunąć. Czuję, że nie jest łatwo uczynić taką propozycję, ponieważ jednak, o ile mi się wydaje, panu de Valmont zależy na tym, aby mi dowieść, że w istocie lepszy jest od swej reputacji, nie tracę nadziei. Rada nawet będę, że będę miała sposobność osądzić, czy prawdą jest, co on często powiada, iż nigdy uczciwa kobieta nie miała ani nie będzie miała powodu skarżyć się na jego postępowanie. Jeśli odmówi i uprze się zostać, zawsze będę miała dość czasu, aby wyjechać, i przyrzekam to uczynić.

Oto, jak sądzę, wszystko, czego przyjaźń twoja żądała, skwapliwie pośpieszam uczynić jej zadość i dowieść, iż mimo zapału, z jakim mogłam ujmować się za panem de Valmont, zawsze skłonna jestem nie tylko wysłuchać, lecz i wypełnić rady mych dobrych przyjaciół.

Mam zaszczyt etc.

24 sierpnia 17**

LIST XXXVIII
Markiza de Merteuil do wicehrabiego de Valmont

Odebrałam przed chwilą olbrzymi pakiet, drogi wicehrabio. Jeżeli data jest ścisła, powinnam go była otrzymać o dobę wcześniej; ale to pewna, że gdybym obróciła czas na czytanie tych foliałów, zabrakłoby mi go z pewnością na odpowiedź. Wolę zatem poprzestać na potwierdzeniu odbioru i na razie pomówić o czym innym. Nie sądź z tego, iż mam ci coś do opowiedzenia o sobie: jesień ogałaca Paryż niemal ze wszystkich mężczyzn bodaj trochę podobnych do ludzi, toteż odznaczam się od miesiąca wiernością wprost morderczą i każdy, prócz kawalera, byłby już znużony dowodami mej stałości. Pozostając tedy w przymusowym bezrobociu, próbuję się rozrywać z małą de Volanges; o niej właśnie chcę pomówić.

Czy wiesz, że więcej, niż myślisz, straciłeś na tym, że nie chciałeś się zająć tym dzieckiem? Rozkoszna jest, doprawdy! Lube stworzonko: ani charakteru, ani zasad; pomyśl, co za nieocenione zalety w pożyciu! Nie sądzę, by kiedykolwiek silną jej stroną miało być uczucie; ale wszystko zapowiada obudzenie zmysłów bardzo a bardzo obiecujące. Inteligencji tam nie ma; nawet sprytu; posiada jednak pewną naturalną, jeśli można się tak wyrazić, zdolność fałszu, która nieraz zdumiewa mnie samą i która ma tym więcej widoków powodzenia, ile że twarzyczka przedstawia sam obraz prostoty i niewinności. Z natury wielki z niej pieszczoch, z czego nieraz mam trochę rozrywki: nie uwierzyłbyś, jak ta główka umie się rozpalać; a tym zabawniejsza przez to, że nie wie nic, ale to zupełnie nic, a chciałaby wiedzieć wszystko. Paradna jest czasem doprawdy; śmieje się, złości, płacze, a potem prosi, aby ją nauczyć, i to z naiwnością wprost rozczulającą. Doprawdy, prawie że jestem zazdrosna o tego, komu los przeznaczył tę przyjemność.

Nie wiem, czy ci pisałam, że od kilku dni mam zaszczyt być jej powiernicą. Domyślasz się, że zrazu trzymałam się ostro: ale skoro tylko małej mogło się zdawać, że mnie przekonała swymi głupiutkimi argumentami, udałam, że je biorę za dobrą monetę. Jest tedy najpewniejsza, że zawdzięcza ten sukces swej wymowie: uważałam za właściwe zachować tę ostrożność, aby się zanadto nie odsłaniać. Pozwoliłam jej pisać i mówić: k o c h a m; tegoż samego dnia, nie wspominając ani słowa, dostarczyłam jej sposobności sam na sam z Dancenym. Ale wyobraź sobie, z niego jeszcze taki głuptas, że nie umiał uzyskać nawet pocałunku. A przecież ten chłopak pisuje bardzo ładne wiersze! Mój Boże! Jacyż ci inteligentni ludzie są głupi! Nie wiem, doprawdy, co z nim począć; jego przecież nie mogę prowadzić za rączkę!

Obecnie tedy mógłbyś mi być bardzo pomocny. Jesteś dość blisko z Dancenym, aby wydobyć z niego jakieś zwierzenia, gdyby zaś raz wszedł na tę drogę, pojechalibyśmy gładko. Załatw się zatem co rychlej z prezydentową, bo – tak czy owak – nie chcę, aby Gercourt wyszedł cało. Rozgadałam się już zresztą o nim z młodą osóbką i odmalowałam go tak skutecznie, że gdyby była jego żoną od lat dziesięciu, nie mogłaby go lepiej nienawidzić. Mimo to nie szczędziłam kazań o małżeńskiej wierności; okazałam w tym względzie budującą surowość. Przez to z jednej strony utrwalam w jej oczach mą reputację, której nadmierna pobłażliwość mogłaby zaszkodzić, z drugiej potęguję w niej tę niezawisłość, z jakiej pragnę uczynić podarek ślubny mężowi. Wreszcie, utwierdzając przekonanie, że wolno jej żyć dla miłości jedynie przez ten krótki czas panieństwa, mam nadzieję, że łatwiej rozwinie się w niej chętka, aby nic z tego czasu nie uronić.

Do widzenia, wicehrabio; zabiorę się do toalety albo zacznę czytać twoje foliały.

27 sierpnia 17**

LIST XXXIX
Cecylia Volanges do Zofii Carnay

Smutna jestem i niespokojna, Zosiu droga. Płakałam prawie całą noc. Wprawdzie, mimo wszystko, na razie czuję się i tak bardzo szczęśliwa, ale boję się, że to niedługo potrwa.

Byłam wczoraj w Operze z panią de Merteuil; rozmawiałyśmy dużo o moim małżeństwie, ale to, co usłyszałam, wcale mnie nie pocieszyło. Mój przyszły mąż nazywa się hrabia de Gercourt, a ślub ma być już w październiku. Jest bogaty, ze znakomitej rodziny, jest pułkownikiem w pułku **. Aż dotąd wszystko bardzo ładnie. Ale przede wszystkim jest stary: wyobraź sobie, ma co najmniej trzydzieści sześć lat! A potem pani de Merteuil mówi, że jest ponury i zgryźliwy; obawia się, że nie będę z nim szczęśliwa. Widziałam nawet po niej, że całkiem na pewno tak myśli, tylko nie chciała wyraźnie powiedzieć, żeby mnie nie martwić. Prawie cały wieczór mówiła tylko o obowiązkach żony: przyznaje, że pan de Gercourt nie jest miły ani powabny, a jednak mówi, że trzeba koniecznie go kochać. Powiedziała także, że gdy raz wyjdę za mąż, nie wolno mi będzie kochać kawalera Danceny! Jak gdyby to było możliwe! Och, co do tego, ręczę ci, że będę go kochała zawsze! To już bym wolała wcale nie iść za mąż. Niech ten pan Gercourt robi sobie, co mu się podoba, ja go wcale nie prosiłam. Teraz jest na Korsyce, bardzo daleko; chciałabym, żeby tam siedział z dziesięć lat. Gdybym się nie bała, że mnie wsadzą na powrót do klasztoru, zaraz bym powiedziała mamie, że nie chcę takiego męża; ale to by było jeszcze gorzej.

Wielki mam kłopot, Zosieńko. Czuję, że nigdy jeszcze tak nie kochałam pana Danceny; i kiedy pomyślę, że już tylko miesiąc tego życia, zaraz mi łzy napływają do oczu. Jedyną pociechą jest przyjaźń pani de Merteuil; ona ma takie dobre serce! Każdym moim zmartwieniem przejmuje się na równi ze mną; przy tym taka miła, że jak jestem z nią razem, już prawie o tamtym nie myślę. Bardzo dużo korzystam w jej towarzystwie; to troszkę, co wiem, to wszystko od niej; i taka dobra, że mówię jej wszystko, co myślę, bez najmniejszego zawstydzenia. Kiedy ona uważa, że coś jest niedobrze, łaje mnie czasem, ale bardzo łagodnie; potem całuję ją i ściskam z całego serca tak długo, aż się przestanie gniewać. Przynajmniej co ją, to wolno mi kochać, ile mi się spodoba, i nic w tym nie ma złego; strasznie się cieszę. Ułożyłyśmy się jednak, że nie będę pokazywała przy wszystkich, że ją tak bardzo kocham, zwłaszcza przed mamą nie, żeby się nie domyśliła czego o Dancenym. Zaręczam ci, że gdybym mogła zawsze żyć tak jak teraz, byłabym bardzo szczęśliwa. Tylko ten paskudny pan de Gercourt!... Ale nie chcę już więcej o nim mówić; znowu bym się zrobiła smutna. Zamiast tego wolę napisać do kawalera; będę mówiła tylko o mojej miłości, nie o zgryzotach, bo nie chcę go zmartwić.

Do widzenia, moja złota, Widzisz więc, że niesłusznie żaliłaś się na mnie i że, mimo że jestem zajęta, jak mówisz, zawsze zostanie mi dość czasu, aby cię kochać i pisać do ciebie*.

27 sierpnia 17**

LIST XL
Wicehrabia de Valmont do markizy de Merteuil

Nie dość już okrutnej, że nie odpowiada na listy, że odmawia ich przyjęcia; chce mnie pozbawić i swego widoku, żąda, abym się usunął. Bardziej się może zadziwisz, markizo, że ja się poddaję tym surowym wyrokom. Zganisz mnie za to. A jednak zdawało mi się, iż dobrze jest nie wypuszczać sposobności przyjęcia od niej rozkazu. Z jednej strony, moim zdaniem, ktoś, kto rozkazuje, tym samym zaciąga zobowiązania; z drugiej uważam, że najzdradliwszą pułapką dla kobiety jest owa złudna przewaga, jaką jej pozornie

---

* Pomija się w dalszym ciągu listy Cecylii Volanges i kawalera Danceny, jako mało interesujące i nie zawierające godnych uwagi wydarzeń.

przyznajemy. A przy tym, dzięki zręczności, z jaką pani de Tourvel umiała się wystrzegać chwili rozmowy, położenie zaczynało się stawać bardzo niebezpieczne: trzeba było zeń wyjść za każdą cenę. Przebywając bezustannie w jej towarzystwie bez możności zaprzątania jej mą miłością, miałem wszelkie powody obawiać się, iż osoba moja przestanie wreszcie być dla niej źródłem ciągłego niepokoju: sama wiesz, jak trudno później to odzyskać.

Zgadujesz zresztą, że nie poddałem się bez jakichś warunków. Byłem nawet o tyle przezorny, że postawiłem jeden, niepodobny do przyjęcia; zarówno aby zachować swobodę dotrzymania słowa lub wycofania się, jak również aby dać początek dyskusji, pisemnej lub ustnej, w chwili gdy moja pani najprzychylniej jest dla mnie usposobiona, a zarazem najbardziej musi mnie oszczędzać. Wreszcie musiałbym być bardzo niezręczny, gdybym nie umiał wytargować jakiejś kompensaty, w razie gdybym odstąpił od tej pretensji mimo jej niewykonalności.

Wyłożywszy moje racje w tym przydługim wstępie, przystępuję do historycznego przebiegu ostatnich dni. Jako dokument załączam list mego ideału i moją odpowiedź. Przyznasz, że co do ścisłości niewielu dziejopisów mogłoby ze mną rywalizować.

Przypominasz sobie wrażenie, jakie wywołał przedwczoraj mój list z Dijon: reszta dnia spłynęła równie burzliwie. Skromnisia zjawiła się dopiero do obiadu i oznajmiła, że ma silną migrenę: pozór, którym chciała pokryć widoczne rozdrażnienie. Stan jej odbił się i na twarzy; owa słodycz, która, jak pamiętasz, jest dla niej tak znamienna, zmieniła się w wyraz jakiegoś dąsu, co prawda zdobiącego jej piękność nowym wdziękiem. Przyrzekam sobie, iż w przyszłości będę korzystał z tego odkrycia i nie omieszkam podręczyć jej od czasu do czasu.

Poobiedzie zapowiadało się niezabawnie; pragnąc go sobie oszczędzić, wymówiłem się pilnymi listami i schroniłem się do siebie. Wróciłem do salonu około szóstej; pani de Rosemonde zaproponowała przejażdżkę, co zostało przychylnie przyjęte. Ale w chwili wsiadania do powozu pani de Tourvel, w przystępie jakiejś piekielnej złośliwości (może aby się zemścić za moje zniknięcie po obiedzie), wymyśliła nową migrenę i zostawiła mnie bez litości na pastwę przejazdżki z ciotką. Za powrotem dowiedzieliśmy się, że się położyła.

Nazajutrz przy śniadaniu już nie ta sama kobieta. Wrodzona słodycz wróciła na oblicze; mogłem mniemać, że wszystko odpuszczone. Ledwie śniadanie dobiegło końca, luba istota podniosła się od niechcenia i skierowała się w stronę parku; domyślasz się, że pośpieszyłem za nią. „Co mogło obudzić tę ochotę do przechadzki?" – rzekłem zbliżając się do niej. – „Pisałam dużo dziś rano – odparła – i głowę mam nieco zmęczoną". – „Nie mnie zapewne przypadło szczęście – wtrąciłem – abym się stał powodem tego utrudzenia?" – „Owszem, pisałam do pana – odparła znowu – ale waham się, czy oddać list... Zawiera pewną prośbę, a postępowanie pańskie nie pozwala mi żywić zbytniej wiary w jej powodzenie". – „Ach, przysięgam, że jeśli tylko zdołam..." – „Nic łatwiejszego – przerwała – jakkolwiek miałabym prawo odwołać się z mą prośbą jedynie do pańskiego sumienia, godzę się przyjąć spełnienie jej jako łaskę..." Przy tych słowach podała mi list; biorąc, ująłem i rękę. Cofnęła ją, ale bez gniewu, raczej z zakłopotaniem. „Upał większy, niż myślałam – rzekła – trzeba wracać". To mówiąc skierowała się ku zamkowi. Czyniłem próżne wysiłki, aby ją nakłonić do przechadzki; musiałem przywołać na pomoc całą rozwagę, aby się ograniczyć jedynie do słownej wymowy. Znalazłszy się w zamku pani de Tourvel udała się do swych pokoi, ja również schroniłem się do siebie, aby otworzyć list, którego przeczytanie, zarówno jak moją odpowiedź, gorąco ci zalecam, zanim pójdziemy dalej.

LIST XLI
Prezydentowa de Tourvel do wicehrabiego de Valmont

Sądząc z pańskiego postępowania zdawałoby się, że myśli pan jedynie o tym, czym by pomnożyć co dzień przyczyny żalu, jaki mam do pana. Wytrwałość, z jaką bezustannie mówi mi pan o uczuciu, o którym nie chcę i nie powinnam słyszeć; ciągłe nadużywanie mej dobrej wiary albo nieśmiałości; sposób zwłaszcza, mogę powiedzieć, mało delikatny, jakim się pan posłużył, aby przesłać list ostatni, *nie dbając choćby o skutek zaskoczenia, które mogło mnie skompromitować,* wszystko to powinno by ściągnąć na pana wymówki równie żywe, jak zasłużone. Mimo to, miast powracać do tych zarzutów, ograniczam się do prośby równie prostej, jak słusznej; jeżeli uzyskam jej spełnienie, godzę się puścić w niepamięć wszystkie żale.

Sam mi pan powiedziałeś, że nie powinnam się lękać odmowy. I choć z właściwą panu niekonsekwencją umieszczasz zaraz po tym zdaniu jedyną odmowę, jaką mogłeś mi uczynić[*]*, chcę wierzyć, że dzisiaj dotrzymasz słowa wyraźnie danego tak niedawno.*

Pragnę zatem, aby pan zechciał się oddalić; abyś opuścił zamek, w którym dłuższy pański pobyt musiałby na mnie ściągnąć potępienie świata, zawsze skłonnego myśleć źle o drugich, świata, który przyzwyczaiłeś aż nadto, aby surowo sądził kobiety odważające się przebywać w pańskim towarzystwie.

Ostrzegana już od dawna o tym niebezpieczeństwie przez moich przyjaciół, nie zważałam na ich sądy, spierałam się nawet z nimi, dopóki pańskie zachowanie pozwalało wierzyć, iż raczysz nie stawiać mnie w równym rzędzie z tłumem kobiet skrzywdzonych i znieważonych przez siebie. Dziś, kiedy traktujesz mnie na równi z nimi, kiedy nie mogę mieć pod tym względem żadnych wątpliwości, winna jestem opinii, przyjaciołom, sobie samej, aby się uciec do tego koniecznego

---

* *Patrz list XXXV.*

środka. Mogłabym dodać, iż nic nie zyskałby pan odmawiając mej prośbie, gdyż gotowa jestem wyjechać sama, jeżeli pan zechce pozostać: ale nie staram się zmniejszyć wdzięczności, jaką będę czuła dla pana za tę uprzejmość, i nie taję, iż zmuszając mnie do wyjazdu, sprawiłby mi pan wielki kłopot. Chciej mi więc dowieść, że – jak tyle razy zapewniałeś – uczciwe kobiety nigdy nie będą miały przyczyny skarżyć się na pana; dowiedź przynajmniej, że nawet kiedy ci się zdarzy dopuścić względem nich jakiej winy, umiesz i chcesz ją naprawić.

Gdybym potrzebowała usprawiedliwień dla mej prośby, wystarczyłoby mi powiedzieć panu, iż życie całe strawiłeś na tym, aby uczynić ją niezbędną. Mimo to w twojej mocy było jej uniknąć. Ale nie poruszajmy wydarzeń, o których pragnę zapomnieć i które zmuszałyby mnie do surowego sądu o panu w chwili, gdy ofiaruję mu sposobność pozyskania mej wdzięczności. Żegnam pana. Postąpienie pańskie pouczy mnie, z jakimi uczuciami mam zostać na całe życie jego powolną etc.

25 sierpnia 17**

LIST XLII
Wicehrabia de Valmont do prezydentowej de Tourvel

Jakkolwiek, pani, twarde warunki mi nakładasz, nie uchylam się! Czuję, że niepodobieństwem byłoby dla mnie sprzeciwiać się twemu życzeniu. Skoro tedy porozumieliśmy się co do tego, śmiem mniemać, że i pani z kolei pozwoli mi przedłożyć pewne prośby, nieskończenie skromniejsze, których ziszczenie pragnę zawdzięczać jedynie zupełnemu poddaniu się twej woli.

Pierwszą prośbą, która, mam nadzieję, znajdzie poparcie w twym poczuciu sprawiedliwości, jest, abyś zechciała wymienić mi moich oskarżycieli; wyrządzili mi, jak sądzę, dość złego, abym miał prawo ich poznać. Druga łaska, której oczekuję po twej wspaniałomyślności, to, abyś raczyła od czasu do czasu nie wzbraniać się przed przyjęciem najpoddańszego hołdu miłości, która teraz bardziej niż kiedykolwiek winna mieć prawo do twego współczucia.

Pomyśl, pani, że ja skwapliwie poddaję się twym rozkazom, nawet wówczas gdy mogę to uczynić jedynie kosztem mego szczęścia i mimo przekonania, że pragniesz mego wyjazdu jedynie dlatego, aby sobie oszczędzić przykrości oglądania przedmiotu swego okrucieństwa. Oddalasz mnie od siebie, jak się odwraca wzrok od nieszczęśliwego, któremu się nie chce dopomóc.

Ale wówczas gdy rozłączenie zdwoi me męczarnie, komuż innemu, jak nie tobie, pani, mogę powierzyć me skargi? Od kogóż mogę oczekiwać pociechy, której tak będę potrzebował? Czyż mi jej odmówisz, ty, która jesteś jedyną sprawczynią mych udręczeń?

Nie powinno pani również dziwić, że nim odjadę, chciałbym usprawiedliwić się przed tobą z uczuć, którymi mnie natchnęłaś; również nie będę miał siły oddalić się stąd, póki nie otrzymam z własnych ust twoich wyraźnego rozkazu.

Ta podwójna przyczyna każe mi prosić panią o chwilę spotkania. Próżno usiłowalibyśmy zastąpić ją listami: pisze się tomy całe na próżno, gdy dla porozumienia wystarczyłby kwadrans rozmowy. Czasu mamy pod dostatkiem: mimo skwapliwości, z jaką pragnąłbym pani usłuchać, trzeba mi będzie, bodaj ze względu na ciotkę, doczekać jakiegoś listu powołującego mnie rzekomo do Paryża. Żegnam panią. Nigdy jeszcze nie było mi tak ciężko wymówić to słowo, jak teraz gdy przywodzi mi ono na pamięć myśl o rozstaniu. Gdybyś mogła, pani, wyobrazić sobie, ile cierpię, miałabyś dla mnie, śmiem wierzyć, nieco uznania za me posłuszeństwo. Chciej przyjąć bodaj, z większą niż dotąd wyrozumiałością, zapewnienie i wyrazy miłości równie tkliwej, jak pełnej bezgranicznego szacunku.

25 sierpnia 17**

A teraz roztrząśnijmy rzecz razem, piękna przyjaciółko. Pojmujesz, jak i ja, że skrupulatna, uczciwa pani de Tourvel nie może wypełnić pierwszego żądania i zdradzić zaufania przyjaciół wymieniając m o i c h o s k a r ż y c i e l i. Zatem, przyrzekając wszystko pod tym warunkiem, nie zobowiązuję się do niczego. Ale rozumiesz także, że jej niezawodna odmowa stanie się tytułem do uzyskania dalszych punktów i że wówczas, oddalając się, zyskuję to, iż wchodzę z nią – i to za jej zgodą – w stałą korespondencję. Co się tyczy schadzki, o którą proszę, nie przywiązuję do tego większej wagi; jedynym celem moim jest oswoić ją z podobnymi żądaniami na przyszłość.

Jedno, co mi pozostało przed wyjazdem, to dowiedzieć się, kto taki pozwala sobie szkodzić mi w jej oczach. Przypuszczam, że to szanowny małżonek; chciałbym, aby tak było. Pomijając, że nakaz małżeński jest zawsze jedynie zaostrzeniem ochoty, jestem pewny, że z chwilą gdy dama zgodzi się pisywać do mnie, mąż przestanie być niebezpieczny, skoro tym samym pani wejdzie na drogę oszukiwania go.

Natomiast jeśli to jakaś przyjaciółka otrzymuje jej zwierzenia i judzi przeciwko mnie, pierwszym mym zadaniem będzie poróżnić je z sobą i mam nadzieję, że zdołam to osiągnąć. Przede wszystkim trzeba wybadać, jak się w istocie rzeczy mają. Myślałem, że mi się to uda wczoraj, ale ta kobieta nic tak nie robi jak inne. Byliśmy w jej pokoju, w chwili gdy oznajmiono obiad. Kończyła ledwo toaletę, śpiesząc się i tłumacząc, przy czym zauważyłem, iż zostawia kluczyk od sekretarzyka w zamku: znam zaś jej zwyczaj, iż nigdy nie wyjmuje z drzwi klucza od pokoju. Rozmyślałem nad tym w czasie obiadu, gdy usłyszałem, że pokojówka jej schodzi na dół. Powziąłem plan w jednej chwili; udałem, że mi zaczęła iść krew z nosa, i wyszedłem. Pomknąłem do sekretarzyka: wszystkie szuflady otwarte, ani kawałeczka zapisanego papieru. Gdzież ona może podziewać listy, które dostaje? A dostaje często! Nie pominąłem żadnej kryjówki; wszystko było otwarte, szukałem wszędzie: nic nie zyskałem prócz przeświadczenia, że ten cenny skarb musi się znajdować w kieszeniach jej sukien.

Jak go wydobyć? Od wczoraj łamię sobie na próżno głowę. Żałuję, iż nie posiadam złodziejskich talentów. Doprawdy, ta sztuka powinna by wchodzić w skład wychowania człowieka przeznaczonego do podbojów miłosnych. Ale rodzice nasi nie troszczą się o nic, ja zaś na próżno bym się dziś silił to nadrobić; widzę ze smutkiem, że jestem tylko niezdarą bez ratunku.

Koniec końców, musiałem wrócić do stołu, bardzo nierad z siebie. Moja Piękność ułagodziła nieco ten zły humor, okazując mi wielką troskliwość z powodu udanego zasłabnięcia; nie omieszkałem napomknąć, że od niejakiego czasu podlegam wzruszeniom, które nieszczególnie wpływają na me zdrowie. Wiedząc doskonale, że sama jest tego przyczyną, czyż nie powinna by się poczuwać do obowiązku dostarczenia najskuteczniejszego lekarstwa? Ale ona, choć taka święta, mało skłonna jest do miłosierdzia; odmawia uporczywie jałmużny miłosnej; toteż upór ten wystarcza, jak sądzę, najzupełniej do uprawnienia kradzieży. Do widzenia; gawędzę z tobą, markizo, a cały czas myślę o tych przeklętych listach.

26 sierpnia 17**

LIST XLIII
Prezydentowa de Tourvel do wicehrabiego de Valmont

I czemuż stara się pan umniejszyć mą wdzięczność? Czemu chcesz być posłusznym jedynie w połowie i czynisz przedmiotem targów swoje szlachetne postąpienie? Czyż nie wystarcza, że ja czuję całą jego wartość? Nie tylko żądasz pan wiele: żądasz wprost rzeczy niepodobnych. Jeśli w istocie przyjaciele ostrzegli mnie przed panem, uczynili to z pewnością jedynie przez troskliwość; gdyby nawet zdarzyło się im omylić, chęci były najlepsze. I pan żądasz ode mnie, abym odpłaciła ten dowód przywiązania zdradzając ich tajemnicę! Odwołuję się do pana samego, do pańskiego poczucia honoru; czy przypuszczał pan, iż będę zdolna do takiego postąpienia? Czy godziło się mnie do tego namawiać? Sądzę, że nie. Jestem pewna, iż zastanowiwszy się głębiej, nie ponowi pan tego żądania.

Drugie, tyczące pisywania do mnie, również niełatwe jest do przyjęcia: jeśli zechce pan być sprawiedliwy, nie mnie pan będzie winił o to. Nie chcę bynajmniej pana obrazić, ale wobec reputacji, jaką posiadasz, a na jaką, wedle własnego poczucia, przynajmniej w części zasłużyłeś, któraż kobieta mogłaby się przyznać, iż pozostaje w korespondencji z panem? A któraż kobieta uczciwa zgodziłaby się czynić coś, z czym by się musiała ukrywać?

Gdybym bodaj miała pewność, że listy pańskie nie dadzą mi nigdy powodu do skargi, może wówczas dla dowiedzenia, że jedynie rozwaga, a nie niechęć kierują mym postępowaniem, gotowa byłabym pominąć te ważne względy i uczynić więcej, niżbym powinna, pozwalając pisać czasami do siebie. Jeśli w istocie pragnie pan tego tak bardzo, podda się pan chętnie warunkowi; w zamian zaś, przez wdzięczność za to, co czynię dla pana, nie będziesz odwlekał wyjazdu.

Niech mi pan pozwoli uczynić uwagę, iż otrzymałeś wszak jakiś list dziś rano, a nie skorzystałeś zeń, aby oznajmić pani de Rosemonde o konieczności wyjazdu, jak mi to obiecałeś. Spodziewam się, że teraz nic panu nie zdoła przeszkodzić w dotrzymaniu słowa. Liczę zwłaszcza, że nie będzie pan czynił tego zależnym od rozmowy, której żądasz, a na którą bezwarunkowo zgodzić się nie mogę, i że w miejsce rozkazu, którego tak się domagasz, zadowolisz się gorącą prośbą. Żegnam pana.

26 sierpnia 17**

LIST XLIV
Wicehrabia de Valmont do markizy de Merteuil

Ciesz się wraz ze mną mą radością, urocza przyjaciółko: ona mnie kocha; zwyciężyłem to harde serduszko. Próżno wzdraga się jeszcze i broni; udało mi się pochwycić jej tajemnicę. Od wczorajszej szczęśliwej nocy czuję się znowu w swoim żywiole; odzyskałem istnienie. Odkryłem podwójną tajemnicę: będę się napawał miłością i zemstą; czeka mnie rozkosz po rozkoszy. Sama myśl o tym rozpala mnie tak, że trudno mi jest się opamiętać; nie wiem, czy zdołam opowiedzieć wszystko po porządku. Spróbujmy.

Jeszcze wczoraj, po wysłaniu listu do ciebie, otrzymałem pismo od mego anioła. Przesyłam ci je; wyczytasz tam, iż udziela mi – najmniej niezręcznie, jak umie – prawa pisywania do niej, ale nalega na wyjazd; czułem też, iż odkładając dłużej zaszkodziłbym sprawie.

Nękany jednakże żądzą poznania autora owych zdradzieckich listów, wahałem się z ostatecznym postanowieniem. Usiłowałem przekupić pokojówkę, aby mi ułatwiła dostęp do kieszeni swej pani. Ofiarowałem dziesięć ludwików za tę drobną usługę, ale trafiłem na ciemięgę, wierną czy też tchórzliwą, której ani wymowa, ani pieniądze nie mogły przekonać. Próbowałem przemawiać jej do rozumu, kiedy zadzwoniono na wieczerzę. Trzeba ją było zostawić; musiałem się zadowolić tym, iż przyrzekła mi tajemnicę, na którą, jak sobie wyobrażasz, nie mogłem liczyć zbyt wiele.

Nigdy jeszcze nie byłem tak wściekły na siebie. Czułem, że naraziłem wszystko; wyrzucałem sobie przez cały wieczór nierozwagę.

Wróciwszy do siebie pełen niepokoju, zwierzyłem się strzelcowi, mniemając, iż ten, jako szczęśliwy kochanek, posiada jakiś wpływ na dziewczynę. Chciałem, aby w razie niemożności skłonienia jej zapewnił mi bodaj jej milczenie. Ale on, który zazwyczaj nie wątpi o niczym, tym razem wątpił i uczynił w tym względzie zdumiewająco głęboką uwagę.

„Wiadomo przecież panu, lepiej jeszcze niż mnie – odparł – że romansować z dziewczyną znaczy robić wszystko, co się jej spodoba, ale żeby ona robiła to, czego ja chcę, to inna sprawa!"

Rozum tego hultaja przeraża mnie czasem*.

„Co się jej tyczy – dodał – tym mniej mógłbym za nią odpowiadać, ile że mam przyczyny mniemać, że ona ma kochanka, ja zaś stanowię jedynie wypełnienie przymusowych wakacji. Toteż gdyby nie moja gorliwość w służbach jaśnie pana, byłoby się to wzięło raz albo dwa, i koniec. (Paradny chłopak!) Co do tajemnicy – dodał – na co się zda wymuszać jakieś przyrzeczenie, skoro i tak będzie nas mogła zdradzić bez żadnego ryzyka? Mówić jej jeszcze o tym, znaczyłoby tylko zwracać uwagę, że sekret jest ważny, i tym samym obudzić większą chęć paplania".

Im więcej te uwagi zawierały słuszności, tym bardziej rosło moje nieukontentowanie. Szczęściem, hultaj rozgadał się na dobre, że zaś potrzebowałem jego usług, pozwoliłem mu gawędzić. Opowiadając mi tedy całą historię wspomniał, iż pokój tej dziewczyny sąsiaduje z pokojem pani, że więc dla bezpieczeństwa schodzą się co noc nie u niej, lecz w jego izdebce. Natychmiast powziąłem plan; pouczyłem chłopca o jego roli i wykonaliśmy rzecz z pełnym powodzeniem.

Doczekałem drugiej rano; wówczas wziąwszy światło udałem się, jak to umówiliśmy z sobą, do jego izdebki pod pozorem, iż dzwoniłem kilkakrotnie bez skutku. Powiernik mój, w potrzebie pierwszorzędny aktor, zaimprowizował scenkę zdziwienia, rozpaczy i skruchy: położyłem temu koniec posyłając go po coś do mego pokoju. Przez ten czas uparta pokojóweczka pozostawała w sytuacji tym kłopotliwszej, ile że hultaj, przesadzając swą gorliwość w wykonaniu mego planu, nakłonił ją wprzódy do przybrania stroju, na który gorąca pora roku pozwalała, lecz któremu nie mogła starczyć za usprawiedliwienie.

---

* Piron, *Métromanie*.

Czując, że im bardziej upokorzę tę dziewczynę, tym łatwiej będę ją miał na usługi, nie pozwoliłem jej zmienić położenia ani kostiumu; po czym, usiadłszy na łóżku zdradzającym ślady wielkiego nieładu, rozpocząłem przemowę. Musiałem utrzymać nad nią przewagę; toteż zachowując zimną krew, która przyniosłaby zaszczyt wstrzemięźliwości Scypiona, i mimo świeżości jej wdzięków nie pozwalając sobie na najmniejszą poufałość, zacząłem mówić o interesach tak spokojnie, jak gdybym rozmawiał ze starym kauzyperdą.

Warunki moje brzmiały, że dochowam jej wiernie tajemnicy, jeżeli w zamian nazajutrz o tej samej mniej więcej godzinie pozwoli mi splądrować kieszenie swej pani. „Zresztą – dodałem – ofiarowałem ci wczoraj dziesięć ludwików, tęż samą kwotę przyrzekam i dzisiaj. Nie chcę wyzyskiwać twego położenia". Pojmujesz, iż zgodziła się bez oporu; oddaliłem się pozwalając szczęśliwej parze odzyskać stracony czas.

Co do mnie, udałem się na spoczynek. Rankiem zaś, chcąc zyskać pozór do zwłoki w odpowiedzi mojej na list pani de Tourvel aż do chwili, gdy zdołam przejrzeć jej papiery, udałem się na polowanie, które zabawiło mnie niemal do wieczora.

Za powrotem przyjęto mnie dość zimno. Mam powód przypuszczać, że pewne niezadowolenie wzbudziła moja wstrzemięźliwość w korzystaniu z chwil, jakie mi pozostały; zwłaszcza wobec ostatniego listu, łagodniejszego nieco w tonie. Wnoszę to również stąd, że gdy pani de Rosemonde uczyniła mi wymówkę z powodu długiej nieobecności, moja pani wtrąciła z odcieniem urazy: „Ach, nie wyrzucajmy panu de Valmont, że się oddaje jedynej rozrywce, jaką tu posiada". Zaprotestowałem przeciw niesprawiedliwości, dodając z umysłu, iż w towarzystwie pań czas upływa tak mile, że dla nich opóźniam nawet napisanie bardzo ważnego listu. Dodałem, iż spędziwszy kilka bezsennych nocy, chciałem szukać lekarstwa w utrudzeniu: spojrzenia moje wyraźnie tłumaczyły i przedmiot listu, i przyczynę bezsenności. Starałem się utrzymać przez cały wieczór w tonie wcale nieźle zagranej melancholijnej słodyczy, pod którą ukrywałem niecierpliwość doczekania się godziny, mającej mi wydać w ręce tak uparcie bronioną tajemnicę. Wreszcie rozeszliśmy się; w jakiś czas później wierna pokojówka przyniosła mi umówioną cenę mej dyskrecji.

Stawszy się panem skarbu, przystąpiłem ze znaną ci przezornością do sporządzenia inwentarza: ważne bowiem było później wszystko przywrócić do porządku. Najpierw dwa listy od męża: niestrawna mieszanina procesów i miłości małżeńskiej. Zdobyłem się na cierpliwość odczytania ich w całości: ani słowa odnoszącego się do mnie. Zirytowany odłożyłem je na bok, ale wkrótce wściekłość ustąpiła łagodniejszym uczuciom, gdy znalazłem starannie poskładane kawałki mego pamiętnego listu z Dijon. Mimo woli przebiegłem je oczami. Osądź mą radość, gdy spostrzegłem wyraźne ślady łez. Wyznaję, że uległem uczuciu godnemu młodzika: ucałowałem list ze wzruszeniem, o jakie nigdy bym się nie posądził. Ciągnąłem dalej szczęśliwe poszukiwania; znalazłem wszystkie swoje listy po porządku, ułożone datami; co mnie jeszcze milej zdumiało, to, iż znalazłem ów pierwszy, ten, który mi zwróciła z oburzeniem, wiernie skopiowany jej ręką, zmienionym i drżącym pismem, które dowodnie świadczyło o słodkim wzruszeniu.

Dotąd tonąłem w uczuciach miłości; wkrótce jednak wściekłość zajęła jej miejsce. Kto, mniemasz, pragnie mnie zgubić w oczach ubóstwianej? W jakiej furii przypuszczałabyś tyle złości i jadu? Znasz ją, to twoja przyjaciółka, krewna, pani de Volanges. Nie wyobrażasz sobie, jaki stek potworności wypisała o mnie ta megiera. To ona, jedynie ona, zmąciła spokój tej anielskiej kobiety; dzięki jej radom, przestrogom zmuszony jestem się oddalić; dla niej to poświęcono mnie. Ha! Teraz zgoda, markizo: trzeba uwieść jej córkę; ale to nie dosyć; trzeba ją zgubić; skoro wiek tej przeklętej kobiety zabezpiecza ją samą od zemsty, trzeba ją ugodzić w przedmiocie jej przywiązania.

Chce zatem, bym wrócił do Paryża! Zmusza mnie! Dobrze, wrócę. Ale ciężko jej przyjdzie opłacić mój powrót. Żałuję, że to Danceny jest bohaterem owej przygody; to w gruncie uczciwy chłopak, możemy z nim mieć nieco kłopotu; ale z drugiej strony, jest zakochany, a ja mam na niego dość wpływu: jakoś damy sobie radę. Wściekam się zamiast dokończyć biuletynu dzisiejszych wydarzeń. Wróćmy do przedmiotu.

Dziś rano znów ujrzałem mą tkliwą świętoszkę. Nigdy nie wydała mi się równie piękna. To całkiem naturalne: najpiękniejsza chwila u kobiety, jedyna, w której zdolna jest stworzyć owo upojenie duszy, o którym mówi się zawsze, a którego doświadcza się tak rzadko, to ta, kiedy przekonani o jej miłości, nie jesteśmy jeszcze pewni jej ustępstw; to właśnie moje położenie. Może i myśl, że niebawem mam postradać szczęście jej widoku, przystroiła ją w nowe powaby. Toteż kiedy z przybyciem posłańca oddano mi twój list z 27-go, czytając, nie wiedziałem jeszcze, czy dotrzymam słowa: ale spotkałem jej oczy i uczułem, że niepodobieństwem mi jest czegokolwiek jej odmówić.

Oznajmiłem tedy wyjazd. W chwilę później pani de Rosemonde zostawiła nas samych; nim zdołałem się zbliżyć, ona, zrywając się z wyrazem przerażenia, zawołała: „Zostaw mnie pan, zostaw, błagam, na miłość Boga, niech mnie pan zostawi!" Ta gorąca prośba, wyraźnie zdradzająca jej wzruszenie, mogła mnie tylko zachęcić. W jednej chwili znalazłem się przy niej; chwyciłem ręce, które złożyła jak do modlitwy, czarującym ruchem, i jąłem zawodzić tkliwe skargi, kiedy diabeł jakiś przyniósł z powrotem panią de Rosemonde. Biedna trusia, która w istocie ma czego się obawiać, skorzystała z tego, aby się udać do siebie.

Mimo to ofiarowałem jej ramię, które przyjęła; dobrze wróżąc sobie z tej łaskawości, jaką nie obdarzyła mnie już od dawna, podjąłem na nowo kwilenia, a zarazem zacząłem po trosze przyciskać rączkę. Zrazu chciała mi ją odebrać; ale gdy ponowiłem zabiegi, poddała się dość łaskawie, mimo iż nie odpowiadając ani na słowa, ani na uczynki. Znalazłszy się u drzwi, chciałem ucałować jej rękę. Tutaj napotkałem na energiczny opór, ale słowa: „Pomyśl, pani, że odjeżdżam", wymówione najtkliwszym głosem, uczyniły ją miękką i bezradną. Ledwie zdołałem uzyskać ów pocałunek, ręka jej znalazła dość siły, aby się wysunąć z mojej: lube stworzenie schroniło się do swego pokoju pod opiekuńcze skrzydło panny służącej. Tu kończą się moje dzieje.

Ponieważ przypuszczam, markizo, że będziesz jutro u marszałkowej***, gdzie z pewnością nie pójdę cię szukać, ponieważ z drugiej strony mniemam, że za pierwszym widzeniem będziemy mieli niejedno do omówienia, zwłaszcza sprawę małej Volanges, o której nie zapominam, postanowiłem tedy uprzedzić moje przybycie tym listem. Mimo jego potężnych rozmiarów zamknę go dopiero w chwili wydania na pocztę; w obecnej bowiem sytuacji wszystko może zależeć od jednej sposobności. Żegnaj mi zatem, markizo, pośpieszam na czaty.

PS. Dziewiąta wieczór.

Nic nowego, żadnego kroku z jej strony: przeciwnie, nawet starania, aby uniknąć wszelkiego zbliżenia. Natomiast na twarzy smutek silnie przekraczający granice konwenansu. Drugi szczegół, który może nie być obojętny, to, iż mam imieniem ciotki zaprosić panią de Volanges, aby zechciała jakiś czas spędzić u niej na wsi.

Do widzenia, piękna przyjaciółko; do jutra lub pojutrza najdalej.

28 sierpnia 17**

LIST XLV
Prezydentowa de Tourvel do pani de Volanges

Pan de Valmont wyjechał dziś rano; zdawała się pani tak bardzo pragnąć tego wyjazdu, iż uważam za stosowne uwiadomić ją o nim. Pani de Rosemonde dotkliwie odczuła stratę jego towarzystwa, trzeba przyznać, w istocie pełnego uroku: całe rano rozmawiała ze mną o panu de Valmont nie szczędząc mu pochwał i zachwytów. Zdawało mi się, iż nie byłoby właściwym z mej strony przeczyć, tym bardziej że trzeba jej przyznać słuszność w wielu rzeczach. Co więcej, czułam niejaki wyrzut, iż stałam się przyczyną tego rozłączenia; nie spodziewam się, bym zdołała wynagrodzić zacnej staruszce przyjemność, której ją pozbawiłam. Wie pani, iż z natury nie jestem zbyt skłonna do wesołości, a tryb życia, jaki nas tu czeka, również nie bardzo jest sposobny, aby ją rozbudzić.

Gdyby nie to, żem stosowała się ściśle do twoich wskazówek, obawiałabym się, czym nie postąpiła nieco lekkomyślnie: istotnie, głęboko obeszło mnie zmartwienie czcigodnej przyjaciółki; wzruszyła mnie do tego stopnia, że gotowa byłam podzielić jej łzy i żałość.

Żyjemy obecnie nadzieją, że pani zechce przyjąć zaproszenie, które pan de Valmont przedłoży jej imieniem pani de Rosemonde. Spodziewam się, iż nie wątpi pani o przyjemności, z jaką ujrzałabym ją tutaj; doprawdy należy się nam to odszkodowanie. Będę bardzo szczęśliwa zyskując sposobność rychlejszego poznania panny de Volanges, jak również wyrażenia pani moich pełnych czci etc.

Z zamku***, 29 sierpnia 17**

LIST XLVI
Kawaler Danceny do Cecylii Volanges

I cóż się stało, Cecylio moja ubóstwiana? Co mogło sprowadzić tak nagłą i okrutną zmianę? Co się stało z zaklęciami, iż nic cię odmienić nie zdoła? Wczoraj jeszcze powtarzałaś je z takim upojeniem! Któż zdołał do dziś wymazać je z twej pamięci? Próżno się zastanawiam, nie mogę w sobie odszukać przyczyny, a straszne jest wprost dla mnie szukać jej w tobie, pani. Ach, wiem, że nie jesteś płocha ani fałszywa; w chwili rozpaczy nawet dusza moja nie splami się obrażającym posądzeniem. Jakaż więc złowroga fatalność mogła cię odmienić? Tak, okrutna, odmieniłaś się! Tkliwa Cecylia, Cecylia, którą ubóstwiam i z której ust tyle zaklęć otrzymałem, nie byłaby unikała moich spojrzeń, mego sąsiedztwa; lub gdyby jakiś powód, którego nie mogę sobie wyobrazić, zmusił ją do tego, raczyłaby przynajmniej mnie o nim uprzedzić.

Ach, bo ty nie wiesz, nigdy nie będziesz wiedziała, Cesiu moja, ile przez ciebie wycierpiałem, ile jeszcze cierpię! Czy myślisz, że byłbym zdolny żyć bez twej miłości? A kiedy cię prosiłem o słowo, które by mogło rozproszyć moje obawy, ty, bezlitosna, pod jakimś pozorem uchyliłaś się od odpowiedzi. Kiedy, zmuszony opuścić cię, pytałem, o której godzinie będę mógł jutro cię oglądać, dopiero z ust pani de Volanges otrzymałem odpowiedź. Tak więc ta zawsze tak upragniona chwila naszego spotkania jutro obudzi we mnie jedynie uczucie niepokoju; szczęście oglądania cię, dotąd sercu tak drogie, ustąpi miejsca obawie, iż mogę ci być natrętny!

Już dzisiaj, czuję, obawa ta krępuje mnie tak, iż nie śmiem ci mówić o swej miłości. To „kocham cię", które lubiłem powtarzać tyle razy, skoro miałem nadzieję usłyszeć je wzajem; to słowo tak lube, które wystarczało, aby mnie przepełnić słodyczą, staje się dla mnie, gdy ty się zmieniłaś, zwiastunem wiekuistej rozpaczy. Mimo to nie mogę uwierzyć, aby ten talizman postradał całą potęgę; próbuję posłużyć się nim jeszcze*. Tak, Cecylio, k o c h a m c i ę. Ach, powtórz ze mną, błagam, ten wyraz mego szczęścia. Pomyśl, iż przyzwyczaiłaś mnie słyszeć go z twoich usteczek i że pozbawić mnie go teraz, znaczyłoby skazać mnie na cierpienie, które tak samo jak miłość moja skończy się jedynie z życiem.

Paryż, 29 sierpnia 17**

---

* *Ci, którzy nie mieli sposobności odczuć, jak wielką ma niekiedy wagę słowo czy wyrażenie, nie znajdą w tym zdaniu żadnego sensu.*

LIST XLVII
Wicehrabia de Valmont do markizy de Merteuil

Nie będę jeszcze dzisiaj miał szczęścia cię oglądać, moja piękna przyjaciółko, a oto powody, które, proszę, racz przyjąć z całą pobłażliwością.

Zamiast wrócić wczoraj najkrótszą drogą zatrzymałem się u hrabiny de***, dokąd zaprosiłem się na obiad. Dotarłem do Paryża dopiero koło siódmej i natychmiast wstąpiłem do Opery, gdzie myślałem, iż cię zastanę.

Po operze zaszedłem przywitać się z przyjaciółkami zza kulis; między innymi ujrzałem mą dawną Emilie otoczoną licznym dworem zarówno kobiet, jak mężczyzn, dla których wyprawiała tego wieczora kolację w P... Skoro tylko się zjawiłem, wszyscy poczęli nalegać, abym im dotrzymał towarzystwa. Do próśb tych przyłączyła się jakaś krótka a gruba figurka, która wyjąkała mi swoje chęci w holenderskiej francuszczyźnie; domyśliłem się, iż to jest prawdziwy bohater wieczoru. Przyjąłem.

Dowiedziałem się w drodze, że pałacyk, gdzie miano nas ugaszczać, stanowi cenę względów Emilii dla tej pociesznej figury i że kolacja jest prawdziwą ucztą weselną. Człeczyna nie posiadał się z radości w oczekiwaniu bliskiego szczęścia; wydał mi się tak zadowolony, że natchnął mnie ochotą zmącenia jego uciechy, co też uczyniłem.

Nieco kłopotu miałem z tym, aby nakłonić Emilię, która wzdragała się zrazu na iganie z cierpliwością holenderskiego krezusa; w końcu jednak zgodziła się na mój projekt polegający na tym, aby napełnić winem tę beczkę od piwa i uczynić go niezdolnym do boju na całą noc.

Posiadając wysokie pojęcie o tęgości głów holenderskich, rozwinęliśmy wszystkie znane nam środki. Powiodło się tak dobrze, że przy deserze grubas ledwie już trzymał szklanicę: poczciwa Emilka i ja laliśmy w niego na wyścigi. Nareszcie zwalił się pod stół w stanie wróżącym nieprzytomność co najmniej ośmiodniową. Postanowiliśmy go odesłać do Paryża; ponieważ nie zatrzymał powozu, kazałem go wpakować w mój, sam zaś zostałem na posterunku. Przyjąłem życzenia od całego towarzystwa, które opuściło niebawem dom, zostawiając mnie panem placu. Zabawny ten epizod, a może i moje długie odcięcie od świata, przydały Emilii tyle powabu w mych oczach, że obiecałem dotrzymać jej towarzystwa aż do zmartwychwstania Holendra.

Uprzejmość ta jest nagrodą grzeczności, którą mi wyświadczyła, ofiarowując mi się jako pulpit do pisania do pięknej świętoszki. Bawiła mnie ta myśl, aby jej przesłać list, pisany w łóżku i niemal że w ramionach dziewczyny, przerwany nawet aktem zupełnej niewierności, w którym to liście najdokładniej zdaję jej sprawę z mego położenia i uczynków. Kiedy odczytałem go Emilii, tarzała się ze śmiechu; mam nadzieję, że i ciebie zabawi.

Ponieważ list musi posiadać pieczątkę z Paryża, posyłam ci go, markizo; bądź tak dobra przeczytać, zapieczętować i odesłać na pocztę. Ale pamiętaj nie użyć przypadkiem swojej pieczątki ani też jakiego godła miłosnego. Do widzenia.

PS. Otwieram mój list; nakłoniłem Emilię, aby poszła do teatru na włoską trupę... Skorzystam z tego czasu, aby pośpieszyć do ciebie, markizo. Zjawię się najpóźniej o szóstej; jeśli ci to dogadza, pójdziemy koło siódmej do pani de Volanges. Nie wypada mi opóźniać się dłużej z zaprosinami, które mam jej zanieść imieniem pani de Rosemonde; przy sposobności rad będę zobaczyć małą Volanges.

Do widzenia, urocza pani. Gotuję się uściskać cię z taką przyjemnością, aby kawaler miał prawo być zazdrosny.

Z P***, 30 sierpnia 19**

LIST XLVIII
Wicehrabia de Valmont do prezydentowej de Tourvel
(z pieczęcią paryską)

Po nocy bezsennej i burzliwej, nocy, którą przeżyłem na
przemian trawiony żarem namiętności, to znów pogrążony
w unicestwieniu wszystkich władz duszy, śpieszę, pani, przy
tobie szukać spoczynku, którego potrzebuję, a którego mimo to nie spodziewam się jeszcze zakosztować. Istotnie,
stan, w jakim się znajduję w chwili, gdy kreślę te słowa, bardziej niż kiedykolwiek daje mi uczuć nieodpartą potęgę miłości; z trudnością przychodzi mi zachować panowanie nad
sobą, skupić bodaj trochę myśli: czuję, że będę musiał przerwać pisanie jeszcze przed końcem. Ach, czemuż nie wolno
mi pieścić się nadzieją, że i ty kiedyś, pani, podzielisz wzruszenia, których doznaję w tej chwili? Gdybyś je znała, nie
wierzę, byś mogła zostać na nie tak nieczułą! Wierzaj mi,
pani, chłodny spokój, sen duszy, obraz śmierci nie wiodą bynajmniej do szczęścia; namiętność jedynie zdolna jest doń
zaprowadzić. Mimo wszystkich udręczeń, jakie mi zadajesz,
czuję się w tej chwili szczęśliwszy od ciebie. Próżno gnębisz
mnie bezlitosną surowością; nie przeszkodzi mi ona oddać
się całą duszą słodyczom miłości i w upojeniach jej zapomnieć o rozpaczy, której mnie na łup wydajesz. W ten sposób pragnę się pomścić za wygnanie, na jakie mnie skazujesz.
Nigdy jeszcze, pisząc do ciebie, nie zaznałem takiej rozkoszy;
nigdy nie doznawałem w ciągu tego zatrudnienia wzruszeń
tak słodkich, a zarazem tak żywych. Wszystko naokół zdaje
się podsycać me zapały: powietrze, które wchłaniam, oddycha rozkoszą; stół nawet, na którym piszę do ciebie, pierwszy
raz poświęcony na taki użytek, staje się dla mnie świętym
ołtarzem miłości; jakiejż ceny i powabu nabierze w mych
oczach! Na nim wszak kreślę przysięgę, iż kochać będę cię
zawsze! Przebacz, błagam, to rozigranie zmysłów. Nie powinien bym może tak się poddawać wzruszeniu, którego ty
nie podzielasz. Muszę porzucić cię na chwilę, aby uśmierzyć

płomień wzmagający się coraz to bardziej i silniejszy od mej woli

...Wracam do ciebie, pani, i chciej mi wierzyć, wracam zawsze z równą skwapliwością. Mimo to świadomość szczęścia odleciała daleko i ustąpiła miejsca okrutnej niemocy. I po cóż mówić o moich uczuciach, skoro na próżno szukam środków przekonania cię o nich? Po tylekroć wznawianych wysiłkach opuściła mnie i moc, i wiara w siebie. Jeśli maluję sobie jeszcze rozkosze miłości, to aby tym boleśniej odczuwać żal, że jestem z nich wyzuty. Jedyny ratunek widzę w twej pobłażliwości, ale zbyt czuję w tej chwili, jak bardzo mi jej potrzeba, abym mógł mieć nadzieję, iż ją uzyskam. To pewna, że nigdy miłość moja nie była równie pełną czci i daleką od wszelkiego zuchwalstwa; nie waham się powiedzieć, iż w tej chwili najsurowsza cnota nie miałaby się powodu jej obawiać. Nie śmiem cię dłużej, pani, zajmować mą niedolą. Ta, która doprowadziła mnie do tego bolesnego stanu, nie podziela go z pewnością, nie godzi mi się przeto dłużej nadużywać jej cierpliwości, trawiąc czas na kreśleniu ci, pani, tego rozpaczliwego obrazu. Kończę tedy, błagając jedynie, byś raczyła mi odpowiedzieć i abyś nigdy nie wątpiła o prawdzie mych uczuć.

Paryż, 30 sierpnia 17**

LIST XLIX
Cecylia Volanges do kawalera Danceny

Nie jestem ani zmienna, ani fałszywa, ale po prostu nauczyłam się patrzeć na swoje postępki i tym samym uczułam konieczność odmiany. Przyrzekłam tę ofiarę Bogu, zanim mu zdołam poświęcić i uczucie, które mam dla pana, a które pański duchowny charakter czyni podwójnie występnym. Wiem, że mi będzie ciężko; nie kryję, że od przedwczoraj płaczę za każdym razem, jak tylko pamyślę o panu. Ale mam nadzieję, że Bóg w swej łasce doda mi siły, bym mogła o panu zapomnieć. Błagam go o to co dzień rano i wieczorem. Liczę na pańską przyjaźń i szlachetność, że pan nie będzie się starał zakłócić dobrego postanowienia, jakim mnie natchniono, i dopomoże mi pan, bym w nim zdołała wytrwać. Proszę więc, by pan był łaskaw nie pisywać więcej: uprzedzam, że nie mogłabym odpisać i musiałabym o wszystkim powiedzieć mamie. W ten sposób już byśmy się całkiem nie mogli widywać.

Mimo wszystko zawsze zachowam dla pana tyle przywiązania, ile można go mieć dla kogoś bez popełnienia grzechu, i z całej duszy życzę panu wszelkiego szczęścia. Czuję dobrze, że pan mnie już nie będzie tak kochał... Może pan pokocha niedługo inną, mocniej jeszcze niż mnie. Ale to będzie jedna pokuta więcej za błąd, jaki popełniłam oddając panu serce, które winnam była zachować jedynie Bogu i przyszłemu mężowi. Mam nadzieję, że miłosierdzie boskie ulituje się mej słabości i ześle mi tylko tyle zgryzoty, ile jej będę miała siły udźwignąć.

Żegnam pana; niech mi pan wierzy, że gdyby mi było wolno kochać kogoś, kochałabym jedynie pana. Ale oto wszystko, co mogę powiedzieć: i to może więcej, niżbym powinna.

31 sierpnia 17**

LIST L
Prezydentowa de Tourvel do wicehrabiego de Valmont

Czy tak przestrzega pan warunków, pod jakimi pozwoliłam od czasu do czasu pisywać do siebie? Wolnoż mi cierpieć te listy, gdy pan mi w nich mówi jedynie o uczuciu, któremu obawiałabym się zawierzyć nawet wówczas, gdybym mogła to uczynić nie depcąc wszystkich obowiązków?

Doprawdy, gdybym szukała nowych pobudek dla podtrzymania tej zbawiennej obawy, jakże łatwo bym je znalazła w ostatnim liście! Zaprawdę, w tej samej chwili, w której wydaje się panu, iż śpiewasz hymn na chwałę miłości, czyliż, przeciwnie, nie ukazujesz mi tylko jej straszliwych burz? Któż mógłby pragnąć szczęścia kupionego za cenę rozsądku; szczęścia, w którym chwila znikomej rozkoszy zbyt rychło ustępuje miejsca żalowi, jeśli nie zgryzocie?

Pan sam, choć tak oswojony z tym niebezpiecznym szaleństwem, czyliż nie przyznajesz, iż często staje się ono silniejsze od ciebie? Czyż sam nie wyrzekasz na ten stan mimowolnego obłędu? Jakież spustoszenia sprawiłoby to uczucie w sercu niedoświadczonym i tkliwym!

Wierzy pan lub przynajmniej udaje pan tę wiarę, że miłość wiedzie do szczęścia; co do mnie, jestem tak pewna, iż uczyniłaby mnie nieszczęśliwą, że wolałabym nigdy nie słyszeć nawet jej miana. Mam uczucie, że już samo mówienie o tym mąci spokój; toteż zarówno z przekonania, jak z obowiązku proszę, by pan zechciał nie poruszać tego przedmiotu.

Zresztą, nie będzie panu trudno wysłuchać tej prośby. Wróciwszy do Paryża znajdzie pan dość sposobności do zapomnienia o uczuciu zrodzonym może z kaprysu i wiejskiej samotności. Czyż nie znalazł się pan teraz w tym samym mieście, w którym patrzyłeś na mnie wzrokiem tak obojętnym? Czyż każdy krok nie nasuwa ci na oczy przykładów twej łatwości w odmianie uczuć? Czyż nie otacza cię rój najpowabniejszych kobiet, z których każda więcej ode mnie miałaby praw do twego uwielbienia? Obca mi jest wszelka próżność, którą tyle zarzucają płci naszej; tym bardziej nie powoduję się fałszywą skromnością będącą jedynie wyrafinowaniem pychy; toteż zupełnie szczerze mówię, że bardzo mało widzę w sobie środków podobania się, a gdybym nawet posiadała ich najwięcej, i to by nie starczyło, aby pana trwale przywiązać. Skoro pana zatem proszę, byś się mną nie zajmował, proszę jedynie o to, co by pan sam uczynił niebawem, gdybym nawet życzyła sobie inaczej.

Ta prawda, aż nazbyt dla mnie oczywista, wystarczyłaby

już, aby mnie uczynić głuchą na pańskie perswazje. Oprócz tej przyczyny mam wiele innych; ale nie zapuszczając się w dyskusję, poprzestaję na ponowieniu prośby, aby mi pan nie mówił już o uczuciu, o którym nie godzi mi się słuchać, a któremu tym więcej nie wolno mi odpowiedzieć.

1 września 17**

KONIEC CZĘŚCI PIERWSZEJ

Część druga

Markiza de Merteuil do wicehrabiego de Valmont

Doprawdy, wicehrabio, nieznośny jesteś. Postępujesz ze mną tak lekko, jak gdybym była twą kochanką. Pogniewam się na ciebie; zirytowana jestem co się zowie. Jak to! Miałeś się spotkać z Dancenym dziś rano; wiesz, jak ważne było, abym się widziała z tobą przed tą rozmową; a ty, nie troszcząc się o nic, dajesz czekać na siebie cały boży dzień, biegając nie wiadomo gdzie? Jesteś przyczyną, że zjawiłam się nieprzyzwoicie późno u pani de Volanges, ku zgorszeniu wszystkich dam w pewnym wieku. Musiałam cackać się z nimi cały wieczór, aby je ułagodzić, bo nie powinno się drażnić starszych kobiet: w ich ręku jest reputacja młodych.

Obecnie jest pierwsza po północy i zamiast się położyć, na co miałabym szaloną ochotę, muszę rozpisywać się do ciebie. *I ten list wzmoże jeno moją senność przez nudę, jaką we mnie wzbudzi.* Masz szczęście doprawdy, że nie mam czasu się gniewać. Nie sądź tylko, że ci przebaczam; po prostu śpieszy mi się. Słuchaj zatem, przystępuję do rzeczy.

Przy odrobinie zręczności powinien byś jutro doprowadzić Danceny'ego do zwierzeń. Obecny moment bardzo sprzyja takiemu wylaniu: jest to chwila nieszczęścia. Panienka była u spowiedzi, wypaplała wszystko jak dzieciak i odtąd tak ją dręczy obawa przed diabłem, że chce koniecznie zerwać. Zwierzyła mi się ze wszystkich skrupułów: po jej przejęciu widzę, jak głęboko zajechały jej w główkę. Pokazała mi swój list z zerwaniem: istne kazanie! Plotła mi te brednie dobrą godzinę. Byłam w prawdziwym kłopocie; pojmujesz, że nie mogłam się puszczać na otwartość z taką gąską.

Przekonałam się jednak w trakcie tej paplaniny, że kocha swego Danceny'ego. Dostrzegłam nawet jeden z owych forteli, których nigdy nie brakuje miłości i których dziewczę jest zabawną ofiarą. Nękana zarazem chęcią zajmowania się ukochanym i lękiem, że zostanie potępiona, jeśli się nim będzie zajmować, wymyśliła sobie, że będzie prosić Boga, by wyrzucił go z jej pamięci. A jako że ponawia tę modlitwę o każdej porze dnia, ma sposobność myślenia o nim bez przerwy.

Z kimś bardziej k u t y m niż nasz Danceny drobny ten wypadek przyniósłby może więcej pożytku niż szkody; ale z tego młodzieniaszka taki Celadon, że o ile mu nie pomożemy, zużyje tyle czasu na zwalczanie drobiazgów, że już go nam nie stanie dla dopełnienia naszego zamiaru.

Masz słuszność: szkoda, w istocie, że to on jest bohaterem tej przygody; boleję nad tym nie mniej od ciebie: ale cóż chcesz? Stało się – i to z twojej winy. Kazałam sobie pokazać jego odpowiedź*; litość bierze doprawdy! *Wypisuje jej niekończące się wywody, aby dowieść, że bezwiedne uczucie nie może być zbrodnią: tak jakby nie przestawało być bezwiednym z chwilą, gdy przestaje się z nim walczyć! Ta myśl jest tak prosta, że przyszła do głowy nawet naszej panience. Skarży się on dalej na swoje nieszczęście w sposób dość ckliwy; ale jego ból jest tak wzruszający i wydaje się tak silny i szczery, że zdaje mi się niemożebne, aby kobieta, która trafi na sposobność doprowadzenia mężczyzny do takiej rozpaczy i to tak niewiele ryzykując, nie uległa pokusie zaspokojenia podobnej zachcianki. Wyjaśnia jej na koniec, że nie jest mnichem, jak się małej wydawało. I jest to bez wątpienia to, co mógł napisać najlepszego: albowiem jeśliby kto się miał oddawać mniszym miłostkom, to panowie kawalerowie maltańscy z pewnością nie zasługiwaliby na pierwszeństwo.*

Ostatecznie, zamiast tracić czas na perswazje, które mnie

---

* Ten list nie został odnaleziony.

by zdradziły tylko, a jej może nie przekonały, pochwaliłam zerwanie; ale powiedziałam, że właściwiej jest w podobnym wypadku wyłuszczyć powody ustnie niż pisemnie. Dodałam także, że jest w zwyczaju zwrócić sobie nawzajem listy i podarki. W ten sposób, utwierdzając na pozór postanowienia młodej osóbki, skłoniłam ją do schadzki. Natychmiast ułożyliśmy wszystko, przy czym ja podjęłam się wywabić z domu panią de Volanges. Owa stanowcza chwila ma przypaść jutro po południu. Danceny wie już: ale, dla Boga, jeżeli znajdziesz sposobność, staraj się wpłynąć na pięknego pasterza, aby mniej czasu tracił na westchnienia. Poucz go, skoro już wszystko trzeba mu wytłumaczyć, że najskuteczniejszym sposobem zwalczania skrupułów jest doprowadzić do tego, aby skrupulatka nic już nie miała do stracenia.

Nie chcąc, aby ta głupia historia miała się kiedy powtórzyć, postarałam się zbudzić w dziewczynie nieco wątpliwości co do dyskrecji spowiedników; mała drży teraz ze strachu, aby księżulo wszystkiego nie opowiedział matce. Mam nadzieję, że gdy z nią parę razy pomówię w tym przedmiocie, nie przyjdzie jej do głowy mieszać obce osoby do panieńskich głupstewek[*].

Do widzenia, wicehrabio. Weź Danceny'ego w ręce i pokieruj nim. Wstyd byłby dla nas, gdybyśmy nie dali sobie rady z tą parą dzieciaków. Aby pobudzić naszą gorliwość, pamiętajmy wciąż, ty, że chodzi o córkę pani de Volanges, ja – że o przyszłą żonę Gercourta. Do widzenia.

2 września 17**

---

[*] Czytelnik domyślił się z pewnością od dawna, patrząc na obyczaje pani de Merteuil, jak niewielki żywiła szacunek do religii. Usunęlibyśmy cały ten ustęp, gdyby nie przekonanie, że pokazując skutki, nie powinno się unikać objaśniania przyczyn.

Zabraniasz, pani, mówić o miłości: ale gdzież znajdę siłę do spełnienia tego wyroku? Zajęty wyłącznie uczuciem, które mogłoby być tak słodkie, a które ty czynisz tak okrutnym; usychając na wygnaniu, na jakie mnie skazałaś, żyjąc jeno żalem i tęsknotą; wydany na łup udręczeń tym dotkliwszych, że przypominają mi wciąż twą obojętność, trzebaż, abym utracił jeszcze jedyną pociechę, jaka mi została? Czyliż odwrócisz oczy, aby nie widzieć łez, które wyciskasz? Czy odmówisz nawet przyjęcia ofiar, które sama nałożyłaś? Czy nie byłoby godniejszym ciebie, twej duszy szlachetnej i tkliwej, raczej użalić się nieszczęśliwego, który jest nim jedynie przez ciebie, niż pomnażać jego męczarnie okrutnym i niesprawiedliwym zakazem?

Udajesz, iż lękasz się miłości, a nie chcesz widzieć, żeś ty sama sprawczynią nieszczęść, które jej zarzucasz. Och, bez wątpienia, uczucie to jest męką, gdy przedmiot, który je natchnął, sam go nie podziela; ale gdzież znaleźć szczęście, jeśli wzajemna miłość dać go nie byłaby zdolna? Gdzież znaleźć tkliwą przyjaźń, zaufanie słodkie i bez granic, ulgę w niedoli, bezmiary szczęścia, nadzieje czarowne, wspomnienia pełne rozkoszy, gdzież znaleźć, mówię, to wszystko, jeśli nie w miłości? Spotwarzasz ją ty, której ona u nóg składa wszystkie skarby, bylebyś ich raczyła nie odtrącać; ja zaś zapominam o własnych cierpieniach, aby jej bronić przed twymi oskarżeniami!

Zmusza mnie pani również, bym bronił sam siebie; gdy ja trawię życie na ubóstwianiu cię, ty z góry przypuszczasz, że jestem płochy i zmienny; obracając przeciw mnie własną mą otwartość, rozmyślnie mieszasz to, czym byłem dawniej, z tym, czym jestem obecnie. Nie nasycona tym, iż skazałaś mnie na mękę rozłąki, dodajesz okrutne szyderstwo mówiąc mi o rozkoszach świata, gdy wiesz, jak na nie stałem się nieczuły. Nie wierzysz ani obietnicom, ani przysięgom: dobrze więc! Jedno mi zostało świadectwo, którego bodaj nie będziesz mogła podejrzewać: twoje własne. Proszę cię zatem, pani, racz jeno z dobrą wiarą wejrzeć w siebie. Jeśli istotnie nie wierzysz w mą miłość, jeśli na chwilę wątpisz, iż sama jedna władasz w mej duszy, jeśli nie jesteś pewna, żeś przykuła to serce, w istocie dotąd zbyt niestałe, godzę się ponieść ciężar tej omyłki; będę cierpiał, ale nie odwołam się od wyroku. Lecz jeżeli, przeciwnie, oddając sprawiedliwość nam obojgu, będziesz musiała przyznać sama przed sobą, że nie miałaś, że nigdy nie będziesz miała rywalki, nie każ mi, błagam, walczyć z czczą chimerą i zostaw mi tę bodaj pociechę, bym widział, iż nie wątpisz w uczucie, które skończyć się może jedynie z życiem. Ośmielam się prosić panią, byś raczyła wyraźnie odpowiedzieć na ten ustęp.

Jeśli sam gotów jestem potępić ten okres mego życia, który tak okrutnie zaszkodził mi w twoich oczach, to nie dlatego, aby w potrzebie brakło mi argumentów dla obrony.

I cóż takiego popełniłem prócz tego, że nie oparłem się wirowi, który mnie porywał? Znalazłem się wśród świata, młody i niedoświadczony; podawany, można rzec, z rąk do rąk przez tłum kobiet równie łatwych, jak pozbawionych wartości; czyż do mnie należało dawać przykład oporu, którego nie spotykałem z ich strony? Czyż miałem za chwilę szaleństwa karać się stałością, której nikt nie wymagał i którą jedynie za śmieszność by mi poczytano? Jakiż inny środek, jeśli nie rychłe zerwanie, może zmazać winę hańbiącego wyboru!

Ale, mogę powiedzieć, ten szał zmysłów, może nawet obłęd próżności, nie przeniknął do mego serca. To serce, stworzone do prawdziwego uczucia, miłostki mogły oszołomić, ale nie zdołały go wypełnić. Z otaczających mnie istot, pełnych powabu, lecz niegodnych szacunku, ani jedna nie zapadła mi w duszę; dawano mi rozkosz, ja szukałem cnoty; w końcu sam uwierzyłem, iż jestem niestały, będąc jedynie wrażliwym i wymagającym.

Dopiero spotkawszy ciebie, pani, przejrzałem: poznałem rychło, że urok miłości zależy od przymiotów duszy; że one jedne zdolne są wywołać ów szał i usprawiedliwić go zarazem. Uczułem po prostu, że równym niepodobieństwem jest dla mnie i nie kochać ciebie, i kochać inną niż ciebie.

Oto, pani, jakim jest serce, któremu lękasz się zawierzyć, a którego los spoczywa w twoim ręku; ale jaki bądź wyrok mu przeznaczasz, nie zdołasz zmienić uczuć mych dla ciebie; są one niezniszczalne jak doskonałość, która je zrodziła.

3 września 17**

LIST LIII
Wicehrabia de Valmont do markizy de Merteuil

Widziałem Danceny'ego, ale ledwie udało mi się wydobyć z niego cień zwierzenia. Zaciął się zwłaszcza, aby nie wymienić nazwiska małej Volanges, którą mi odmalował jako osobę bardzo cnotliwą, nawet przesadnie nabożną; poza tym opowiedział dość wiernie całą przygodę, zwłaszcza ostatnie wypadki. Podgrzewałem go, jak mogłem, i podrwiwałem mocno z jego wstrzemięźliwości i skrupułów, ale zdaje się, że natrafiłem na ciężki grunt, i wcale zań nie ręczę. Pojutrze będę mógł powiedzieć coś więcej. Biorę go jutro do Wersalu i będę go sondował przez drogę.

Dzisiejsza schadzka i we mnie budzi nadzieje: możliwe jest, że wszystko odbyło się po naszej myśli. Może nie pozostaje nam w tej chwili nic, jak tylko uzyskać wyznanie i postarać się o dowody. To zadanie łatwiejsze będzie tobie niż mnie: młoda osóbka skłonniejsza jest do ufności lub, co na jedno wychodzi, do gadulstwa niż jej dyskretny kochanek. Ale zrobię, co będzie w mej mocy.

Do widzenia, urocza przyjaciółko; śpieszę się bardzo; nie będę u ciebie ani dziś wieczór, ani jutro. Gdybyś dowiedziała się czego, napisz słówko: odbiorę za powrotem. Na noc z pewnością będę już w Paryżu.

3 września 17**, wieczorem

LIST LIV
Markiza de Merteuil do wicehrabiego de Valmont

Zapewne! Jest się o czym dowiadywać, skoro się ma z takim Dancenym do czynienia! Jeżeli ci co mówił, przechwalał się. Nie znam większego niezdary i coraz więcej żal mi naszych trudów dla takiego głuptasa. Wiesz, że jeszcze włos, a byłabym się skompromitowała przez niego? I do tego zupełnie na darmo! Ale zapłaci mi, to pewna!

Przede wszystkim, kiedy wstąpiłam wczoraj po panią de Volanges, nie chciała w ogóle ruszyć się z domu, czuła się cierpiącą; ledwie zdołałam ją wyciągnąć. Jeszcze chwila, a Danceny byłby się zjawił przed naszym wyjazdem, co byłoby już bardzo podejrzane, ile że pani de Volanges oznajmiła poprzedniego dnia, że nie będzie dziś w domu. Obie z małą siedziałyśmy jak na szpilkach. Nareszcie udało mi się wyruszyć z matką, córeczka zaś, żegnając się, ścisnęła mi rękę tak czule, iż mimo jej najświętszych postanowień zerwania, obiecywałam sobie cuda po tym wieczorze.

Nie tu jeszcze koniec utrapień. Ledwie upłynęło pół godziny, jak bawiliśmy u pani de***, kiedy pani de Volanges w istocie zasłabła; naprawdę, poważnie zasłabła. Oczywiście chciała wracać, od czego znów ja, jak łatwo zrozumiesz, starałam się ją odwieść wszelkimi siłami. Półtorej godziny nie pozwoliłam się jej ruszyć z miejsca, udając, iż lękam się, aby kołysanie powozu nie pogorszyło jej stanu. Wróciłyśmy dopiero o naznaczonej godzinie. Zauważyłam u małej minkę mocno zawstydzoną, tak iż mniemałam wreszcie, że kłopoty nie były przynajmniej daremne.

Pragnąc co rychlej dowiedzieć się o wszystkim, zostałam na wieczór u pani de Volanges, która położyła się natychmiast. Spożywszy wieczerzę przy jej łóżku, opuściłyśmy ją bardzo wcześnie, nie chcąc jakoby zakłócać jej spoczynku, i przeszłyśmy do pokojów córki. Okazało się, że mała spełniła wszystko, czego się po niej spodziewałam: skrupuły w kąt, nowe przysięgi wiecznej miłości itd., itd.; za to głuptas Danceny nie posunął się ani na włos! Och, z tym to można się bezpiecznie pokłócić; pojednanie nie przedstawia cienia niebezpieczeństwa.

Mała twierdzi, że Danceny chciał więcej, ale że ona umiała się bronić. Ręczę, że albo się chwali, albo chce go usprawiedliwić; upewniłam się o tym niemal. Istotnie, przyszła mi chętka przekonać się dowodnie, do jakich granic sięga jej niezłomność; i ja, prosta kobieta, z zabawy w zabawkę, zdołałam ją doprowadzić aż do... Słowem, możesz mi wierzyć, nie było na świecie istotki mniej niedostępnej dla tej kategorii wrażeń. Naprawdę ona jest milusia, ta mała! Warta by była innego kochanka; będzie miała przynajmniej dobrą przyjaciółkę, bo zaczynam się do niej szczerze przywiązywać. Przyrzekłam jej, że ją wychowam, i zdaje mi się, że dotrzymam słowa. Często dawał mi się uczuć brak zaufanej powiernicy; ta dziewczyna wybornie się do tego nadaje, ale nie może być o tym mowy, dopóki nie będzie... przygotowana; tym bardziej mam żal do Danceny'ego.

Do widzenia, wicehrabio; nie przychodź jutro, chyba rano. Uległam prośbom kawalera i ofiarowałam mu wieczór w moim sanktuarium.

4 września 17**

LIST LV
Cecylia Volanges do Zofii Carnay

Miałaś rację, Zosieńko; w proroctwach więcej masz powodzenia niż w radach. Danceny, jak przepowiedziałaś, mocniejszy się okazał niż spowiednik, niż ty, niż ja sama: wszystko wróciło do dawnego. Och, nie żałuję; a ty, jeśli będziesz mi czynić wymówki, to tylko dlatego, że nie wiesz, co to za szczęście kochać Danceny'ego. Bardzo ci łatwo mówić, jak trzeba postępować, kiedy nie o ciebie chodzi; ale gdybyś skosztowała, jak strasznie się odczuwa zmartwienie kogoś, kogo się kocha, ile radości sprawia jemu sprawić radość i jak trudno powiedzieć n i e, kiedy z duszy chciałoby się powiedzieć t a k, nie dziwiłabyś się niczemu. Czy myślisz, na przykład, że ja mogę patrzeć, jak Danceny płacze, żebym sama nie płakała? Ręczę ci, że to niemożliwe; a kiedy on jest wesoły, to i ja czuję się taka szczęśliwa!

Chciałabym ciebie widzieć na moim miejscu... Nie, to jest nie to chciałam powiedzieć: to pewna, że mego miejsca nie ustąpiłabym nikomu; ale chciałabym, żebyś ty także kogoś kochała; i to nie tylko dlatego, żebyś mnie rozumiała lepiej i mniej mnie łajała, ale dlatego, że byłabyś o wiele szczęśliwsza, a raczej wtedy byś dopiero zaczęła być szczęśliwa.

Nasze zabawy, żarty to wszystko, widzisz, to tylko zabawki dziecinne; kiedy przeminą, nic po nich nie zostaje. Ale miłość, ach, miłość!... Jedno słowo, spojrzenie, nic tylko wiedzieć, że on jest gdzieś blisko, ach, to już całe szczęście! Kiedy widzę Danceny'ego, nie chcę już nic więcej; kiedy go nie widzę, chciałabym tylko jego. Nie wiem, jak to się dzieje: ale to tak, jak gdyby wszystko, co mi się podoba, podobne było do niego. Kiedy on nie jest ze mną, myślę o nim; kiedy mogę myśleć do syta, bez przeszkody, kiedy jestem całkiem sama na przykład, już czuję się szczęśliwa. Zamykam oczy i zaraz zdaje mi się, że go widzę; przypominam sobie jego słowa i zdaje mi się, że je słyszę; aż muszę wzdychać; a potem tak mnie coś pali, tak mi się w sercu ściska... Nie mogę sobie miejsca znaleźć. To tak jakby jakieś cierpienie, a to cierpienie robi nieopisaną przyjemność! Myślę nawet, że kiedy raz się pozna, co miłość, to się już rozlewa nawet i na przyjaźń. Nie mówię o przyjaźni dla ciebie; ta się nic nie zmieniła; to tak samo jak w klasztorze; ale tego, co ci mówię, doznaję z panią de Merteuil. Zdaje mi się, że raczej kocham ją tak jak Danceny'ego niż tak jak ciebie, i niekiedy chciałabym, żeby ona to był on. To może stąd, że to nie przyjaźń od dziecka jak nasza; albo też widuję ich tak często razem, że mi się czasem myli. To pewna, że z nimi dwojgiem czuję się bardzo, bardzo szczęśliwa; i ostatecznie nie zdaje mi się, żebym robiła coś tak złego. Toteż nie chciałabym niczego więcej, gdybym mogła zostać, jak jestem; tylko myśl o małżeństwie mnie dręczy, bo jeżeli pan de Gercourt jest taki, jak mi mówiono, a z pewnością taki jest, to nie wiem, co się ze mną stanie. Do widzenia, Zosiu moja, kocham cię zawsze z całego serca.

4 września 17**

LIST LVI
Prezydentowa de Tourvel do wicehrabiego de Valmont

I na cóż zdałaby się odpowiedź, której pan żąda? Wierzyć w pańskie uczucia, czyż nie byłoby dla mnie jedną przyczyną więcej, aby się ich obawiać? Czyż mi nie wystarcza, czy panu samemu nie powinna wystarczyć świadomość, że nie chcę ani nie powinnam o nich wiedzieć?

Przypuśćmy, że pan kocha mnie prawdziwie (jedynie aby nie wracać do tego przedmiotu, godzę się na to przypuszczenie); czyż wówczas przeszkody, które nas dzielą, mniej byłyby niezwalczone? Czyż miałabym inną drogę, jak tylko pragnąć, aby pan zdołał wkrótce pokonać tę miłość? Czyż nie powinna bym pomagać do tego z całej mocy, starając się odjąć jakąkolwiek nadzieję? Sam pan przyznaje, jak b o l e s n e   j e s t   t o   u c z u c i e ,   s k o r o   o s o b a ,   k t ó r a   j e   w z b u d z i ł a ,   n i e   p o d z i e l a   g o . Otóż wie pan dobrze, że niepodobna mi go podzielać, a gdyby nawet to nieszczęście się stało, wtrąciłoby mnie ono w tym sroższą niedolę, nie przyczyniając się w niczym do pańskiego szczęścia. Mam nadzieję, iż zna mnie pan dość dobrze, aby o tym ani chwili nie wątpić. Przestań więc, zaklinam, przestań kusić się o zmącenie serca, któremu spokój tak bardzo potrzebny; nie zmuszaj, bym musiała żałować, żem pana poznała.

Kocham i poważam męża, który wzajem ma dla mnie szacunek i przywiązanie; uczucia moje i obowiązki skupiają się na jednym przedmiocie. Jestem szczęśliwa, powinnam nią być. Jeśli istnieją rozkosze żywsze, ja ich nie pragnę; nie chcę ich poznać. Czyż może być coś słodszego niż być w zgodzie z własnym sercem, widzieć przed sobą pasmo dni pogodnych, usypiać bez niepokoju i budzić się bez wyrzutów? To, co pan nazywa szczęściem, to jedynie szał zmysłów, burza namiętności, na którą strach patrzeć, nawet ze spokojnego brzegu. Jak się zawierzyć takim nawałnicom? Jak puścić się na morze pokryte szczątkami tysiącznych okrętów? I z kim? Nie, ja trzymam się lądu; zbyt drogie mi są więzy, które mnie z nim łączą. Gdybym mogła je zerwać, nie uczyniłabym tego: gdybym ich nie miała, pośpieszyłabym je sobie nałożyć.

Po co mnie oblegać? Po co ścigać tak wytrwale? Listy pańskie, które powinny być jak najrzadsze, stają się coraz częstsze. Miał pan być rozsądny, tymczasem mówisz jedynie o swej szalonej miłości. Niepokoisz mnie swymi myślami bardziej jeszcze niż wprzódy osobą. Oddalony w jednej postaci, zjawiasz się w innej. To, o czym zabraniam panu mówić, powtarzasz znowu, tylko w innych słowach. Podobasz sobie w tym, aby mnie wprawiać w kłopot podstępnymi dowodzeniami, sam zaś wymykasz się moim argumentom. Nie chcę już odpowiadać, nie będę odpowiadała... Jak wy się odnosicie do kobiet, któreście uwiedli! Z jaką wzgardą mówicie o nich! Przypuszczam, iż niektóre zasługują na to, ale czyż wszystkie godne są tylko wzgardy? Ach, tak, z pewnością, skoro zdeptały obowiązki, aby się wydać na łup występnej miłości! Z tą chwilą straciły wszystko, nawet szacunek tego, dla którego wszystko poświęciły. Kara sprawiedliwa, ale sama myśl o niej przyprawia o drżenie! Ale cóż mnie to obchodzi? Czemu miałabym się zajmować nimi albo panem? Jakim prawem stara się pan zakłócić mój spokój? Zostaw mnie, nie szukaj mnie, nie pisz do mnie; proszę o to, żądam! To ostatni list, jaki pan otrzyma ode mnie.

5 września 17**

LIST LVII
Wicehrabia de Valmont do markizy de Merteuil

List twój, markizo, zastałem za powrotem. Uśmiałem się z twego wzburzenia. Nie mogłabyś żywiej odczuć zbrodni Danceny'ego, gdyby się jej dopuścił względem ciebie samej.

Przez zemstę zapewne przyzwyczajasz jego ulubioną do małych zdrad wobec swego adonisa: szelmeczka z ciebie, markizo. Daję słowo! Czarująca jesteś i nic się nie dziwię, że trudniej się oprzeć tobie niż Danceny'emu.

Nareszcie umiem go na pamięć, tego pięknego bohatera romansu, nie ma już dla mnie tajemnic. Tyle mu się nagadałem, że uczciwa miłość jest najwyższym szczęściem, iż jedno szczere uczucie więcej warte od dziesięciu miłostek, że sam się uczułem na tę chwilę nieśmiałym kochankiem. Słowem, zgadzaliśmy się tak dobrze, iż Danceny, oczarowany mą delikatnością serca, wszystko wyznał i ślubował mi przyjaźń na śmierć i życie. Mimo to jesteśmy ciągle tam, gdzieśmy byli.

Przede wszystkim on ma w głowie tego ćwieka, że z panną trzeba mieć o wiele więcej względów niż z mężatką, bo ma więcej do stracenia. Uważa zwłaszcza, że mężczyzna popełnia nikczemność, jeżeli stawia pannę w konieczności wyboru między zaślubieniem go a hańbą, o ile panna jest, jak w tym wypadku, o wiele bogatsza od mężczyzny. Ufność matki, nieświadomość młodej dziewczyny, wszystko to onieśmiela go i wstrzymuje. Jednak trudność nie leżałaby w pokonaniu jego rozumowań, mimo ich całej słuszności. Przy odrobinie sprytu i z pomocą jego własnej namiętności rychło dałoby się je obalić: zwłaszcza że nieco trącą parafiańszczyzną i że miałoby się po swojej stronie powagę przyjętych obyczajów. Ale największą trudność stanowi to, że on się czuje szczęśliwy tak, jak jest. Istotnie, jeżeli pierwsza miłość wydaje się na ogół uczciwszą i – jak to mówią – czystszą; jeżeli jest w każdym razie mniej pochopną do czynu, nie wynika to, jak by można myśleć, z delikatności lub obawy, ale stąd, iż serce, zdumione nieznanym uczuciem, zatrzymuje się niejako przy każdym kroku, aby się nacieszyć czarem, którego doznaje. Czar ten działa tak potężnie na serce jeszcze nie zużyte, iż pochłania je każąc zapomnieć o innej rozkoszy. Ta prawda jest tak ogólna, iż rozpustnik, który się zakocha (o ile rozpustnik może być zakochany), od tej chwili z mniejszą niecierpliwością dąży do posiadania. Słowem, między postępowaniem Danceny'ego z małą Volanges a moim ze świątobliwą panią de Tourvel istnieją zaledwie nieznaczne różnice.

Aby rozpalić młodzieńca, trzeba by więcej przeszkód; więcej zwłaszcza konieczności tajemnicy, z tajemnicy bowiem rodzi się śmiałość. Kto wie, czy nie zaszkodziłaś sprawie pomagając mu tak gorliwie. Postępowanie twoje byłoby doskonałe dla człowieka wytrawnego, wiedzionego jedynie żądzą; ale trzeba było przewidzieć, że dla chłopca młodego, uczciwego i zakochanego najważniejszym szczęściem jest świadomość wzajemności i że – co za tym idzie – im jej będzie pewniejszy, tym mniej będzie przedsiębiorczy.

Gdy ja tu rozprawiam, ty milej skracasz chwile ze swoim kawalerem. To mi nasuwa na pamięć, że przyrzekłaś zdradzić ze mną swego rycerza; przyrzeczenie na piśmie, nie myślę go się wyrzekać. Przyznaję, termin płatności jeszcze nie nadszedł, ale byłoby szlachetnie z twej strony nie czekać go, ja zaś z mojej gotów bym w zamian potrącić ci procenty. I cóż ty na to, markizo? Jeszcze cię nie znudziła własna stałość? Czy ten kawaler ma jakieś cudowne własności? Och, pozwól mi się z nim zmierzyć: zmuszę cię do wyznania, że jeśli widziałaś w nim jakie zalety, to tylko dlatego, żeś zapomniała o moich.

Do widzenia, urocza przyjaciółko; ściskam cię tak, jak ciebie pragnę; wyzywam wszystkie pieszczoty kawalera, czy zdołają dorównać moim.

5 września 17**

LIST LVIII
Wicehrabia de Valmont do prezydentowej de Tourvel

I czym zdołałem zasłużyć, pani, na gniew i wymówki? Przywiązanie najwyższe, a mimo to pełne czci, poddanie najdrobniejszym życzeniom – oto w dwóch słowach dzieje moich uczuć i postępków. Gnębiony niedolą bezwzajemnej miłości, nie miałem innej pociechy, jak tylko ciebie oglądać; kazałaś mi się wyrzec tej osłody: usłuchałem bez szemrania. Za tę cenę pozwoliłaś pisywać do siebie i dziś chcesz odjąć mi to jedyne szczęście. Mam je sobie dać wydrzeć nie próbując bronić się nawet? Zaprawdę, nie! Jakżeby miało ono nie być drogim memu sercu? Wszak to jedyne, jakie mi zostało, i mam je z twoich rąk.

Listy moje, powiadasz, są zbyt częste! Pomyśl tedy, że przez tych dziesięć dni wygnania nie spędziłem ani chwili, w której by dusza moja nie była zajęta tobą, a mimo to otrzymałaś ledwie dwa listy. „Mówię ci wciąż o miłości!" Ach, o czymż innym mogę mówić, jak nie o tym, o czym myślę? Wszystko, co mogłem uczynić, to jedynie osłabić wyraz mych uczuć; możesz mi wierzyć, odsłoniłem jedynie to, czego mi niepodobna było utaić. Grozisz wreszcie, iż nie będziesz odpowiadać. Nie dość ci, iż z człowiekiem, któremu jesteś droższa nad wszystko i który cię poważa więcej jeszcze, niż kocha, obchodzisz się bez cienia litości? Pragniesz mu jeszcze okazać wzgardę! I po cóż te groźby i gniewy? Do czegóż one potrzebne? Czyliż nie jesteś pewna posłuszeństwa? Czy jest mi podobieństwem sprzeciwiać się twemu życzeniu i czy tego nie dowiodłem? Ale czy zechcesz, pani, nadużyć władzy, jaką masz nade mną? Uczyniwszy mnie nieszczęśliwym, osądziwszy mnie tak niesprawiedliwie, czyż tak łatwo zdołasz się cieszyć spokojem, który – zapewniasz – tyle ci jest potrzebny? Nie powiesz sobie nigdy: „Oddał mi los swój w ręce, a ja wtrąciłam go w niedolę, błagał o pomoc, a ja patrzyłam nań bez litości?" Czy wiesz, dokąd mnie może zawieść rozpacz? Nie!

Aby zmierzyć me cierpienia, trzeba by wiedzieć, do jakiego stopnia kocham ciebie, a ty, pani, nie znasz mego serca.

Dla czegóż ty mnie poświęcasz? Dla złudnej obawy. I kto ją w tobie budzi? Człowiek, który cię ubóstwia, człowiek, nad którym na wieki masz nieograniczoną władzę. Czegóż się obawiasz, czego możesz się obawiać od uczucia, którym zawsze będziesz mogła kierować do woli? Ale wyobraźnia twoja stwarza potworne widma, a grozę, jaką w tobie budzą, przypisujesz miłości. Nieco ufności tylko, a widziadła pierzchną.

Mędrzec jakiś powiedział, że aby rozprószyć własne obawy, wystarcza, prawie zawsze, zastanowić się nad ich przyczyną*. Prawda ta stosuje się zwłaszcza do miłości. Kochaj, a zmory się rozwieją. Miast przerażających widziadeł znajdziesz uczucie pełne rozkoszy, ujrzysz tkliwego i uległego kochanka; dni twoje, płynące w ciągłym szczęściu, budzić będą w tobie jedynie żal, iż mogłaś tyle ich zmarnować w swym uporze. Ja sam, od czasu gdy uleczony z dawnych błędów istnieję jedynie dla miłości, żałuję czasu strawionego rzekomo na rozkoszy; czuję, że ty jedna posiadasz moc uczynienia mnie szczęśliwym. Ale błagam cię, pani, niech słodyczy pisania do ciebie nie zmąci mi nadal obawa twej niełaski. Nie chcę ci być nieposłusznym: klękam oto przed tobą, błagam o szczęście, które chcesz mi wydrzeć, jedyne, jakieś mi zostawiła; wołam do ciebie, usłysz moje prośby, spójrz na moje łzy. Och, pani, czy mi odmówisz?!

7 września 17**

LIST LIX
Wicehrabia de Valmont do markizy de Merteuil

Wytłumacz mi, markizo, jeśli możesz, co znaczy to bajanie Danceny'ego. Cóż się stało i co on utracił? Czyżby donna pogniewała się za jego wiekuisty szacunek? Co prawda, trudno by się dziwić. Co mam mu powiedzieć dziś wieczór na schadzce, o którą prosi i którą na wszelki wypadek przyrzekłem? To pewna, że nie będę tracił czasu na słuchanie lamentów, jeżeli ma nic nie być z tego wszystkiego. Skargi miłosne znośne są jedynie w postaci pięknych recytatywów

---

* *Wydaje się nam, że to Rousseau w „Emilu", ale cytat nie jest dokładny, zaś użytek, jaki z niego czyni Valmont, jest wielce fałszywy. A poza tym – czy pani de Tourvel czytała „Emila"?*

albo potoczystych arii. Poucz mnie więc, co się stało i co robić; inaczej zmykam, aby uniknąć całego nudziarstwa. Czy mógłbym z tobą pomówić dziś rano? Jeżeli jesteś zajęta, napisz słówko i daj mi wskazówki.

Gdzie podziewałaś się wczoraj, markizo? Zupełnie już stałaś się niewidzialna. Warto było doprawdy trzymać mnie po to w Paryżu we wrześniu! Namyśl się zatem, bo właśnie otrzymałem naglące zaproszenie od hrabiny de B***, aby ją odwiedzić na wsi; oznajmia mi nie bez humoru, że „jej mąż posiada wspaniałe lasy, które pielęgnuje starannie dla rozrywki przyjaciół". Otóż jak ci wiadomo, mam pewne prawa do owych lasów i zamierzam je odwiedzić, jeśli ci nie jestem potrzebny. Do widzenia; pamiętaj, że Danceny ma być u mnie koło czwartej.

8 września 17**

LIST LX
Kawaler Danceny do wicehrabiego de Valmont
(załączony do poprzedniego)

Ach, panie, jestem w rozpaczy, wszystko stracone. Lękam się powierzyć papierowi tajemnicę mej niedoli, a czuję potrzebę wylania jej na łono szczerej i wiernej przyjaźni. O której godzinie będę mógł cię zobaczyć i pośpieszyć po radę i pociechę? Byłem tak szczęśliwy w dniu, w którym ci otworzyłem serce. Teraz cóż za różnica, jakże się wszystko zmieniło! To, co cierpię sam, to najmniejsza cząstka; stokroć gorzej dręczy mnie niepokój o osobę droższą mi nad życie. Ty jesteś szczęśliwszy ode mnie; możesz ją oglądać; toteż liczę na twoją przyjaźń; wszak nie odmówisz mi pomocy? Ale wprzód muszę się z tobą widzieć i opowiedzieć wszystko. Użalisz się mnie, dopomożesz; w tobie cała nadzieja. Ty masz serce tkliwe, wiesz, co miłość, tobie jednemu mogę się zawierzyć; nie odrzucaj mojej prośby!

Do widzenia. Jedyną pociechą w boleści jest myśl, iż posiadam takiego przyjaciela. Donieś, błagam, o której godzinie będę cię mógł zastać Jeśli rano niemożliwe, w takim razie przynajmniej wcześnie po południu.

8 września 17**

LIST LXI
Cecylia Volanges do Zofii Carnay

Zosiu droga, pożałuj Cesi, twojej biednej Cesi; bardzo jest nieszczęśliwa! Mama wie o wszystkim. Nie pojmuję, jak mogła się domyślić, a jednak wszystko się wydało. Wczoraj wieczór zdawało mi się, że mama jest jakaś podrażniona, ale nie zwracałam uwagi i nawet czekając, aż ukończy partyjkę, rozmawiałam wesoło z panią de Merteuil, która była na kolacji. Mówiłyśmy wiele o Dancenym, ale nie sądzę, aby kto mógł słyszeć. Potem ona poszła, a ja udałam się do siebie.

Rozbierałam się właśnie, kiedy weszła mama. Najpierw oddaliła pannę służącą, następnie kazała mi oddać klucz od sekretarzyka. Powiedziała to takim tonem, że zaczęłam się trząść na całym ciele; ledwie mogłam się utrzymać na nogach. Próbowałam udawać, że nie mogę znaleźć klucza; wreszcie trzeba było usłuchać. Zaraz w pierwszej szufladzie wpadły jej w ręce listy kawalera. Byłam tak nieprzytomna, że kiedy spytała, co to, nie umiałam nic odpowiedzieć; ale kiedy zobaczyłam, że mama się bierze do czytania, ledwiem się dowlokła do fotela. Zrobiło mi się tak słabo, że straciłam przytomność. Skoro przyszłam do siebie, mama, która tymczasem zawołała moją pannę, oddaliła się, zalecając mi się położyć. Zabrała z sobą wszystkie listy. Drżę cała, ile razy pomyślę, że trzeba będzie pokazać się jej na oczy. Płakałam calutką noc.

Piszę o samym świtaniu, w nadziei, że przyjdzie Józefa. Jeżeli zdołam widzieć się z nią samą, poproszę, aby oddała pani de Merteuil bilecik; jeżeli nie, włożę go do twego listu i ty zechciej go posłać jak od siebie. Od niej jednej mogę się spodziewać jakiejś pociechy. Przynajmniej będę mogła pomówić o nim, bo nie mam nadziei zobaczyć go więcej. Bardzo jestem nieszczęśliwa! Będzie może tak dobra i podejmie się przesłania listu. Nie śmiem użyć Józefy ani tym mniej panny służącej; kto wie, czy to nie ona właśnie powiedziała mamie!

Nie piszę dłużej, bo chcę jeszcze napisać do pani de Merteuil i do Danceny'ego; muszę mieć list gotowy, gdyby się chciała podjąć. Potem położę się znowu, aby być w łóżku, gdy kto wejdzie. Powiem, że jestem chora, żeby nie musieć iść do mamy. Niewiele zresztą skłamię: gorzej się mam, to pewna, niż gdybym miała gorączkę. Oczy mnie palą z ciągłego płakania; ciężkość mam taką na piersiach, że ledwie mogę oddychać. Kiedy pomyślę, że nie zobaczę już Danceny'ego, wolałabym nie żyć. Do widzenia, droga Zosiu, nie mogę więcej pisać; łzy mnie dławią*.

7 września 17**

LIST LXII
Pani de Volanges do kawalera Danceny

Nadużywszy niegodnie ufności matki i niewinności dziecka, nie powinien się pan dziwić, że nie możesz bywać nadal w domu, w którym dowody przyjaźni odpłaciłeś podeptaniem wszystkich względów. Wolę pana samego prosić, abyś się nie pojawiał u mnie, niż wydawać rozkazy służbie, co byłoby dla nas wszystkich po równi ubliżające. Mam prawo spodziewać się, że nie zmusi mnie pan do tego. Uprzedzam również, że jeśli uczynisz najmniejszy krok, aby utrzymać córkę w obłędzie, do którego ją doprowadziłeś, kraty klasz-

---

* List Cecylii Volanges do pani de Merteuil pominięto, ponieważ zawierał te same fakty, tylko mniej szczegółowe. List do kawalera Danceny zaginął: przyczynę tego odnajdzie czytelnik w liście LXIII, pisanym przez panią de Merteuil do wicehrabiego.

torne ochronią ją na zawsze od pańskich prześladowań. Pańską rzeczą zastanowić się, czy z równie lekkim sercem zdolny jesteś wtrącić ją w nieszczęście, jak lekko przyszło ci czyhać na jej hańbę. Co do mnie, postanowienie moje jest niezłomne; uprzedziłam o nim córkę.

Załączam pakiet zawierający pańską korespondencję. Mam nadzieję, że zwróci mi pan nawzajem listy córki i dopomoże w ten sposób do usunięcia śladów wypadku, którego nie moglibyśmy wspomnieć, ja bez oburzenia, ona bez wstydu, pan bez wyrzutów sumienia.

Mam zaszczyt pozostać etc.

7 września 17**

LIST LXIII
Markiza de Merteuil do wicehrabiego de Valmont

I owszem, mogę ci wytłumaczyć, co znaczy bilecik Danceny'ego. Wypadek, który go spowodował, jest moim dziełem i jest to, śmiem mniemać, moje arcydzieło. Nie straciłam czasu od twego ostatniego listu i powiedziałam sobie jak ateński budowniczy: „Co on powiedział, ja wykonam".

Trzeba więc przeszkód temu pięknemu bohaterowi romansów! Usypia go zbytek szczęścia! Och, niech się zda na mnie, już ja go zatrudnię; mam nadzieję, że sen jego cokolwiek się zmąci. Trzeba mu było koniecznie dać poznać wartość czasu; teraz, pochlebiam sobie, czuje nieco żalu, że go tak marnował. Trzeba, mówiłeś również, by się musiał więcej ukrywać. Doskonale! Tej konieczności odtąd mu nie zbraknie. Mam tę zaletę, że wystarczy mi tylko wytknąć błędy: nie spocznę wówczas, póki wszystkiego nie naprawię. Posłuchaj zatem, com uczyniła.

Wróciwszy do domu przedwczoraj rano, przeczytałam twój list; wydał mi się objawieniem. Przekonana, że bardzo trafnie wskazałeś przyczynę złego, myślałam jedynie nad sposobami naprawienia go. Mimo to na razie położyłam się

133

do łóżka, ponieważ niestrudzony kawaler nie dał mi się zdrzemnąć ani na chwilę i zdawało mi się, że jestem senna; ale nic z tego. Ciągła myśl o Dancenym, ciągłe szukanie środków wyrwania go z jego niedołęstwa lub ukarania za nie nie dały mi zmrużyć oka; dopiero gdy dobrze obmyśliłam cały plan, zdołałam zasnąć na jakie dwie godziny.

Jeszcze tego wieczora udałam się do pani de Volanges i w myśl mego projektu z w i e r z y ł a m jej, iż mam prawie pewność, że między jej córką a Dancenym istnieją podejrzane konszachty. Ta kobieta, tak jasnowidząca, gdy chodziło o ciebie, tutaj okazała się w najwyższym stopniu zaślepiona. Odpowiedziała zrazu, iż z wszelką pewnością się mylę, że córka jej to dziecko itd. Nie mogłam powiedzieć wszystkiego, com wiedziała; ale przytoczyłam spojrzenia, słówka, które rzekomo zdołały z a n i e p o k o i ć m ą p r z y j a ź ń i c n o t ę. Słowem, przemawiałam wcale nie gorzej od prawdziwej świętoszki; aby zaś wymierzyć stanowczy cios, natrąciłam, iż o ile mi się zdaje, zauważyłam wymianę listów. „To mi przypomina – dodałam – że kiedyś mała otwarła przy mnie szufladę, przy czym uderzyło mnie, iż chowa tam pełno papierów. Czy wiesz o kimś, kto by do niej pisywał tak często?" Tu spostrzegłam na twarzy pani de Volanges wyraźne wzruszenie; łzy zakręciły się jej w oczach, „Dziękuję ci, zacna przyjaciółko – rzekła ściskając mi rękę – postaram się to wyjaśnić".

Po tej rozmowie, zbyt krótkiej, by mogła wzbudzić podejrzenia, przeszłam do młodej osóbki. Przed odejściem prosiłam jeszcze matkę, by nie zdradziła mnie wobec małej; zwróciłam jej uwagę, jak szczęśliwą okolicznością jest, iż to d z i e c k o nabrało do mnie dosyć zaufania, by mi otwierać serduszko i móc tym samym korzystać z m o i c h r o z - t r o p n y c h w s k a z ó w e k. Przyrzekła skwapliwie i sądzę, że dotrzyma słowa; o ile ją znam, będzie się chciała popisać przed córką własną przenikliwością. W ten sposób mogę zachować nadal przyjacielski ton z małą nie wydając się zarazem fałszywą w oczach pani de Volanges, o co mi właśnie chodziło. Zyskałam i to, że na przyszłość mogę przebywać z młodą osóbką tak długo i tak poufnie, jak mi się spodoba, nie ściągając podejrzeń matki.

Skorzystałam z tego jeszcze tego samego wieczoru; po ukończeniu partii usunęłam się z małą do kącika i wyciągnęłam ją na temat Danceny'ego, zawsze niewyczerpany. Ona fantazjowała radośnie o jutrzejszym widzeniu się z lubym, ja podbijałam jej bębenka, co mnie bardzo bawiło; trzeba było słyszeć, co ten malec plótł za szaleństwa. Trzebaż jej było oddać bodaj w marzeniu to, co jej wydzierałam w rzeczywistości! Chodziło mi przy tym o to, aby uczynić cios tym dotkliwszy. Im bardziej się nacierpi, tym bardziej będzie chciała powetować to sobie przy pierwszej sposobności. Nieźle jest zresztą przyzwyczajać do silnych wzruszeń kogoś, kogo się przeznacza do wielkich przygód.

I czemuż by nie miała paroma łzami opłacić przyjemności posiadania swego Danceny'ego? Toż ona szaleje za nim! Otóż przyrzekam jej, będzie go miała, prędzej nawet niż bez tej burzy. Będzie to jakby zły sen z tym rozkoszniejszym przebudzeniem; toteż wszystko razem wziąwszy, powinna mi być wdzięczna. Choćby w tym i była domieszka złośliwości z mojej strony, cóż, trzeba się bawić:

Głupcy są wszak na świecie dla naszej ucicchy[*].

Pożegnałam się wreszcie, bardzo rada z siebie. „Albo Danceny – mówiłam sobie – podniecony przeszkodami, podwoi zapały i wówczas będę mu pomagała z całej mocy, albo jeśli jest zwykłym niedołęgą, jak niekiedy skłonna jestem przypuszczać, wpadnie w rozpacz i będzie uważał sprawę za przegraną. W takim razie zyskam bodaj tę pociechę, że się zemściłam na nim, ile mogłam; sama zaś za jednym zachodem wzmocniłam szacunek matki, przyjaźń córki, a zaufanie obu. Co się tyczy Gercourta, głównego przedmiotu mych starań, musiałabym być bardzo niezręczna, gdybym, mając taki wpływ na jego żonę, nie znalazła tysiąca sposobów, aby

---

[*] Gresset, *Złośliwiec*, komedia.

go przystroić tak, jak pragnę". Położyłam się z tymi słodkimi myślami; spałam też dobrze i długo.

Obudziwszy się zastałam dwa bileciki: jeden od matki, drugi od córki; nie mogłam się wstrzymać od śmiechu czytając w obu dosłownie to samo zdanie: „Od ciebie jednej oczekuję jakiejś pociechy". Czy to nie jest w istocie zabawne pocieszać tak za i przeciw i być wspólnym rzecznikiem dwóch przeciwnych sobie interesów? Oto jestem jak bóstwo: przyjmuję sprzeczne modły ślepych śmiertelników, nic nie zmieniając w niewzruszonych wyrokach. Porzuciłam mimo to tę dostojną rolę, aby się przedzierzgnąć w anioła-pocieszyciela, i pośpieszyłam, wedle przykazania, nawiedzić moje przyjaciółki w strapieniach.

Zaczęłam od matki; zastałam ją pogrążoną w smutku, który już się częściowo mści za przeciwności doznane z jej powodu. Wszystko powiodło się znakomicie; jedyną mą obawą było, aby pani de Volanges nie skorzystała z wczorajszego momentu i nie zdobyła zaufania córki. Mogła to łatwo osiągnąć postępując z nią łagodnie i przyjacielsko i ubierając roztropne wskazówki w formę tkliwej pobłażliwości. Na szczęście, wzięła rzecz bardzo surowo i tak źle pokierowała sprawą, że mogłam jej tylko przyklasnąć. Z tym wszystkim, o włos, że nie zniweczyła wszystkiego: wpadła na koncept oddania małej z powrotem do klasztoru, ale uchyliłam cios i poradziłam, aby jedynie zawiesiła nad córką tę groźbę, w razie gdyby Danceny nie poniechał zabiegów. Uczyniłam to, aby zmusić młodą parę do ostrożności, którą uważam za wielce zbawienną dla naszych planów.

Następnie przeszłam do córki. Nie uwierzysz, do jakiego stopnia nieszczęście jest jej do twarzy! Skoro tylko nabierze trochę zalotności, ręczę ci, będzie płakiwała często; tym razem płakała bez wyrachowania... Uderzona tym nowym wdziękiem, którego nie znałam u niej i który rada byłam poznać, z początku zaaplikowałam jej z umysłu owe niezdarne pociechy, co to nie tyle koją, ile potęgują zmartwienie. W ten sposób doprowadziłam ją niemal do nieprzytomności. Już nie mogła nawet płakać, przez chwilę obawiałam się konwulsji. Poradziłam, aby się położyła; zgodziła się bez oporu; zastąpiłam jej pannę służącą. Włosy rozsypały się jej na ramiona i na odsłonięte piersi; uściskałam ją, pozwoliła się utulić, a rzęsiste łzy na nowo puściły się jej z oczu. Boże, jakaz była ładna! Doprawdy, jeżeli Magdalena była do niej podobna, to w roli pokutnicy musiała być stokroć niebezpieczniejsza niż jako grzesznica.

Skoro biedactwo znalazło się w łóżku, zabrałam się do pocieszania, tym razem już naprawdę. Przede wszystkim uspokoiłam ją co do klasztoru. Obudziłam w niej nadzieję widzenia się z Dancenym potajemnie. Siadając na łóżeczku małej rzekłam: „Gdyby on tu był na moim miejscu...", po czym haftując na ten temat doprowadziłam ją, od słówka do słówka, od pieszczoty do pieszczoty, do tego, iż ze szczętem zapomniała o zmartwieniu. Byłybyśmy się rozstały zupełnie zadowolone z siebie wzajem, gdyby nie to, że dzieweczka chciała koniecznie przesłać przeze mnie list, czego stanowczo odmówiłam. Oto moje powody, którym przyklaśniesz zapewne.

Przede wszystkim zdradziłabym się w oczach Danceny'ego, i to był powód, którym zasłoniłam się wobec małej; prócz tego było wiele innych, ważnych z naszego punktu. Czyż mogłam unicestwiać owoc moich trudów dając dzieciakom tak rychło sposób ukojenia zmartwień? Przy tym nie miałabym nic przeciw temu, aby musieli i służbę wmieszać w tę sprawę. Jeżeli wszystko pójdzie pomyślnie, jak mam nadzieję, trzeba, aby się to rozniosło natychmiast po zamążpójściu małej, a trudno o pewniejszą drogę; gdyby zaś jakimś cudem służba miała nie rozgłosić, wówczas rozgłosimy sami, a łatwiej będzie złożyć niedyskrecję na rachunek służących.

Staraj się więc dziś poddać tę myśl Danceny'emu; że zaś nie jestem zbyt pewna pokojówki małej Volanges, której i ona sama nie bardzo ufa, poradź mu moją wierną Wiktorię. Postaram się, aby się spotkał z przychylnym przyjęciem. Najlepsze zaś jest to, że konfidencja ta będzie użyteczna jedynie dla nas, a nie dla nich: czemu, zaraz się dowiesz, bo jeszcze nie skończyłam.

Wzdragając się przyjąć list przechodziłam nieustannie obawy, aby mi go nie zleciła oddać na miejską pocztę, czego nie mogłabym odmówić. Szczęściem, czy to przez pomieszanie, czy przez nieświadomość, czy że mniej zależało jej na liście niż na odpowiedzi, której nie byłaby mogła otrzymać tą drogą, nic o tym nie wspomniała; aby jednak ubezpieczyć się na przyszłość, powzięłam natychmiast plan. Wróciłam mianowicie do matki i nakłoniłam ją, aby oddaliła córkę na czas jakiś, aby ją wywiozła na wieś... I gdzie? Czy serce nie bije ci z radości?... Do twojej ciotki, do starej Rosemonde! Ma ją uprzedzić dziś jeszcze: w ten sposób ty masz prawo wrócić do swej świętoszki, która nie będzie się już mogła bronić pozorem gorszącego sam na sam; pani de Volanges zatem, dzięki moim staraniom, sama naprawi krzywdę, jaką ci wyrządziła.

Ale posłuchaj mnie i nie zaprzątaj się tak żywo własnymi sprawami, abyś miał spuszczać z oka nasze wspólne plany; pamiętaj, chodzi mi o to. Chcę z ciebie zrobić doradcę i pośrednika dwojga młodych. Uprzedź więc o tej podróży Danceny'ego i ofiaruj pomoc. Powiedz, że jedyna trudność leży w tym, jak panience doręczyć list uwierzytelniający twoją misję, ale zarazem usuń tę przeszkodę polecając usługi mojej panny służącej. Jestem pewna, że przyjmie twą ofiarę; ty zaś będziesz miał w nagrodę trudów zwierzenia prostego i naiwnego serca, co zawsze jest interesujące. Biedna mała! Jak ona będzie się rumienić oddając ci pierwszy list! Doprawdy, ta rola powiernika, tak niesłusznie okrzyczana, wydaje mi się bardzo miłą rozrywką wówczas, gdy serce zajęte jest gdzie indziej; właśnie będziesz w tym położeniu.

Od ciebie zatem zależy rozwiązanie komedii. Oceń sam chwilę, w której trzeba będzie zgromadzić aktorów. Wieś nastręcza mnóstwo środków, a Danceny z pewnością stawi się na pierwsze wezwanie. Noc, przebranie, okno... czy ja wiem co? Ale to wiem, że jeżeli dziewczyna wróci stamtąd tak, jak pojechała, do ciebie będę miała pretensję. Jeśli osądzisz, iż potrzebuje jakiej zachęty z mej strony, daj mi znać. Sądzę, że udzieliłam jej dość dobrej lekcji co do niebezpieczeństw korespondencji, aby móc teraz pisać do niej bez obawy; zawsze zaś trwam w zamiarze zrobienia z niej mojej wychowanki.

Nie wiem, czy ci wspominałam, że podejrzenia zdrady kierowały się zrazu na pannę służącą, lecz odwróciłam je na spowiednika. To się nazywa ubić dwa ptaszki na jeden strzał.

Do widzenia, wicehrabio, rozpisałam się niemożliwie; obiad ucierpi na tym, ale miłość własna i przyjaźń dyktowały ten list, a obie, jak wiesz, są wielkie gaduły. Zresztą dostaniesz go przed trzecią, a to wszystko, co trzeba.

Skarżże się teraz na mnie, jeśli masz czoło; jedź odwiedzić, jeśli cię to nęci, lasy hrabiego de B***. Powiadasz, że pielęgnuje je dla rozrywki przyjaciół? Zatem ten człowiek jest chyba przyjacielem całego świata! Ale do widzenia, głodna jestem.

8 września 17**

LIST LXIV
Kawaler Danceny do pani de Volanges
(odpis załączony do listu LXVI wicehrabiego do markizy)

Nie próbuję, pani, usprawiedliwić swego postępowania ani też skarżę się na twoje; mogę jedynie ubolewać nad zdarzeniem, które staje się nieszczęściem trojga osób, godnych lepszego losu. Bardziej jeszcze zgnębiony tym, iż stałem się tego nieszczęścia przyczyną, niż że jestem i jego ofiarą, próbowałem od wczoraj kilkakrotnie odpowiedzieć na szanowny list pani, lecz brakło mi sił. Mimo to mam pani tyle rzeczy do powiedzenia, iż będę musiał zdobyć się na ten wysiłek. Jeśli list mój będzie nieco bezładny, zechce pani uwzględnić stan, w jakim się znajduję, i użyczyć mi swej pobłażliwości.

Pozwól mi, pani, przede wszystkim zastrzec się przeciw pierwszemu zdaniu twego listu. Nie nadużyłem, śmiem twierdzić, ani twej, pani, ufności, ani niewinności panny de Volanges; przeciwnie, w postępkach moich uszanowałem i jedną, i drugą. Jedynie bowiem postępki zależały ode mnie; jeśli zaś czyni mnie pani odpowiedzialnym za niezawisłe od mej woli uczucie, nie waham się dodać, iż uczucie moje dla jej szanownej córki jest tego rodzaju, iż może pani nie dogadzać, ale nie może jej obrażać. W przedmiocie tym, który dotyka mnie bardziej, niż umiem powiedzieć, odwołuję się do własnego sądu pani, a listy moje wzywam na świadectwo.

Zabrania mi pani pojawiać się w swoim domu. Niewątpliwie poddam się wszystkiemu, co pani raczy rozkazać, ale czy takie nagłe zerwanie stosunków nie stanie się powodem bajek, których pani właśnie pragnęłaby uniknąć? Pozwalam sobie zwrócić szczególną uwagę na ten punkt, ile że ważniejszy jest dla panny de Volanges niż dla mnie. Błagam więc, by pani rozważyła dobrze wszystko i nie pozwoliła surowości wziąć górę nad rozwagą. Przekonany, iż dobro córki kierować będzie postanowieniem pani, oczekuję posłusznie dalszych rozkazów.

W każdym razie, gdyby pani pozwoliła złożyć sobie od czasu do czasu uszanowanie, zobowiązuję się (może pani polegać na tym), że nie wyzyskam sposobności, aby szukać rozmowy z panną de Volanges lub doręczyć jej listy. Obawa przed wszystkim, co mogłoby przynieść ujmę jej dobrej sławie, skłania mnie do tego poświęcenia; szczęście zaś widzenia jej od czasu do czasu będzie mi nagrodą.

Ten punkt jest zarazem jedyną odpowiedzią na wszystko, co pani mówi o losie, jaki przeznaczasz pannie de Volanges i który uzależniasz od mego postępowania. Przyrzekać więcej znaczyłoby oszukiwać panią. Nikczemny uwodziciel umie naginać zamysły do okoliczności i liczyć się z wypadkami, ale miłość, która mnie ożywia, pozwala mi jedynie na dwa uczucia: odwagę i stałość.

Jak to? Miałbym się zgodzić na to, aby panna de Volanges o mnie zapomniała! Abym ja zapomniał o niej? Nie, nigdy! Pozostanę jej wierny; złożyłem na to przysięgę i ponawiam ją w tej chwili. Wybacz, pani, odchodzę od przedmiotu; trzeba się opamiętać.

Pozostaje jeszcze porozumieć się co do innej kwestii, mianowicie listów, których zwrotu pani żąda. Przykro mi w istocie odmawiać pani życzeniu, ale, błagam, wysłuchaj pobudek, nim mnie osądzisz. Racz pamiętać, że jedyną pociechą w nieszczęściu, w które mnie wtrąca utrata twej, pani, przyjaźni, jest nadzieja ocalenia twego szacunku.

Listy panny de Volanges, zawsze mi tak cenne, w tej chwili nabrały dla mnie tym większej wartości. One są jedynym dobrem, jakie mi zostało, one jedne stawiają mi przed oczy obraz uczucia, będącego wyłączną pobudką mego życia. Mimo to wierzaj mi, pani, nie wahałbym się ani na chwilę uczynić to poświęcenie; żal rozłączenia się z tym skarbem ustąpiłby chęci dowiedzenia pani mojej pełnej szacunku powolności, ale wstrzymują mnie względy niezmiernie ważne, których, jestem pewny, pani sama nie zdoła potępić.

Posiada pani, to prawda, tajemnicę panny de Volanges; ale, daruje pani, mam prawo przypuszczać, że dostała się ona w twe ręce za sprawą przymusu, nie zaś zaufania. Nie ośmielam się potępiać kroku, uprawnionego może macierzyńską troskliwością. Szanuję pani prawa, ale nie mają one władzy zwolnienia mnie z moich obowiązków. Najświętszym zaś ze wszystkich jest ten, który nakazuje nigdy nie zawieść położonego zaufania. Uchybiłbym temu obowiązkowi, gdybym odsłonił czyimkolwiek oczom tajemnice serca, które chciało zdradzić je tylko mnie. Jeśli córka pragnie podzielić się nimi z panią, niechaj mówi: jej listy są ci niepotrzebne. Jeśli, przeciwnie, pragnie zamknąć sekret w swoim sercu, nie spodziewa się chyba pani, abym ja go zdradził.

Pragnie pani pokryć to zdarzenie najgłębszą tajemnicą. Może pani być o to zupełnie spokojna: we wszystkim, co tyczy panny de Volanges, mogę walczyć o lepsze nawet z sercem matki. Wszystko przewidziałem, aby panią uwolnić od wszelkiej obawy. Ten cenny skarb, który dotąd miał napis: „Papiery do spalenia", nosi obecnie znak: „Papiery należące do pani de Volanges".

Zmuszony byłem rozpisać się obszernie; nie dość obszernie, jeżeli mój list mógł pozostawić najmniejszą wątpliwość co do prawości mych uczuć, szczerego żalu, iż ściągnąłem na siebie pani niezadowolenie, oraz głębokiego szacunku, z jakim mam zaszczyt etc.

9 września 17**

LIST LXV
Kawaler Danceny do Cecylii Volanges
(przesłany markizie de Merteuil w liście wicehrabiego)

O moja Cesiu, co się z nami stanie! Jakie bóstwo wybawi nas z nieszczęść, które się sprzysięgły? Oby miłość dała nam przynajmniej siłę zniesienia ich! Jak odmalować ci moje zdumienie, rozpacz, gdy ujrzałem przed sobą własne listy, gdym przeczytał pismo pani de Volanges? Kto mógł zdradzić? Kogo posądzasz? Czyś popełniła jaką nieostrożność? Co robisz teraz? Co ci zagraża? Chciałbym wszystko wiedzieć, a nie wiem nic, nic! Może i ty nie więcej wiesz ode mnie.

Posyłam ci bilet matki i kopię mej odpowiedzi. Mam nadzieję, że zgodzisz się ze wszystkim, co zawiera. Niezbędnym jest również, abyś dała jakiś znak zgody na wszystko, com postanowił od tego nieszczęsnego wypadku; celem mym jedynym było zdobyć wiadomość od ciebie, dać ci znać o sobie i – kto wie? – może ujrzeć cię jeszcze, i to swobodniej niż kiedykolwiek.

Czy pojmujesz, Cesiu moja, tę rozkosz, gdybyśmy się znowu znaleźli razem, na nowo mogli sobie przysiąc wiekuistą miłość i czytać w oczach, w duszy, że ta przysięga nie będzie zwodnicza? Jakichż cierpień ta słodka chwila nie pozwoliłaby zapomnieć? Mam tedy nadzieję, że dzień ów świta dla nas, a winien ją jestem właśnie zabiegom, dla których błagam cię o zgodę. Co mówię! Winien ją jestem pomocy najserdeczniejszego przyjaciela, a jedyną mą prośbą jest, byś pozwoliła, aby ten przyjaciel stał się i twoim.

Może nie powinienem był samowolnie rozrządzać twoim zaufaniem; niechaj mnie usprawiedliwi rozpaczliwe położenie. Miłość wiodła moje kroki: ona to żebrze twej pobłażliwości, ona prosi, byś przebaczyła zwierzenie nieuniknione, bez którego groziłaby nam wiekuistą rozłąka*. Znasz przyjaciela, o którym mówię; jest zarazem przyjacielem osoby najbardziej ci ukochanej: to wicehrabia de Valmont.

Zrazu, kiedym się zwracał do niego, pragnąłem tą drogą uzyskać, aby pani de Merteuil zechciała się podjąć doręczenia listu. Wątpi o powodzeniu swego pośrednictwa, ale w razie odmowy pani de Merteuil ręczy za jej pannę służącą, która ma dla niego jakieś względy. Ona zatem odda ci ten list i jej będziesz mogła powierzyć odpowiedź.

Ta pomoc na nic się nie przyda, jeżeli, jak przypuszcza pan de Valmont, bezzwłocznie masz wyjechać na wieś. Ale wówczas on sam ofiaruje swoje usługi. Osoba, do której macie jechać, jest jego krewną. Skorzysta z tego pozoru, aby się tam udać równocześnie z wami; za jego pośrednictwem będziemy mogli korespondować. Ręczę nawet, że jeżeli pozwolisz sobą kierować, da nam sposób widywania się bez najmniejszego dla ciebie niebezpieczeństwa.

A teraz, Cesiu moja, jeśli mnie kochasz, jeśli cierpisz nad mą niedolą, jeśli – jak mam nadzieję – podzielasz me żale, czyż odmówisz swej ufności człowiekowi, który będzie dla nas opiekuńczym aniołem? Gdyby nie on, zostałaby mi jedynie rozpacz, iż nie mogę nawet złagodzić smutków, które na ciebie sprowadziłem. Myśl o twej boleści jest dla mnie męczarnią. Oddałbym życie, aby ciebie uczynić szczęśliwą! Wiesz o tym dobrze. Oby pewność, iż jesteś ubóstwianą, mogła dać nieco pociechy twej duszy!

Do widzenia, Cesiu, do widzenia, jedyna moja!

9 września 17**

---

* P. Danceny mija się z prawdą. Zwierzenie swoje uczynił panu de Valmont jeszcze przed tymi wypadkami. Zobacz list LVII.

Zobaczysz, piękna przyjaciółko, czytając dwa załączone listy, czy dobrze wykonałem twój projekt. Choć oba noszą datę dzisiejszą, pisane są wczoraj u mnie i pod moim okiem; list do małej zupełnie po naszej myśli. Ukorzyć się trzeba przed twą przenikliwością, jeśli mamy sądzić o niej z powodzenia. Danceny zieje ogniem i myślę, że za pierwszą sposobnością nie będziesz miała przyczyn się nań uskarżać. Jeżeli gąska zechce być posłuszna, uporamy się ze wszystkim wkrótce po przybyciu na wieś; mam sto sposobów pod ręką. *Dzięki twym staraniom otom naprawdę przyjacielem Danceny'ego: brakuje mu tylko, aby był księciem* *.

Jakiż on jeszcze młody, ten Danceny! Czy uwierzysz, że żadną siłą nie mogłem wymóc na nim, aby obiecał matce wyrzec się swej miłości; jak gdyby to cokolwiek szkodziło przyrzekać, skoro się nie ma zamiaru dotrzymać. „To znaczyłoby oszukiwać" – powtarzał. Czyż to, w istocie, nie budujący skrupuł, zwłaszcza gdy się ma zamiar uwieść córkę? Oto ludzie! Wszyscy jednako zbrodniczy w zamysłach, niedołęstwu ich wykonania dają miano uczciwości.

Twoją sprawą będzie czuwać, aby pani de Volanges nie wzięła zbytnio do serca wyskoków, na jakie sobie młodzian pozwala w wiekopomnym liście; ratuj nas od klasztoru; staraj się również, aby przestała nalegać na zwrot listów. Zresztą on ich nie odda; nie chce oddać, i ja go w tym utwierdzam; tutaj miłość i rozum są jednego zdania. Czytałem owe listy, przebrnąłem tę otchłań nudy. Mogą być użyteczne: oto jakim sposobem.

Mimo całej ostrożności mogłoby się zdarzyć, iż rzecz wyjdzie na jaw: to by udaremniło małżeństwo, nieprawdaż? I zniweczyłoby nasze zamiary co do Gercourta. Że jednak ja mam przyczyny porachowania się z matką, zachowuję sobie

---

* *Słowa wzięte z jednego z wierszy pana de Voltaire.*

w tym wypadku sposób zniesławienia córki. Przebrawszy dobrze te listy i puszczając w obieg jedynie część, można przedstawić małą Volanges jako osobę, która sama nawiązała awanturkę i wprost rzuciła się Danceny'emu w ramiona. Niektóre mogłyby nawet skompromitować i matkę, a przynajmniej o b a r c z y ć ją zarzutem karygodnej niedbałości. Przypuszczam, że skrupulant Danceny sprzeciwiłby się zrazu; ale ponieważ byłby osobiście interesowany, sądzę, że można by sobie z nim dać rady. Sto przeciw jednemu, że to nie będzie potrzebne, ale trzeba być na wszystko gotowym.

Do widzenia, piękna przyjaciółko. Byłoby bardzo uprzejmie, gdybyś zechciała przyjść jutro do marszałkowej de*** na kolację, od której nie mogłem się wymówić.

Nie potrzebuję ci zalecać, markizo, abyś wobec pani de Volanges zachowała mój przyjazd w zupełnym sekrecie; gotowa by zostać; tak zaś, skoro raz przyjedzie, nie będzie mogła wyjechać nazajutrz. Byle tydzień czasu, a ręczę za wszystko.

9 września 17**

LIST LXVII
Prezydentowa de Tourvel do wicehrabiego de Valmont

Nie miałam już zamiaru odpowiadać, a zakłopotanie moje jest może dowodem, że istotnie nie powinnam była tego czynić. Jednak nie chcę panu zostawić sposobności do żadnego zarzutu; chcę dowieść, że uczyniłam, co było w mej mocy. Pozwoliłam pisać do siebie, powiada pan! Przyznaję; ale skoro mi pan przypomina owo pozwolenie, czy myśli pan, że zapomniałam, pod jakimi warunkami? Gdybym ja trzymała się moich równie ściśle, jak pan niewiernie dochowywał swoich, czy byłbyś otrzymał choć jedną odpowiedź? Oto wszakże trzecia: gdy pan robi, co może, aby mnie zmusić do przerwania tej korespondencji, ja myślę nad sposobem utrzymania jej. Widzę jeden tylko, ale to jest jedyny; jeśli go pan odrzuci, będzie to dla mnie mimo wszystkich zapewnień dowodem, jak mało dbasz o to.

Porzuć zatem styl, którego ani chcę, ani mogę słuchać; wyrzecz się uczucia, które mnie obraża i lękiem przejmuje. Czyż to uczucie jest jedynym, do jakiego jesteś zdolny? Ofiarując mą przyjaźń, daję wszystko, co jest moją własnością, czym mogę rozporządzać. Czegoż możesz pragnąć jeszcze? Aby się oddać uczuciu tak słodkiemu, tak stworzonemu dla mego serca, oczekuję tylko pańskiej zgody oraz słowa, jakiego wymagam, że przyjaźń ta wystarczy dla pańskiego szczęścia. Zapomnę o wszystkim, co mi o panu mówiono; polegać będę na panu, iż postarasz się usprawiedliwić mój wybór.

Widzi pan moją szczerość, powinna być dowodem mego zaufania; od pana wyłącznie zależeć będzie pomnożenie go: ale, uprzedzam, pierwsze słowo miłości zniweczy je na zawsze i wróci wszystkie obawy; a przede wszystkim stanie się dla mnie hasłem wieczystego milczenia.

Jeieli – jak sam powiadasz – wyrzekłeś się dawnych błędów, czyż nie będziesz wolał być przedmiotem przyjaźni kobiety uczciwej niż wyrzutów występnej?

Żegnam pana; pojmuje pan, że po tym, co powiedziałam, nie mogę dodać nic więcej, nim otrzymam odpowiedź.

9 września 17**

LIST LXVIII
Wicehrabia de Valmont do prezydentowej de Tourvel

Jak odpowiedzieć pani na list ostatni? Jak odważyć się być szczerym, skoro otwartość może mnie zgubić w twych oczach? Ha! Trudno, trzeba! Zdobędę się na tę odwagę.

Jaka szkoda, że – jak pani mówi – wyrzekłem się swoich błędów! Z jaką radością byłbym czytał list, na który mi dziś z drżeniem przychodzi odpowiadać! Mówisz mi o szczerości, okazujesz zaufanie, ofiarujesz wreszcie p r z y j a ź ń; ileż łask, pani, i jak boleśnie nie móc z nich skorzystać! Ach, czemu nie jestem już dawnym Valmontem! Gdybym nim był, zaiste, gdybym czuł do ciebie jedynie ów pospolity pociąg, owo przelotne upodobanie, dziecię rozkoszy i zachcenia, które mimo to ludzie nazywają dziś miłością, czym prędzej starałbym się wyciągnąć korzyści ze wszystkiego, czym mnie obdarzasz. Nie przebierając w środkach, byle mnie doprowadziły do celu, podsycałbym twoją szczerość, aby cię przejrzeć; starałbym się o twe zaufanie, aby go nadużyć; przyjąłbym twą przyjaźń w nadziei sprowadzenia jej na manowce... Co?! Ten obraz, pani, budzi twoją grozę?... Otóż byłby on wiernym odbiciem mego stanu duszy, gdybym ci powiedział, że godzę się zostać jedynie twym przyjacielem.

Kto? Ja? Ja bym się zgodził dzielić z kimś drugim uczucie płynące z twej duszy? Jeżeli kiedykolwiek ci to powiem, nie wierz mi już nigdy. Z tą chwilą będę się starał cię oszukać; może będę cię jeszcze pragnął, ale z pewnością już cię nie będę kochał.

To nie znaczy, aby doskonała szczerość, słodkie zaufanie, tkliwa przyjaźń nie miały ceny w mych oczach... Ale miłość! Miłość prawdziwa, taka, jaką ty umiesz obudzić, jednocząca wszystkie te uczucia, jeno podniesione do najwyższej potęgi, nie umiałaby się poddać tym granicom. Nie, pani, nie będę twoim przyjacielem: będę cię kochał miłością najtkliwszą, najpłomienniejszą nawet, choć najpełniejszą szacunku. Możesz ją pognębić, ale nie zniweczyć.

Jakim prawem chce pani rozrządzać sercem, którego uczucia odtrącasz? Przez jakie wyrafinowane okrucieństwo żałujesz mi nawet szczęścia kochania ciebie? To szczęście należy do mnie. Nie masz do niego praw; będę go umiał bronić. Jeśli jest źródłem cierpień, jest ich ukojeniem.

Nie, jeszcze raz nie. Wytrwaj w okrutnej surowości, ale zostaw mi moją miłość. Podoba ci się czynić mnie nieszczęśliwym! Dobrze więc, niech tak będzie! Próbuj wyczerpać mą odwagę; potrafię cię zniewolić, abyś przynajmniej musiała rozstrzygnąć o mym losie; może przyjdzie dzień, w którym oddasz mi sprawiedliwość. To nie znaczy, bym kiedykolwiek spodziewał się zmiękczyć twe serce; ale choć nie uda mi się ciebie pozyskać, uda mi się może przekonać cię; powiesz sobie wówczas: „Źle go osądziłam".

Powiedzmy lepiej: sama sobie wyrządzasz krzywdę. Znać ciebie i nie kochać, kochać cię, a nie kochać wiecznie – oto dwie rzeczy równie niemożliwe; mimo całej skromności łatwiej ci uskarżać się na uczucia, jakie budzisz, niż się im dziwić. Co do mnie, ja, którego jedyną zasługą jest, iż umiałem cię, pani, ocenić, nie chcę tracić tej zasługi; toteż daleki od przyjęcia kuszącego daru, na nowo składam u stóp twych przysięgę, iż kochać cię będę wiecznie.

10 września 17**

LIST LXIX
Cecylia Volanges do kawalera Danceny
(list skreślony ołówkiem i przepisany przez Danceny'ego)

Pyta się pan, co robię? Kocham pana i płaczę. Matka przestała mówić do mnie; odebrała mi papier, pióra i atrament; wzięłam ołówek, który na szczęście mi pozostał, i piszę do pana na skrawku twego listu. Cóż mam robić? Muszę się zgodzić na wszystko, co pan postanowił; nadto pana kocham, aby się nie chwycić każdego środka, dzięki któremu mogę wiedzieć coś o panu i dać wiadomość o sobie. Nie lubiłam pana de Valmont i nie sądziłam, aby tak był panu przyjazny; będę się starała przekonać do niego i polubić go dla twej miłości. Nie wiem dotąd, kto mógł nas zdradzić; chyba panna służąca albo spowiednik. Jestem bardzo nieszczęśliwa; jutro wyjeżdżamy na wieś, nie wiem nawet, na jak długo. Mój Boże! Nie widzieć pana więcej! Nie mam już miejsca do pisania. Do widzenia; niech się pan stara to odczytać. Te słowa kreślone ołówkiem zatrą się może, ale nigdy uczucia wyryte w mym sercu.

10 września 17**

LIST LXX
Wicehrabia de Valmont do markizy de Merteuil

Muszę ci udzielić ważnej przestrogi, droga przyjaciółko. Byłem wczoraj, jak wiesz, na kolacji u marszałkowej de B***; mówiono tam o tobie; ja również wmieszałem się do rozmowy, aby powiedzieć w tym przedmiocie nie wszystko dobre, które o tobie myślę, ale wszystko dobre, którego nie myślę. Całe towarzystwo było mego zdania i rozmowa zaczynała słabnąć, jak zwykle bywa, kiedy się oddaje bliźniemu same pochwały, gdy wtem wmieszał się ktoś z odmiennym sądem: był to Prévan.

„Niech mnie Bóg broni – rzekł podnosząc się z krzesła – abym miał wątpić o cnocie pani de Merteuil! Ośmielę się jedynie mniemać, iż zawdzięcza ją bardziej swej ruchliwości niż swym zasadom. Trudniej jest może nadążyć za nią niż zyskać jej względy; że zaś goniąc za kobietą, ma się zawsze widoki spotkać po drodze inne, tyleż albo i więcej warte, jednych tedy odciąga nowy kaprys, drudzy zatrzymują się w pół drogi ze zmęczenia, tak że nie ma może w Paryżu kobiety, która by równie mało miała sposobności do walki i obrony co pani de Merteuil. Co do mnie – dodał (zachęcony uśmieszkiem kilku kobiet) – póty nie uwierzę w jej świętość, póki nie zamęczę trzech par koni, ubiegając się o jej łaski".

Ten lichy żart, jak każdy trącący obmową, spodobał się. Prévan wśród powszechnej wesołości usiadł i rozmowa potoczyła się innym torem. Jednakże dwie hrabiny de B***, koło których siedział właśnie ów niewierny Tomasz, podjęły ten przedmiot w półgłośnej rozmowie, a wątek jej udało mi się, na szczęście, pochwycić.

Stanął zakład o zdobycie twoich względów: przyrzeczono niczego nie zataić, a jeżeli które, to z pewnością to przyrzeczenie będzie święcie dotrzymane. Wiesz tedy, czego się masz obawiać.

Muszę ci jeszcze powiedzieć, że Prévan, którego nie znasz, jest człowiekiem wielkiego uroku i większej jeszcze zręczności. Jeżeli nieraz zdarzyło mi się mówić o nim inaczej, to jedynie dlatego, że go nie lubię. Staram się mu szkodzić, gdzie mogę, a znam wagę mego zdania dla garstki kobiet dzierżących berło mody. W ten sposób udało mi się dość długo nie dopuścić go na tak zwaną wielką arenę i sprawić, iż mimo świetnych czynów został prawie nieznany. Dopiero rozgłos jego „potrójnej przygody", zwracając nań wszystkie oczy, dał mu tę pewność siebie, której mu dotychczas brakowało, i uczynił go naprawdę niebezpiecznym. Słowem, jest to może dziś jedyny człowiek, którego lękałbym się spotkać na drodze; toteż niezależnie od twego porachunku oddałabyś mi prawdziwą przysługę, gdyby ci się udało okryć go śmiesznością. Oddaję go w dobre ręce; mam nadzieję, że za moim powrotem będzie zarżnięty.

W zamian za to przyrzekam ci poprowadzić z całą gorliwością sprawę twej pupilki i zająć się nią na równi z moją własną.

Trzeba ci wiedzieć, że moja pani przysłała mi właśnie projekcik kapitulacji. Cały jej list zwiastuje, jak bardzo pragnęłaby zostać oszukana. Nie mogła w istocie ofiarować wygodniejszego i bardziej zużytego zarazem sposobu. Proponuje, abym był jej p r z y j a c i e l e m. Ale ja, który lubię metody nowe i trudne, ani myślę dać się jej wykręcić równie tanim kosztem. Nie na to zadałem sobie z nią tyle kłopotów, aby kończyć rzecz uwieńczeniem tak pospolitego gatunku.

Zamiarem moim, przeciwnie, jest, aby dobrze czuła znaczenie i wagę każdego ustępstwa. Nie chcę prowadzić jej tak szybko, aby wyrzuty sumienia nie mogły jej dopędzić; chcę, by cnota jej konała w powolnej agonii, w jej oczach i ze świadomością; nie wcześniej dopuszczę ją do szczęścia posiadania mnie w ramionach, aż ją zmuszę do tego, by nie mogła dłużej ukrywać, jak bardzo tego pragnie. Zbyt mało byłaby warta moja miłość, gdyby nie była warta, aby proszono o nią. Czyż nie należy mi się nieco zemsty nad tą dumną kobietą, która jak gdyby się wstydziła wyznać, że mnie ubóstwia?

Odrzuciłem zatem cenną p r z y j a ź ń i uparłem się przy tytule kochanka. Ponieważ rozumiem dobrze, iż zdobycie tego tytułu, który zrazu wydaje się jedynie sporem o słowa, ma istotną wagę, przyłożyłem się do listu z wielką pilnością i starałem się go nacechować tym bezładem, bez którego niepodobna wywołać wrażenia szczerego uczucia. Słowem, nabredziłem, ile mogłem, bez bredzenia bowiem nie ma czułości, i to jest, jak mniemam, przyczyną, czemu kobiety taką wyższość posiadają nad nami w listach miłosnych.

Zakończyłem wynurzenia pełnym słodyczy pochlebstwem, co również jest wynikiem głębokich spostrzeżeń. Serce kobiety, skoro przez jakiś czas wystawiono je na próbę, potrzebuje wypoczynku; zauważyłem zaś, że pochlebstwo jest najmilszą poduszeczką, jaką jej można ofiarować.

Do widzenia, piękna przyjaciółko! Wyjeżdżam jutro. Gdybyś miała jakie zlecenie do hrabiny de***, służę ci; zatrzymam się tam przynajmniej na obiad. Przykro mi, że muszę jechać nie zobaczywszy się z tobą. Chciej mi przesyłać nadal swe nieporównane wskazówki i wspieraj mnie w stanowczej chwili.

Przede wszystkim strzeż się Prévana; obym kiedyś mógł powetować ci tę ofiarę! Do widzenia.

11 września 17**

LIST LXXI
Wicehrabia de Valmont do markizy de Merteuil

Wyobraź sobie, markizo, ciemięga strzelec zostawił moją teczkę w Paryżu. Listy mego anioła i bazgroty Danceny'ego, wszystko zostało, a wszystko jest mi tu potrzebne. Pędzi w tej chwili, aby naprawić swoje gapiostwo; ja zaś, nim nygus osiodła, opowiem ci dzieje ostatniej nocy, bynajmniej, jak się przekonasz, nie zmarnowanej.

Przygoda sama przez się niewielkiej wagi: po prostu odgrzana historia z wicehrabiną de M***. Ale zabawiła mnie przez szczegóły. Bardzo rad jestem przy tym dowieść ci, markizo, że jeśli mam talent gubienia kobiet, umiem je również, jeśli mi się podoba, w danym razie ocalić. W każdej rze-

151

czy pociąga mnie rozwiązanie najtrudniejsze lub najzabawniejsze i nie wyrzucam sobie dobrego uczynku, jeśli zeń mogę wyciągnąć ćwiczenie lub rozrywkę.

Otóż zastałem tu wicehrabinę; ponieważ dołączyła się do próśb, jakimi mnie obsypano, abym został na noc, odparłem: „Dobrze, przystaję, ale pod warunkiem, że spędzę tę noc z panią". – „Niepodobna – odparła – Vressac jest tutaj". Dotąd powiedzenie moje było prostą grzecznością, ale słowo „niepodobna" podrażniło mnie jak zwykle. Wydała mi się zniewagą myśl, iż mam ustąpić wobec Vressaca, i postanowiłem tego nie ścierpieć; zacząłem więc nalegać.

Okoliczności nie były najpomyślniejsze. Vressac był na tyle niezdarny, iż ściągnął na siebie podejrzenia męża, tak iż wicehrabina nie może go już przyjmować u siebie; ułożyli zatem wyprawę do poczciwej hrabiny, w nadziei, iż się im uda uszczknąć bodaj parę nocy. Mąż był nawet mocno niekontent, gdy zastał Vressaca; ale że myślistwo jest u niego jeszcze silniejszą namiętnością niż zazdrość, został; hrabina zaś, zawsze taka, jak ją znasz, ulokowawszy żonę w głównym korytarzu, umieściła męża z jednej strony, a kochanka z drugiej, aby sobie sami dawali rady. Zły los ich obu zrządził, iż mnie pomieszczono naprzeciw.

Owego dnia, to znaczy wczoraj, Vressac, który – jak możesz sobie wyobrazić – czuli się do wicehrabiego, wybrał się, mimo iż niewielki myśliwy, razem z nim na polowanie. Liczył zapewne na to, iż za nudy z mężem w dzień, pocieszy się w nocy w objęciach żony. Ja, z mojej strony, osądziłem, iż potrzeba mu wypoczynku, i poczyniłem odpowiednie starania u jego pani.

Udało mi się; uzyskałem u niej, że się posprzecza z Vressakiem właśnie o to polowanie, na które, rzecz prosta, zgodził się jedynie dla niej. Trudno o lichszy pozór, ale nie ma kobiety, która by w wyższym stopniu niż wicehrabina posiadała ten talent, wspólny im wszystkim zresztą, aby swoje kaprysy kłaść w miejsce jakiejkolwiek racji i najtrudniejszą być do przebłagania wówczas, gdy nie ma słuszności. Chwila zresztą była mało sposobna do wyjaśnień; ja zaś, pragnąc dla siebie tylko jednej nocy, nie miałem nic przeciw temu, aby czuła para pogodziła się nazajutrz.

Vressac tedy spotkał się za powrotem z dąsem. Spytał o przyczynę, dąs przeszedł w sprzeczkę. Starał się usprawiedliwić; obecność męża posłużyła za pozór do przecięcia rozmowy. Wreszcie skorzystał z chwili, gdy mąż opuścił pokój, aby prosić, by mu udzielono posłuchania wieczorem. Wówczas wicehrabina okazała się po prostu wzniosła. Wybuchnęła przeciw zuchwalstwu mężczyzn, którzy dlatego, iż doznali dobroci kobiety, sądzą, iż mają prawo nadużywać jej łask wówczas nawet, gdy ją obrazili. Przeszedłszy w ten sposób zręcznie na inny temat, zaczęła prawić tak pięknie o delikatności i uczuciu, że Vressac stał niemy i zawstydzony, a ja sam byłem gotów uwierzyć, że ona ma słuszność; domyślasz się bowiem, markizo, iż jako przyjaciel obojga byłem dopuszczony do rozmowy jako świadek.

Słowem, oświadczyła stanowczo, że nie ma zamiaru dorzucać trudów miłości do trudów polowania i że daleka jest od chęci zakłócania tak lubej rozrywki. Mąż wrócił. Zrozpaczony Vressac, w niemożności odpowiedzenia czegokolwiek, odwołał się do mnie i wytłumaczywszy mi obszernie swoje racje, które znałem równie dobrze jak on, prosił, abym przemówił za nim, co mu solennie przyrzekłem. Przemówiłem też, ale jedynie po to, aby jej podziękować i aby ułożyć schadzkę, której miejscem miał być mój pokój.

Wszystko odbyło się podług umowy; około północy zjawiła się u mnie

leciuchno odziana,
Jak piękność świeżo ze snu słodkiego wyrwana*.

Ponieważ nie jestem próżny, nie będę się rozwodził nad szczegółami nocy; znasz mnie, markizo, powiem więc tylko, że byłem zadowolony z siebie.

O świcie trzeba było się rozstać. Tu rzecz zaczyna być

---

* Racine, *Brytannik*.

interesująca. Ta trzpiotka mniemała, iż zostawiła drzwi od swego pokoju otwarte, tymczasem zastaliśmy je zamknięte, klucz zaś tkwił wewnątrz. Nie masz pojęcia o jej rozpaczy; na wpół przytomna powtarzała tylko: „Jestem zgubiona". Trzeba przyznać, iż byłoby zabawne zostawić ją w tym położeniu; ale czyż mogłem ścierpieć, aby kobieta miała być zgubiona dla mnie, a nie p r z e z e   m n i e, i czyż miałem, jak większość ludzkiego pospólstwa, dać nad sobą przewodzić okolicznościom? Trzeba było znaleźć radę. Cóż byłabyś uczyniła, piękna przyjaciółko? Oto sposób, jaki obrałem; a powiódł się w zupełności.

Zbadałem, iż drzwi, o które chodziło, dałyby się wysadzić, ale nie bez dużego hałasu. Nakłoniłem więc wicehrabinę, z trudnością zresztą, by zaczęła wydawać przeraźliwe okrzyki: „Złodzieje! Mordercy! Na pomoc!" etc., przy czym umówiliśmy się, że za pierwszym okrzykiem ja wysadzę drzwi, ona zaś dopadnie łóżka. Nie uwierzysz, ile czasu było potrzeba, aby ją zdecydować nawet wówczas, gdy już się zgodziła.

Wszystko udało się, jak przewidziałem. Drzwi za pierwszym uderzeniem ustąpiły. Wicehrabina popędziła prosto do łóżka, na szczęście dość szybko, ponieważ w tej samej chwili wicehrabia i Vressac znaleźli się na korytarzu, panna służąca zaś nadbiegła również...

Ja jeden miałem zimną krew; skorzystałem z tego, aby zgasić lampkę nocną, która paliła się jeszcze, i przewrócić ją; wyobrażasz sobie bowiem, jak śmiesznym byłoby udawać ten paniczny przestrach mając światło w pokoju. Wykrzyczałem następnie męża i kochankę za ich sen iście letargiczny, wmawiając, iż krzyki, na które nadbiegłem, i moje szamotanie się z drzwiami trwały co najmniej pięć minut.

Wicehrabina, która odzyskała odwagę znalazłszy się we własnym łóżku, wspierała mnie wcale dzielnie; zaklinała się na wielkie bogi, że złodziej był w mieszkaniu; zaręczała, już z większą dozą szczerości, że w życiu jeszcze tak się nie bała. Szukaliśmy wszędzie; nie znaleźliśmy nikogo. Wówczas zwróciłem uwagę na przewróconą lampkę i doszedłem do wniosku, iż prawdopodobnie szczur stał się przyczyną szkody i przestrachu. Zdanie moje przyjęto jednogłośnie; po paru zużytych konceptach na temat szczurów wicehrabia wrócił do siebie, prosząc żonę, aby na przyszłość szczury zachowywały się u niej spokojniej.

Vressac zostawszy sam z nami podszedł do wicehrabiny, aby jej czule powiedzieć, iż była to zemsta Amora; na co odpowiedziała spozierając ku mnie: „Musiał być tedy srodze rozgniewany, bo bardzo się mścił. Ale – dodała – upadam wprost ze zmęczenia i teraz chcę spać".

Czułem się w łaskawym usposobieniu, toteż niemeśmy się rozstali, wniosłem instancję za Vressakiem i doprowadziłem do pojednania. Kochankowie uściskali się, po czym i mnie wyściskali z kolei. Niewiele mi już chodziło o całusy wicehrabiny, ale wyznaję, że uścisk Vressaca sprawił mi przyjemność. Wyszliśmy razem i, obsypany jego podziękowaniami, wróciłem nareszcie do łóżka.

Jeżeli przygoda ta wydała ci się zabawna, nie zobowiązuję cię do tajemnicy. Teraz, kiedy ja się nią zabawiłem, słusznym jest, aby i publiczność miała swoją kolej. Na razie mówię tylko o przygodzie, niedługo może będziemy mogli powiedzieć to samo o jej bohaterce?

Do widzenia; strzelec czeka już godzinę; jeszcze serdeczny uścisk, markizo, i przypomnienie, abyś się strzegła Prévana.

Z zamku L**, 13 września 17**

LIST LXXII
Kawaler Danceny do Cecylii Volanges
(doręczony dopiero 14.)

O moja Cesiu! Jakże zazdroszczę losu Valmontowi! Jutro cię zobaczy. On odda ci ten list; ja, usychając z dala, będę wlókł opłakaną egzystencję wśród żalów i udręczeń. Jakże to straszne być przyczyną twego nieszczęścia! Beze mnie żyłabyś szczęśliwa, spokojna. Czy mi przebaczysz? Powiedz, ach, powiedz, że przebaczasz, powiedz także, że kochasz, że będziesz kochać wiecznie! Tak potrzebuję, abyś mi to powtarzała.

Ach, w owych chwilach szczęścia, co przemknęły tak szybko, jakże daleki byłem od przewidywań straszliwego losu! Myślmy, Cesiu moja, nad środkami ratunku. Jeśli wierzyć memu przyjacielowi, wszystko może być ocalone, o ile tylko będziesz miała do niego całą ufność, jakiej jest godzien.

Przykro mnie dotknęło, wyznaję, uprzedzenie twoje do Valmonta. Zaklinam cię, Cesiu moja, staraj się patrzeć nań przychylniejszym okiem. Pomyśl, że jest moim przyjacielem, że chce być twoim, że może przywrócić mi szczęście widywania ciebie. Jeśli te względy nie zdołają cię przekonać, nie kochasz mnie tak jak ja ciebie, nie kochasz tak, jak wprzódy kochałaś. Żegnam cię, ubóstwiana, nie zapomnij, że cierpię; od ciebie jedynie zależy uczynić mnie szczęśliwym, zupełnie szczęśliwym. Wysłuchaj modłów mego serca i przyjm najtkliwsze pieszczoty miłości!

Paryż, 11 września 17**

LIST LXXIII
Wicehrabia de Valmont do Cecylii Volanges
(dołączony do poprzedniego)

Przyjaciel, który chce pani służyć, wie, że nie posiadasz przyborów do pisania, i postarał się temu zaradzić. W przedpokoju twego saloniku, pod szafą po lewej, znajdziesz papier, pióro i atrament; możesz je później ukryć w tym samym miejscu, jeśli nie posiadasz pewniejszego schronienia.

Ten sam przyjaciel prosi panią, abyś nie czuła się obrażona, jeżeli nie będzie na ciebie zwracał w towarzystwie uwagi i będzie się odnosił do ciebie jak do dziecka. Ostrożność ta wydaje mu się niezbędna, aby wzbudzić ufność, która pozwoli mu tym skuteczniej pracować dla szczęścia was obojga.

Postara się o sposobność mówienia z panią, skoro będzie miał coś do doniesienia lub do wręczenia; spodziewa się, że mu się to uda, jeśli zechcesz mu być szczerze pomocna. Radzi ci również zwracać mu listy w miarę, jak będziesz je otrzymywała, aby się nie narażać na ich przejęcie.

Kończy zapewnieniem, iż jeśli zechcesz obdarzyć go ufnością, dołoży starań, aby złagodzić prześladowanie, jakiego zbyt okrutna matka dopuszcza się na dwojgu istot, z których jedna jest jego najlepszym przyjacielem, a druga zasługuje na najżywszą sympatię.

Zamek***, 14 września 17**

LIST LXXIV
Markiza de Merteuil do wicehrabiego de Valmont

Ejże! I odkąd to, drogi wicehrabio, niepokoisz się tak łatwo? Byłżeby ten Prévan istotnie taki straszny? Ale widzisz, jaka ja jestem skromna i nieśmiała! Wszak ja go nieraz spotykałam, tego pysznego zwycięzcę: zaledwie mu się przyjrzałam! Trzeba było aż twego listu, aby ściągnąć nań moją uwagę. Naprawiłam tę niesprawiedliwość wczoraj. Był w Operze, prawie że naprzeciwko: napatrzyłam się mu do syta. To pewna, że jest przystojny, bardzo przystojny; co za szlachetne i delikatne rysy! Musi zyskiwać jeszcze z bliska. I ty mówisz, że on chce mnie mieć! Alez uczyni mi tym zaszczyt i p r z y j e m n o ś ć. Doprawdy, mam na niego wielką ochotę; przyznam ci się, że uczyniłam nawet pierwsze kroki. Nie wiem jeszcze, czy się powiodą. Oto jak było.

Wychodziłam właśnie z Opery: Prévan stał o dwa kroki. Umyślnie bardzo głośno poczęłam się umawiać z markizą de*** na kolację w piątek u marszałkowej. Zdaje mi się, że to jedyny dom, gdzie mogłabym go spotkać. Nie wątpię, że zrozumiał... Gdyby niewdzięcznik miał nie przyjść? Powiedz, wicehrabio, szczerze, jak myślisz, czy przyjdzie? Czy wiesz, że gdyby miał nie przyjść, na cały wieczór miałabym humor zepsuty. Widzisz zatem, że nie znajdzie tak wiele trudności w u g a n i a n i u się za mną, a co cię dziwi jeszcze bardziej – jeszcze mniej ich napotka w p o z y s k a n i u m o i c h w z g l ę d ó w. „Chce – powiedział – zamęczyć trzy pary koni ubiegając się o moje łaski!" Och, ocalę życie tym biednym koniętom! Nigdy nie miałabym cierpliwości czekać tak długo. Wiesz, że nie leży w moich zasadach nużyć partnera wzdychaniem, skoro jestem raz zdecydowana; co do niego zaś, jestem nią w zupełności.

No, przyznaj, że to prawdziwa przyjemność przemawiać mi do rozsądku! Czyż twoja w a ż n a p r z e s t r o g a nie odniosła wspaniałego skutku? Ale cóż chcesz? Życie tak mi się wlokło w ostatnich czasach! Już sześć tygodni minęło, jak sobie nie pozwoliłam na najmniejszą rozrywkę. Oto się nastręcza; mogęż sobie odmówić? Czy przedmiot niewart trudu? Czyż mogłabym znaleźć ponętniejszy w jakimkolwiek znaczeniu słowa?

Ty sam zmuszony jesteś oddać mu sprawiedliwość; czynisz więcej, niż gdybyś chwalił; jesteś o niego zazdrosny. Dobrze więc! Będę sędzią między wami: ale przede wszystkim trzeba przeprowadzić badanie, i to właśnie pragnę uczynić. Będę sędzią nieposzlakowanym: zważę was obu na tej samej szali. Co do ciebie, już mam twoje akta; sprawa jest najzupełniej zgłębiona. Czyż sprawiedliwość nie wymaga, abym się zajęła teraz twoim przeciwnikiem? No, wicehrabio, uchyl bez szemrania głowę przed mym trybunałem, a na początek poucz mnie, proszę, co to jest owa „potrójna przygoda", której on jest bohaterem? Mówisz o tym, jak gdybym ją umiała na pamięć, a ja nie wiem ani słóweczka... Z pewnością musiała zajść w czasie mej podróży do Genewy, zawiść zaś twoja nie pozwoliła ci donieść mi o niej. Napraw błąd jak najprędzej; pamiętaj, że nic, c o j e g o d o t y c z y, n i e j e s t m i o b o j ę t n e. Zdaje mi się, że gadano jeszcze coś o tym za moim powrotem, ale byłam zajęta czym innym i w ogóle rzadko słucham takich historyjek, o ile nie są z ostatniej doby.

Gdyby to, o co proszę, było ci trochę niemiłe, czyż to nie

jest skromna zapłata za trudy, jakie sobie dla ciebie zadałam? Czy nie one zbliżyły cię do prezydentowej, gdy twoje dzieciństwa oddaliły cię od niej? Czy nie ja dałam ci w ręce zemstę za niewczesną gorliwość pani de Volanges? Tak często skarżyłeś się na to, ile czasu musisz tracić na szukanie przygód! Masz je pod ręką. Miłość, nienawiść – tylko wybierać; wszystko pod jednym dachem; możesz, dwojąc swą egzystencję, pieścić jedną dłonią, a mordować drugą.

Wszak i przygodę z wicehrabiną mnie zawdzięczasz. Wcale mi się podobała i jestem twojego zdania, iż trzeba to będzie rozgłosić. Rozumiem, że na razie okoliczności mogą cię skłaniać do tajemnicy; ale na ogół trzeba przyznać, że ta kobieta niewarta była tak pięknego postąpienia.

Zresztą i ja mam z nią swoje rachunki. Kawalerowi de Belleroche podoba się ona o wiele więcej, niżbym pragnęła; słowem, dla wielu przyczyn rada będę znaleźć pozór do zerwania, czyż istnieje zaś wygodniejszy niż móc powiedzieć: „To nie jest kobieta, którą by można przyjmować".

Do widzenia, wicehrabio; pomyśl, że na twoim posterunku nie wolno ci tracić czasu; co do mnie, obrócę go w zupełności na to, aby przygotować szczęście uroczego Prévana.

Paryż, 15 września 17**

LIST LXXV
Cecylia Volanges do Zofii Carnay

(Nota. W liście tym Cecylia Volanges zdaje z największymi szczegółami sprawę ze wszystkiego, co się odnosi do wypadków znanych czytelnikowi z listu XXXIX i następnych. Uważaliśmy za stosowne pominąć to powtórzenie. Wreszcie mówi o wicehrabi de Valmont w ten sposób):

...Powiadam ci, to nadzwyczajny człowiek. Mama mówi o nim bardzo źle, ale kawaler Danceny bardzo go chwali i zdaje mi się, że słusznie. Nie miałam pojęcia, żeby kto mógł być taki zręczny. Kiedy mi oddał list Danceny'ego, calutkie towarzystwo było przy tym i nikt nic nie widział; to prawda, najadłam się porządnego strachu, bo nic się nie spodziewałam, ale teraz już będę przygotowana. Zrozumiałam doskonale, jak on chce, żeby mu oddać odpowiedź. Bardzo łatwo z nim się porozumieć, bo takie ma jakieś spojrzenie, że mówi nim wszystko, co zechce. Nie wiem, jak on to robi. Pisał w bileciku, o którym ci wspomniałam, że przy mamie umyślnie nie będzie na mnie zwracał uwagi: w istocie można by przysiąc, że ani myśli o tym, a mimo to za każdym razem, kiedy szukam jego oczu, mogę być pewna, że spotkam je natychmiast.

Jest tutaj dobra przyjaciółka mamy, której nie znałam pierwej, a która także, jak się zdaje, musi nie lubić pana de Valmont, choć on jej bardzo nadskakuje. Boję się, żeby on się nie znudził prędko tutejszym życiem i nie wrócił do Paryża; to by była wielka szkoda. Musi mieć naprawdę bardzo dobre serce, kiedy tak umyślnie przyjechał, aby oddać przysługę swemu przyjacielowi i mnie!

Pan de Valmont przyrzekł, że jeżeli będę posłuszna, zrobi tak, żebyśmy się mogli znów widywać. Oczywiście, że uczynię, co tylko zażąda, ale nie mogę sobie wyobrazić, aby to było możliwe.

Do widzenia, jedyna, nie mam już miejsca*.

Z zamku***, 14 września 17**

LIST LXXVI
Wicehrabia de Valmont do markizy de Merteuil

Albo twój list, markizo, to jakieś drwiny, których nie zrozumiałem, albo też pisząc znajdowałaś się w stanie groźnego obłędu. Gdybym mniej dobrze cię znał, piękna przyjaciółko,

---

* Ponieważ panna de Volanges, co widać z jej następnych listów, zmieniła wkrótce powiernicę, nie pojawi się już w tym zbiorze żaden z tych, które wciąż pisała do swej przyjaciółki z klasztoru: niczego ważnego by się z nich czytelnik nie dowiedział.

byłbym doprawdy w obawie, a możesz mi wierzyć, że obawa ta nie byłaby przesadzona.

Próżno czytam raz po raz twoje pismo, nic mnie ono nie objaśnia, niepodobna bowiem wziąć twego listu w prostym i naturalnym znaczeniu. Cóż zatem chciałaś powiedzieć? Czy jedynie to, że zbyteczne jest zadawać sobie tyle zachodu wobec tak mało groźnego nieprzyjaciela? Ale w tym wypadku możesz się mylić. Prévan istotnie ma dużo uroku, więcej, niż przypuszczasz; ja go znam, i z tego, co wiem o nim, miałbym go prawo uważać za niebezpiecznego dla każdej kobiety; dla ciebie zaś, markizo, czyż nie byłoby dosyć, że jest przystojny, bardzo przystojny, jak sama powiadasz? Albo żeby się dopuścił względem ciebie jednego z tych ataków, które lubisz niekiedy nagradzać jedynie w uznaniu dobrego wykonania? Lub też, że wydałoby ci się zabawne ulec dla jakichkolwiek tych czy innych względów? Albo... czy ja wiem co zresztą? Czyż mogę odgadnąć sto tysięcy kaprysów, które rządzą głową kobiety, a przez które jedynie jeszcze ty należysz do swojej płci?

Teraz, kiedy cię uprzedziłem, nie wątpię, że łatwo potrafisz się uchronić; ale koniec końców trzebaż cię było przestrzec. Wracam więc do pytania: co chciałaś powiedzieć swoim listem?

Jeżeli to tylko drwiny z Prévana, to pomijając, iż ciągnęły się zbyt długo, źle były zaadresowane. Nie wobec mnie, ale w oczach ludzi trzeba go ośmieszyć, i ponawiam, markizo, mą prośbę w tym względzie.

Ach, zdaje mi się, mam wreszcie słowo zagadki! List jest proroctwem nie tego, co uczynisz, ale tego, czego on będzie się spodziewał, gdy ty będziesz pracowała nad jego klęską. Projekt niezły, wymaga jednak wielkiej ostrożności. Wiesz równie dobrze jak ja, że w oczach świata – ulec mężczyźnie a przyjmować jego zabiegi jest zupełnie równoznaczne, chyba że ma się do czynienia z dudkiem; a Prévan nie jest dudkiem. Och, przeciwnie! Jeśli uzyska bodaj pozór, pochwali się resztą i wszystko już przepadło. Głupcy uwierzą, złośliwi udadzą, że wierzą: jakże się będziesz bronić? Doprawdy, boję się o ciebie. Nie, iżbym wątpił, markizo, o twej zręczności, ale przysłowie mówi, że tylko dobrzy pływacy toną.

Nie uważam się za głupszego od innych; otóż znam sto, tysiąc sposobów zniesławienia kobiety, nie widzę natomiast ani jednego, którym by się mogła posłużyć dla swej obrony. Co do ciebie, piękna przyjaciółko, uznaję, iż postępowanie twoje w świecie jest arcydziełem, a jednak nieraz nie mogłem oprzeć się przekonaniu, iż większą gra w tym rolę szczęście niż zręczność.

Ale, ostatecznie, może ja się doszukuję racji tam, gdzie ich wcale nie ma. Podziwiam się doprawdy, jak od godziny debatuję poważnie nad czymś, co jest, więcej niż pewne, prostym żartem. Dopiero będziesz drwiła ze mnie! Dobrze więc! Niech się stanie; uśmiej się do syta i mówmy o czym innym. O czym innym! Mylę się, zawsze o tym samym; zawsze o kobietach, które ma się ochotę zdobyć albo zgubić, a często jedno i drugie naraz.

Mam tu, jak słusznie zauważyłaś, sposobność ćwiczenia się w obu rodzajach, ale nie z jednaką łatwością. Przewiduję, że zemsta pójdzie szybciej niż miłość. Mała Volanges jest z a ł a t w i o n a, za to ręczę; chodzi tylko o sposobność, a tę biorę na siebie. Inna rzecz z panią de Tourvel: ta kobieta może przywieść do rozpaczy, nie rozumiem jej; mam sto dowodów jej miłości, ale tysiąc dowodów jej oporu, i doprawdy zaczynam się obawiać, że mi się wymknie.

Pierwsze wrażenie wywołane moim powrotem pozwoliło mi lepsze rokować nadzieje. Domyślasz się, iż pragnąłem to sprawdzić własnymi oczyma; toteż chcąc zyskać pewność, iż będę świadkiem pierwszego odruchu, nie kazałem się oznajmić i obliczyłem drogę tak, aby się zjawić, gdy wszyscy będą przy stole. W istocie, spadłem jak z chmur, podobny bóstwu z opery, które zjawia się, aby przyspieszyć rozwiązanie.

Wszedłem dość głośno, aby ściągnąć na siebie oczy; mogłem zatem ogarnąć jednym rzutem rozczulenie ciotki, niechęć pani de Volanges i pełną wzruszenia radość jej córki. Moja pani siedziała przy stole plecami do drzwi; nie odwróciła głowy. Przemówiłem do pani de Rosemonde: za pierwszym słowem skromnisia poznała mój głos i wydała krzyk, w którym wyraźnie przebijało więcej miłości niż zdziwienia lub przestrachu. Zbliżyłem się na tyle, aby widzieć jej twarz: zamęt duszy, walka sprzecznych myśli i uczuć malowały się z cudowną wyrazistością. Siadłem tuż przy niej; dosłownie nie wiedziała cały czas, co robi ani co mówi. Próbowała jeść, nie mogła; wreszcie w niespełna kwadrans, niezdolna panować nad zmieszaniem i radością, musiała prosić o pozwolenie wstania od stołu i schroniła się do parku, pod pozorem, że potrzebuje powietrza.

Załatwiłem się z obiadem, jak mogłem najszybciej. Ledwie podano deser, piekielna Volanges, z pewnością w chęci szkodzenia mi, podniosła się, aby pospieszyć za prezydentową, ale przewidziałem zamiar i skrzyżowałem go. Udałem, iż biorę jej ruch za poruszenie ogólne; wstałem, mała Volanges i proboszcz poszli za naszym przykładem, tak iż pani de Rosemonde znalazła się przy stole sama ze starym komandorem de T..., a w końcu i oni pospieszyli za nami. Poszliśmy tedy wszyscy odszukać panią de Tourvel, którą zastaliśmy w gaiku niedaleko zamku; że zaś przywiodła ją tam potrzeba samotności, a nie przechadzki, wolała raczej wrócić z nami niż zatrzymywać nas z sobą.

Skoro tylko zyskałem pewność, że pani de Volanges nie będzie miała sposobności mówić z nią na uboczu, pomyślałem o spełnieniu twoich rozkazów i zająłem się cały sprawami naszej pupilki. Natychmiast po kawie udałem się do swego pokoju, a zajrzałem i do cudzych, aby sobie zdać sprawę z terenu; zrobiłem, co trzeba, aby zapewnić małej możność pisywania, i uwiadomiłem ją o tej pierwszej zdobyczy, dołączając mój bilecik do listu Danceny'ego. Wróciłem do salonu, gdzie zastałem moją panią wyciągniętą rozkosznie na szezlongu.

Widok ten, rozgrzewając mi nagle krew, ożywia moje spojrzenia; czułem, iż stają się tkliwe i palące, umieściłem się tedy tak, aby z nich zrobić użytek. Zrazu pod wpływem mych oczu niebiańska świętoszka spuściła swoje wielkie, skromne oczęta. Patrzyłem jakiś czas na tę anielską twarz, po czym ślizgając się wzrokiem po całej postaci rozkoszowałem się odgadywaniem kształtów i konturów przez fałdy lekkiego stroju. Przeszedłszy wzrokiem od głowy do stóp, powróciłem od stóp aż do głowy... Pochwyciłem słodkie spojrzenie wlepione we mnie; natychmiast uciekło w dół; chcąc mu ułatwić powrót, sam odwróciłem oczy. Wówczas ustaliła się między nami niema umowa, pierwszy traktat nieśmiałej miłości, który, aby zaspokoić wzajemną chęć patrzenia na siebie, pozwala spojrzeniom następować kolejno, nim wreszcie zleją się z sobą.

Widząc, iż mój anioł całkowicie pochłonięty jest tą nową przyjemnością, wziąłem na siebie czuwanie nad wspólnym bezpieczeństwem; ale skoro zyskałem pewność, iż powszechna rozmowa odwraca od nas uwagę, starałem się uzyskać, aby jej oczy przemówiły szczerym językiem. Jakoż udało mi się pochwycić kilka spojrzeń, ale tak wstrzemięźliwych, iż skromność sama nie mogłaby ich potępić. Aby dodać swobody trwożliwej istocie, sam udałem nieśmiałość i zakłopotanie. Z wolna oczy nasze, przyzwyczajone spotykać się, spoiły się na dłużej, aż wreszcie nie miały mocy oderwać się od siebie. Ujrzałem w jej spojrzeniu ową słodką omdlałość, czarowną zwiastunkę miłości i pragnienia; ale to była tylko chwila: wkrótce skromnisia opamiętawszy się zmieniła, nie bez pewnego zawstydzenia, pozycję i wyraz.

Pragnąc, aby wiedziała, iż jej kolejne uczucia nie uszły mej uwagi, żywo podniosłem się z miejsca, pytając z wyrazem niepokoju, czy się nie czuje słaba. Natychmiast całe towarzystwo skupiło się przy niej. Przepuściłem wszystkich i skorzystałem z tej chwili, aby oddać list Danceny'ego małej Volanges, która pracowała przy krosienkach pod oknem.

Byłem o kilka kroków; rzuciłem jej po prostu list na kolana. Nie wiedziała zupełnie, co począć. Uśmiałabyś się z jej zdumionej i zakłopotanej miny; ja jednak nie miałem ochoty do śmiechu, lękałem się, by nas nie zdradziła przez swoje niezgrabstwo. Wreszcie pod wpływem moich spojrzeń i gestów domyśliła się, że trzeba schować do kieszeni. Poza tym aż do wieczora nie zaszło nic godnego uwagi. To, co stało się później, doprowadzi może do wypadków, z których powinnaś być zadowolona, przynajmniej o tyle, o ile to dotyczy pupilki; ale wolę obrócić czas na spełnienie zamiarów niż tracić go na ich opowiadanie. Oto już ósma stronica: czuję się zmęczony; zatem do widzenia.

Domyślasz się zapewne, choć ci nic nie mówiłem, że mała odpisała Danceny'emu*. Mam również odpowiedź od pani de Tourvel, do której napisałem nazajutrz po przybyciu. Posyłam ci oba listy. Przeczytasz lub nie, jak zechcesz; pojmuję, że ta wieczna klepanina, która dla mnie już nie jest zbyt zabawna, musi przyprawiać o mdłości osobę trzecią.

Jeszcze raz zatem do widzenia. Całuję ci łapki serdecznie, ale proszę cię, złota markizo, jeśli zechcesz mówić o Prévanie, uczyń to w sposób zrozumialszy.

Z zamku*** 17 września 17**

LIST LXXVII
Wicehrabia de Valmont do prezydentowej de Tourvel

Skąd może pochodzić, pani, okrutna wytrwałość, z jaką unikasz mojego widoku? Czym się dzieje, że najtkliwsze me względy spotykają się z taką surowością i niechęcią?

Cóż uczyniłem, aby postradać szacowną przyjaźń, której widocznie uznałaś mnie godnym, skoro mogłaś mi ją ofiarować? Czy zaszkodziłem sobie ufnością, jaką położyłem w tobie? Czy chcesz mnie karać za mą otwartość? Czy chciałabyś może tą tak niezasłużoną surowością obudzić we mnie przekonanie, iż gdybym cię oszukiwał, uzyskałbym więcej? Powiedz przynajmniej, jakie nowe winy mogły obudzić w tobie niechęć, i racz bodaj objawić rozkazy, którym chcesz, abym był posłuszny; skoro zobowiązuję się je wypełnić, czyż zbyt śmiałym jest prosić, abym je mógł poznać?

15 września 17**

---

* Ten list się nie odnalazł.

LIST LXXVIII
Prezydentowa de Tourvel do wicehrabiego de Valmont

Wydaje się pan zdziwiony mym postępowaniem; niewiele brakuje, abyś żądał ode mnie rachunku, jak gdybyś istotnie miał prawo się skarżyć. Wyznaję, że bardziej od pana czułabym się uprawniona do zdziwienia i skargi; ale od czasu odmowy w ostatniej odpowiedzi, postanowiłam zamknąć się w obojętności i nie wdawać się w uwagi ani wymówki. Jednakże ponieważ prosi pan o wyjaśnienia, ja zaś, dzięki niebu, nie potrzebuję niczego ukrywać, godzę się udzielić ich po raz ostatni.

Jeśli sięgniemy do dnia, w którym przybyłeś do tego zamku, sam chyba pan uzna, iż bądź co bądź reputacja pańska upoważniała mnie do pewnej ostrożności i że mogłam bez obawy okazania się przesadną skromnisią ograniczyć się po prostu do ścisłej grzeczności. Przyznaję chętnie, iż zrazu przedstawił się pan w świetle korzystniejszym, niż sobie wyobrażałam, ale trwało to krótko; rychło uczułeś się znużony przymusem, za który zbyt słabą snadź było nagrodą korzystniejsze moje o panu mniemanie.

Wówczas to, nadużywając mojej dobrej wiary, mego zaufania, ośmielił się pan mówić o uczuciu, co do którego nie mogłeś mieć wątpliwości, iż będzie dla mnie jedynie obrazą. Mimo to jeszcze starałam się puścić w niepamięć pańskie winy, dając sposobność naprawienia ich. Prośba moja była tak słuszna, iż sam pan uczuł, że nie godzi się odmówić; ale wyzyskując mą pobłażliwość skorzystał pan z niej, aby zażądać pozwolenia, którego, to pewna, nie powinnam była udzielić, a które mimo to pan uzyskał. Z warunków, pod jakimi go udzieliłam, nie dotrzymał pan żadnego: listy pańskie były tego rodzaju, że ani na jeden nie powinnam była odpowiedzieć. Wreszcie w tej samej chwili, w której zapamiętałość pańska każe mi cię na zawsze oddalić od siebie, znowu daję ci w ręce jedyny środek zbliżenia; ale jakąż cenę ma w twoich oczach godziwe uczucie! Gardzisz przyjaźnią: w szalonym obłędzie za nic licząc sobie nieszczęścia i hańbę, szukasz jedynie rozkoszy i ofiar.

Zarówno płochy w postępkach, jak niestały w przyrzeczeniach, zapominasz o obietnicach lub raczej igraszkę sobie czynisz z tego, by je łamać. Zgodziwszy się oddalić ode mnie, nie wezwany, nie bacząc na prośby, perswazje, zjawiasz się z powrotem; tyle nawet nie masz względu, aby mnie uprzedzić. Dokładasz wszelkich starań, aby wyzyskać chwilę pomieszania, jakie udało ci się wywołać. Nie mogę uczynić kroku, aby pana nie znaleźć przy sobie; nie mogę wymówić słowa, byś nie śpieszył z odpowiedzią. Najobojętniejsze zdanie służy panu za pozór do rozmowy, której nie chcę prowadzić, która mogłaby mnie nawet narazić; bo, ostatecznie, mimo całej zręczności, jaką pan rozwija, co ja rozumiem, mogą rozumieć i inni.

Zmuszona w ten sposób do martwoty i milczenia, nie przestaję mimo to być celem prześladowań; nie mogę podnieść oczu, aby nie spotkać się z twymi. Muszę bez przerwy odwracać spojrzenia; z bezwzględnością istotnie niepojętą ściąga pan na mnie oczy całego towarzystwa, gdy chciałabym się umknąć nawet własnym.

I pan się skarży na moje postępowanie! I pan się dziwi, że go unikam! Och, wiń mnie raczej za mą cierpliwość; dziw się, że nie wyjechałam natychmiast po pańskim przybyciu. Byłabym może powinna to uczynić i zmusi mnie pan do tego, jeśli nie przestaniesz wreszcie mnie prześladować. Nie, nie zapominam, nigdy nie zapomnę o tym, com winna sama sobie, com winna więzom, które przyjęłam, które szanuję i które mi są drogie. Może pan być przekonany: gdybym kiedykolwiek znalazła się wobec tego nieszczęśliwego wyboru, iż miałabym poświęcić albo te więzy, albo samą siebie, nie wahałabym się ani chwili. Żegnam pana.

16 września 17**

Wicehrabia de Valmont do markizy de Merteuil

Wybierałem się dziś rano na polowanie, ale czas jest haniebny. Za całą lekturę mam jedynie nowy romans, który uśpiłby nawet pensjonarkę. Śniadanie najwcześniej za dwie godziny: zatem, mimo długiego listu z wczoraj, jeszcze zabieram się do gawędy z tobą, markizo. Pewny jestem, że cię nie znudzę, bo będę mówił o bardzo przystojnym Prévanie. Jakim cudem nie słyszałaś o jego wspaniałej przygodzie, tej która rozłączyła słynne trzy nierozłączne? Założę się, że przypomnisz sobie od pierwszego słowa. Powtarzam ci ją jednak, skoro sobie życzysz.

Przypominasz sobie, jak cały Paryż się dziwił, że trzy kobiety, wszystkie trzy ładne, sprytne i mające warunki powodzenia, trwają w najściślejszej zażyłości od pierwszego ukazania się w świecie. Zrazu mniemano, iż przyczyną była nadmierna nieśmiałość; jednakże mimo hołdów i powodzeń, mimo licznego dworu, którego czołobitność mogła wbić je w pychę, trzy Gracje zacieśniły tym więcej węzły przyjaźni; zdawałoby się, iż powodzenie jednej stawało się zarazem powodzeniem dwóch innych. Spodziewano się, iż bodaj miłość stworzy jakieś współzawodnictwo. Wszyscy zdobywcy serc ubiegali się o zaszczyt stania się jabłkiem niezgody: ja sam byłbym się pewno znalazł w ich szeregach, gdyby nie to, iż w tym samym czasie cieszyła się nadzwyczajnym wzięciem hrabina de*** i nie mogłem sprzeniewierzyć się jej przed uzyskaniem drobnostki, o którą się ubiegałem.

Tymczasem trzy piękności, jak gdyby się umówiły, ulokowały serduszka jednego i tego samego karnawału, a okoliczność ta miast wywołać spodziewane burze, przeciwnie, dodała nowej siły ich przyjaźni, ożywionej urokiem wzajemnych zwierzeń.

Tłum zawiedzionych zalotników połączył się wówczas z tłumem zawistnych kobiet: zaczęto komentować tę gorszącą stałość. Jedni utrzymywali, że w tym towarzystwie „nierozłącznych" (tak je nazywano) fundamentalnym prawem była wspólność dóbr i że miłość nawet podlegała temu prawu. Drudzy twierdzili, że trzej kochankowie nie mając rywali posiadali jednakże rywalki; rzucono nawet podejrzenie, że przyjęto ich jedynie dla przyzwoitości i że posiedli sam tytuł, bez praw i obowiązków.

Te pogłoski, fałszywe czy prawdziwe, nie osiągnęły skutku. Przeciwnie, trzy pary uczuły, że zgubą byłoby dla nich rozłączać się w tej chwili; mężnie tedy stawiły czoło burzy. Świat, który nuży się wszystkim, znużył się rychło bezowocnym szyderstwem. Z właściwą mu zmiennością zajął się czym innym, z czasem zaś, z wrodzoną mu niekonsekwencją, wrócił do „nierozłącznych", zmieniając krytykę w pochwały. Że tutaj wszystko opiera się na modzie, entuzjazm stał się zaraźliwy i dochodził istnego obłędu, kiedy Prévan zamierzył sprawdzić owe cuda i ustalić w tej mierze sąd ogółu i własny.

Począł tedy szukać towarzystwa tych wzorów doskonałości. Dopuszczony bez trudu do małego kółka, wyciągnął z tego korzystną zapowiedź. Wiedział, że ludzie szczęśliwi nie udzielają tak łatwo przystępu. Ujrzał wkrótce istotnie, że to szczęście, tak wynoszone pod niebiosy, więcej – podobnie jak los królów – budziło zazdrości, niż jej było godne. Zauważył, że wśród mniemanych „nierozłącznych" wzbierała żądza wrażeń; że w potrzebie nie pogardzono by i rozrywką; wysnuł z tego, że pęta przyjaźni czy miłości są już rozluźnione lub zerwane, a jedynie węzły ambicji i przyzwyczajenia działają z niejaką siłą.

Mimo to kobiety, spojone wspólnym interesem, zachowywały pozory dawnej zażyłości; ale mężczyźni, swobodniejsi, często wymawiali się ważnymi sprawami lub obowiązkami; ubolewali nad tym, ale nie uchylali się już od nich, i rzadko wieczory zbierały kółko w komplecie.

To zachowanie się mężczyzn było bardzo na rękę wytrwałemu Prévanowi. Zajmując miejsce oczywiście przy tej, która w danym dniu była opuszczona, miał sposobność, stosownie do okoliczności, nadskakiwać kolejno wszystkim trzem przyjaciółkom. Czuł doskonale, że wybrać jedną z nich byłoby zgubą; fałszywy wstyd jednej, a zraniona próżność pozostałych połączyłyby je z pewnością przeciw śmiałemu zalotnikowi, zazdrość zaś zbudziłaby na nowo uczucia dawnego kochanka. Wszystko byłoby w ten sposób utrudnione, wszystko natomiast szło jak z płatka w jego potrójnej kombinacji: każda kobieta była pobłażliwa, bo była w tym interesowana; każdy mężczyzna, bo myślał, że nie o niego chodzi.

Prévan mógł się dotychczas poszczycić zaledwie jedną kobietą, ale miał to szczęście, iż była bardzo na widoku. Jej cudzoziemskie pochodzenie, hołdy pewnego księcia bliskiego tronu, dość zręcznie oddalone, ściągnęły na nią uwagę świata; kochanek dzielił z nią zaszczyt tej sławy i nie omieszkał wyzyskać go wobec swych ofiar. Jedyną trudnością było prowadzić równolegle te trzy intrygi, których bieg musiał się z konieczności stosować do kroku najopieszalszej: istotnie, wiem od jednego z jego powierników, że największą trudnością dla Prévana było opóźnić tempo jednej z trzech dam, dojrzałej blisko na dwa tygodnie przed innymi.

Wreszcie wielki dzień nadszedł. Prévan, który zdołał uzyskać trzy wyznania, stał się już panem wypadków i pokierował nimi tak, jak zaraz zobaczysz. Z trzech mężów jeden był nieobecny, drugi miał wyjechać nazajutrz o świcie, trzeci bawił w mieście. Nierozdzielne przyjaciółki miały wieczerzać razem u jutrzejszej słomianej wdowy; ale nowy władca nie pozwolił, aby dawni rycerze brali udział w zabawie. Rankiem tego samego dnia porobił trzy paczki z listów swej dotychczasowej kochanki; do jednej dołączył portret, który od niej otrzymał, do drugiej cyfrę z emblematami miłości, malowaną jej ręką, do trzeciej pukiel jej włosów; każda z trzech „nierozdzielnych" wzięła tę trzecią część ofiary za ofiarę zupełną i zgodziła się w zamian przesłać dotychczasowemu kochankowi list z zerwaniem.

To było już dużo; ale nie dosyć. Ta, której mąż był w mieście, nie mogła rozporządzać dniem; umówiono się zatem, iż uda, że zaniemogła, co ją zwolni od wieczerzy u przyjaciółki, wieczór zaś poświęci Prévanowi; noc obiecała mu ta, której męża nie było; pierwszy zaś brzask, porę wyjazdu trzeciego małżonką, przeznaczono na słodką chwilę dla trzeciej z „nie-rozłącznych".

Prévan, który nie zapomniał o niczym, biegnie następnie do pięknej cudzoziemki, rozmyślnie wywołuje jakieś dąsy i doprowadziwszy do sprzeczki wychodzi, zyskując dwadzieścia cztery godziny swobody. Załatwiwszy rzecz w ten sposób, wraca do siebie, pragnąc zażyć nieco spoczynku, ale w domu zastaje nową niespodziankę.

Listy zrywające stały się błyskiem światła dla odtrąconych kochanków: żaden nie wątpił, iż poświęcono go dla Prévana. Złość, iż się dali w ten sposób wywieść w pole, upokorzenie nieodłączne od uczucia, że się jest porzuconym, sprawiły, że wszyscy trzej, bez porozumienia, lecz jakby z umowy, postanowili upomnieć się o swoje prawa i skarcić szczęsnego rywala.

Prévan zastał zatem w domu trzy wyzwania: przyjął je po rycersku; lecz chcąc wycisnąć z tej sprawy najwięcej uciechy i rozgłosu, naznaczył starcie na drugi dzień rano i wskazał wszystkim przeciwnikom ten sam czas i miejsce. Miała nim być jedna z bram Lasku Bulońskiego.

Od wieczora Prévan potykał się na potrójnym polu chwały z jednakim powodzeniem; przynajmniej chełpił się później, że każda z nowych kochanek po trzykroć otrzymała zakład jego miłości. Tu, pojmujesz, markizo, historii zbywa na dowodach; bezstronny dziejopis może jedynie zwrócić uwagę sceptycznemu czytelnikowi, iż próżność i podniecenie mogą zdziałać cuda; tym bardziej iż ranek czekający kochanka po tak świetnej nocy zwalniał go od oszczędzania się na przyszłość. Jak bądź się rzeczy miały, fakta, które następują obecnie, bardziej są niezbite.

Rankiem Prévan udał się punktualnie na oznaczone miejsce; zastał trzech rywali, nieco zdumionych tym spotkaniem, częściowo może nawet pocieszonych wspólnością niedoli. Podszedł z rycerskim i dwornym ukłonem i przemówił w te słowa, które mi wiernie powtórzono:

„Panowie – rzekł – spotkawszy się tutaj, odgadliście z pewnością, że wszyscy trzej macie te same przyczyny urazy. Jestem na wasze usługi. Niech los rozstrzygnie, który z was pierwszy pokusi się o zemstę, do której macie równe prawa. Nie przyprowadziłem świadków ani sekundantów. Nie miałem ich z sobą w chwili obrazy, nie żądam ich w chwili zadośćuczynienia. Wiem, że mam wszelkie widoki przegrać na tę kartę, ale jaki bądź los mnie czeka, mniemam, iż żył dość długo, kto miał czas pozyskać miłość kobiet, a szacunek mężczyzn".

Gdy przeciwnicy, zdziwieni, spoglądali w milczeniu po sobie w poczuciu nierównych warunków tej potrójnej walki, Prévan dodał: „Nie będę ukrywał panom, że ubiegła noc znużyła mnie śmiertelnie. Byłoby szlachetnie, gdybyście mi pozwolili skrzepić nieco siły. Kazałem przygotować śniadanie; uczyńcie mi ten zaszczyt, aby je przyjąć. Śniadajmy razem, a zwłaszcza śniadajmy wesoło. Można się bić o takie drobiazgi, ale nie powinny one, jak mniemam, mącić dobrego humoru".

Śniadanie przyjęto. Nigdy podobno Prévan nie rozwinął tyle uroku. Miał tę zręczność, iż nie upokorzył żadnego z rywali, owszem, przekonał ich, że każdy z nich osiągnąłby równie łatwo te same tryumfy; co więcej, doprowadził do wyznania, że, tak jak on, żaden nie byłby ominął sposobności. Skoro raz postawiono kwestię na tym gruncie, wszystko poszło jak po maśle. Toteż śniadanie jeszcze nie dobiegło końca, kiedy powtórzono sobie z dziesięć razy, że podobne kobiety nie są warte, aby dzielni ludzie bili się o nie. Biesiadników ogarnęło uczucie serdecznego braterstwa, wino je umocniło, tak iż niebawem nie tylko nie było mowy o urazie, lecz wszyscy przysięgli sobie wzajem przyjaźń bez granic.

Prévan, któremu z pewnością takie rozwiązanie bardziej przypadło do smaku, nie chciał mimo to nic uronić ze swej chwały. Zatem naginając zręcznie plany do okoliczności, rzekł: „Nie na mnie, to pewna, ale na niewiernych kochankach winniście szukać pomsty. Podejmuję się dostarczyć wam sposobu. Już teraz nie mniej od was czuję tę zniewagę, która niedługo i moim stałaby się losem: jeżeli żaden z was nie zdołał sobie zapewnić wierności jednej, jakże ja bym dokazał tego cudu z trzema? Wasza uraza staje się moją. Przyjmijcie dziś wieczór kolację w moim domu, a mam nadzieję, że nie będziecie musieli długo zwlekać z zemstą". Żądali wyjaśnień, ale Prévan odparł: „Panowie, dowiodłem, jak sądzę, iż nie zbywa mi na pewnym sprycie, chciejcie zatem polegać na mnie". Zgodzili się i uściskawszy nowego przyjaciela rozstali się oczekując niecierpliwie wieczora.

Prévan nie tracąc czasu wraca do Paryża i śpieszy, stosownie do obyczaju, odwiedzić swe nowe zdobycze. Uzyskuje u wszystkich trzech, że przybędą tegoż dnia na kolacyjkę sam na sam do niego. Damy robiły wprawdzie nieco trudności, ale czegoż może kobieta odmówić nazajutrz? Naznaczył schadzki w godzinnych odstępach: warunek potrzebny dla ziszczenia planu. Zapewniwszy się z tej strony, dał znać spiskowcom i wszyscy czterej pośpieszyli wesoło czekać na swoje ofiary.

Przybywa pierwsza. Prévan zjawia się sam, przyjmuje ją z pozorami czułości, prowadzi aż do sanktuarium, którego mniemała się być bóstwem, następnie zaś, znikając pod jakimś pozorem, wpuszcza na swoje miejsce obrażonego kochanka.

Wyobrażasz sobie, że w takiej chwili kobieta, nieobyta jeszcze z przygodami, miesza się, traci głowę i staje się łupem niezmiernie łatwym. Uważa sobie za łaskę każdą wymówkę, której jej oszczędzono, i jak zbiegła niewolnica wydana na nowo w ręce pana czuje się aż nadto szczęśliwa, gdy może marzyć o przebaczeniu, przyjmując na nowo dawne jarzmo. Traktat pokoju przypieczętowano w ustronniejszym miejscu, opróżnione zaś teatrum zajęli z kolei nowi aktorzy, wypełniając je podobną sceną, o podobnym zwłaszcza zakończeniu.

Aż dotąd każda mniemała, że ona jedna znalazła się w tej sytuacji. Zdumienie i zakłopotanie wzrosło, skoro w chwili wieczerzy pary zebrały się razem u stołu; pomieszanie zaś doszło do szczytu, gdy Prévan, zjawiając się pośród zgromadzenia, z całym okrucieństwem przedłożył trzem brankom swe ekskuzy, które odsłaniając całą tajemnicę przekonały je w zupełności, do jakiego stopnia wyprowadzono je w pole.

Zajęto miejsca. Stopniowo ochota wróciła, mężczyźni rozchmurzyli się, kobiety pogodziły się z losem. Wszyscy dławili w sercu nienawiść, ale na ustach mieli słowa czułości; zabawa obudziła pragnienia, które znów opromieniły ją nowym wdziękiem. Niezwykła ta orgia przeciągnęła się do rana. Skoro nadeszła chwila rozejścia się, kobiety mogły mniemać, iż wszystko odpuszczone, ale mężczyźni, pamiętni urazy, zerwali z nimi nazajutrz, i to bezpowrotnie; nie zadowalając się porzuceniem niewiernych kochanek dopełnili zemsty, rozgłaszając całą przygodę. Od tego czasu jedna z „nierozłącznych" więdnie za kratą klasztoru, dwie żyją na wygnaniu w swoich majątkach, gdzieś na zapadłej prowincji.

Oto historia Prévana; twoją rzeczą zastanowić się, czy chcesz mu przymnażać chwały i wprzęgać się w jego rydwan. List twój zaniepokoił mnie; czekam niecierpliwie dorzeczniejszej, a przede wszystkim jaśniejszej odpowiedzi.

Do widzenia, piękna przyjaciółko, wystrzegaj się pomysłów zabawnych lub niezwykłych, które uwodzą cię zawsze zbyt łatwo. Pomyśl, że na drodze, którą kroczysz, spryt i rozum nie wystarczają i że jedna nieostrożność staje się klęską bez ratunku. Pozwól, słowem, aby czujna i przezorna przyjaźń stała się niekiedy przewodnikiem twoich rozrywek.

Do widzenia. Mimo to zawsze za tobą przepadam, tak jak gdybyś była rozsądna.

Z zamku***, 18 września 17**

LIST LXXX
Kawaler Danceny do Cecylii Volanges

Cesiu, Cesiu moja, i kiedyż znowu losy pozwolą nam się zobaczyć? Kto mnie nauczy żyć z dala od ciebie? Kto mi da siłę i odwagę? Każdy dzień mnoży mą niedolę i nie widzę jej kresu! Valmont, który przyrzekł mi pomoc, pociechę, Valmont zaniedbuje mnie, może o mnie zapomniał! Sam pędzi dni obok swego ukochania; nie chce już wiedzieć, co cierpi ten, kto jest od swego daleki. Przesyłając ostatni twój list nie dodał od siebie ani słowa, a przecież to on miał donieść, kiedy i jak będę cię mógł oglądać! Ty sama nie mówisz o tym, czyżbyś już nie dzieliła mego pragnienia? Ach, Cesiu, Cesiu, jestem bardzo nieszczęśliwy. Kocham cię bardziej niż kiedykolwiek, ale ta miłość, która stanowi urok mego życia, staje się jego udręką.

Nie, nie chcę już żyć w ten sposób, muszę cię wreszcie widzieć, muszę choćby na chwilę. Kiedy się budzę, powiadam sobie: „Nie zobaczę jej". Udając się na spoczynek, mówię: „Nie widziałem jej". Dodaj do tych mąk ciągły niepokój o ciebie, Cesiu moja, a będziesz miała obraz mego życia.

Ach, nie tak było wówczas, kiedy byłaś blisko! Wszystko było mi rozkoszą. Pewność widzenia cię stroiła w powab nawet chwile rozłąki; czas, który trzeba było spędzić z dala, zbliżał mnie znowu do ciebie. A teraz cóż zostało? Żale, tęsknota i cień nadziei, którą zmienia w niepokój twoje milczenie. Dziesięć mil ledwie nas dzieli, i ta przestrzeń, tak łatwa do przebycia, staje się dla mnie nieprzezwyciężoną przeszkodą! Błagam o pomoc przyjaciela, ukochanej, oboje są zimni i nieczuli! Nie tylko nie chcą użyczać ratunku, ale nie odpowiadają nawet!

Cóż się stało z przyjaźnią Valmonta? Co zwłaszcza z twoim czuciem tak tkliwym, które czyniło cię niewyczerpaną w obmyślaniu środków? Niekiedy, przypominam sobie, nie przestając jednako pragnąć widzenia cię, musiałem się go wyrzec dla innych względów lub obowiązków; czegóż nie mówiłaś wówczas? Ilomaż pozorami nie zwalczałaś moich zamiarów? I chciej pamiętać, Cecylio, zawsze ustępowałem. Nie czynię sobie z tego chluby; nie miałem nawet zasługi poświęcenia. Ale dziś proszę ja z kolei, i o co? Aby cię widzieć chwilę, wymienić na nowo przysięgi niewygasłej miłości! Czyż to przestało już być zarówno twoim szczęściem, jak moim? Odpycham tę myśl, która dopełniłaby miary mej niedoli. Kochasz mnie, będziesz kochać zawsze, wierzę w to, jestem pewny, nie chcę wątpić, ale moje położenie jest straszne, nie zniosę go dłużej. Do widzenia, Cesiu moja.

Paryż, 18 września 17**

LIST LXXXI
Markiza de Merteuil do wicehrabiego de Valmont

Ach, jakąż litość budzą we mnie twoje obawy! Jakże mi one dowodzą wyższości mej nad tobą! I ty mnie chcesz pouczać, mną kierować! Nie, cała pycha twojej płci nie starczyłaby, aby zapełnić przepaść, która nas dzieli. Że ty nie umiałbyś przeprowadzić moich zamiarów, uważasz je tym samym za niemożebne! Istoto pyszna a słaba, tobież to przystało obliczać moje zasoby i sądzić o mej sile! Doprawdy, wicehrabio, nauki twoje zirytowały mnie po prostu, nie umiem tego zataić.

Że aby zasłonić własną nieprawdopodobną niezdarność wobec prezydentowej, roztaczasz mi jako tryumf to, żeś zdołał na chwilę zmieszać nieśmiałą i zakochaną kobietę, zgoda; że chełpisz się uzyskanym spojrzeniem, wyraźnie jednym spojrzeniem, uśmiecham się i to ci też darowuję. Że czując mimo woli całą swą nędzę pragniesz odwrócić mą uwagę i puszysz się szczytnym dziełem zbliżenia dwojga dzieci, które oboje rwą się do tego, aby się zobaczyć, i które, nawiasem mówiąc, mnie właśnie zawdzięczają zapał tego pragnienia, i na to się godzę. Że wreszcie stroisz się w te świetne czyny, aby mi powiedzieć profesorskim tonem, że lepiej obracać czas na wykonanie zamysłów niż na opowiadanie o nich – ta próżnostka nic mi nie szkodzi i również ci ją przebaczam. Ale że możesz przypuszczać, iż ja potrzebuję twej opieki, że zeszłabym na manowce nie postępując ślad w ślad za twymi przestrogami, że mam im poświęcić swoją przyjemność, kaprys! Doprawdy, wicehrabio, nadto wbiło cię w pychę zaufanie, które ci okazuję!

I cóżeś ty uczynił, czego bym ja nie przewyższyła tysiąc razy! Uwiodłeś, zgubiłeś wiele kobiet, ale jakie miałeś trudności! Jakie przeszkody! Gdzież w tym twoja, naprawdę twoja zasługa? Ujmująca postać, czysty dar przypadku; wdzięk, którego trudno nie nabyć ocierając się w świecie; dowcip, zamiast którego zresztą wygadanie starczyłoby w zupełności; śmiałość dość chlubna, ale płynąca może jedynie z łatwości pierwszych zdobyczy; co do sławy bowiem, w jaką się stroisz, nie będziesz wymagał, sądzę, abym liczyła za wielką zasługę sztukę wywołania skandalu.

Co do przezorności, sprytu, nie mówię już o sobie, ale któraż kobieta nie ma ich więcej? Ech, nawet prezydentowa prowadzi cię jak dziecko na pasku!

Wierz mi, wicehrabio, rzadko człowiek nabywa przymiotów, bez których może się obejść. Walcząc bez niebezpieczeństwa, nie potrzebowałeś silić się na przezorność. Wszak dla was, mężczyzn, niepowodzenie jest tylko jednym powodzeniem mniej. W tej tak nierównej partii dla nas jest szczęściem nie przegrać, dla was nieszczęściem nie wygrać. Gdybym ci nawet przyznała tyle wrodzonych zdolności, ile my ich mamy, o ileż musiałybyśmy cię przewyższyć przez to, iż nieustannie trzeba nam z nich czynić użytek!

Przypuśćmy, godzę się, że wy rozwijacie tyleż zręczności w tym, aby nas zwyciężyć, co my, aby się bronić albo też ulec; przyznasz bodaj, że z chwilą dojścia do celu staje się wam ona zupełnie zbyteczna. Zajęci nowym kaprysem, biegniecie za nim bez obawy, bez najmniejszych względów; nie wam zależy przecie na jego trwałości.

Tak, więzy łączące dwoje istot – aby mówić utartym słownikiem miłości – możecie wedle ochoty zacieśniać lub zrywać; my możemy się czuć szczęśliwe, jeżeli zmieniając uczucia przełożycie tajemnicę nad rozgłos i zadowolicie się upokarzającym zerwaniem, nie czyniąc z wczorajszego bóstwa jutrzejszej ofiary!

Ale skoro nieszczęśliwa kobieta pierwsza uczuje ciężar swego łańcucha, na jakież naraża się niebezpieczeństwa, jeśli próbuje uwolnić się, jeśli stara się go bodaj uchylić? Drżąc cała z przestrachu ledwie waży się oddalić mężczyznę, które-go serce jej odpycha całą siłą. Jeśli on upiera się wytrwać, wówczas to, co niegdyś poświęciła miłości, teraz jej trzeba poświęcać obawie.

Ramiona tulą jeszcze, choć serce odtrąca...

Z wytężeniem całej przebiegłości musi rozplątywać więzy, które wy byście zerwali po prostu. Zdana na łaskę nieprzyja-ciela, nie ma żadnych środków obrony, o ile on sam nie oka-że się wspaniałomyślny; a jak spodziewać się tego po mę-żczyźnie, skoro o ile czasem świat chwali go za to, iż posiada tę cnotę, nigdy go nie potępia za to, iż mu jej zbywa?

Nie zaprzeczysz chyba prawdom, które aż pospolitymi się stały przez swą oczywistość. Jeżeli mimo to patrzyłeś, jak kieruję do woli wypadkami i opinią, jak owych mężczyzn, tak niebezpiecznych, zmieniam w zabawkę mego zachcenia lub fantazji; jak odbieram jednym chęć, drugim zaś siłę szkodze-nia mi; jeśli umiałam, na przemian, stosownie do mych ka-prysów, to ściągać do swoich stóp, to odtrącać

tych tyranów, przygiętych do jarzma niewoli...*

jeżeli śród częstych odmian mych uczuć dobra sława moja została nietknięta – czyż nie powinieneś był wywnioskować, iż przyszedłszy na świat po to, aby pomścić moją płeć, a ujarzmić twoją, umiałam snadź stworzyć sobie środki nie znane światu przede mną?

Och, zachowaj przestrogi i obawy dla tych szalonych ko-biet, które same mienią się u c z u c i o w y m i, których roz-szalała wyobraźnia kazałaby przypuszczać, że natura umieś-

* Nie wiadomo, czy ten wers, jak i przytoczony wyżej – „Ramiona tulą jeszcze, choć serce odtrąca" – są cytatami ze znanych utworów czy też należą do stylu pani de Merteuil. Tym, co by skłaniało do drugiego przypuszczenia, jest bezlik błędów w podobnym guście, rozsianych po wszystkich listach tej korespondencji. Brak ich tylko w listach kawalera Danceny: być może, ponieważ parał się czasem poezją, jego bardziej wyćwiczone ucho po-zwalało mu snadniej ustrzec się takich wad.

ciła ich zmysły w głowie! W obłędzie swoim mieszają wciąż Miłość i Kochanka; mniemają w swym złudzeniu, iż ten właśnie, z którym szukały chwilowej rozkoszy, jest jej jedynym rozdawcą; pełne zabobonu, chowają dla kapłana tę cześć i wiarę, jaką winniśmy jedynie Bóstwu.

Lękaj się również o te, w których próżność bierze górę nad rozwagą i które nie umieją w potrzebie pozwolić się porzucić.

Drżyj zwłaszcza o kobiety tzw. s e r c o w e, wiecznie zajęte w swej bezczynności, które miłość zagarnia tak łatwo i z taką potęgą. Te czują potrzebę zaprzątania się nią jeszcze, nawet gdy minęła już chwila użycia; oddając się bez zastrzeżeń kipieniu wyobraźni, płodzą one listy tak słodkie, ale tak niebezpieczne; co więcej, nie lękają się powierzać dowodów swej słabości temu, kto jest ich przyczyną; głupiątka, które w dzisiejszym kochanku nie umieją widzieć jutrzejszego wroga.

Ale cóż ja mam wspólnego z tymi niepoczytalnymi istotami? Kiedyż to widziałeś, bym oddaliła się od prawideł, jakie sobie zakreśliłam, i uchybiła mym zasadom? Mówię: „zasadom", i mówię to z rozmysłem, nie są one bowiem, jak u innych kobiet, nabyte przypadkiem, przyjęte bez rozbioru i przestrzegane z nałogu; nie, są owocem głębokich rozmyślań: stworzyłam je i mogę powiedzieć, że jestem swoim własnym dziełem.

Wszedłszy w świat w czasie, kiedy jako młoda dziewczyna z urzędu niejako byłam skazana na milczenie i martwotę, umiałam skorzystać z tego, aby przyglądać się i zastanawiać. Gdy świat uważał mnie za roztrzepaną lub tępą, ja, w istocie niewiele słuchając tego, co do mnie mówiono, tym skwapliwiej chłonęłam to, co przede mną ukrywano.

Ta zbawienna ciekawość, bogacąc doświadczenie, nauczyła mnie zarazem sztuki udawania. Zmuszona niejednokrotnie ukrywać przedmiot uwagi przed otoczeniem, starałam się władać oczami wedle mej woli; nauczyłam się przybierać, kiedy zechcę, ten wyraz roztargnienia, który tak często podnosiłeś z uznaniem. Zachęcona tą pierwszą zdobyczą, starałam się opanować grę fizjonomii. Gdy doznawałam przykrości, uczyłam się przybierać wyraz słodyczy, nawet uciechy; posunęłam gorliwość tak daleko, iż zadawałam sobie rozmyślne cierpienia, siląc się równocześnie zachować pogodne i zadowolone oblicze. Z tą samą wytrwałością i z większym jeszcze trudem pracowałam nad tym, by tłumić w sobie objawy niespodzianej radości. W ten sposób zdobyłam nad mą fizjonomią władzę, którą niejednokrotnie tak podziwiałeś.

Byłam wówczas bardzo młoda, jeszcze nie żyłam niemal, ale jedyną mą własnością była moja myśl, i oburzało mnie, aby mi ją ktoś miał wydrzeć lub podchwycić wbrew mej woli. Uzbrojona tym pierwszym orężem, spróbowałam jego użytku: nie poprzestając na tym, aby się nie dać przeniknąć, bawiłam się tym, aby przybierać różnorodne postacie. Pewna swoich ruchów i fizjonomii, zwracałam uwagę na słowa; kierowałam mym wzięciem stosownie do okoliczności lub nawet zachcenia; od tej chwili wnętrze moje było otwarte wyłącznie dla mnie samej, pokazywałam zeń jedynie to, co chciałam.

Ta praca nad sobą skierowała mą uwagę na grę twarzy i charakter fizjonomii w ogólności; zyskałam ten przenikliwy rzut oka, któremu, jak przekonałam się z doświadczenia, nie można ufać bezwzględnie, ale który na ogół nieczęsto mnie zawodził.

Nie miałam piętnastu lat, a już posiadałam owe talenty, którym większość polityków zawdzięcza reputację; a były to dopiero podstawy umiejętności, którą pragnęłam sobie przyswoić.

Wyobrażasz sobie, że jak wszystkie dziewczęta, starałam się przeniknąć tajemnice miłości i jej uciech; ale nie będąc nigdy w klasztorze, nie mając bliskiej przyjaciółki i strzeżona przez czujną matkę, miałam jedynie pojęcia mgliste i niepewne; natura nawet, na którą później, to pewna, skarżyć się nie miałam powodu, nie dawała mi żadnej w tym względzie wskazówki. Można rzec, iż pracowała w milczeniu nad wydoskonaleniem swego dzieła. Głowa jedynie kipiała; nie pragnęłam używać, ale chciałam wiedzieć; żądza uświado- mienia się podsunęła mi środki.

Czułam, że jedynym człowiekiem, z którym mogę mówić o tym przedmiocie bez narażenia się, był mój spowiednik. Natychmiast powzięłam decyzję; przezwyciężyłam odrobinę wstydu i uzurpując sobie błąd, którego nie popełniłam, ob- winiłam się, że czyniłam wszystko to, co robią ko- biety. Tego wyrażenia użyłam; ale mówiąc tak, nie miałam pojęcia, co ono w istocie oznacza. Nadzieja moja nie ziściła się wprawdzie w zupełności; obawa zdradzenia się stanęła mi na przeszkodzie; ale poczciwy ojciec przedstawił mi winę w tak surowym świetle, że wyciągnęłam stąd wniosek, iż rozkosz musi być olbrzymia: do żądzy wiedzy dołączyła się chęć pokosztowania.

Nie wiem, dokąd ta chęć byłaby mnie zawiodła; przy zupełnym braku doświadczenia jedna sposobność wystar- czyłaby, aby mnie zgubić; na szczęście, niedługo potem mat- ka oznajmiła mi, iż wychodzę za mąż. Pewność poznania ugasiła natychmiast mą ciekawość: weszłam jako dziewica do sypialni pana de Merteuil.

Oczekiwałam spokojnie chwili, która miała mi odsłonić wielką tajemnicę; umiałam zdobyć się na ten wysiłek, aby okazać pomieszanie i obawę. Ta pierwsza noc, o której ma- my zazwyczaj tak straszne lub tak słodkie pojęcia, dla mnie przedstawiła się jedynie ze strony doświadczalnej. Bacznie śledziłam zarówno ból, jak przyjemność, ze wszystkiego sta- rałam się zdać sobie sprawę, widząc w tych różnych wraże- niach materiał dla spostrzeżeń i refleksji.

Wkrótce poczęłam znajdować w tym studium dość żywe upodobanie, ale wierna zasadom i czując, może instynktow- nie, że nikt nie powinien być równie dalekim od mej ufności jak mąż, postanowiłam dlatego właśnie, iż byłam wrażliwa, uchodzić za zupełnie nieczułą w jego oczach. Ten pozorny chłód stał się podstawą jego ślepego zaufania. Dołączyłam do tego, również z głębokiego namysłu, pozory roztrzepa- nia, usprawiedliwione zresztą wiekiem. Słowem, nigdy mąż nie patrzył na mnie bardziej jak na dziecko niż wówczas, gdy najśmielej wyprowadzałam go w pole.

Zresztą, wyznaję, zrazu porwał mnie wir świata: oddałam się całkowicie jego błahym rozrywkom. Ale gdy po kilku miesiącach pan de Merteuil wywiózł mnie gdzieś na odludzie, obawa przed nudą obudziła we mnie na nowo zamiłowania do studiów. Znajdując dokoła jedynie ludzi, których podrzędność chroniła mnie od wszelkich podejrzeń, skorzystałam z tego, aby na szerszym polu przeprowadzić doświadczenia. Tam to przede wszystkim upewniłam się, że miłość, którą wielbią jako źródło rozkoszy, w rzeczywistości jest najwyżej jej pretekstem.

Choroba pana de Merteuil przerwała te miłe ćwiczenia; trzeba było przenieść się do miasta, gdzie pospieszył szukać pomocy. Umarł, jak ci wiadomo, wkrótce. Jakkolwiek, razem wziąwszy, nie miałam przyczyn nań się użalać, niemniej odczułam żywo wartość swobody i postanowiłam z niej dobrze skorzystać.

Matka spodziewała się, iż osiądę w klasztorze lub zamieszkam z nią razem. Uchyliłam się od obu projektów; dla przyzwoitości uczyniłam jedynie tyle, iż wróciłam na jakiś czas na wieś, gdzie mi zostało zresztą nieco jeszcze spostrzeżeń do zebrania.

Dałam im silniejsze podstawy przy pomocy książek; ale nie sądź, że były wszystkie takie, jak by można przypuszczać. Zgłębiałam obyczaje w romansach, poglądy w dziełach filozofów; badałam nawet najnowszych moralistów i ich postulaty i w ten sposób zyskałam świadomość, co można czynić, co powinno się myśleć, a jak należy się ludziom przedstawiać. Raz wiedząc, czego się trzymać w tym troistym przedmiocie, co do ostatniego jedynie punktu widziałam niejakie trudności; miałam nadzieję, że uda mi się je zwyciężyć, i obmyślałam środki.

Niebawem zaczęły mi się przykrzyć sielskie uciechy, zbyt jednostajne dla mej niespokojnej głowy; czułam potrzebę zalotności, która by mnie pogodziła z miłością; nie, abym pragnęła czuć ją w istocie, lecz aby natchnąć się sztuką udawania jej. Próżno mi mówiono i sama czytałam, że nie da się grać tego uczucia; wiedziałam, że aby to osiągnąć, wystarczy połączyć talent aktora z inwencją komediopisarza. Ćwiczyłam się więc w obu tych rodzajach, może nie bez powodzenia, ale zamiast na scenie szukać czczych oklasków, postanowiłam obrócić dla własnego szczęścia to, co tylu innych poświęca próżności.

Rok upłynął na tych zajęciach. Koniec żałoby pozwala mi zjawić się w świecie, wróciłam tedy do miasta pełna najśmielszych zamysłów. Nie spodziewałam się pierwszej przeszkody!

Owa długa samotność, cnotliwe odcięcie od świata, wszystko to powlokło mnie pokostem surowości, który przerażał naszych zdobywców; trzymali się na uboczu, wydając mnie na pastwę tłumowi nudziarzy, z których każdy ubiegał się o mą rękę. Nie było mi wprawdzie trudno uwolnić się od konkurów, ale rekuzy te nie podobały się nieraz mej rodzinie: traciłam na drobnych utarczkach i przykrościach czas, który obiecywałam sobie spędzić tak rozkosznie. Byłam tedy zmuszona, aby ściągnąć ku sobie jednych, a oddalić drugich, dopuścić się paru jawnych lekkomyślności i użyć na skompromitowanie swej reputacji starań, które miałam obrócić na jej pielęgnowanie. Udało mi się, jak pojmujesz, łatwo. Ale ponieważ nie wchodziło w grę żadne uczucie, zrobiłam tylko to, co uważałam za potrzebne, i odmierzyłam z całą rozwagą dawki nierozwagi.

Skoro tylko osiągnęłam zamierzony skutek, natychmiast wykonałam odwrót i powierzyłam zaszczyt mego nawrócenia owej kliczce kobiet, które, niezdolne już szukać tryumfów w swych powabach, nadrabiają te braki w a r t o ś c i ą w e w n ę t r z n ą i cnotą. Sztuczka udała się lepiej, niż mogłam się spodziewać. Wdzięczne matrony stały się mymi gorliwymi obrończyniami; ślepy zapał dla tego, co nazywały swoim dziełem, posuwał się tak daleko, że za najmniejszym słówkiem, jakie ktoś ośmielił się rzec na mnie, partia świętoszek wyruszała do boju z niecną potwarzą. Ten sam środek zjednał mi uznanie lwic, które, przekonane, iż nie znajdą we mnie współzawodniczki, wzięły mnie za przedmiot swoich zachwytów, ilekroć chciały dowieść, że mówią źle nie o wszystkich kobietach.

Mimo to poprzedni manewr ściągnął w mój dom armię wielbicieli. Nie chcąc ich zrażać, zarazem chcąc oszczędzać wierne protektorki, starałam się grać osobę skłonną poddać się uczuciu, lecz trudną w wyborze i opancerzoną przeciw miłostkom nadmierną delikatnością.

Wówczas zaczęłam na wielkiej scenie życia rozwijać zdobyte talenty. Pierwszym staraniem było zyskać sławę niezwyciężonej. Aby to osiągnąć, przyjmowałam jawnie zabiegi jedynie tych mężczyzn, którzy mi się nie podobali. Używałam ich skutecznie, aby zapewnić sobie honor zaszczytnej obrony, gdy równocześnie oddawałam się bez niebezpieczeństw wybranemu kochankowi. Jednakże moja udana lękliwość nigdy nie pozwalała mu widywać się ze mną w towarzystwie, toteż świat widział zawsze jeno wzdychających bez nadziei.

Wiesz, jak szybko mam zwyczaj się namyślać, a to ponieważ spostrzegłam, że niemal zawsze właśnie te przedwstępne zabiegi zdradzają światu tajemnice kobiet. Mimo wszelkich starań, sposób i ton obejścia przed a po jest zawsze nieco odmienny. Różnica ta nie ujdzie uwagi bystrego spostrzegacza; doszłam tedy, iż mniej jest niebezpieczne omylić się w wyborze niż się z nim zdradzić. Zyskuję przez to i tę korzyść, że usuwam prawdopodobieństwa, na podstawie których jedynie świat nas sądzi.

Ostrożności te, jak również reguła, aby nigdy nie pisać, nigdy nie dawać w ręce dowodu ustępstwa, mogłyby się wydać przesadne: mnie i to nie wystarczało. Zapuściwszy się w głąb własnego serca śledziłam w nim serce drugich. Dojrzałam, iż każdy bez wyjątku kryje tam jakiś sekret, który pragnąłby na zawsze osłonić. Prawdę tę, jak się zdaje, starożytność lepiej znała od nas, a historia Samsona jest może tylko jej symbolem. Naśladując Dalilę starałam się zawsze, jak ona, pochwycić tę doniosłą tajemnicę. Och, iluż Samsonów kędziory znalazły się pod mymi nożycami! Ci przestali być niebezpieczni, tych jednych pozwoliłam sobie upokorzyć niekiedy. Z innymi umiałam znaleźć inne sposoby: sztuka pchnięcia ich samych do niewierności, aby nie zdradzić się z odmianą własnego serca, udana przyjaźń, pozory zaufania, tu i ówdzie oddane przysługi, podsycanie w każdym owego tak pochlebnego dla mężczyzny mniemania, iż był mym jedynym kochankiem – oto środki, które zapewniły mi dyskrecję. Wreszcie gdy te sposoby zawodziły, umiałam, w przewidywaniu zerwania z mej strony, zdusić zawczasu niebezpieczeństwo za pomocą ośmieszenia lub potwarzy.

Patrzysz na mnie, widzisz, jak niezłomnie przestrzegam tych zasad: i ty wątpisz o mej przezorności! Zechciej sobie tedy przypomnieć czas swoich o mnie zabiegów: nigdy żaden hołd nie był mi tyle pochlebny; pragnęłam cię, nim jeszcze cię poznałam. Olśniona twym rozgłosem, miałam uczucie, że brak mi ciebie dla mej chwały, pałałam niecierpliwością zmierzenia się z tobą. Mimo to gdybyś mnie chciał zgubić, jakież znalazłbyś sposoby? Gołosłowne zapewnienia, podejrzane już przez twą reputację; garść pozbawionych wszelkiego prawdopodobieństwa faktów, których wierna opowieść zdawałaby się zaczerpnięta z lichego romansu. To prawda, później odsłoniłam ci karty: ale wiesz, jakie interesy nas jednoczą i czy z nas dwojga mnie należałoby nazwać nieostrożną[*]. Skoro raz zadałam sobie trud wyłożenia ci wszystkiego, chcę zrobić to dokładnie. Słyszę już, jak mówisz, że jestem co najmniej na łasce pokojówki. To prawda, ta dziewczyna nie znając tajemnicy mych uczuć i myśli posiada, bądź co bądź, sekret mego postępowania. Kiedy mi o tym wspomniałeś niegdyś, odpowiedziałam tylko, że jestem jej pewna. Odpowiedź ta wystarczyła ci widocznie wówczas, gdyż zwierzyłeś jej później wcale niebezpieczne tajemnice, i tu bardzo osobiste. Ale teraz, kiedy nabiłeś sobie głowę Prévanem i straciłeś wszelki sąd o rzeczach, obawiam się, że już mi nie uwierzysz na słowo. Trzeba cię zatem pouczyć.

---

[*] W dalszym ciągu, w liście CLII, pokaże się, jakiego mniej więcej rodzaju mogła być tajemnica pana de Valmont, i czytelnik zrozumie, iż niepodobieństwem było objaśniać go bliżej w tym przedmiocie.

Po pierwsze, jest moją mleczną siostrą: węzeł ten nam wydaje się niczym, lecz nie jest bez znaczenia dla ludzi jej stanu. Po drugie, posiadam jej tajemnicę, i więcej niż tajemnicę. Dziewczyna ta stała się w swoim czasie ofiarą nieopatrznej miłości i byłaby zgubiona, gdybym jej nie ocaliła. Rodzice jej, nieubłagani na punkcie honoru, chcieli po prostu ją zamknąć. Zwrócili się do mnie. W mgnieniu oka oceniłam, jakie korzyści mogę wyciągnąć z ich gniewu. Pochwaliłam zamiar, poczyniłam starania o dekret uwięzienia i zdobyłam go. Wówczas przerzuciłam się na drogę łagodności. Korzystając ze względów, jakimi cieszyłam się u starego ministra, wyjednałam, aby zostawiono wyrok w moich rękach i aby mi dano swobodę zniszczenia go lub użycia, zależnie od dalszego prowadzenia się dziewczyny. Wie zatem, że jestem bezwzględną panią jej losu; gdyby zaś, co trudno przypuścić, te potężne środki nie zdołały zapewnić jej wierności, pojmujesz, do jakiego stopnia zdemaskowanie jej i oddanie w ręce sprawiedliwości osłabiłoby jej świadectwo.

Do tych ostrożności, które uważam za zasadnicze, łączy się tysiąc innych, zależnych od miejsca i okoliczności, a kierowanych głębokim namysłem, który z czasem staje się przyzwyczajeniem. Wyliczanie byłoby zbyt uciążliwe; są to jednak wszystko rzeczy pierwszorzędnej wagi. Jeżeli zadasz sobie nieco trudu, możesz je sam z łatwością odtworzyć, zastanowiwszy się nad całością mego postępowania.

I ty przypuszczasz, że po to dołożyłam tylu starań, aby nie zbierać owoców? Że wzniósłszy się dzięki wytężonej pracy tak wysoko nad poziom innych kobiet, zgodzę się później pełzać jak one między nierozwagą a tchórzostwem; że zwłaszcza mogę obawiać się jakiegoś mężczyzny do tego stopnia, aby widzieć ratunek jedynie w ucieczce? Nie, wicehrabio, nigdy! Zwyciężyć lub zginąć! Co do Prévana, chcę go mieć i będę miała; on chce rozgłosić i nie rozgłosi – oto w dwóch słowach historia naszego romansu. Do widzenia.

20 września 17**

LIST LXXXII
Cecylia Volanges do kawalera Danceny

Mój Boże, ileż pana list sprawił mi zmartwienia! Potrzeb-
niem też oczekiwała go tak niecierpliwie! Myślałam, że znajdę trochę pociechy, a tymczasem zgryzłam się jeszcze więcej.
Płakałam rzewnymi łzami, kiedym czytała, ale nie to panu
wyrzucam; przecie już nieraz płakiwałam z powodu pana,
a nie robiło mi przykrości. Ale tym razem to całkiem nie to
samo.

Co pan chce przez to powiedzieć, że miłość staje się
dla pana udręką, że nie może pan już żyć w ten sposób ani
znieść dłużej swego położenia? Czy pan może chce mnie
przestać kochać dlatego, że już nie jest tak przyjemnie jak
przedtem? Zdaje się, że i mnie nie lepiej jest od pana; przeciwnie, a mimo to kocham pana tylko więcej. Że pan de Valmont nie napisał, to nie moja wina, nie mogłam go o to prosić, bo nie byłam z nim sama; umówiliśmy się nie mówić
z sobą przy ludziach; także tylko dlatego, żeby łatwiej mógł
zrobić to, czego pan pragnie. Nie mówię wcale, że i ja nie
pragnę tego samego; powinien pan wiedzieć o tym, ale cóż ja
poradzę? Jeśli się panu zdaje, że to tak łatwo, niech pan znajdzie sposób, bardzo będę wdzięczna.

Już z samym odbieraniem listów to cała historia. Gdyby
pan de Valmont nie był taki dobry i zręczny, nie wiedziałabym po prostu, jak sobie dać radę; a z pisaniem to jeszcze
większy kłopot. Całe rano nie miałam odwagi, bo mama jest
niedaleko i czasem wchodzi niespodzianie. Czasem uda mi
się po południu pod pozorem śpiewu lub grania na harfie; a i
wtedy muszę przerywać pisanie po każdym wierszu, żeby
było słychać, że ćwiczę. Szczęściem, panna służąca zasypia
niekiedy wieczorem i mówię jej wówczas, że się położę sama,
aby ją nakłonić, żeby odeszła i zostawiła światło. A potem
dopiero muszę się chować pod kotarę, żeby nie było widać
światła, i nadsłuchiwać najmniejszego szmeru, czy kto nie
idzie. Chciałabym, żeby pan tu był i mógł to widzieć! Zoba-

czyłby pan, że trzeba bardzo kogoś kochać, żeby to robić. Słowem, robię, co mogę, a chciałabym móc jeszcze więcej.

Do widzenia, drogi panie. Kocham pana z całego serca, będę kochać całe życie. Mam nadzieję, że teraz już się pan nie będzie martwił; gdybym była tego pewna, sama bym się także nie martwiła. Niech pan napisze jak najprędzej, bo czuję, że do tego czasu będę ciągle smutna.

Z zamku***, 21 września 17**

LIST LXXXIII
Wicehrabia de Valmont do prezydentowej de Tourvel

Błagam cię, pani, wróćmy do rozmowy tak nieszczęśliwie przerwanej! Niech mi wolno będzie jeszcze przekonać panią, jak różny jestem od haniebnego portretu, pod jakim mnie przedstawiono; niech mi będzie wolno zwłaszcza rozkoszować się lubą ufnością, jaką zaczęłaś mnie obdarzać! Ileż wdzięku umiesz użyczyć cnocie! Jak powabnym i upragnionym umiesz uczynić zacne i niewinne uczucie!

Ach, wystarcza ujrzeć cię, aby pragnąć ci być miłym; wystarczy przebywać w twoim towarzystwie, aby ta chęć spotęgowała się jeszcze. Ale gdy kto ma szczęście znać cię bliżej, gdy mu danym jest niekiedy czytać w twojej duszy, ogarnia go niebawem szlachetniejszy zapał; przepełniony po równi czcią i miłością, ubóstwia w tobie obraz doskonałości. Czy potępisz własne dzieło? Czegóż się można obawiać po uczuciu tak czystym i pełnym słodyczy?

Miłość moja przeraża cię, jest zbyt gwałtowna, bez hamulca! Umiarkuj ją twoją, łagodniejszą, nie odrzucaj władzy, jaką oddaję ci w ręce. Czy istniałoby dla mnie zbyt ciężkie poświęcenie, gdybym wiedział, iż znajdę uznanie w twym sercu? Ach, czemuż twoje szczęście nie zależy ode mnie! Jakżebym cię pomścił za ciebie samą, czyniąc cię szczęśliwą! Ale tej słodkiej władzy jałowa przyjaźń dać nie jest w stanie: moc swoją czerpie ona jedynie w miłości.

To słowo o lęk cię przyprawia! I czemuż? Najtkliwsze przywiązanie, związek serc najściślejszy, wspólna myśl, wspólne szczęście jak i wspólne troski; i cóż w tym jest, co by było obce twojej duszy! A to jest wszak miłość! Przynajmniej miłość taka, jaką ty budzisz i jaką ja odczuwam!

Te prawdy, tak jasne i słodkie zarazem, czym cię mogą niepokoić? Jakąż obawą może cię napełniać kochający człowiek, któremu miłość sama broni szczęścia nie będącego i twoim? Oto jedyna chęć, jaką oddycham; dla niej poświęcę wszystko, wszystko, z wyjątkiem uczucia, które ją natchnęło. Zgódź się podzielić jeno to uczucie, a będziesz nim kierować wedle woli. Ale nie pozwólmy dłużej, aby ono miało nas rozdzielać wówczas, gdy powinno łączyć. Jeśli przyjaźń, którą mi ofiarowałaś, nie jest pustym słowem, jeśli – jak mówiłaś wczoraj – jest ona najsłodszym uczuciem, jakie zna twoja dusza, niech nas rozsądzi: przyjmuję jej wyrok. Ale skoro ma być sędzią, niech zgodzi się jej wysłuchać: odmowa byłaby niesprawiedliwością, przyjaźń zaś nic może być niesprawiedliwa.

Chwila ponownej rozmowy nie przedstawia trudności: sposobności po temu znów może dostarczyć przypadek; ty sama, pani, mogłabyś oznaczyć porę. Chcę wierzyć, iż jestem w błędzie; czy nie milej by ci było przekonać mnie niż zwalczać i czy wątpisz o mej powolności? Gdyby ktoś trzeci tak nie w porę nie był przerwał rozmowy, byłbym już może przychylił się do twego zdania; któż wie, jak daleko sięga twoja władza?

Mam wyznać, pani? Ta niezwyciężona potęga, której wydaję się w ręce nie śmiejąc nawet obliczać jej siły, ten nieprzeparty czar, który cię czyni władczynią moich myśli i uczynków, to wszystko przejmuje mnie nieraz obawą. Kto wie, czy to nie ja powinienem drżeć przed rozmową, o którą tak proszę! Kto wie, zali po niej, spętany własną obietnicą, nie będę skazany na to, by pałać miłością niezniszczalną i niewygasłą, nie śmiejąc nawet błagać twej pomocy! Ach, pani, przez litość, nie nadużywaj swej władzy! Ale co mówię! Jeśli ty masz być szczęśliwa, jeśli ja mam się stać w twych oczach godniejszym ciebie, jakichże cierpień nie zdoła złagodzić myśl tak pełna pociechy! Tak, czuję, że mówić z tobą jeszcze znaczy dać ci przeciw sobie jeszcze silniejszą broń, znaczy poddać się jeszcze zupełniej twej woli. Łatwiej bronić się przeciw twym listom: są w nich twoje słowa, ale nie ma ciebie, byś mogła użyczyć im całej potęgi. Mimo to chęć słyszenia cię, pani, każe mi narażać się na to niebezpieczeństwo; będę miał bodaj to szczęście, iż uczyniłem dla ciebie wszystko, nawet przeciw sobie samemu, a poświęcenie moje stanie się nowym świadectwem miłości. Zbyt szczęśliwy będę mogąc ci dowieść raz jeszcze, iż jesteś i będziesz zawsze przedmiotem najdroższym memu sercu, droższym nawet niż własne me dobro.

Z zamku***, 23 września 1780

LIST LXXXIV
Wicehrabia de Valmont do Cecylii Volanges

Widziała pani, jak wszystko spiknęło się przeciw nam. Cały dzień nie miałem sposobu doręczenia pani listu, który miałem dla niej; nie wiem, czy dziś powiedzie mi się lepiej. Lękam się zaszkodzić pani, rozwijając w tej mierze więcej zapału niż zręczności; nigdy bym sobie nie przebaczył nieuwagi, która stałaby się dla pani tak zgubna, która, czyniąc cię nieszczęśliwą na całe życie, wtrąciłaby w rozpacz mego najlepszego przyjaciela.

Mimo to wiem, co to niecierpliwość serca; czuję, jak przykre ci być musi opóźnienie jedynej pociechy, jakiej możesz kosztować w tej chwili. Toteż łamiąc sobie głowę nad usunięciem przeszkód, znalazłem sposób, którego wykonanie, przy dobrej woli, nie przedstawiałoby trudności.

Zdaje mi się, o ile zauważyłem, że klucz od pani pokoju, wychodzącego na korytarz, spoczywa zawsze na kominku u mamy. Wszystko byłoby łatwe, pojmuje pani, gdybyśmy mieli ten klucz; otóż gotów jestem postarać się o duplikat.

Aby to uzyskać, potrzebowałbym jedynie mieć tamten na jakie dwie godziny. Przypuszczam, że zdoła pani bez trudu usunąć go na czas tak krótki, aby zaś nie spostrzeżono braku, dołączam tutaj inny klucz. Jest na tyle podobny, aby zamiana nie wydała się, o ile go ktoś nie spróbuje, a to nikomu nie przyjdzie do głowy. Musi tylko pani przywiązać do niego niebieską spłowiałą wstążeczkę, taką, jaka jest przy kluczu od twego pokoju.

Trzeba się postarać o ten klucz na jutro lub pojutrze w porze śniadania. Wtedy najłatwiej zdołasz mi go wręczyć. W ten sposób wróci na miejsce przed wieczorem, kiedy mama pani mogłaby właśnie zwrócić baczniejszą uwagę. Postaram się oddać go pani w chwili obiadu, jeżeli się nam uda porozumieć.

Wie pani, że kiedy przechodzimy z salonu do jadalni, pani de Rosemonde idzie zawsze na ostatku. Podam jej rękę. Pani postara się zapóźnić przy krosienkach lub też upuści coś na ziemię, tak aby zostać w tyle; wówczas możesz z łatwością odebrać klucz; będę go trzymał za sobą.

Skoro go już będziesz miała, trzeba dla niepoznaki podejść do staruszki z jakimś zapytaniem lub pieszczotą. Gdyby przypadkiem zdarzyło się pani upuścić klucz, proszę nie tracić spokoju: udam, że to ja; odpowiadam za wszystko.

Brak zaufania, jaki pani okazuje matka, surowość jej usprawiedliwiają zupełnie ten podstęp wojenny. Zresztą to jedyny sposób, aby odbierać listy i pisywać do Danceny'ego. Każdy inny środek jest w istocie zbyt niebezpieczny i mógłby was oboje zgubić bez ratunku, tak iż nie miałbym odwagi narażać was na to.

Skoro raz staniemy się panami klucza, trzeba jeszcze zabezpieczyć się od skrzypnienia drzwi i zamku, ale to już drobnostka. Pod tą samą szafą, pod którą włożyłem wówczas papier, znajdzie pani oliwę i piórko: nasmarujesz starannie zamek i zawiasy. Wystrzegać trzeba się plam, mogłyby panią zdradzić.

Skoro pani przeczyta ten list, proszę, byś zechciała odczytać go jeszcze raz i dobrze go przemyśleć: raz, że dobrze wiedzieć to, co się ma dobrze wykonać, następnie, aby się upewnić, czy niczego nie przeoczyłem. Nie mając sposobności posługiwania się takimi sztuczkami dla własnej potrzeby, nie posiadam zbytniej wprawy; trzeba było mej przyjaźni dla Danceny'ego i sympatii dla pani, aby mnie nakłonić do takich środków mimo ich całej niewinności. Nienawidzę wszystkiego, co trąci podstępem: to nie w moim charakterze. Ale nieszczęścia wasze wzruszyły mnie tak, że wszystkiego będę próbował, aby je złagodzić.

Domyśla się pani, że skoro raz porozumienie będzie ustalone, o wiele łatwiej mi będzie doprowadzić panią do widzenia się z Dancenym, czego on tak pragnie. Mimo to niech mu pani nic nie donosi: powiększyłabyś jego niecierpliwość, a moment nie jest jeszcze może bliski. Raczej należy ci ją uśmierzać niż zaostrzać. Sądzę, iż pani to zrozumie. Do widzenia, piękna pupilko, bo jesteś wszak moją pupilką? Miej trochę sympatii dla opiekuna, a przede wszystkim bądź mu we wszystkim posłuszna: tylko dobrze na tym wyjdziesz. Myślę o twym szczęściu i bądź pewna, że znajdę w nim własne.

24 września 17**

LIST LXXXV
Markiza de Merteuil do wicehrabiego de Valmont

Nareszcie uspokoisz się, wicehrabio, a przede wszystkim oddasz mi sprawiedliwość. Słuchaj i nie mieszaj mnie na przyszłość z innymi kobietami. Doprowadziłam do końca przygodę z Prévanem! D o k o ń c a! Rozumiesz, co to znaczy? Teraz możesz osądzić, kto z nas, on czy ja, będzie miał prawo się chełpić. Opowiadanie nie będzie tak ucieszne jak wykonanie, ale też nie byłoby sprawiedliwie, abyś ty, który ograniczyłeś się jedynie do mędrkowania o tej sprawie, miał wycisnąć z niej tyle przyjemności co ja, która nie pożałowałam i czasu, i trudów.

Mimo to, jeżeli masz w myśli jakie wielkie zamiary, jeżeli miałeś ochotę pokusić się o coś, w czym obecność tego groźnego rywala stawała ci w drodze, przybywaj teraz. Zostawiam ci wolne pole, przynajmniej na jakiś czas, może nawet nigdy nie podniesie się spod ciosu, który mu zadałam.

Jakiś ty szczęśliwy, doprawdy, że masz taką przyjaciółkę! Jestem niby dobroczynna wróżka. Więdniesz z dala od piękności, która cię przykuła: mówię słowo i oto znów jesteś przy niej. Chcesz się zemścić na kobiecie, która ci szkodzi: czynię znak w miejscu, gdzieś powinien ugodzić, i wydaję ci ją na łaskę i niełaskę. Zwracasz się wreszcie o pomoc w uprzątnięciu z areny groźnego współzawodnika – i to zostało wysłuchane. W istocie, jeśli nie obrócisz reszty życia na hymny dziękczynne, niewart jesteś tylu dobrodziejstw! A teraz – moja przygoda: zaczynam od początku.

Spotkanie, naznaczone tak głośno przy wyjściu z Opery*, zrozumiano tak, jak się spodziewałam. Prévan zjawił się; kiedy zaś marszałkowa zauważyła uprzejmie, że dumna jest, iż widzi go dwa razy z rzędu na swym przyjęciu, odpowiedział skwapliwie, że od wtorku pozrywał mnóstwo projektów, aby móc w ten sposób rozporządzić wieczorem. To było pod moim adresem. Ponieważ chciałam się upewnić jeszcze, czy w istocie ja byłam prawdziwym celem tej pochlebnej gorliwości, z umysłu postawiłam mego świeżego wielbiciela w konieczności wyboru między mną a jego główną namiętnością. Oświadczyłam, że nie będę grała: istotnie, i on znalazł naprędce wymówkę; pierwszy tryumf odniosłam nad lanckenchtem.

Następnie wdałam się w rozmowę z biskupem de ***; wybrałam go z powodu jego zażyłości z naszym bohaterem, któremu chciałam wszelkimi sposobami ułatwić zbliżenie. Byłam zarazem rada, iż mam czcigodnego świadka, który mógłby w potrzebie zaświadczyć o mym zachowaniu i słowach. Plan udał się w zupełności.

---

* Patrz list LXXIV.

Po chwili obojętnej rozmowy Prévan, rychło ująwszy w ręce ster konwersacji, próbował kolejno rozmaitych tonów, aby przekonać się, który mi przypadnie do smaku. Odrzuciłam hasło uczuć, jako nie wierząca w nie z zasady; powściągnęłam powagą jego żarty, które wydały mi się jak na początek zbyt lekkie; wówczas uderzył w struny powinowactwa dusz i przyjaźni i pod tym zużytym sztandarem zaczęliśmy utarczkę.

Podano kolację; biskup nie siadał do stołu, Prévan podał mi zatem rękę. Trzeba mu oddać sprawiedliwość, że podtrzymywał nader zręcznie naszą postronną rozmowę, na pozór pochłonięty rozmową ogólną. Przy deserze mówiono o nowej sztuce zapowiedzianej na poniedziałek w Komedii Francuskiej. Wyraziłam żal, że nie mam loży! Prévan ofiarował swoją; odmówiłam zrazu, jak wypadało. Odpowiedział dość sprytnie, że źle go zrozumiałam; z pewnością nie ośmieliłby się uczynić tej propozycji mając zaszczyt znać mnie tak niewiele; zawiadamia mnie jedynie, że marszałkowa będzie rozporządzała jego lożą. Marszałkowa dała się wciągnąć w ten żart, ja zaś przyjęłam.

Gdyśmy przeszli do salonu, Prévan poprosił, jak się domyślasz, o miejsce w loży. Marszałkowa, która jest nań bardzo łaskawa, przyrzekła pod warunkiem, że b ę d z i e g r z e c z n y; wówczas on, kląkłszy jak posłuszne dziecko, niby to prosząc o wskazówki i odwołując się do jej pobłażania, znalazł sposób powiedzenia rzeczy nader pochlebnych i czułych, które łatwo mogłam wziąć do siebie.

Wkrótce rozstaliśmy się, oboje wielce zadowoleni z wieczoru.

W poniedziałek stawiłam się w Komedii, jak było umówione. Mimo iż znam twoje zamiłowania literackie, nie umiem ci nic powiedzieć o przedstawieniu jak tylko, że Prévan jest rozkoszny i że sztuka padła... Oto wszystko, co wiem. Żal mi było, iż wieczór dobiega końca, gdyż istotnie spłynął mi bardzo miło; aby go przedłużyć, zaprosiłam marszałkową na kolację: dzięki temu, mogłam gościć miłego kawalera. Chciał jedynie pobiec do hrabiny de P***, aby się stamtąd wymówić. To nazwisko* odświeżyło we mnie cały gniew. Zrozumiałam jasno, że już rozpoczną się zwierzenia; przypomniałam sobie twoje światłe rady i postanowiłam święcie... prowadzić dalej przygodę, pewna, że uda mi się go wyleczyć z plotkarstwa.

Będąc pierwszy raz w moim domu, gdzie tego wieczora miałam osób bardzo niewiele, Prévan musiał dopełnić przepisanych zwyczajów; kiedy więc siadaliśmy do kolacji, podał mi rękę. Dopuściłam się tej złośliwości, iż przyjmując jego rękę wprawiłam moje ramię w nieznaczne drżenie; również idąc do stołu miałam oczy spuszczone i oddech wyraźnie przyśpieszony jak osoba, która przeczuwa porażkę i drży przed zwycięzcą. Zauważył to doskonale, toteż, zdrajca, natychmiast zmienił ton; z dwornego stał się natarczywy. Nie w słowach, gdyż rozmowa obracała się w tych samych ramach, ale wzrok jego stał się bardziej przyćmiony i pieszczotliwy, głos nabrał słodyczy, uśmiech, przedtem tak spryt ny, teraz wyrażał upojenie. Ilekroć zwracał się do mnie, dowcip jego, tak błyskotliwy w ogólnej rozmowie, ustępował miejsca tkliwej serdeczności. Pytam cię, wicehrabio: i cóż ty sam mógłbyś zrobić więcej?

Co do mnie, stałam się zamyślona, marząca, do tego stopnia, iż musiało to zwrócić powszechną uwagę; gdy zaś zaczęto mnie tym prześladować, z umysłu broniłam się bardzo niezręcznie, rzucając na Prévana krótkie, lecz trwożliwe i zawstydzone spojrzenia.

Po kolacji skorzystawszy z czasu, gdy poczciwa marszałkowa opowiadała jedną ze swoich nieuniknionych anegdot, siadłam na otomanie w pozie pełnej rozmarzenia. Pojmujesz, że moje trwożliwe spojrzenia nie śmiały szukać ócz zwycięzcy, ale parę zerknięć przekonało mnie, że osiągnęłam zamierzony cel. Trzeba było jeszcze upewnić go, że i mnie też o to chodzi, toteż gdy marszałkowa oznajmiła, iż wraca do domu, wykrzyknęłam miękkim i tkliwym głosem: „Ach,

---

* Patrz list LXX.

Boże! Tak mi dobrze było!" Mimo to podniosłam się z miejsca, ale nim rozstałam się z marszałkową, spytałam ją o zamiary na najbliższe dni, aby pod tym pozorem oznajmić o moich i wtrącić, iż pojutrze wieczór będę w domu. Po czym towarzystwo się rozeszło.

Zaczęłam się zastanawiać. Nie wątpiłam, że Prévan zechce skorzystać ze schadzki, jaką mu niejako naznaczyłam; że przyjdzie dość wcześnie, aby mnie zastać samą, i przypuści żywy atak; ale byłam również nie mniej pewna na podstawie mej reputacji, że nie będzie mnie traktował zupełnie lekko, tak jak człowiek bodaj trochę wytrawny zachowuje się jedynie wobec awanturnicy lub gąski. Widziałam tedy pewne zwycięstwo, jeśli padnie z jego strony słowo miłość, a zwłaszcza jeśli pokusi się uzyskać to słowo ode mnie.

Jak to wygodnie mieć do czynienia z wami, ludźmi zasad! Czasem zdarzy się, że jakiś nieobliczalny wielbiciel poplącą nam szyki nieśmiałością lub zaskoczy namiętnym wybuchem; jest to rodzaj febry, która, jak każda inna, ma swoje dreszcze i gorączki i niekiedy zmienia objawy. Ale u was wasza uplanowana taktyka tak łatwa jest do odczytania! Na dzień naprzód wiadomo, jak wszystko się odbędzie: wejście, wygląd, głos, sposób rozmowy, wszystko przewidziałam najdokładniej. Nie będę ci zatem opisywała naszej konwersacji; odtworzysz ją sobie łatwo. Uważ tylko, że ja, broniąc się na pozór, pomagałam mu z całej mocy. Wszystko tam było: zakłopotanie, aby mu dać czas mówić; błahe argumenty, aby je mógł zwalczać; obawa i nieufność, aby wywołać zaklęcia; i ten ciągły jego refren: „Pragnę od pani tylko jednego słowa". Dodaj do tego moje milczenie, jak gdyby wytrzymujące go dłużej jedynie po to, aby spotęgować zapały, wśród tego ręka ujmowana po sto razy, która sto razy się umyka, a nigdy się nie wzbrania. Można by w ten sposób spędzić cały dzień; my spędziliśmy całą śmiertelną godzinę; bylibyśmy jeszcze może tak trwali, gdyby nie turkot karocy wjeżdżającej na dziedziniec. Ta nieszczęśliwa przeszkoda podsyciła oczywiście jeszcze jego nalegania; ja zaś widząc, że nadeszła chwila, w której jestem bezpieczna od zamachu, przygotowawszy się

długim westchnieniem, wyrzekłam wreszcie owo cenne słowo. Oznajmiono kogoś i wkrótce salon napełnił się gośćmi.
Prévan poprosił, aby mógł przyjść nazajutrz rano. Zgodziłam się, ale chcąc zapewnić sobie obronę, kazałam poko-
jówce zostać przez cały czas wizyty w sypialnym pokoju,
skąd, wiesz, że widać wszystko, co się dzieje w gotowalni,
gdzie go przyjęłam. Mogąc rozmawiać poufnie, ożywieni
oboje jednakim pragnieniem, porozumieliśmy się rychło,
ale trzeba się było uwolnić od niepożądanego świadka. Tu
właśnie czekałam mego Prévana.

Wówczas, kreśląc wedle własnej fantazji i potrzeby obraz
mego życia domowego, wytłumaczyłam mu łatwo, że nie
sposób nam będzie znaleźć w tych warunkach chwilę swobody; że mamy przeciw sobie cały szereg zwyczajów przyjętych
w mym domu, które się utarły, ponieważ dotąd nie krępo-
wały mnie w niczym. Zarazem kładłam nacisk na niepodo-
bieństwo zmieniania czegokolwiek w mym trybie bez obawy
zdradzenia się w oczach służby. Próbował przybrać smutną
minę, dąsać się, mówić, że go nie kocham; domyślasz się, jak
mnie to wzruszało! Ale chcąc zadać cios ostateczny, we-
zwałam na pomoc łzy. Dosłownie efekt: „Zairo, ty pła-
czesz!" – z tragedii Woltera. Uczucie tryumfu, a co za tym
idzie, błysk pewności, iż będzie mnie mógł zgubić, stanęły
kochankowi za całą miłość Orosmana.

Skoro przeszło wrażenie tego efektu, zaczęliśmy się nara-
dzać. W braku wolnej chwili w dniu, zastanawialiśmy się nad
nocą, ale tu wysunął się mój szwajcar jako niezwyciężona
przeszkoda; nie godziłam się zaś, aby go próbował przekupić. Prévan zwrócił uwagę na drzwiczki od ogrodu, i to przewidziałam, i stworzyłam na poczekaniu psa, który, spokojny
i rozkoszny w dzień, stawał się w nocy istnym czartem.
Łatwość, z jaką wchodziłam w te wszystkie szczegóły, do-
dawała śmiałości uwodzicielowi, toteż zaproponował mi
sposób ze wszystkich najbardziej niedorzeczny i bezczelny
i na ten właśnie się zgodziłam.

Przede wszystkim oznajmił mi, iż służący jego jest równie
pewny jak on sam; co do tego nie zwodził mnie, istotnie obaj

byli jednako pewni. Następnie podał plan taki: Mam wydać kolację; on będzie na niej i postara się wyjść sam. Zręczny powiernik zawoła jego powóz, otworzy drzwiczki, on zaś zamiast wsiąść do powozu ukryje się zręcznie. Woźnica nie spostrzeże się na niczym; tak więc Prévan, wyszedłszy w oczach całego zebrania, mimo to zostanie u mnie. Chodzi tylko o to, czy będzie się mógł dostać do mych pokojów. Wyznaję, że prawdziwym kłopotem było mi znaleźć przeciw temu projektowi dosyć zarzutów tak lichych, aby Prévan mógł je odeprzeć zwycięsko: odpowiedział przykładami. Wedle niego jest to sposób najzwyklejszy w świecie; on sam posługiwał się nim często; mówił nawet, że to jego ulubiona metoda, jako przedstawiająca najmniej niebezpieczeństw.

Zniewolona tymi nieodpartymi argumentami, przyznałam w prostocie ducha, że istnieją w domu ukryte schodki wychodzące opodal mego buduaru: tam mógłby się zamknąć i zaczekać bez wszelkich obaw, aż służba zostawi mnie samą. Aby nadać mej zgodzie więcej prawdopodobieństwa, za chwilę zaczęłam się wzdragać, to znów godziłam się pod warunkiem, że przysięgnie zupełną uległość, że będzie rozsądny... co się zowie rozsądny!... Słowem, godziłam się dowieść mu mej miłości, ale nie zadowolić jego chęci.

Zapomniałam ci dodać, że odwrót mego galanta miał się odbyć przez furtkę: chodziło tylko o to, aby doczekać brzasku. Cerber już ani warknie; żywa dusza nie przechodzi ulicą o tej porze, a służba tonie w najgłębszym śnie. Dziwi cię ten stek niedorzeczności? Zapominasz chyba o naszym położeniu. O cóż chodziło? Jemu było zupełnie na rękę, aby wszystko wyszło na jaw, ja zaś miałam dostateczną pewność, że nie wyjdzie. Schadzka miała się odbyć za dwa dni.

Zauważ, proszę, że sprawa już była jak ubita, a jeszcze nikt nie widział Prévana ze mną. Spotykam go na kolacji u znajomych; ofiarowuje gospodyni domu lożę na nową sztukę, ja przyjmuję miejsce w loży. Zapraszam marszałkową na kolację podczas przedstawienia i wobec Prévana; nie zaprosić i jego jest prawie niepodobieństwem. On przyjmuje i składa mi w dwa dni później obowiązkową wizytę. Zjawia się, prawda, nazajutrz rano, ale pomijając, iż ranne wizyty przechodzą dość niepostrzeżenie, ode mnie jedynie zależy, aby znaleźć ten postępek zbyt swobodnym; w istocie, daję mu uczuć, iz zaliczam go do rzędu dalszych znajomości, zapraszając go listownie na ceremonialną kolację. Mogę powiedzieć zupełnie dobrze jak Agnusia: „Ależ to wszystko!"

Za nadejściem nieszczęsnego dnia, dnia, który miał być grobem mojej cnoty i reputacji, wydałam zlecenia wiernej Wiktorii. Wykonała je tak, jak to niebawem zobaczysz.

Nadszedł wieczór. Salon był prawie pełny, kiedy oznajmiono Prévana. Przyjęłam go z wyszukaną grzecznością podkreślającą nasz ceremonialny stosunek i posadziłam do gry przy stole marszałkowej, jako osoby, która wprowadziła go niejako do mnie. Wieczór nie przyniósł nic godnego uwagi prócz biliciku, który dyskretny kochanek zdołał mi wsunąć i który spaliłam wedle zwyczaju. Oznajmiał, iż mogę na niego liczyć; to zasadnicze słowo przybrane było różnymi zbytecznymi a nieuniknionymi słówkami, jak miłość, szczęście etc.

O północy, skoro partie już się pokończyły, zaproponowałam jeszcze krótkiego faraona[*]. Miałam podwójny cel: jeden, aby ułatwić wymknięcie się Prévana, drugi zaś, aby zwrócić na niego uwagę, co było nieuniknione zważywszy jego opinię zapamiętałego gracza. Rada byłam również, że w potrzebie każdy będzie sobie mógł przypomnieć, że nie było mi pilno zostać samej.

Gra przeciągnęła się dłużej, niż przypuszczałam. Diabeł mnie kusił: podsunął mi chętkę, aby pójść pocieszyć niecierpliwego więźnia. Już się zbliżałam ku swej zgubie, kiedy przyszło mi na myśl, że skoro raz ulegnę, nie będę miała już mocy utrzymać go w nieposzlakowanym stroju, niezbędnym

---

[*] *Niektórzy czytelnicy nie wiedzą może jeszcze, że „mozaika" to mieszanka różnych gier, spośród których rozgrywający może wybierać, gdy on jest na ręku. To jeden z wynalazków stulecia.* [Boy, dla uproszczenia, zamienia *macédoine* na „faraona" – A. S.].

dla mych zamiarów. Miałam siłę oprzeć się pokusie. Zawróciłam z drogi i nie bez żalu zajęłam na nowo miejsce w partii ciągnącej się beznadziejnie długo. Skończyła się nareszcie i wszyscy się rozeszli. Zadzwoniłam na moje panny, rozebrałam się szybko i wyprawiłam je również na spoczynek.

Czy widzisz mnie, wicehrabio, jak w leciutkim stroju, ostrożnym i lękliwym krokiem idę niepewną ręką otworzyć drzwi zwycięzcy? Ujrzał mnie... Błyskawica nie jest równie szybka... Cóż ci powiem? Pokonał, pokonał mnie zupełnie, nim byłabym zdolna wymówić słowo, aby go wstrzymać lub usiłować się bronić. Po tym zwycięstwie Prévan chciał zająć pozycję dogodniejszą i bardziej stosowną do okoliczności. Przeklinał swój strój, który – jak mówił – oddala go ode mnie; chciał walczyć równą bronią. Ale moja trwożliwość sprzeciwiła się temu zamiarowi, tkliwe zaś pieszczoty, jakimi go obsypałam, nie zostawiły mu czasu. Niebawem Prévan zajął się innymi sprawami.

Jego prawa do mego serca zdwoiły się, pretensje zaś odżyły na nowo, ale wówczas ja ozwałam się w te słowa: „Nieprawdaż, jak dotąd, miałby pan wcale zabawną anegdotkę do opowiedzenia paniom de P*** i publiczności; ciekawa jestem, w jaki sposób opowiesz koniec przygody". To mówiąc pociągnęłam ze wszystkich sił za dzwonek. Teraz przyszła na mnie kolej działania, a czyn szybszy był od słów. Ledwie Prévan zdołał coś wybąknąć, już usłyszałam kroki Wiktorii zwołującej równocześnie moich ludzi, których miała rozkaz zatrzymać u siebie. Wówczas rzekłam głośno tonem obrażonej królowej: „Wyjdź pan i nie pokazuj mi się na oczy". Równocześnie wpadła do pokoju zgraja służby.

Biedny Prévan postradał głowę. Dopatrując się zasadzki w tym, co było w gruncie jedynie żartem, porwał się do szpady. Nie wyszło mu to na dobre: pokojowy, chłopak silny i odważny, chwycił go wpół i powalił na ziemię. Wyznaję, iż miałam chwilę śmiertelnego strachu. Krzyknęłam, aby go wstrzymano, i rozkazałam zostawić śmiałkowi wolne przejście, pilnując jedynie, aby opuścił dom. Usłuchali, ale nie bez szemrania; nie posiadali się z oburzenia, że ktoś śmiał uchybić ich świętej pani. Hurmem odprowadzili do bramy nieszczęsnego kawalera z krzykami i hałasem, jak to było mym życzeniem. Jedna Wiktoria została; zajęłyśmy się przez ten czas uporządkowaniem łóżka.

Moi ludzie wrócili gromadnie: ja, c a ł a j e s z c z e w z r u - s z o n a, spytałam ich, jakim szczęśliwym przypadkiem nie spali jeszcze; Wiktoria opowiedziała, że zaprosiła na kolację dwie przyjaciółki, zabawa przeciągnęła się nieco dłużej, słowem, bajeczkę, którą ułożyłyśmy z góry. Podziękowałam i kazałam się wszystkim oddalić. Równocześnie poleciłam, aby natychmiast posłano po mego lekarza. Zdawało mi się, że byłam w prawie obawiać się następstw m e g o ś m i e r - t e l n e g o p r z e s t r a c h u; zarazem był to pewny sposób dania nowinie szybkiego rozgłosu.

Przybiegł w istocie, ubolewał wielce nade mną i zalecił jedynie spokój. Ja z mej strony nakazałam jeszcze Wiktorii, aby od wczesnego ranka paplała o zajściu po całym sąsiedztwie.

Wszystko powiodło się tak dobrze, że przed południem jeszcze, ledwie się obudziłam, nabożna sąsiadka była już przy moim łóżku, aby się dowiedzieć o całej prawdzie i o szczegółach strasznej przygody. Trzeba mi było dobrą godzinę biadać z nią nad zepsuciem naszych czasów. W chwilę później otrzymałam od marszałkowej bilecik, który dołączam. Wreszcie przed piątą ujrzałam, ku swemu wielkiemu zdumieniu, pana de***(*. Przybywał, jak oznajmił, przeprosić mnie za to, iż oficer jego pułku mógł mi uchybić w sposób tak niesłychany. Dowiedział się o tym dopiero na obiedzie u marszałkowej i natychmiast posłał Prévanowi rozkaz udania się do więzienia. Wstawiłam się za nim, ale pułkownik odmówił. Wówczas pomyślałam, że jako współwinowajczyni powinnam i ja nałożyć sobie jakąś karę i przynajmniej zachować ścisły areszt. Kazałam służbie nie przyjmować nikogo i oznajmiać, że jestem cierpiąca.

Temu osamotnieniu zawdzięczasz ten długi list. Rów-

(* Komendant korpusu, w którym służył Prévan.

nocześnie mam zamiar przesłać pani de Volanges wiadomość, której pewno nie omieszka odczytać publicznie. Poznasz zatem tę historię w świetle, w jakim należy ją rozgłaszać.

Zapomniałam ci dodać, że Belleroche jest wściekły i chce koniecznie bić się z Prévanem. Poczciwy chłopak! Na szczęście, mam pod dostatkiem czasu, aby ochłodzić mu głowę. Tymczasem spróbuję skłonić moją własną, znużoną nieludzko długim pisaniem. Do widzenia, wicehrabio.

Paryż, 25 września 17**, siódma wieczór

LIST LXXXVI
Marszałkowa de*** do markizy de Merteuil
(bilet dołączony do poprzedzającego listu)

Boże! Czegóż ja się dowiaduję, droga pani? Czy to możliwe, aby ten chłystek dopuścił się podobnych potworności? W dodatku wobec pani! Na co się jest narażoną! Doprawdy, we własnym domu nie można się czuć bezpieczną! Doprawdy, słysząc o takich rzeczach, trzeba tylko dziękować Bogu, że się jest starą babcią. Ale nie daruję sobie nigdy, że to ja poniekąd wprowadziłam do ciebie niegodziwca. Przyrzekam ci, że jeśli to, co słyszę, jest prawdą, Prévan nie przestąpi więcej mego progu; mam nadzieję, że wszyscy uczciwi ludzie tak samo się z nim obejdą.

Mówiono mi, że ten wypadek bardzo odbił się na twoim zdrowiu; niespokojna jestem. Zechciej, najdroższa, udzielić mi wiadomości lub, jeśli nie możesz pisać, prześlij słówko. Tylko jedno słówko dla mego spokoju. Byłabym przybiegła od rana, gdyby nie kąpiele, których doktor nie pozwala mi przerywać; po południu zaś muszę być w Wersalu, wciąż w tej samej sprawie mego siostrzeńca. Do widzenia, drogie dziecko, bądź pewna na całe życie mojej szczerej przyjaźni.

Paryż, 25 września 17**

LIST LXXXVII
Markiza de Merteuil do pani de Volanges

Piszę do ciebie z łóżka, dobra, droga przyjaciółko. Wypadek najprzykrzejszy w świecie, a zarazem najmniej przewidziany przyprawił mnie o chorobę z przestrachu i alteracji. Nie, abym sobie miała coś do wyrzucenia, ale przykro jest niezmiernie dla uczciwej i przestrzegającej względów płci swojej kobiety ściągać na siebie uwagę publiczną. Nie wiem, co byłabym dała, aby uniknąć nieszczęsnego wydarzenia; dziś jeszcze nie wiem, czy nie namyślę się wyjechać na wieś, przeczekać, aż wszystko pójdzie w niepamięć. Oto co zaszło:

Spotkałam kiedyś u marszałkowej de*** niejakiego pana de Prévan, którego znasz z pewnością z nazwiska i którego ja również znałam tylko w ten sposób. Bądź co bądź, spotkawszy go w tym domu, miałam prawo, jak mniemam, przypuszczać, że się liczy do przyzwoitego towarzystwa. Posiada dość ujmującą powierzchowność i – o ile mogę sądzić – nie zbywa mu na sprycie. Przypadek zrządził, iż nie mając ochoty do gry, znalazłam się sama w sąsiedztwie biskupa de*** i tego pana, gdy towarzystwo zajęte było lancknechtem. Rozmawialiśmy we troje do chwili, gdy nas wezwano do stołu. Przy stole rozmowa toczyła się koło nowej sztuki; Prévan skorzystał ze sposobności, aby ofiarować swą lożę marszałkowej, która przyjęła tę grzeczność; stanęło na tym, że i ja mam mieć miejsce w loży. Chodziło o ostatni poniedziałek; loża była do Komedii. Ponieważ marszałkowa miała wieczerzać u mnie po teatrze, zaproponowałam temu panu, aby jej towarzyszył; tak się też stało. Na trzeci dzień złożył mi wizytę, która odbyła się wedle przyjętych form, bez żadnej nadzwyczajnej oznaki. Następnego dnia znów zjawił się rano, co mi się wydało nieco swobodne, ale sądziłam, że zamiast mu to okazać chłodnym przyjęciem lepiej jakąś grzecznością dać mu do poznania, że nie jesteśmy tak blisko, jak on zdaje się rozumieć. W tej intencji posłałam mu tego samego dnia bardzo suche i ceremonialne zaproszenie na kolację, którą dawałam przedwczoraj. Nie odezwałam się doń więcej niż cztery razy w ciągu wieczora; on zaś zniknął, skoro tylko partia się skończyła. Przyznasz, że jak dotąd nic nie zapowiadało romantycznej przygody. Po ukończeniu partii złożono jeszcze wspólnego faraona, który przeciągnął się blisko do drugiej, po czym wreszcie znalazłam się w łóżku.

Upłynęło co najmniej dobre pół godziny od czasu, jak moje dziewczęta opuściły sypialnię, kiedy nagle słyszę jakiś szelest. Odchylam firankę z niemałym przerażeniem i widzę mężczyznę, który wchodzi z buduaru. Wydaję przeraźliwy krzyk i poznaję przy świetle nocnej lampki pana de Prévan, który z trudnym do pojęcia zuchwalstwem mówi, abym się nie lękała, że wyjaśni swój postępek, i błaga, abym nie czyniła hałasu. Mówiąc to, zapala świecę; byłam tak zdrętwiała, że nie mogłam słowa wydobyć. Jego spokojne i pewne siebie zachowanie potęgowało tylko mój przestrach. Ale nie wymówił jeszcze dwóch słów, kiedy poznałam, co to za mniemana tajemnica; jedyną odpowiedzią było, jak możesz sobie wyobrazić, zadzwonić na gwałt na ludzi.

Niesłychanie szczęśliwym wydarzeniem cała służba była zebrana u Wiktorii i jeszcze nikt nie spał. Panna służąca, która, wpadając do mnie, słyszała, że coś mówię z podnieceniem, przelękła się i zwołała wszystkich. Możesz pomyśleć sobie, co za skandal! Ludzie byli oburzeni; przez chwilę myślałam, że jeden ze służących zabije Prévana. Wyznaję, że na razie byłam zadowolona z tej silnej odsieczy: kiedy dziś się zastanawiam, wolałabym, aby się zjawiła tylko pokojowa: wystarczyłaby zupełnie, a może uniknęłoby się rozgłosu, który mnie tak martwi.

Tymczasem w ten sposób hałas rozbudził sąsiadów, służba wszystko rozgadała, tak że od wczoraj zdarzenie to jest bajką całego Paryża. Pan de Prévan jest w areszcie na rozkaz swego pułkownika, który był na tyle uprzejmy, iż zjawił się, aby – jak mówił – przeprosić mnie za to. Ten areszt powiększy jeszcze rozgłos sprawy, ale za żadną cenę nie mogłam uzyskać, aby go poniechano. Kto żyw, zapisuje się u mych drzwi, zresztą szczelnie zamkniętych. Od tych kilku osób, które widziałam, wiem, że wszyscy oddają mi sprawiedliwość i że oburzenie na pana de Prévan nie ma wprost granic; zasłużył na nie z pewnością, ale to nie zmniejsza przykrości całego wydarzenia.

Co więcej, ten człowiek posiada z pewnością przyjaciół, a jego przyjaciele to muszą być źli ludzie; któż wie, kto może odgadnąć, co wymyślą, aby mi szkodzić? Mój Boże, jak nieszczęśliwą istotą jest młoda kobieta! Mało jej jeszcze uchronić się od obmowy; trzeba, aby umiała nakazać milczenie i potwarzy.

Donieś mi, proszę, co byłabyś uczyniła wówczas i teraz na moim miejscu; słowem wszystko, co o tym myślisz. Od ciebie zawsze spływały na mnie najmilsze słowa pociechy i najzbawienniejsze rady, od ciebie najchętniej je przyjmuję.

Do widzenia, droga i dobra przyjaciółko; znasz uczucia, jakie wiążą mnie do ciebie na zawsze. Ściskam twoją miłą dziewczynkę.

Paryż, 29 września 17**

KONIEC CZĘŚCI DRUGIEJ

Część trzecia

LIST LXXXVIII
Cecylia Volanges do wicehrabiego de Valmont

Mimo całej radości, jaką sprawiają mi listy kawalera, i mimo szczerej chęci swobodnego widywania się, nie odważyłam się usłuchać pańskich poleceń. Po pierwsze, jest to zbyt niebezpieczne; mama uważa na wszystko, może łatwo spostrzec, wówczas byłabym zgubiona. A potem, zdawało mi się, że to byłoby bardzo niedobrze; podwójny klucz to nie byle co! Prawda, że pan byłby tak dobry się tym zająć; ale gdyby się wydało, na mnie spadłyby również wstyd i wina. Słowem, już dwa razy próbowałam go wziąć i na próżno!

Z pewnością, że to byłoby bardzo łatwe, gdyby o co innego chodziło; ale nie wiem, czemu za każdym razem jakaś mnie drżączka chwyciła; nie mogłam się na to zdobyć. Sądzę więc, że chyba lepiej, aby wszystko już zostało jak dotąd.

Jeżeli pan będzie tak łaskaw i zechce nam pomagać, to zawsze przecież znajdzie się jakiś sposób oddania listu. Nawet z tym ostatnim, gdyby nie to nieszczęście, że pan odwrócił się nagle w stanowczej chwili, byłoby wszystko poszło całkiem gładko. Ja dobrze rozumiem, że pan nie może tak jak ja myśleć jedynie o tym, ale wolę już mieć więcej cierpliwości i nie narażać się tak bardzo. Jestem pewna, że pan Danceny powiedziałby tak jak ja, bo za każdym razem, kiedy chciał coś takiego, co mi sprawiało za wiele przykrości, zawsze się zgadzał, żeby tego nie robić.

Oddam panu równocześnie z tym listem pański list, list Danceny'ego i pana klucz. Niemniej wdzięczna panu jestem serdecznie za dobroć i proszę o dalsze względy. Prawda, jestem bardzo nieszczęśliwa i gdyby nie pan, byłoby jeszcze gorzej, ale, bądź co bądź, zawsze to matka; trzeba znosić niejedno cierpliwie. I byle pan Danceny kochał mnie zawsze, a pan mnie nie opuścił, może nadejdzie przecież czas szczęśliwszy.

Mam zaszczyt być, z głęboką dla pana wdzięcznością, uniżoną i powolną sługą.

26 września 17**

LIST LXXXIX
Wicehrabia de Valmont do kawalera Danceny

Jeżeli twoje sprawy, mój drogi, nie zawsze idą tak szybko, jak byś pragnął, nie do mnie winieneś mieć pretensję. Mam tu niejedną przeszkodę do zwalczenia. Czujność i surowość pani de Volanges to nie wszystko; panienka również niemało sprawia mi kłopotu. Czy nie chce, czy też się boi, ale nie zawsze robi to, co jej radzę, a przecież, zdaje mi się, lepiej chyba wiem, co czynić należy.

Znalazłem prosty, dogodny i pewny sposób doręczania listów, a nawet ułatwienia w przyszłości widzeń, których tyle pragniesz; otóż nie mogłem jej nakłonić do tego sposobu. Jestem tym więcej zmartwiony, że w istocie nie widzę innego środka, a nawet, jak dziś rzeczy stoją, nieustannie lękam się, że możemy się zdradzić. Domyślasz się, że nie mam ochoty ani sam się narażać, ani wystawiać na to was oboje.

Byłoby mi doprawdy bardzo przykro, gdyby brak ufności ze strony panny Cecylii miał udaremnić usługi, z którymi się ofiarowałem; może byłoby dobrze, gdybyś napisał jej coś o tym. Zastanów się, jak chcesz uczynić, do ciebie należy osądzić; nie dość jest służyć przyjaciołom, trzeba im służyć wedle ich myśli! Byłby to może zarazem sposób upewnienia się o jej uczuciach; kobieta, która upiera się przy własnej woli, nie kocha z pewnością tyle, ile powiada.

Nie znaczy to, abym posądzał twą ukochaną o niestałość, ale to jeszcze bardzo młode stworzenie; boi się mamy, która, jak wiesz, czyni, co może, aby ci zaszkodzić; kto wie zatem, czy byłoby bezpiecznie zostawić panienkę zbyt długo bez przypomnienia o sobie. Proszę cię jednak, nie niepokój się nad miarę. W gruncie, nie mam żadnego powodu do wątpienia; jest to może jedynie nadmierna troska przyjaźni.

Nie rozpisuję się dłużej, bo jeszcze mam parę swoich spraw. Co do mnie, jestem w gorszym położeniu od ciebie, ale kocham pewnie nie mniej, a to zawsze pociecha. Gdyby nawet sprawy nie poszły po mojej myśli w tym, co mnie tyczy, powiem, iż dobrze strawiłem czas, jeżeli potrafię stać się tobie użytecznym. Do widzenia, drogi.

Z zamku***, 26 września 17**

LIST XC
Prezydentowa de Tourvel do wicehrabiego de Valmont

Pragnęłabym bardzo, aby ten list nie sprawił panu przykrości lub jeżeli nie da się tego uniknąć, aby przynajmniej mogła ją złagodzić świadomość, iż szczerze ją podzielam. Powinien mnie pan już znać na tyle, aby być pewny, że nie mam chęci dotknąć pana; ale i pan także z pewnością nie chciałby mnie pogrążyć w wiekuistej rozpaczy. Zaklinam pana zatem, w imię tkliwej przyjaźni, jaką przyrzekłam, w imię nawet uczuć, może żywszych, ale z pewnością nie szczerszych, jakie pan ma dla mnie, nie widujmy się już, niech pan odjedzie, aż do tego zaś czasu unikajmy zwłaszcza tych rozmów ustronnych i nazbyt niebezpiecznych, w których ja, mocą jakiejś niewytłumaczonej siły, nigdy nie zdołam panu powiedzieć tego, co postanowiłam, ale, przeciwnie, słucham tego, czego bym słuchać nie powinna.

Wczoraj jeszcze, kiedy się pan spotkał ze mną w parku, jedynym mym zamiarem było powiedzieć to, co dziś piszę w tym liście; i oto – cóż uczyniłam? Zajmowałam się jedynie pańską miłością... miłością, której nigdy nie będzie mi wolno podzielić! Och, przez litość, oddal się ode mnie!

Niech się pan nie lęka, aby oddalenie miało kiedykolwiek zmienić moje uczucia dla pana: jakże zdołałabym je zwyciężyć, kiedy już walczyć z nimi nie mam siły? Widzi pan, mówię panu wszystko; mniej się obawiam wyznać mą słabość niż jej ulec: ale straciwszy władzę nad sercem, chcę przynajmniej zachować ją nad postępkami; tak, i zachowam ją, przysięgłam, choćby za cenę życia.

Ach, jakże niedaleki jest czas, w którym czułam się tak pewna, iż nigdy mi nie przyjdzie staczać podobnych walk! Byłam z tego szczęśliwa; może czułam się zbyt dumna. Niebo ukarało, okrutnie ukarało tę pychę; ale pełne miłosierdzia nawet w chwili, w której zadaje cios, ostrzegło mnie przed upadkiem; byłabym też podwójnie występna, gdybym brnęła dalej, zyskawszy już świadomość, iż zbywa mi siły.

Mówił mi pan sto razy, że nie chciałbyś szczęścia okupionego mymi łzami. Ach, nie mówmy już o szczęściu, ale pozwól mi odzyskać nieco spokoju.

Przychylając się do tej prośby, jakież nowe prawa zdobędziesz w mym sercu! A tych już nie będę musiała zwalczać, bo źródłem ich będzie cnota. Jakże lubować się będę mą wdzięcznością! Będę panu winna słodycz bezmiernego napawania się uczuciem pełnym rozkoszy. Teraz, przeciwnie, przerażona swymi uczuciami, swoim stanem, lękam się nawet myśli o panu; kiedy nie mogę jej uciec, walczę z nią; nie zdołam jej oddalić, ale ją odpycham.

Czyż nie lepiej byłoby dla nas obojga zakończyć tę udrękę? O ty, którego dusza tak wrażliwa nawet wśród błędów zachowała cześć dla cnoty, ty będziesz miał wzgląd na mą niedolę, nie odrzucisz prośby. Węzeł spokojniejszy może, ale nie mniej tkliwy, zajmie miejsce tych gwałtownych wzruszeń; wówczas, oddychając spokojniej dzięki twej dobroci, będę się cieszyła własnym istnieniem, będę sobie mówiła w radości serca: „Tę słodycz winna jestem jemu".

Czyniąc mi te drobne ustępstwa, których panu nie narzucam, ale o które proszę, czy sądzisz, iż zbyt drogo opłacasz koniec mych udręczeń? Ach, gdyby pańskie szczęście trzeba było okupić jeno mym nieszczęściem, może mi pan wierzyć, iż nie wahałabym się ani przez chwilę... Ale stać się występną!... Ach, nie. Raczej umrzeć tysiąc razy!

Dziś już nękana wstydem, nim stanę się pastwą wyrzutów, lękam się innych i lękam się samej siebie; rumienię się w towarzystwie ludzi i drżę w samotności; życie moje jest jedną męczarnią. Spokój mogę osiągnąć jedynie za twą łaską. Oto twoja przyjaciółka, istota, którą kochasz, pokorna i zawstydzona, żebrze u ciebie spokoju i niewinności. Ach, Boże! Gdyby nie pan, czyż mogłoby ją cokolwiek doprowadzić do tej poniżającej prośby? Nie robię panu wyrzutu: zbyt dobrze czuję sama, jak trudno oprzeć się przemożnemu uczuciu. Skarga wszak nie jest szemraniem. Uczyń przez szlachetność to, co ja czynię z obowiązku, a do wszystkich uczuć, jakimi mnie natchnąłeś, dołączę wieczystą wdzięczność. Żegnam, żegnam pana.

27 września 17**

LIST XCI
Wicehrabia de Valmont do prezydentowej de Tourvel

Oszołomiony twoim listem, nie wiem jeszcze, pani, jak zdołam odpowiedzieć. Bez wątpienia, jeśli trzeba wybierać między twoim a moim nieszczęściem, do mnie należy poświęcić się i nie waham się w tym względzie; jednakże rzeczy tej wagi zasługują chyba, aby je rozważyć i wyjaśnić, a jakże to osiągnąć, jeśli nie mamy już mówić ani widzieć się z sobą?

Jak to! Wówczas gdy najsłodsze uczucia nas łączą, błaha obawa miałaby starczyć, aby nas rozdzielić, może bez powrotu! Próżno tkliwa przyjaźń, płomienna miłość upominać się będą o swoje prawa, głos ich brzmieć będzie nadaremno;

i czemu? Gdzież jest to straszne niebezpieczeństwo, które ci zagraża?

Pozwól mi, pani, powiedzieć, iż poznaję tu ślad niekorzystnych o mnie sądów i podszeptów. Nie doznaje się takiego lęku w pobliżu człowieka, którego się szanuje, nie oddala się tego, kogo się uznało godnym odrobiny przyjaźni; tak drżeć i uciekać można jedynie przed człowiekiem niebezpiecznym.

A przecież byłże kto kiedy bardziej pełen szacunku i uleglejszy ode mnie? Oto widzisz, pani, panuję nawet nad moim stylem, nie pozwalam już sobie na owe imiona tak słodkie, tak drogie memu sercu, którymi w skrytości nie przestaję cię darzyć. To już nie kochanek nieszczęsny a wierny przyjmuje wskazówki i pociechę od współczującej i tkliwej przyjaciółki: to oskarżony przed sędzią, niewolnik przed swym panem! Te nowe tytuły wkładają oczywiście nowe obowiązki; gotów jestem dopełnić wszystkich. Wysłuchaj mnie; jeśli mnie potępisz, poddaję się wyrokowi i odjeżdżam. Przyrzekam więcej; czy wolisz despotyzm, który sądzi bez wysłuchania? Czujesz w sobie odwagę do takiej niesprawiedliwości? Rozkazuj: także posłucham.

Ale ten wyrok, ten rozkaz – niech go usłyszę z twoich ust. „Czemu?" – możesz zapytać. Ach, jeśliś zdolna zadać to pytanie, jakże mało znasz i miłość, i moje serce! Czyż to jest nic chcieć widzieć cię jeszcze choćby raz ostatni? Kiedy ty wyrokiem swoim pogrążasz duszę mą w rozpaczy, jedno litosne spojrzenie starczy może, by nie dać mi się pod nią ugiąć. Wreszcie, jeśli trzeba wyrzec się miłości, przyjaźni, dla których jedynie istnieję, chcę, byś przynajmniej ujrzała swe dzieło; zostanie mi twa litość. Opłacam ją dość drogo, aby na nią zasługiwać.

A zatem chcesz mnie oddalić! Godzisz się, abyśmy się stali wzajem sobie obcy! Co mówię? Pragniesz tego; ręcząc, iż nieobecność moja nie osłabi twych uczuć, równocześnie nalegasz na mój odjazd, aby tym łatwiej pracować nad ich zniszczeniem.

Zapominam się: wybacz, pani. Przebacz ten wyraz boleści, którą zbudziłaś w mym sercu; nie zmieni ona w niczym poddania się twej woli. Ale zaklinam cię znów ja, w imię tych uczuć tak słodkich, do których sama się odwołujesz, nie odmawiaj wysłuchania mnie i przez litość bodaj dla mąk, jakie cierpię przez ciebie, nie odwlekaj zbytnio chwili. Żegnam cię, pani.

27 września wieczorem

LIST XCII

Kawaler Danceny do wicehrabiego de Valmont

O mój przyjacielu! List twój ściął mi krew z przerażenia. Cecylia... O Boże! Czy to możebne? Cecylia mnie już nie kocha! Tak, widzę tę okropną prawdę poprzez zasłonę, którą twoja przyjaźń ją okrywa. Chciałeś mnie przygotować na przyjęcie śmiertelnego ciosu; dziękuję ci za względy, ale czyż można okłamać serce kochanka? Mów bez osłonek, możesz i proszę o to. Odsłoń wszystko: to, co zbudziło twoje podejrzenia i co je potwierdziło. Zależy mi na najdrobniejszych szczegółach. Staraj się przede wszystkim przypomnieć sobie jej słowa. Jedno słowo niedokładnie powtórzone może zmienić całe zdanie; jedno i to samo ma niekiedy dwojakie znaczenie... Mogłeś się omylić: niestety, jeszcze próbuję się łudzić! Co ci powiedziała? Czy czyniła mi jakie zarzuty? Czy nie tłumaczy się bodaj? Powinienem był się domyślić tej zmiany z trudności, jakich ona od pewnego czasu dopatruje się we wszystkim. Miłość nie zna tylu przeszkód.

Co teraz czynić? Co radzisz? Gdybym spróbował się z nią widzieć? Czy to zupełnie niemożliwe? Rozłączenie to rzecz tak straszna, tak okrutna... i ona odrzuciła sposób zobaczenia mnie! Nie mówisz, co to był za sposób; jeśli w istocie zbyt niebezpieczny, ona wie dobrze, że nie chcę, aby się zbytnio narażała. Ale znam twą przezorność i na swoje nieszczęście nie mogę wątpić o niej.

Co teraz czynić? Jak pisać do niej? Jeśli jej dam uczuć swoje podejrzenia, zrobię jej może przykrość; nie zniósłbym myśli, iż jestem powodem jej zgryzoty. Ukrywać je znowu przed nią znaczyłoby oszukiwać, a nie umiem być z nią nieszczery.

Och, gdyby mogła wiedzieć, co ja cierpię, wzruszyłaby się mą niedolą. Znam jej tkliwość, serce, mam tysiąc dowodów jej przywiązania. Może to tylko nieśmiałość, trwożliwość: jest tak młoda! Matka obchodzi się z nią tak surowo! Napiszę do niej, będę panował nad sobą, poproszę tylko, aby się zdała najzupełniej na ciebie. Gdyby nawet odmówiła, nie będzie mogła pogniewać się o moją prośbę, a może się zgodzi.

Ciebie, drogi przyjacielu, przepraszam po tysiąc razy za nią i za siebie. Upewniam cię, że ona czuje wartość twego poświęcenia, że wdzięczna ci jest za nie. To nie nieufność, to tylko nieśmiałość. Bądź pobłażliwy: to najpiękniejsze zadanie przyjaźni. Do widzenia; piszę do niej natychmiast.

Czuję, że wszystkie obawy opadają mnie na nowo; czyż mogłem kiedy przypuszczać, że tyle mnie będzie kosztowało pisać do niej! Ach, wczoraj jeszcze było to najsłodszą rozkoszą!

Do widzenia, przyjacielu, nie wypuszczaj mnie z opieki i użal się nade mną.

Paryż, 27 września 17**

LIST XCIII
Kawaler Danceny do Cecylii Volanges
(dołączony do poprzedzającego)

Nie umiem ukryć, do jakiego stopnia się zmartwiłem, dowiadując się od Valmonta o twoim braku zaufania. Wiesz chyba, że jest moim przyjacielem, jedynym człowiekiem, który może nas zbliżyć; mniemałem, że to wystarczy; widzę z przykrością, że się omyliłem. Czy mogę mieć nadzieję, abyś przynajmniej zechciała wyjaśnić mi przyczyny? Czy i w tym zajdą może nowe trudności? Nie zdołam bez twej pomocy odgadnąć tajemnicy tego postępowania. Nie śmiem podejrzewać twej miłości... Ach, Cecylio!...

Więc to prawda, że odrzuciłaś sposób zobaczenia mnie! sposób prosty, łatwy i pewny?* I to się nazywa, że mnie kochasz! Ta krótka rozłąka bardzo snadź zdołała wpłynąć na twe uczucia!

Ale po cóż mnie zwodzić? Po cóż mówić, że kochasz zawsze, że kochasz więcej jeszcze? Niwecząc miłość, czyż matka zniweczyła i twą prostotę?

Powiedz, czy serce twoje zamknięte już dla mnie bez powrotu? Czyś zupełnie zapomniała? Dzięki twej odmowie nie wiem, ani kiedy otrzymasz me skargi, ani kiedy na nie odpowiesz. Odpowiedz przecież, czy to prawda, że mnie już nie kochasz? Nie, to być nie może, ty łudzisz się tylko, spotwarzasz własne serce! Przemijająca obawa, zniechęcenie, które miłość zdołała już rozprószyć, nieprawdaż, Cesiu moja? Ach, tak, z pewnością zawiniłem, iż śmiałem cię oskarżać. Jakiż szczęśliwy byłbym, gdybym się mylił! Jakżebym pragnął obsypywać cię najczulszymi przeprosinami, naprawić tę chwilę krzywdy wiekuistą miłością! Cesiu, Cesiu, miej litość! Zgódź się na widzenie nasze, zgódź się na wszystkie środki! Widzisz, jakie są skutki rozłąki! Obawy, podejrzenia, może chłód! Jedno spojrzenie, jedno słowo i będziemy szczęśliwi. Ale cóż! Czy wolno mi jeszcze mówić o szczęściu? Kto wie, może ono już stracone dla mnie, stracone na zawsze. Dręczony obawą, boleśnie szarpiąc się między niesłusznym podejrzeniem a okrutną rzeczywistością, nie mogę znaleźć oparcia w żadnej myśli; zostało mi z istnienia tylko tyle, abym mógł cierpieć i kochać ciebie. Ach, Cecylio, ty jedna zdolna jesteś pogodzić mnie z życiem, jedno słowo stanie się dla mnie hasłem szczęścia albo wróżbą wiekuistej rozpaczy.

Paryż, 27 września 17**

---

* Danceny nie wie, co to za sposób; powtarza jedynie wyrażenie Valmonta.

LIST XCIV
Cecylia Volanges do kawalera Danceny

Nie rozumiem nic z pana listu prócz tego, że zrobił mi
wielką przykrość. Co panu takiego doniósł pan de Valmont
i co mogło nasunąć przypuszczenie, że pana już nie kocham?
To byłoby może bardzo szczęśliwe dla mnie, bo z pewnością
mniej bym się dręczyła; ciężko jest, doprawdy, kochając, jak
ja kocham, widzieć, że pan ma tylko żal do mnie. Zamiast
żeby mnie pan pocieszył, od pana właśnie spadają na mnie
najcięższe przykrości! Myśli pan, że pana okłamuję i mówię
to, co nie jest! Ładne ma pan doprawdy wyobrażenie! Ale
gdybym nawet była taką kłamczynią, jak pan mi wymawia,
i cóż bym miała za przyczynę kłamać? Z pewnością, gdybym
pana nie kochała, potrzebowałabym tylko powiedzieć i wszyscy chwaliliby mnie jeszcze; ale, na nieszczęście, to nad moje
siły: i to wszystko muszę znosić dla kogoś, kto tego zupełnie
nie ocenia.

Ale cóżem zrobiła, żeby się tak gniewać? Nie odważyłam
się wziąć klucza, bo się bałam, żeby mama nie spostrzegła
i żebym znowu nie miała przykrości; i pan także za mnie;
a potem jeszcze dlatego, bo mi się wydawało, że to niedobrze. Ale to dopiero pan de Valmont mówił mi o tym; nie
mogłam wiedzieć, czy pan sobie życzy, czy nie, bo pan przecie nic nie wiedział. Teraz kiedy wiem, że pan tego pragnie,
czy ja się zarzekam, że nie wezmę klucza? Wezmę zaraz jutro,
a potem zobaczymy, o co pan jeszcze będzie mi robił wymówki.

Pan de Valmont może być sobie pana przyjacielem, ale
zdaje mi się, że ja pana co najmniej tyle kocham co on,
a mimo to on zawsze ma rację u pana, a ja nigdy. To, to mi
bardzo przykro. Panu to wszystko jedno, bo pan wie, że ja się
dam zaraz ułagodzić, ale teraz kiedy będę miała klucz i będę
pana mogła widywać, kiedy zechcę, zaręczam panu, że nie
będę chciała, jeżeli pan będzie postępował w ten sposób.
Może pan być pewny, że gdybym miała swobodę, nigdy by
pan nie miał powodu uskarżać się na mnie, ale jeżeli pan mi

nie będzie wierzył, będziemy bardzo nieszczęśliwi, i to nie moja wina.

Gdybym mogła przewidzieć, wzięłabym ten klucz od razu, ale doprawdy myślałam, że dobrze zrobię. Niechże się pan już nie gniewa, proszę o to. Proszę już nie być smutnym i kochać mnie tak jak ja pana; wtedy będę bardzo rada. Do widzenia, mój drogi panie.

Z zamku***, 28 września 17**

LIST XCV
Cecylia Volanges do wicehrabiego de Valmont

Proszę, aby pan zechciał być tak dobry i dał mi z powrotem klucz, który mi pan wtedy przysłał. Skoro wszyscy sobie tego życzą, muszę się wreszcie i ja zgodzić.

Nie wiem, czemu pan doniósł panu Danceny, że go już nie kocham? Nie rozumiem doprawdy, z czego pan mógł to wywnioskować, a to zrobiło nam obojgu wielką przykrość. Wiem, że pan jest jego przyjacielem, ale to nie powód, żeby go martwić, i mnie także. Będę bardzo obowiązana, jeśli mu pan napisze najbliższym razem, że jest całkiem przeciwnie i że pan jest tego pewny, bo on ma do pana największe zaufanie, a ja, kiedy mówię, a ktoś nie wierzy, to już nie wiem, co mam robić.

Co się tyczy klucza, może pan być spokojny, zapamiętałam wszystko, co pan zalecił. Gdyby mi go pan mógł dać jutro idąc do obiadu, doręczyłabym tamten klucz pojutrze przy śniadaniu, a pan by mi go oddał w ten sam sposób co pierwszy.

Później, kiedy już pan będzie miał ten klucz, zechce pan być tak dobry i posługiwać się nim także, aby odbierać moje listy: w ten sposób pan Danceny będzie miał częściej wiadomości. Prawda, że to będzie o wiele wygodniej niż teraz, ale z początku mnie to bardzo przestraszyło: proszę, niech mi pan wybaczy. Mam nadzieję, że pan nie przestanie mimo to być tak dobry i uczynny jak poprzednio. Będę i za to niezmiernie wdzięczna.

Mam zaszczyt pozostać bardzo uniżoną i powolną sługą.

28 września 17**

LIST XCVI
Wicehrabia de Valmont do markizy de Merteuil

Założę się, markizo, że od czasu twej przygody oczekujesz codziennie powinszowań i komplementów; nie wątpię nawet, że musisz być nieco urażona długim milczeniem: ale cóż chcesz! Zawsze byłem zdania, że gdy kobieta zasługuje tylko na pochwały, można się pod tym względem spuścić na nią i zająć się czym innym. Mimo to dziękuję ci, markizo, za siebie, a winszuję za ciebie. Chętnie nawet, aby dopełnić miary twego zadowolenia, przyznam, że tym razem przeszłaś moje oczekiwanie. A teraz zobaczymy, czy z mej strony ja bodaj w części odpowiedziałem twemu.

Nie o pani de Tourvel mam zamiar ci dziś mówić; zbyt powolny bieg tej miłostki drażni cię, markizo; ty lubisz tylko sprawy ubite. Te scenki nizane powoli, jedna za drugą, nudzą cię, a ja, przeciwnie, nigdy nie zaznałem tylu rozkoszy, ile ich czerpię w tej pozornej opieszałości.

Tak, lubię przyglądać się tej świętej kobiecie, jak się zapuszcza, sama nie wiedząc o tym, na ścieżkę, z której nie ma już powrotu; której szybki i niebezpieczny spadek ciągnie ją mimo jej woli i każe jej dążyć tam, gdzie ja zechcę. Wówczas, przerażona niebezpieczeństwem, jakie nad nią wisi, chciałaby się cofnąć i nie ma siły. Wszystkie wysiłki i starania mogą ledwie zwolnić nieco jej kroki: zatrzymać ich nie mają mocy. Niekiedy, nie śmiejąc spojrzeć w twarz niebezpieczeństwu, zamyka oczy i, współbezwładna, u mnie próbuje szukać opieki i schronienia. Częściej jeszcze nowy lęk ożywia jej wysiłki: w śmiertelnym przestrachu chciałaby jeszcze wrócić wstecz; traci siły na to, aby z największym trudem przebyć nie-

218

znaczną przestrzeń; wkrótce magiczna siła zbliża ją jeszcze do niebezpieczeństwa, przed którym chciała uciekać. Wówczas, mając przy sobie mnie za jedynego przewodnika i podporę, nie próbując mi już czynić wyrzutów za swój nieunikniony upadek, żebrze bodaj zwłoki. Żarliwe modły, prośby, nieśmiałe błagania, z jakimi śmiertelni w momentach trwogi zwracają się do bóstwa – tym wszystkim ja się sycę; i ty chcesz, abym głuchy na jej zaklęcia i niszcząc ten kult, jaki mi święci, użył na jej pogrążenie tej władzy, od której ona spodziewa się ratunku? Och, zostaw mi bodaj czas, abym się napatrzył tym wspaniałym zapasom między miłością a cnotą.

Jak to! To samo widowisko, które każe ci pędzić do teatru, które tam oklaskujesz z takim zapałem, czyż mniemasz, że mniej przykuwa naszą uwagę w rzeczywistości? Uczucia czystej i tkliwej duszy, która lęka się tak upragnionego szczęścia i nie przestaje się bronić nawet wówczas, kiedy przestaje się opierać, te uczucia śledzisz na scenie z napięciem: czyżby miały być obojętne tylko temu, z którego wzięły początek? A oto właśnie rozkosze, jakich ta niebiańska kobieta dostarcza mi co dzień: i ty mi wyrzucasz, że się napawam ich słodyczą! Och, zbyt szybko nadejdzie czas, w którym, strącona z piedestału, stanie się dla mnie jedynie zwykłą kobietą.

Ale zapominam, że nie o tym chciałem mówić. Nic wiem, co za potęga przywiązuje mnie do myśli o niej, chociażby po to, aby jej urągać. Trzeba uprzątnąć z pamięci ten niebezpieczny przedmiot; niech znów stanę się sobą, aby pomówić o weselszym temacie. Chodzi o twoją pupilkę, która stała się i moją; mam nadzieję, że tu poznasz moją rękę.

Od kilku dni lepiej traktowany przez piękną świętoszkę i co za tym idzie, mniej nią pochłonięty, zauważyłem, że mała Volanges jest istotnie bardzo ładna i że, o ile głupstwem jest kochać się w niej, jak to robi Danceny, nie mniejszym byłoby z mej strony nie poszukać u niej rozrywki, która w mojej tutejszej klauzurze dość mi była potrzebna. Ładna buzia, świeże usteczka, dziecinna minka, niezręczność jej nawet, wszystko to umocniło mnie w tej rozsądnej myśli; postanowiłem zatem działać, a powodzenie uwieńczyło zamiar.

Już starasz się odgadnąć, jakimi środkami odsadziłem tak prędko ubóstwianego kochanka, jakie metody uwodzenia okazały się najwłaściwsze dla jej młodej naiwności. Oszczędź sobie trudu, markizo: nie użyłem żadnej. Gdy ty, władając tak szczęśliwie orężem swej płci, zwyciężyłaś chytrością, ja, wracając mężczyźnie jego nieprzedawnione prawa, ujarzmiłem powagą władzy. Pewny ujęcia mej ofiary, jeśli tylko zdołam ją dosięgnąć, potrzebowałem podstępu jedynie po to, aby się zbliżyć; a ten, któregom użył, ledwie zasługuje na miano podstępu.

Drzwi jej sypialni wychodzą na korytarz, ale – jak możesz się domyślić – matka zabrała klucz. Chodziło o to, aby nim zawładnąć. Nic łatwiejszego: dostać ów klucz na dwie godziny, a byłem pewien, iż zdołam się postarać o zupełnie podobny. Wówczas korespondencja, rozmowy, schadzki nocne, wszystko stawało się pewne i dogodne: ale czy uwierzyłabyś? Trwożliwe dzieciątko ulękło się i odmówiło. Inny na moim miejscu opuściłby ręce; ja dostrzegłem tylko sposobność zaostrzenia przyjemności. Napisałem do Danceny'ego ze skargą i sprawiłem się tak dobrze, że nasz amant nie spoczął, póki nie uzyskał, nie wymusił nawet na trwożliwej kochance, aby się zgodziła i tym samym, aby mi się wydała całkowicie w ręce.

Bardzom był rad, wyznaję, z owej zamiany ról, dzięki której młody człowiek uczyniłby dla mnie to, co ja miałem niby to uczynić dla niego. Ta myśl zdwoiła mi wartość przygody; toteż skorom tylko wszedł w posiadanie cennego klucza, pośpieszyłem co rychlej go użyć; było to ubiegłej nocy.

Upewniwszy się, że spokój panuje w pałacu, zbrojny w ślepą latarkę, w stroju usprawiedliwionym późną porą, a stosownym do okoliczności, oddałem pierwszą wizytę twojej wychowance. Wszystko było przygotowane (i to przez nią samą), aby mi ułatwić wejście bez hałasu. Mała spoczywała w pierwszym śnie tak głębokim, iż mogłem podejść do samego łóżka nie obudziwszy jej. Miałem zrazu pokusę posunąć się dalej i odegrać rolę sennego widziadła, ale obawiając się, aby, przestraszona nagle, nie uczyniła hałasu, wolałem ostrożnie zbudzić miluchnego śpioszka.

Uśmierzyłem jej pierwsze obawy; ponieważ zaś nie przybyłem, aby się bawić rozmową, przeszedłem wnet do pozycji z lekka zaczepnej. To pewna, że nie dość pouczono ją w klasztorze, na ile różnych niebezpieczeństw narażona jest trwożliwa niewinność i czego powinna strzec, aby nie wpaść w zasadzkę; skupiając bowiem uwagę i wszystkie siły na obronę przed pocałunkiem, który był jeno fałszywym atakiem, resztę pozostawiła bez żadnej opieki: jakże było nie korzystać? Zmieniłem tedy marszrutę i w jednej chwili opanowałem placówkę. Przez chwilę myślałem już, żeśmy zgubieni oboje, gdyż dziewczynka, oburzona, chciała, naprawdę krzyczeć; szczęściem głos załamał się w płaczu. Rzuciła się również do dzwonka, ale udało mi się w porę zatrzymać jej rękę.

„Co robisz, dziewczyno – rzekłem – chcesz zgubić się na zawsze? Niech przyjdą, i cóż mnie to szkodzi? Kogo przekonasz, że nie jestem tu za twoją zgodą? Któż, jak nie ty, mógł mi dostarczyć środków po temu? A ten klucz, który mam od ciebie, który mogłem mieć od ciebie tylko? Czy podejmujesz się go wytłumaczyć?" Ta krótka przemowa nie uśmierzyła jej żalu ani gniewu, ale poskromiła bodaj opór.

Mała, pogrążona w rozpaczy, czuła wszakże, że trzeba się pogodzić z położeniem i wejść w układy. Ponieważ prośby nie skutkowały, należało spróbować okupu. Mniemasz, że bardzo drogo sprzedałem to ważne stanowisko? Gdzie tam! Zobowiązałem się do wszystkiego za jeden pocałunek. Prawda, że po tym pocałunku nie dotrzymałem obietnicy, ale miałem powody! Czyśmy się umówili, że ja mam pocałować ją, czy ona mnie? Targ w targ, zgodziliśmy się na drugi, w którym już ona była zobowiązana do współudziału. Wówczas, owinąwszy jej trwożliwe ramiona dokoła mej szyi i tuląc ją miłośnie do piersi, sprawiłem, iż słodki pocałunek w istocie został przyjęty, i to dobrze, szczerze przyjęty, tak, że Miłość sama nie umiałaby zrobić lepiej.

Tyle ufności zasługiwało na nagrodę; toteż spełniłem natychmiast żądanie... Ręka cofnęła się, ale nie wiem jakim cudem, ja sam znalazłem się na jej miejscu. Wyobrażasz sobie, iż teraz rozwinąłem cały pośpiech i energię, nieprawdaż? Wcale nie. Powtarzam ci, markizo, zasmakowałem w tych powolnych etapach. Skoro raz się jest pewnym przybycia do celu, po cóż naglić z podróżą?

W istocie, jakąż potęgą jest sposobność! Oto mogłem ją śledzić w najczystszej postaci, wyzutą z wszelkiej obcej przymieszki. Miałem tu przecież do zwalczenia miłość, i to miłość wspomaganą uczuciem obawy i wstydu, i gniewu; jedynie sposobność była po mojej stronie, ale była tuż, ciągle gotowa, wciąż przytomna, a Miłość była daleko...

Aby wzmocnić swoje spostrzeżenia, byłem na tyle złośliwy, iż prawie nie używałem siły. Jedynie gdy urocza nieprzyjaciółka nadużywając mej ustępliwości miała się wymknąć, wówczas powstrzymałem ją tą samą obawą, która już raz osiągnęła tak szczęśliwy skutek. Otóż bez żadnych innych starań udało mi się doprowadzić tkliwą kochankę do tego, iż zapominając przysiąg zrazu ustąpiła, następnie zaś i poddała się losowi. Wprawdzie po tej pierwszej chwili łzy i wyrzekania – nie wiem, szczere czy udane – wróciły na zawołanie, ale jak zawsze bywa, ustąpiły rychło, skoro tylko spróbowałem dostarczyć im nowej przyczyny. Wreszcie, przeplatając chwile słabości wymówkami, a wymówki nową słabością, rozstaliśmy się zupełnie radzi z siebie nawzajem, umówiwszy wprzód za wspólną zgodą nową schadzkę na dziś wieczór.

Wróciłem do siebie dopiero o świcie upadając ze znużenia i senności, pokonałem jednak i jedno, i drugie dla przyjemności zjawienia się przy śniadaniu. Lubię, namiętnie lubię te minki „nazajutrz". Nie masz pojęcia, jak ten malec wyglądał! Cóż za zakłopotanie! Co za niepewny chód! Oczy spuszczone bez ustanku, a duże, a podkrążone! Ta buzia, tak okrągła, jakże się wyciągnęła! Nie wyobrażasz sobie nic zabawniejszego. Pierwszy raz matka, zaniepokojona tą zmianą, zwracała się do niej z troskliwą czułością; toż samo prezydentowa jakże się koło niej krzątała! Och, co do tej, mam nadzieję, że przyjdzie dzień, w którym i ona z kolei stanie się godną takich samych starań; dzień już niedaleko. Do widzenia, piękna przyjaciółko.

Z zamku***, 1 października 17**

LIST XCVII
Cecylia Volanges do markizy de Merteuil

Och, mój Boże, pani złota, jaka ja zmartwiona! Jaka ja nieszczęśliwa! Kto mnie pocieszy? Kto mi poradzi w tym strasznym kłopocie? Ten pan de Valmont... i Danceny! Nie, myśl o Dancenym doprowadza mnie do rozpaczy... Jak to opowiedzieć? Jak się przyznać?... Nie wiem, jak to zrobić. Ale muszę, muszę powiedzieć komuś, a pani jest jedyna, której mogę, której ośmielę się zwierzyć. Pani zawsze taka dobra! Ale w tej chwili niech pani nie będzie dobra, nie jestem warta, nie chciałabym nawet tego. Wszyscy dziś byli dla mnie tacy dobrzy, tacy troskliwi... i jeszcze ciężej mi było na sercu. Tak, czułam, że nie zasługuję na to! Owszem, niech mnie pani łaje, mocno łaje, bo jestem bardzo niegodziwa, ale potem niech mnie pani ratuje; jeżeli pani nie zlituje się i nie poradzi, umrę chyba ze zmartwienia.

Powiem więc... ręka mi drży, jak pani widzi, nie mogę prawie pisać, czuję, że twarz mam w ogniu... Och, to rumieniec wstydu! Dobrze więc, zniosę ten wstyd; to będzie pierwsza kara. Tak, powiem wszystko.

Powiem pani zatem, że pan de Valmont, który dotąd doręczał mi listy pana Danceny, dopatrzył się nagle ogromnych trudności i koniecznie chciał mieć klucz od mego pokoju. Mogę panią zapewnić, że ja nie chciałam, ale on napisał do niego i Danceny też tego żądał. Mnie jest tak ciężko, kiedy muszę mu czegoś odmówić, zwłaszcza od czasu rozstania, nad którym on tak cierpi, że nareszcie musiałam się zgodzić. Nie przewidywałam, co za straszne rzeczy stąd wynikną.

Za pomocą tego klucza pan de Valmont wszedł wczoraj do mego pokoju, kiedy spałam. Nie spodziewałam się ani trochę i strasznie się przelękłam; ale ponieważ zaraz zagadał do mnie, poznałam go i nie krzyczałam, a potem przyszło mi na myśl, że on może przyszedł, aby mi oddać list od niego. Wcale nie po to. W chwileczkę potem chciał mnie pocałować; ja się oczywiście broniłam; wtedy on tak zrobił, że za żadne skarby świata bym nie chciała..., ale on żądał, żeby go przedtem pocałować. Nie było innej rady, cóż miałam robić? Próbowałam wołać o pomoc, ale po pierwsze nie mogłam, a potem on mi powiedział, że gdyby ktoś przyszedł, potrafi zrzucić całą winę na mnie; i mógłby naprawdę z powodu tego klucza! A potem on też się nie usunął. Chciał, żeby go jeszcze pocałować: tym razem nie wiem, co to było takiego, ale tak mi się dziwnie zrobiło; a potem to było jeszcze gorzej niż przedtem. O, to, to było bardzo niedobrze. Słowem... niech pani złota nie żąda, aby mówić wszystko, jak było; jestem tak strasznie nieszczęśliwa, że już nie wiem, co począć.

Najwięcej sobie wyrzucam (do tego koniecznie muszę się przyznać), że ja może nie broniłam się tyle, ile miałam siły. Nie wiem, jak się to stało: nie kocham przecież pana de Valmont; całkiem przeciwnie; a były chwile, w których tak mi się działo, jakbym kochała. Wyobraża pani sobie, że mimo to ciągle mówiłam, że nie, ale sama czułam, że nie robię tak, jak mówię; to było jakby mimo mojej woli; a potem znowu tak mi się dziwnie robiło! Jeżeli to zawsze tak trudno jest się bronić, to trzeba być bardzo wprawioną do tego! To prawda, że pan de Valmont ma taki sposób mówienia, że nie wiadomo, co odpowiedzieć; czy pani uwierzy, kiedy już odchodził miałam uczucie, jakbym była zmartwiona, i tak jakoś nie umiałam się wymówić, że zgodziłam się, aby znów przyszedł dziś wieczór; to mnie gryzie bardziej jeszcze niż wszystko.

Och, mimo to przyrzekam pani święcie, że nie pozwolę mu przyjść dzisiaj. Ledwie poszedł, ja już uczułam, że bardzo źle zrobiłam, że przyrzekłam. Toteż płakałam potem calutki czas. Zwłaszcza za każdym razem, kiedy pomyślałam o Dancenym, płacz chwytał mnie na nowo, dławiłam się po prostu, a wciąż o nim myślałam... I teraz jeszcze, widzi pani: o, papier całkiem mokry. Nie, nie pocieszę się nigdy, chociażby tylko za niego... Wreszcie nie stało mi już sił do płakania, a mimo to nie mogłam zasnąć ani na minutę. Dziś rano przy wstawaniu, kiedy popatrzyłam w lustro, aż się przelękłam, taka byłam zmieniona.

Mama zauważyła to, jak tylko mnie zobaczyła, i pytała, co mi jest. Zaczęłam znowu płakać. Myślałam, że mnie wyłaje, i może by mi to zrobiło mniej przykrości: ale przeciwnie. Mówiła tak łagodnie jak nigdy. Niewarta byłam tego. Mówiła, żebym się nie martwiła. Bo ona nie wiedziała, czemu ja się martwię. Że się jeszcze doprowadzę do choroby! Są chwile, w których bym chciała, żeby już umrzeć. Nie mogłam dłużej wytrzymać. Rzuciłam się jej w ramiona szlochając i mówiąc: „Och, mamo, bardzo jestem nieszczęśliwa!" Mama też nie mogła się powstrzymać od płaczu, a mnie coraz gorzej się robiło na sercu. Na szczęście nie zapytała, z czego jestem taka nieszczęśliwa, bo nie wiedziałabym, co odpowiedzieć.

Błagam panią, złota pani, niech mi pani odpisze jak najprędzej i niech mi pani powie, co robić: bo nie mam odwagi myśleć o niczym i tylko się martwię ciągle. Niech pani będzie tak dobra przesłać list przez pana de Valmont; ale proszę bardzo, jeżeli będzie pani równocześnie pisała do niego, niech mu pani nie zdradzi, że ja coś powiedziałam.

Mam zaszczyt być, z całą serdeczną przyjaźnią, jej bardzo uniżoną i powolną sługą.

Nie śmiem podpisać tego listu.

Z zamku***, 1 października 17**

LIST XCVIII
Pani de Volanges do markizy de Merteuil

Niewiele dni, urocza przyjaciółko, upłynęło od czasu, jak
zwracałaś się do mnie o słowa pociechy i rady; dziś na mnie
przyszła kolej, ja udaję się do ciebie z podobną prośbą. Mam
ciężką zgryzotę, a obawiam się, czy dobrą obrałam drogę dla
zaradzenia złemu.

Niespokojna jestem o córkę. Od wyjazdu widziałam, co
prawda, że jest ciągle smutna i zgnębiona, ale byłam na
to przygotowana; uzbroiłam serce matki konieczną, wedle
mnie, surowością. Miałam nadzieję, że oddalenie, rozrywki
zniweczą wkrótce tę miłość, którą uważałam raczej za wyb-
ryk dzieciństwa niż za prawdziwą namiętność. Tymczasem
nie tylko pobyt tutaj nic nie poprawił, ale, przeciwnie, widzę,
że to dziecko pogrąża się coraz głębiej w melancholii; słowem, obawiam się na dobre, aby zdrowie jej nie ucierpiało.
Od kilku dni zmieniła się w oczach. Wczoraj zwłaszcza uderzyło mnie to, i nie tylko mnie: cały dom był zaniepokojony.

Do jakiego stopnia smutek jej jest głęboki, widzę stąd, iż
chwilami bierze górę nad zwykłą jej nieświadomością. Wczoraj rano na proste zapytanie, czy nie jest chora, rzuciła mi się
w ramiona, mówiąc, że jest bardzo nieszczęśliwa; zanosiła się
od płaczu. Nie umiem opisać, jaką mi to przykrość zrobiło;
mnie samej łzy napłynęły do oczu; ledwie zdążyłam się odwrócić, aby ich nie pokazać. Szczęściem, miałam tyle rozwagi, iż nie spytałam o nic, a ona też nie śmiała powiedzieć więcej, ale nie ma wątpienia, że ta nieszczęśliwa miłość tak ją
dręczy.

Co począć, jeśli to będzie trwało? Mamż unieszczęśliwiać
własną córkę? Mam przeciw niej obracać najcenniejsze przymioty duszy, jakimi są tkliwość i stałość? Czyż na to jestem
matką? A gdybym nawet zdusiła owo naturalne uczucie, które nam każe pragnąć szczęścia dzieci; gdybym uważała za
naganną słabość to, co mam, przeciwnie, za najpierwszy, naj-
świętszy obowiązek; jeśli pogwałcę jej wybór, czy nie przyjdzie mi odpowiadać za następstwa, jakie stąd mogą wy-

niknąć? Godziż się używać matczynej powagi na to, aby stawiać córkę między nieszczęściem i zbrodnią?

Pojmujesz, droga przyjaciółko, że nie chciałabym popaść w to, co potępiałam tak często. Zapewne mogłam się kusić o pokierowanie jej wyborem; przychodziłam jej w tym jedynie w pomoc swoim doświadczeniem: nie korzystałam z praw, ale dopełniałam obowiązku. Postąpiłabym natomiast wbrew obowiązkom, gdybym chciała niewolić ją przemocą, depcąc skłonność, której obudzeniu się nie umiałam zapobiec, a z której głębi i trwałości ani ona, ani ja nie możemy sobie zdać sprawy dzisiaj. Nie, nie dopuszczę, aby córka miała wstąpić w dom męża kochając innego; wolę raczej narazić na szwank swoją powagę aniżeli jej cnotę.

Sądzę tedy, że najrozsądniejszą rzeczą będzie po prostu cofnąć słowo dane panu de Gercourt. Odsłoniłam ci swoje pobudki; wydają mi się ważniejsze niż to zobowiązanie. Powiem więcej: w obecnym stanie rzeczy dopełnić zobowiązań znaczyłoby je pogwałcić. Przypuściwszy bowiem, iż winna jestem córce, aby nie zdradzać jej tajemnic panu de Gercourt, to winna jestem znów jemu co najmniej tyle, by nie nadużywać jego nieświadomości i uczynić zań wszystko, co mniemam – że sam by uczynił, gdyby znał okoliczności. Czy mam, przeciwnie, zdradzić jego zaufanie, kiedy on zdaje się na mą dobrą wiarę? Te skrupuły i refleksje, którym nie mogę się opędzić, niepokoją mnie bardziej, niż umiem wyrazić.

Z tymi nieszczęściami, których obrazu nie mogę się pozbyć, zestawiam szczęście córki przy boku męża, którego serce jej wybrało; w pożyciu, którego obowiązki stałyby się dla niej jedynie słodyczą, w którym każde z nich szukałoby własnego szczęścia jedynie w szczęściu drugiego, mnożąc radość kochającej matki! Czyż godzi się dla czczych względów poświęcać nadzieję tak jasnej przyszłości? I jakież względy mogą tu grać rolę? Jedynie materialne. Jakąż korzyść miałaby moja córka stąd, że się urodziła bogatą, gdyby mimo to miała zostać niewolnicą majątku!

Przyznaję, że pan de Gercourt jest dla mej córki partią nadspodziewanie świetną; przyznaję nawet, iż wybór, jakim ją zaszczycił, pochlebił mi niezmiernie. Ale wszak Danceny jest z rodziny równie dobrej, nie ustępuje mu pod względem wartości osobistej, a posiada tę przewagę, że kocha i jest kochany. Niebogaty – to prawda, ale czyż Cesia nie ma dosyć na dwoje? Ach, czemuż jej wydzierać tę radość, iż będzie mogła otoczyć dostatkiem tego, którego kocha!

Te związki, które oblicza się zamiast je dobierać, te tak zwane małżeństwa z rozsądku, gdzie, istotnie, jest wszystko, czego rozsądek wymaga, z wyjątkiem zgodności uczuć i charakterów, czyż nie one są najobfitszym źródłem zgorszenia, które staje się co dzień częstsze? Wolę raczej rzecz odłożyć; obrócę ten czas na głębsze poznanie córki, czego może dotąd nieco zaniedbałam. Czuję odwagę narażenia jej na chwilową przykrość, jeśli w zamian ma otrzymać pewniejsze i trwalsze szczęście, ale rzucać ją na pastwę wieczystej może rozpaczy, nie, nie mam serca!

Oto, droga przyjaciółko, myśli, które mnie dręczą i co do których proszę cię o radę. Powaga tego przedmiotu odbija od twej miłej pustoty i na pozór nie licuje z twoim wiekiem, ale rozum o tyle wyprzedził twoje lata! Zresztą przyjaźń dla mnie przyjdzie z pomocą twej roztropności; wiem, że nie odmówisz pomocy strapionej matce, która się zwraca do ciebie z całym zaufaniem.

Do widzenia, urocza przyjaciółko; nie wątp o szczerości mych uczuć.

Z zamku***, 2 października 17**

LIST XCIX
Wicehrabia de Valmont do markizy de Merteuil

Znowu same drobiazgi, moja piękna przyjaciółko; uzbrój się tedy w cierpliwość, nawet w wiele cierpliwości: gdy bowiem piękna prezydentowa postępuje ledwo krok za krokiem, twoja pupilka cofa się, a to jeszcze gorzej. Mimo to bawię się doskonale tymi głupstewkami; pogodziłem się zupełnie z pobytem tutaj i mogę rzec, że w tym smutnym zamczysku nieśmiertelnej ciotki nie zaznałem dotąd ani chwili nudów. W istocie, czyż nie przeżywam tu uciech, zawodow, nadziei, niepewności? Cóż więcej mieć można na wielkiej arenie? Widzów? Ba, pozwól mi tylko działać, a i tych nie zbraknie. Jeśli nie oglądają mnie przy robocie, pokażę im skończone dzieło; pozostanie im jedynie podziwiać i oklaskiwać. Tak, oklaskiwać; dziś bowiem mogę już przepowiedzieć z całą pewnością chwilę upadku surowej świętoszki. Dziś wieczór patrzyłem na agonię jej cnoty. Resztki jej ustąpią niebawem miejsca słodkiemu poddaniu. Mniemam, iż moment ów nastąpi za najbliższym spotkaniem; ale stąd słyszę już, markizo, jak karcisz mą zarozumiałość... Zapowiadać zwycięstwo, chełpić się z góry! No, no, proszę, uspokój się! Aby ci udowodnić mą skromność, zacznę od skreślenia dziejów mej porażki.

Doprawdy, twoja pupilka to pocieszna istota! Istne dziecko, z którym trzeba by postępować jak z dzieckiem, stawiając je po prostu w razie nieposłuszeństwa na pokucie! Czy uwierzyłabyś, że po tym, co zaszło przedwczoraj, i po najbardziej serdecznym rozstaniu, dziś wieczór, kiedy chciałem znów zajść do niej, jak było umówione, zastałem drzwi zamknięte? Cóż ty na to? Trafiają się takie dzieciństwa w przeddzień; ale nazajutrz! To już zbyt śmieszne!

Mimo to nie śmiałem się w tej chwili; nigdy nie czułem tak jak wówczas, do jakiego stopnia charakter mój nie znosi żadnej zapory. Szedłem na schadzkę bez wielkiej ochoty, jedynie przez uprzejmość. Własne łóżko było mi w tej chwili o wiele pożądańsze niż czyjekolwiek inne i oddaliłem się od niego niemal z żalem. Ale kiedy spotkałem przeszkodę, byłbym nie wiem co zrobił, aby ją pokonać; upokarzało mnie zwłaszcza, aby takie dziecko ośmieliło się igrać ze mną. Wróciłem bardzo podrażniony. W intencji niezajmowania się więcej głupim bębnem ani jego głupimi sprawami, skreśliłem na poczekaniu bilecik, który miałem zamiar doręczyć jej dzisiaj, a w którym obszedłem się z nią tak, jak zasługuje. Ale, jak to mówią, noc przynosi dobrą radę; otóż rozmyśliłem się dziś rano, doszedłszy do przekonania, iż wobec szczupłego wyboru rozrywek, jakimi tu rozporządzam, nie trzeba wyrzekać się tej, którą mam pod ręką; zniszczyłem tedy ów zbyt surowy bilecik. Zastanowiwszy się głębiej, nie mogę pojąć, jak mogłem, doprawdy, chcieć skończyć tę przygodę, nim będę miał w ręku wszystko, czego trzeba, aby zgubić jej bohaterkę. Na jakie bezdroża może zawieść pierwsze uniesienie! Szczęśliw, piękna przyjaciółko, kto, jak ty, nauczył się nigdy mu nie ulegać! Słowem, odwlokłem zemstę; uczyniłem to poświęcenie ze względu na twoje zamiary co do Gercourta.

Teraz kiedy gniew minął, postępek małej wydaje mi się jedynie śmieszny. Chciałbym widzieć, co ona chce osiągnąć! Wyznaję, iż próżno silę się zgadnąć: jeżeli chodzi o obronę, trzeba przyznać, że wzięła się do niej trochę późno. Któregoś dnia będzie mi musiała wyjaśnić słowo zagadki! Wielką miałbym ochotę się dowiedzieć. A może po prostu czuła się tylko zmęczona? To możliwe z pewnością; nie wie bowiem jeszcze, że groty miłości, jak lanca Achillesa, mają władzę gojenia ran, które zadają. Ale nie: sądząc z jej grymasów przez cały dzień, założyłbym się, że to chodzi o wyrzuty... ot... coś takiego... coś jak gdyby cnota... Cnota!... Jej to przystało się w nią ubierać? Ach, niech ją zostawi kobiecie naprawdę stworzonej dla cnoty, jedynej, która umie ją stroić wdziękiem, która każe ją uwielbiać niemal!... Daruj mi, piękna przyjaciółko, ale właśnie tego wieczora rozegrała się między panią de Tourvel a mną scena, z której mam ci zdać sprawę i po której jeszcze dotąd jestem nieco wzruszony. Siłą muszę się niewolić, aby ochłonąć z wrażenia; aby w tym sobie pomóc, siadłem do pisania. Bądź więc wyrozumiała, markizo.

Od kilku dni nastąpiło zupełne porozumienie między panią de Tourvel a mną co do jednomyślności uczuć; spieramy się już tylko o słowa. Dotychczas na moją m i ł o ś ć odpowiadała ze swej strony p r z y j a ź n i ą, ale ten układ, czysto słowny, nie zmienił istoty samej rzeczy; ta droga byłaby nas może mniej szybko, ale nie mniej pewnie zawiodła do celu. Już nie było mowy nawet o oddaleniu mnie, jak tego zrazu żądała; co się zaś tyczy rozmów sam na sam, jakie miewamy co dzień, to jeśli ja robię, co mogę, aby dostarczyć sposobności, ona chwyta te sposobności wcale skwapliwie.

Ponieważ zazwyczaj nasze niewinne spotkania odbywają się pod pozorem przechadzki, dzisiejszy szkaradny czas nie pozwalał mi się niczego spodziewać: byłem tym mocno podrażniony, nie przewidując, ile mam zyskać na mniemanej przeszkodzie.

Po obiedzie, nie mogąc wyjść, wszyscy siedli do gry; że zaś ja grywam bez zapału, a obecnie nie jestem niezbędny, udałem się na tę chwilę do siebie.

Właśnie wracałem, aby odszukać towarzystwo, kiedy spotkałem tę uroczą kobietę, gdy wchodziła do swego pokoju. Nie wiem, czy to była nierozwaga, czy słabość, ale rzekła słodkim głosem: „Dokąd pan idzie? Nie ma w salonie nikogo". Domyślasz się, markizo, iż spróbowałem dostać się do jej pokoju; napotkałem na mniej oporu, niż mogłem przypuszczać. To prawda, miałem ten spryt, aby rozpocząć przy drzwiach rozmowę, i to w najniewinniejszym tonie; ale ledwie znaleźliśmy się za drzwiami, natychmiast wróciłem do istotnego wątku i zacząłem mej przyjaciółce prawić o miłości. Pierwsza jej odpowiedź, jakkolwiek prosta, wydała mi się dość wymowna. „Och, proszę, nie mówmy o tym tutaj" – rzekła, przy czym drżała na całym ciele. Biedna kobieta! Czuje, iż nadchodzi ostatnia jej godzina.

Mimo to obawy jej były płonne. Od niejakiego czasu, pewny zwycięstwa dziś lub jutro i widząc, ile ona zużywa sił na bezcelowe utarczki, postanowiłem oszczędzać się i czekać spokojnie, aż się sama podda ze znużenia. Pojmujesz, że tutaj potrzeba mi, aby tryumf był zupełny, i że nie chcę nic zawdzięczać sposobności. Zgodnie z planem utrzymania się w pozycji zaczepnej, nie posuwając się jednak zbyt daleko, wróciłem umyślnie do słowa „miłość", odtrącanego z takim uporem; pewien zaś, iż nie wątpi o ogniu mych uczuć, uderzyłem w ton bardziej tkliwy. Opór ten nie gniewał mnie już, ale mnie zasmucał; czyż tkliwa przyjaciółka nie była mi winna nieco pociechy?

Wśród tego pocieszania ręka jej zaplątała się w moich,

wdzięczne ciało oparło się o me ramię i znaleźliśmy się niezmiernie blisko. Zauważyłaś pewno nieraz, jak w tym położeniu, w miarę jak obrona słabnie, prośby i odmowę wy-
mienia się bardziej z bliska; jak głowa się odwraca i spojrzenia uciekają w dół, gdy słowa, szeptane omdlewającym
głosem, stają się przerywane i rzadkie. Te szacowne objawy
zwiastują w sposób niedwuznaczny przyzwolenie duszy; nie
znaczy to jednak, aby się ono przedostało aż do zmysłów.
Sądzę nawet, że bardzo niebezpiecznie jest podejmować
wówczas jakieś wyraźniejsze usiłowania: ponieważ ten stan
wpółoddania się połączony jest zawsze z uczuciem niezmier-
nej błogości, wyrywając z niego kobietę niejako przemocą,
budzi się zawsze żal, który znów dodaje siły do obrony. Dlatego nie nacierałem, nie błagałem o nic: nie żądałem nawet,
by usta jej wyrzekły tak lube wyznanie; gotów byłem zadowolić się spojrzeniem. Jedno spojrzenie, a byłbym szczęśliwy.

Jakoż słodkie jej oczy podniosły się na mnie; niebiańskie
usta wymówiły nawet: „Więc dobrze! Tak, ja..." Ale nagle
wzrok zamglił się, głos załamał, anielska kobieta osunęła mi
się w ramiona. Ledwie miałem czas ją podtrzymać, kiedy wyrywając się z mych objęć z konwulsyjną siłą, z błędnym spojrzeniem i z rękami wzniesionymi ku niebu: „O Boże, o mój
Boże, ocal mnie!" – wykrzyknęła i natychmiast, szybsza od
błyskawicy, znalazła się na kolanach o dziesięć kroków ode
mnie. Widziałem, że bliska jest omdlenia.

Podbiegłem ją ratować, ale ona, ujmując moje ręce, które oblewała łzami, chwilami nawet obejmując me kolana,
wołała: „Tak, ty, ty sam, ty mnie ocalisz! Nie chcesz wszak
mojej śmierci, zostaw mnie; ratuj; zostaw, na miłość boską,
zostaw". Te bezładne słowa ledwie dobywały się z piersi,
tłumione łkaniem. Mimo to trzymała mnie z mocą, która nie
pozwalała mi się ruszyć z miejsca; wówczas, zbierając siły,
podniosłem ją. W tej chwili płacz ustał; nie mówiła już nic,
członki zesztywniały i gwałtowne konwulsje nastąpiły po tej
burzy.

Wyznaję, że byłem wzruszony, i mniemam, iż byłbym
ustąpił prośbom, gdyby nawet okoliczności nie zmuszały

mnie do tego. Ułożywszy ją spokojnie, zostawiłem ją, jak prosiła, i szczerze rad z tego jestem. Już teraz zebrałem owoce mej wspaniałomyślności.

Przypuszczałem, iż podobnie jak w dniu pierwszego wyznania, moja pani nie pojawi się wieczorem w salonie. Ale koło ósmej zeszła; oznajmiła jedynie, że czuła się po południu bardzo niezdrowa. Twarz miała zmęczoną, głos słaby, a w obejściu czuć było zakłopotanie, ale spojrzenie było pełne słodyczy i nieraz zwracało się ku mnie. Ponieważ prezydentowa nie chciała wziąć udziału w grze, ja musiałem zająć jej miejsce; siadła tuż przy mnie. Podczas kolacji została w salonie sama. Za powrotem spostrzegłem, że płakała: aby się upewnić o tym, uczyniłem uwagę, iż, jak się zdaje, nie przyszła jeszcze do siebie, na co odpowiedziała bez gniewu: „To cierpienie nie mija tak prędko, jak przychodzi". Wreszcie, kiedy się wszyscy rozchodzili, podałem jej rękę, którą, wchodząc do swego pokoju, uócionęła z całej siły. Prawda, że czyniła to jakby mimowolnie, ale tym lepiej: to jedna próba więcej mojej władzy.

Założyłbym się, że w tej chwili bardzo jest rada, iż doszła do tego punktu; wszystkie trudy przebyte, pozostaje tylko cieszyć się ich owocem. Być może, gdy ja ci to piszę, ona już syci się tą rozkoszną myślą; a gdyby nawet, przeciwnie, roiła nowy plan obrony, czyż nie wiemy, dokąd prowadzą wszystkie takie zamiary? Sama powiedz, markizo, czy przełom nie jest nieunikniony, i to za najbliższym spojrzeniem? Domyślam się, oczywiście, że ostateczne ustępstwo nie obejdzie się bez jakichś historii; ale ostatecznie, skoro taka cnotka zdecyduje się na pierwszy krok, nic jej już nie zatrzyma. U nich miłość to istny wybuch prochu; opór pomnaża jedynie siłę. Dziś ta skromnisia popędziłaby za mną, gdybym ja przestał upędzać się za nią.

Słowem, piękna przyjaciółko, tuż, tuż, a zjawię się, aby cię zmusić do dotrzymania słowa. Nie zapomniałaś może, coś mi przyrzekła po tryumfie? Małą niewierność swemu kawalerowi; czyś gotowa, markizo? Co do mnie, pragnę tego tak,

233

jak gdybyśmy się nigdy nie byli znali. Zresztą, znać cię, markizo, czyż to nie jest przyczyną, aby cię pragnąć tym więcej:

Nie dwornym jestem, pani, sprawiedliwym jeno*.

Toteż będzie to pierwsza niewierność, jakiej dopuszczę się względem mej skromnisi: przyrzekam ci skorzystać z pierwszego pozoru, aby się wymknąć bodaj na dwadzieścia cztery godziny. Będzie to kara za to, że mnie trzymała na poście tak długo. Czy wiesz, że już przeszło dwa miesiące, jak mnie zaprząta ta przygoda? Tak: dwa miesiące i trzy dni; prawda, że liczę już jutrzejszy dzień, bo jutro dopiero spełni się wreszcie ofiara. To mi przypomina, że panna de B*** opierała się całe trzy miesiące. Rad będę stwierdzić, że prosta zalotność umie się zdobyć na więcej siły niż surowa cnota.

Do widzenia, piękna przyjaciółko; trzeba się rozstać, późno już. Ten list zajął mnie dłużej, niż przypuszczałem: ale ponieważ posyłam jutro rano umyślnego do Paryża, chciałem skorzystać z tego, abyś mogła podzielić o dzień wcześniej radość przyjaciela.

Z zamku***, 2 października 17**, wieczorem

LIST C
Wicehrabia de Valmont do markizy de Merteuil

Markizo, oszukano mnie, zdradzono; jestem w rozpaczy: pani de Tourvel wyjechała. Wyjechała i ja nic nie wiedziałem! I nie było mnie, aby sprzeciwić się ucieczce, aby jej rzucić w oczy niegodną zdradę! Ach, nie sądź, że pozwoliłbym jej wyjechać; byłaby została; tak, byłaby została, choćby mi przyszło użyć przemocy. Ale cóż! Spokojny, łatwowierny, spałem sobie bez troski: spałem, a piorun ugodził mnie we

---

* Voltaire, *Comédie de Nanine*. [Boy nie zrozumiał przypisu, który winien oczywiście brzmieć: Voltaire, komedia *Nanine* – A. S.].

śnie. Nie, nie rozumiem nic tego wyjazdu; w ogóle to daremny wysiłek chcieć rozumieć kobietę!

Kiedy sobie przypomnę wczorajszy dzień! Co mówię, wieczór nawet! To spojrzenie tak słodkie, głos tak tkliwy! To ściśnięcie ręki! I przez ten czas ona gotowała ucieczkę! O kobiety! Kobiety! I wy się skarżycie, skoro się was zwodzi!

Z jakąż rozkoszą mścić się będę! Bo ja ją znajdę, tę przewrotną; odzyskam władzę! Jeżeli miłość sama umiała znaleźć środki, czegóż nie dokona wspomagana zemstą? Ujrzę ją na kolanach, drżącą, zalaną łzami, błagającą o łaskę swym kłamliwym głosem; ale będę bez litości.

Co ona robi teraz? Co myśli? Może czuje się dumna, iż zdołała mnie oszukać. Tego, czego nie mogła zdziałać tyle wysławiana cnota, dokonał instynkt zdrady. I musieć łykać to upokorzenie! Móc okazywać jeno tkliwą boleść, gdy serce kipi wściekłością! Musieć jeszcze błagać zuchwałą, która wyłamała się spod mej władzy! I ja miałbym to znieść! Nie, moja przyjaciółko, nie przypuszczasz tego, nie masz o mnie tak złego mniemania!

Jakaż fatalność wiąże mnie do tej kobiety? Czyż sto innych nie łaknie moich względów? Po cóż gonić za tym, co ucieka, a gardzić tym, co nam wchodzi w ręce? Tak, po co?... Nie wiem, po co, lecz czuję tym mocniej.

Nie ma dla mnie szczęścia, nie ma spokoju, tylko w posiadaniu tej kobiety, której nienawidzę i którą kocham z jednaką furią. Życie stanie mi się znośne dopiero z chwilą, gdy jej losy będę dzierżył w ręku. Wówczas, spokojny i zadowolony, będę patrzył znów ja, jak nią miotają burze, których doznaję w tej chwili; tysiąc innych burz jeszcze w niej rozniecę. Nadzieja i obawa, ufność i niepokój, wszystkie cierpienia wymyślone przez nienawiść, wszystkie rozkosze zesłane przez miłość – chcę, aby napełniały jej serce, aby gościły w nim kolejno wedle mej woli. Ten czas przyjdzie... Ale ileż trudów! Jak blisko byłem wczoraj! A dziś jakże daleko! Jak przebyć tę drogę? Nie śmiem próbować żadnego kroku; czuję, że aby coś postanowić, trzeba by być spokojniejszym – tymczasem krew gotuje mi się w żyłach.

Udręki moje podwaja jeszcze obojętność, z jaką każdy odpowiada na me zapytania. Nikt nic nie wie, nie chce wiedzieć; zaledwie mówiono by o tym, gdybym dopuścił, aby mówiono o czym innym. Pani de Rosemonde, do której pobiegłem zaraz rano, odpowiedziała ze spokojem godnym swego wieku, że wyjazd ten jest naturalnym następstwem wczorajszej niemocy: obawiała się choroby i wolała znaleźć się u siebie. Pani de Volanges, którą zrazu podejrzewałem o wspólnictwo, zdaje się dotknięta jedynie tym, iż nie zasięgnięto jej zdania. To mi dowodzi, że ona nie posiada w tym stopniu, jak się obawiałem, zaufania tej kobiety. Jak ona by tryumfowała, gdyby wiedziała, że to mnie miała dosięgnąć ta ucieczka! Jakby się nadymała pychą, gdyby się to stało z jej porady! Mój Boże, jak ja jej nienawidzę! Och, zajmę się, zajmę na nowo jej córeczką; chcę ją urobić wedle mej woli; toteż zdaje mi się, że zabawię tu jeszcze czas jakiś, o ile w ogóle teraz jestem zdolny cośkolwiek postanawiać.

Czy nie przypuszczasz w istocie, że po kroku tak zuchwałym niewdzięczna musi się lękać mej obecności? Gdyby się spodziewała, iż mógłbym podążyć za nią, nie omieszkałaby mi zamknąć drzwi; ja zaś nie mam ochoty ani przyzwyczajać jej do tego sposobu, ani też znosić podobnego upokorzenia. Wolę jej oznajmić, przeciwnie, że zostaję tutaj: będę błagał nawet, aby wróciła, i dopiero kiedy się zupełnie uspokoi w tym względzie, zjawię się nagle: zobaczymy, jak zniesie to spotkanie! Ale trzeba je odwlec, aby spotęgować wrażenie, i nie wiem jeszcze, czy zdobędę się na cierpliwość: dwadzieścia razy w ciągu dnia miałem już wołać o konie. Mimo to zapanuję nad sobą; zobowiązuję się odebrać tu jeszcze twą odpowiedź; proszę jedynie, piękna przyjaciółko, nie każ mi zbyt długo czekać.

Najbardziej by mnie drażniło, gdybym miał nie wiedzieć, co się dzieje; ale mój strzelec jest w Paryżu i posiada pewne prawa do panny służącej; będzie tedy mógł mi usłużyć. Posyłam mu zlecenia i pieniądze. Proszę cię, markizo, nie bierz mi za złe, że jedne i drugie dołączę do tego listu: bądź tak dobra, każ mu je doręczyć przez kogoś z twoich ludzi.

Zachowuję tę ostrożność, ponieważ hultaj ma zwyczaj nigdy nie otrzymywać listów, które doń piszę, o ile mu się nie chce wykonać zleceń.

Do widzenia, droga przyjaciółko; jeśli ci przyjdzie szczęśliwa myśl, zbawienna rada, donieś mi. Przekonałem się nieraz, jak cenna może być twoja przyjaźń; doświadczam tego i w tej chwili, bo czuję się spokojniejszy, odkąd piszę do ciebie. Przynajmniej mówię do kogoś, kto mnie rozumie, a nie do automatów, które snują się koło mnie od rana. Doprawdy, im dłużej żyję, tym więcej skłonny jestem mniemać, że tylko my dwoje, ty i ja, warci coś jesteśmy na świecie.

Z zamku***, 3 października 17**

LIST CI
Wicehrabia de Valmont do strzelca Azolana
(dołączony do poprzedzającego)

Jesteś koronny cymbał, skoroś mógł odjechać dziś rano i nic nie wiedzieć, że pani de Tourvel wyjeżdża także, lub jeśliś wiedział – nie uwiadomić mnie. Cóż mi z tego, że wydajesz pieniądze na upijanie się ze służbą; że czas, przez który powinieneś mnie obsługiwać, trawisz na gruchaniu z pokojówką, jeżeli za to wszystko w ten sposób jestem powiadomiony o tym, co się dzieje? Oto skutki twego niedbalstwa! Ale uprzedzam, jeżeli ci się trafi jeszcze choć jedno w ciągu tej sprawy, będzie to ostatnie, na jakie sobie pozwolisz w mej służbie.

Masz mi najrychlej dostarczyć wiadomości o wszystkim, co się dzieje u pani de Tourvel; o jej zdrowiu; czy sypia, czy smutna, czy wesoła; czy często wychodzi i u kogo bywa; czy przyjmuje i kto ją odwiedza; jak spędza czas; co robi, kiedy jest sama; jeżeli czyta, czy czyta bez przerwy, czy też odkłada książkę, ażeby pogrążyć się w marzeniu; toż samo, gdy pisze. Postaraj się również zaprzyjaźnić ze służącym, który nosi listy na pocztę. Ofiaruj się kiedy z gotowością wypełnienia zań tego obowiązku; jeśli się zgodzi, wypraw tylko te listy, które ci się będą wydawały obojętne, mnie zaś odeślij inne, zwłaszcza listy do pani de Volanges, jeśli będą.

Postaraj się jeszcze jakiś czas romansować z Julią. Jeśli ma kogo innego, jak sądziłeś, staraj się ją skłonić do podziału i nie miej śmiesznych skrupułów: znajdziesz się w położeniu wielu osób więcej wartych od ciebie. Jeśli mimo to partner byłby zbyt niewygodny lub gdybyś spostrzegł na przykład, że zanadto zajmuje Julię w ciągu dnia i że przez to ona mniej jest przy swej pani, usuń go jakim sposobem albo poszukaj z nim zwady; nie lękaj się następstw, ja cię obronię. Przede wszystkim nie opuszczaj tego domu. Jedynie przy wytrwałości można widzieć dobrze wszystko. Gdyby szczęśliwym przypadkiem który z jej ludzi porzucał służbę, zgłoś się na jego miejsce, mówiąc, że nie jesteś już u mnie. Powiedz, żeś mnie opuścił, aby poszukać domu o spokojniejszym i bardziej regularnym trybie. Słowem, staraj się, aby cię przyjęto. Mimo to zachowam cię przez cały czas w służbie; to będzie tak jak u księżnej de ***; później pani de Tourvel również cię wynagrodzi tak samo.

Dla podtrzymania gorliwości i zręczności, których ci czasem nie staje, posyłam ci pieniądze. Dołączony przekaz upoważnia cię do podjęcia dwudziestu pięciu ludwików u mego bankiera, bo nie wątpię, że jesteś bez grosza. Użyjesz z tej sumy, ile będzie trzeba, aby pozyskać Julię; reszta na napitki z ludźmi. Staraj się, o ile możliwe, aby się to odbywało u szwajcara; w ten sposób będzie mile widział twoje odwiedziny. Ale nie zapominaj, że ja nie mam zamiaru opłacać twoich przyjemności, ale twoje usługi.

Wdróż Julię do obserwowania i notowania wszystkiego, nawet tego, co by się wydało drobiazgiem. Lepiej, by napisała dziesięć zdań niepotrzebnych, niż żeby opuściła jedno ważne; często najważniejsze bywa to, co się wydaje obojętne. *Ponieważ muszę być uwiadomiony natychmiast, gdyby zaszło coś, co by ci się zdało godne uwagi — kiedy tylko otrzymasz ten list, wyślij na służebnym koniu Filipa i każ mu się zatrzymać w ...*. *Ma tam zostać, czekając na rozkazy: to będzie etap na drodze w razie potrzeby. Dla bieżącej korespondencji wystarczy poczta*

Nie waż się zgubić tego listu. Odczytuj go co dzień, aby się przekonać, żeś nic nie zapomniał, jak również dla upewnienia się, że go masz jeszcze. Wreszcie, rób wszystko, co należy robić, skoro się posiada zaszczyt mego zaufania. Wiesz, że jeśli ja będę zadowolony, i ty nie będziesz miał powodu się skarżyć.

3 października 17**

LIST CII
Prezydentowa de Tourvel do pani de Rosemonde

Będzie pani bardzo zdziwiona dowiadując się, że tak śpiesznie opuszczam twój dom. Ten krok wyda się pani bardzo niezwykły; wzrośnie jeszcze twe zdziwienie, skoro dowiesz się o przyczynach! Może pomyśli pani, iż powierzając je tobie nie dość szanuję spokój potrzebny twemu wiekowi, że uchybiam nawet względom, które ci się należą z tylu tytułów? Ach, pani, daruj mi, zbyt wiele cierpię; serce moje potrzebuje wylać swą boleść na łono przyjaciółki równie mądrej, jak wyrozumiałej; kogóż mogło wybrać, jeśli nie ciebie? Uważaj mnie za swoje dziecko; okaż mi tkliwość matki, błagam! Mam do niej może pewne prawa przez me uczucia dla ciebie.

I cóż ci powiem, pani? Kocham; tak, kocham bez pamięci. Niestety! Jakże często on błagał mnie o to słowo, nie mogąc go uzyskać! Zapłaciłabym chętnie życiem tę słodycz, by raz tylko dać je słyszeć temu, który tchnął je we mnie; mimo to trzeba mu go odmawiać bez przerwy! Znów będzie wątpił o mych uczuciach: ach, czemuż nie przychodzi mu tak łatwo

---

* *Wioska w połowie drogi między Paryżem a zamkiem pani de Rosemonde.*

czytać w mym sercu jak w nim władać! Tak, mniej bym cierpiała, gdyby on wiedział, co cierpię, ale ty sama, której to mówię, ty będziesz mieć o tym ledwie słabe pojęcie.

Za kilka chwil uciekę odeń i zasmucę go. Gdy on będzie mniemał, że jest jeszcze blisko mnie, ja będę już daleko; w godzinie, w której nawykłam widywać go co dzień, będę już tam, gdzie on nigdy nie był, gdzie nie mogę pozwolić, aby był kiedy... Wszystko przygotowane; patrzę na wszystko; nie mogę oprzeć wzroku na niczym, co by mi nie zwiastowało tego okrutnego wyjazdu. Wszystko gotowe wyjąwszy mnie! A im bardziej serce wzdraga się przed tym krokiem, tym więcej czuję, jak jest konieczny.

Spełnię go, to pewna; lepiej umrzeć niż żyć występną. Już dziś, czuję to sama, jestem nią aż nadto! Mamż wyznać? To, co mi zostało jeszcze, zawdzięczam jego szlachetności. Upojona rozkoszą widzenia go, słyszenia, słodyczą odczuwania go w pobliżu, szczęściem najwyższym w świecie, iż jemu mogę dać szczęście, byłam bez władzy i bez siły; ledwie zdołałam walczyć, ale nie opierać się; drżałam przed niebezpieczeństwem nie mając siły uciec. On widział me cierpienia, ulitował się nade mną. Jakżebym go miała nie kochać? Winna mu jestem więcej niż życie.

Och, gdyby zostając przy nim o życie jedynie drżeć mi było trzeba, nie sądź, iż kiedykolwiek zgodziłabym się na rozłąkę! Czymże mi życie bez niego! Postradać je czyż nie byłoby szczęściem? Czyż nie jestem skazana, by nieustannie dręczyć jego i siebie; nie śmieć ani się skarżyć samej, ani jego pocieszać; bronić się co dnia przeciw niemu, przeciw sobie; dobywać całej mocy, aby mu czynić przykrość, kiedy pragnęłabym wszystkie siły poświęcić dla jego szczęścia. Żyć tak, czyż nie znaczy umierać tysiąc razy? A to los, jaki mnie czeka. Zniosę go wszakże, będę miała siłę. O ty, którą biorę sobie za matkę, przyjm moją przysięgę.

Przyjm również ślub, jaki czynię, iż nie ukryję przed tobą żadnego postępku; przyjm go, zaklinam; błagam o to jako o pomoc, której mi tak potrzeba. W ten sposób, zobowiązana wyznać tobie wszystko, przyzwyczaję się do uczucia, iż zawsze jestem w twej obecności. Twoja cnota zastąpi mi mą własną. Nigdy, to pewna, nie zgodziłabym się rumienić przed twoim wzrokiem; powściągana tym hamulcem, kochając w tobie najpobłażliwszą przyjaciółkę, powiernicę mej słabości, będę czciła zarazem opiekuńczego anioła, który mnie ocali od sromu.

Dosyć go już odczuwam zanosząc do ciebie tę prośbę. Jakież nieszczęsne następstwa zbytniej ufności w siebie! Czemuż nie wcześniej ulękłam się tej skłonności, gdym czuła pierwsze jej złowrogie oznaki? Czemuż łudziłam się, iż potrafię opanować ją lub zwyciężyć? Szalona! Jakże mało znałam wówczas miłość! I dziś wszystko tracić naraz! I na zawsze! O moja przyjaciółko!... Lecz co czynię? Nawet pisząc do ciebie, jeszcze daję folgę występnym pragnieniom! Och, trzeba jechać, trzeba jechać.

Żegnam cię, czcigodna przyjaciółko; kochaj mnie jak córkę, przyjm mnie za swoje dziecko i bądź pewna, że mimo mej słabości wolałabym raczej umrzeć niż stać się niegodną twego wyboru.

3 października 17**, o godzinie 1 w nocy

LIST CIII
Pani de Rosemonde do prezydentowej de Tourvel

Drogie dziecko, bardziej zmartwiłam się twoim wyjazdem, niż zdziwiłam przyczyną. Doświadczenie wielu lat i sympatia, jaką budzisz we mnie, wystarczyły, aby mnie objaśnić o stanie twego serca; jeśli mam być obcnora, list twój nie powiedział mi nic albo prawie nic nowego. Gdybym jedynie z niego miała czerpać wiadomości, nie wiedziałabym jeszcze, kto jest tym, kogo kochasz; mówiąc o nim cały czas, nie wymieniłaś ani razu imienia. Nie potrzebowałam tego; wiem dobrze kogo. Podnoszę to, ponieważ przypomniałam sobie, że to jest odwieczny styl miłości. Widzę, że wszystko zostało tak samo jak za dawnych czasów.

Nie sądziłam zgoła, iż będę kiedy potrzebowała wskrzeszać wspomnienia tak odległe i obce memu wiekowi. Mimo to od wczoraj wiele rozmyślałam chcąc znaleźć coś, co by ci mogło być użyteczne. Ale cóż poradzę? Mogę cię tylko podziwiać i litować się nad tobą. Pochwalam twoje zacne postanowienie, ale przeraża mnie ono. Wnoszę, że musiałaś je uznać za konieczne, a kiedy się zajdzie tak daleko, bardzo trudno nakazać sobie wieczną rozłąkę z tym, do którego serce zbliża nas bez ustanku.

Mimo to nie trać odwagi. Nic nie jest niepodobne dla twej pięknej duszy; i gdybyś kiedy miała to nieszczęście ulec (od czego niech cię Bóg ustrzeże!), wierzaj mi, drogie dziecko, ocal przynajmniej tę pociechę, iż walczyłaś z całej mocy. A wreszcie, czego nie zdoła ludzka roztropność, sprawia łaska niebios, jeśli taka jej wola. Ufaj, iż pospieszy ci z pomocą i że cnota twoja, wypróbowana w ciężkich zapasach, wyjdzie z nich czystsza jeszcze i świetniejsza.

Zostawiając Opatrzności troskę wspomożenia cię w niebezpieczeństwie, któremu nie mogę zaradzić, gotowa jestem podtrzymywać cię i pocieszać, ile tylko będę zdolna. Nie uśmierzę twych cierpień, ale podzielę je. Chętnie gotowa jestem być ci powiernicą. Czuję, że twoje serce musi tego łaknąć. Otwieram ci moje własne; wiek nie oziębił go do tego stopnia, aby miało być obce przyjaźni. Znajdziesz je zawsze skłonne cię wysłuchać. Słabą to będzie ulgą dla twej boleści, ale przynajmniej nie będziesz płakała sama; i skoro ta nieszczęśliwa miłość, wezbrana zbyt silnie w sercu, zmusi cię, byś mówiła o niej, lepiej, aby się to stało ze mną niż z nim. Oto i ja zaczynam używać twego języka: zdaje mi się, że obie razem nie zdobędziemy się na to, by go nazwać; zresztą rozumiemy się.

Nie wiem, czy dobrze robię mówiąc ci, iż on zdawał się żywo dotknięty twym wyjazdem; byłoby może rozsądniej nie mówić ci o tym, ale nie lubię rozsądku, gdy sprawia przykrość tym, których kocham. Jednakże nie będę mogła dziś mówić o tym dłużej. Słaby wzrok i drżąca ręka nie pozwalają mi na długie listy, kiedy muszę pisać sama.

Do widzenia zatem, moja śliczna, do widzenia, drogie dziecko; tak, przyjmuję cię chętnie za córkę; posiadasz wszystko, czego trzeba, aby być dumą i rozkoszą przybranej matki.

3 października 17**

LIST CIV
Markiza de Merteuil do pani de Volanges

W istocie, droga i dobra przyjaciółko, z trudnością przychodzi mi się bronić od uczucia dumy, kiedy czytam twój list. Jak to! Ty zaszczycasz mnie pełnym zaufaniem! Posuwasz się nawet do szukania rady! Ach, jak szczęśliwa jestem, jeśli zasługuję na tak pochlebne mniemanie; jeśli nie zawdzięczam go jedynie zaślepieniu przyjaźni. Zresztą, jaki bądź jej powód, ufność ta niemniej cenna jest memu sercu; a to, iż umiałam ją pozyskać, jest w mych oczach tylko jedną przyczyną więcej, aby się starać istotnie na nią zasłużyć. Powiem ci zatem (nie ośmielając się wszakże udzielać rad), powiem otwarcie, jaki jest mój sposób myślenia w tym względzie. Nie polegam zbytnio na nim, ponieważ różni się od twego: ale gdy ci przedstawię moje pobudki, będziesz mogła osądzić; jeśli je potępisz, przychylam się już z góry do twego wyroku. Zachowam przynajmniej tyle rozsądku, iż nie będę się uważała za rozsądniejszą od ciebie.

Jeżeli jednak mój sąd wyjątkowo okazałby się trafniejszy, przyczyn tego należałoby szukać w złudzeniach macierzyństwa. Ponieważ jest to uczucie ze wszech miar chwalebne, nie mogło tedy nie wpłynąć na ciebie. Jakże znać jego wpływy w zamiarze, o którym wspominasz! Tak więc, jeśli ci się zdarza kiedy błądzić, to jedynie w wyborze cnót.

Ze wszystkich cnót najważniejszą wydaje mi przezorność, wówczas gdy mamy rozrządzać losem drugich osób; a zwłaszcza gdy chodzi o ustalenie tego losu przez węzeł nierozerwalny i święty, jak węzeł małżeństwa. Wówczas matka, równie roztropna jak czuła, ma obowiązek, jak słusznie powiedziałaś, wesprzeć córkę swym doświadczeniem. Otóż zapytuję cię, co mieści się w tym pojęciu? Zdaje mi się, że przede wszystkim obowiązek ścisłego rozróżnienia między tym, na co się ma ochotę, a tym, co się godzi.

Czyż to nie byłoby poniżeniem powagi macierzyńskiej, zupełnym jej unicestwieniem, gdyby się miało poddawać ją złudnej sile przelotnego upodobania? Co do mnie, wyznaję, nigdy nie wierzyłam w owe nieodparte miłości, których ludzie tak chętnie używają za płaszczyk dla wszelkich kaprysów. Nie pojmuję, w jaki sposób skłonność, która się w jednej chwili rodzi, a w następnej umiera, miałaby posiadać więcej siły od niewzruszonych zasad skromności, uczciwości i wstydu; nie pojmuję również, aby kobieta, która się sprzeniewierza tym cnotom, mogła znaleźć usprawiedliwienie w miłości; podobnie jak złodzieja nie uniewinnia pożądanie pieniędzy ani mordercę chęć zemsty.

Ach, któż może powiedzieć, że nigdy nie musiał walczyć? Jednak, co do mnie, zawsze starałam się przekonać siebie, że aby się oprzeć, wystarczy chcieć; i – do tej chwili przynajmniej – doświadczenie potwierdziło tę moją wiarę. Czymże byłaby cnota bez obowiązków, jakie nakłada? Świadectwo jej mieści się w poświęceniach, nagroda w sercu. Zaprzeczyć takim prawdom zdolni są tylko ci, którzy mają interes w tym, aby ich nie widzieć, i którzy, już skażeni jadem zepsucia, próbują usprawiedliwić swoje błędne postępki za pomocą błędnych rozumowań.

Ale czy można się tego obawiać ze strony prostodusznego i nieśmiałego dziecka; ze strony dziecka urodzonego z ciebie, w którym skromne i czyste wychowanie mogło jedynie wzmocnić szczęśliwe dary? A dla takich właśnie obaw, które ośmielę się nazwać poniżającymi dla twej córki, chcesz poświęcić zaszczytne, z całą roztropnością obmyślone małżeństwo! Lubię bardzo Danceny'ego; od dawna zaś, jak wiesz, mało utrzymuję stosunków z panem de Gercourt; ale mimo iż dla jednego mam przyjaźń, drugi zaś jest mi obojętny, nie mogę nie zdawać sobie sprawy z ogromnej różnicy, jaka dzieli te partie.

Urodzenie równe, przyznaję, ale jeden bez majątku, drugiego zaś majątek jest taki, że nawet bez urodzenia byłby już poważnym atutem. Przyznaję chętnie, że pieniądz nie daje szczęścia, ale trzeba przyznać, że bardzo je ułatwia. Panna de Volanges jest, jak powiadasz, dość bogata na dwoje: mimo to sześćdziesiąt tysięcy funtów renty, które jej przypadną, to nie tak wiele, skoro ktoś ma nosić nazwisko Danceny'ego, postawić i utrzymać dom na wysokości związanych z tym wymagań. Nie żyjemy w czasach pani de Sévigné. Zbytek pochłania dziś wszystko: gani się go, ale trzeba go naśladować, nieraz kosztem najcięższych ofiar.

Co do przymiotów osobistych, którym z całą słusznością przyznajesz taką wagę, to pewna, że pod tym względem pan de Gercourt jest bez zarzutu i miał sposobność ułożyć tego dowody. Chętnie gotowam wierzyć i wierzę w istocie, że Danceny nie ustępuje mu w niczym; ale czy możemy być tego równie pewne? Prawda, zdawał się dotąd wolny od przywar swego wieku; wbrew panującym dziś obyczajom okazuje skłonność do towarzystwa ludzi szanownych i zacnych, skłonność, która każe pomyślnie rokować o przyszłości. Ale kto wie, czy ten pozorny statek nie jest właśnie wynikiem skromnej sytuacji materialnej. O ile ktoś nie chce zostać wątpliwą figurą, musi mieć pieniądze, aby grać lub oddawać się hulankom; co nie przeszkadza, że może mimo to mieć pociąg do tych błędów. Słowem, nie on byłby pierwszy z tych, którzy ciągną do zacnego towarzystwa jedynie z braku możności milszego spędzenia czasu.

Nie mówię (niechże mnie Bóg broni!), że mam o nim to przekonanie: ale w każdym razie jest pewne ryzyko; na jakież zaś wymówki mogłabyś się narazić, gdyby wynik nie wypadł szczęśliwie! Cóż odpowiedziałabyś córce, gdyby kiedyś rzekła: „Byłam, matko, młoda i niedoświadczona; byłam nawet pastwą omamienia zrozumiałego w moim wieku; ale niebo, które przewidziało mą słabość, obdarzyło mnie rozumną matką, aby zaradzić złemu i uchronić mnie od niebezpieczeństwa. Czemuż więc, zbaczając z drogi roztropności, zezwoliłaś na me nieszczęście? Czy do mnie należało wybierać męża, skoro sama istota małżeństwa była dla mnie tajemnicą? Gdybym nawet miała to zachcenie, czy nie twoją rzeczą było się sprzeciwić? Ale w mej głowie nigdy nie postała tak szalona ochota. Gotowa być ci we wszystkim posłuszną, oczekiwałam twego wyboru z pełnym szacunku poddaniem; nigdy nie wykroczyłam przeciw uległości, jaką byłam winna, a mimo to dźwigam dziś karę, na którą zasłużyły jedynie nieposłuszne dzieci. Och, matko, słabość twoja zgubiła mnie..."

Może szacunek jej stłumiłby te skargi; ale miłość macierzyńska odgadłaby je: łzy córki, mimo że tajone przed tobą, niemniej padłyby na twoje serce. Gdzie szukałabyś wówczas pociechy? Czy w tej szalonej miłości, przeciw której powinnaś była ją uzbroić, a której, przeciwnie, sama się dałaś pociągnąć?

Nie wiem, droga przyjaciółko, czy uprzedzenie moje przeciw tej namiętności nie idzie zbyt daleko, ale wydaje mi się ona zbyt niebezpieczna nawet w małżeństwie. Nie, iżbym była przeciwna temu, by zacne i tkliwe uczucie miało przystroić węzeł małżeński i złagodzić do pewnego stopnia obowiązki, jakie on nakłada; ale nie takiemu uczuciu przystało tworzyć te węzły. Nie może być rzeczą złudzeń jednej chwili, by miały kierować wyborem naszego życia. Aby wybrać, trzeba porównywać; a jak to uczynić, skoro jeden przedmiot nas pochłania; kiedy jego samego nawet nie możemy poznać, zanurzeni w szale i zaślepieniu?

Spotkałam w życiu, jak możesz przypuszczać, wiele kobiet dotkniętych tą niebezpieczną chorobą; słuchałam nawet ich wynurzeń. Gdyby im wierzyć, nie ma ani jednej, której miłości przedmiot nie byłby istotą na wskroś doskonałą; ale te urojone doskonałości istnieją jedynie w wyobraźni. W ich rozpalonych głowach roją się same rozkosze i powaby; stroją w nie do syta tego, kto im jest miły; to szaty niemal boskie, wkładane nieraz na przedmiot pełen ohydy; ale bez względu na to, jakim przedmiot ów jest w istocie, zaledwie go tak przystroją, już omamione własnym dziełem, padają przed nim na twarz w uwielbieniu.

Albo twoja córka nie kocha Danceny'ego, albo też ulega tym samym złudzeniom; są one wspólne im obojgu, jeśli miłość jest wzajemna. Tak więc wszystko, co można by powiedzieć w tej mierze, sprowadza się do pewności, że oni się nie znają, wprost nie mogą się znać. Ale, powiesz, czy pan de Gercourt i Cesia znają się lepiej? Nie, z pewnością, ale przynajmniej nie łudzą się, po prostu nic o sobie nie wiedzą. Cóż dzieje się w takim wypadku między dwojgiem małżonków, o których przypuszczam, że są zacni oboje? To, iż każde z nich przygląda się drugiemu, bada samo siebie w stosunku do drugiej strony, szuka i odkrywa wkrótce, ile należy ustąpić ze swej woli na rzecz wspólnego spokoju. Te lekkie poświęcenia przychodzą bez trudu, bo są obustronne i przewidziane; wkrótce stają się źródłem wzajemnej życzliwości; za nią idzie słodka przyjaźń, tkliwe zaufanie, które połączone z szacunkiem tworzą, o ile mi się zdaje, prawdziwe szczęście w małżeństwie.

Złudzenia miłości mogą być ponętniejsze, ale dla kogóż jest tajemnicą, że są zarazem mniej trwałe? Jakież niebezpieczeństwa sprowadza chwila, która je niweczy! Wówczas najmniejsze wady wydają się rażące i nie do zniesienia przez sprzeczność z pojęciem doskonałości, które nas uwiodło. Każde z dwojga mniema jednakże, że tylko drugie się zmieniło i że ono samo warte jest zawsze tyle, ile mu ceny nadała krótka chwila złudzenia. Mimo iż samo nie doświadcza już dawnego czaru, dziwi się, że nie umie go wzbudzić; czuje się tym upokorzone; zraniona próżność rozdrażnia, jątrzy, rodzi niezadowolenie, hoduje nienawiść: przelotne uciechy przychodzi opłacić długą niedolą.

Oto, droga przyjaciółko, mój pogląd na rzeczy; nie upieram się, przedstawiam go jedynie; twoją rzeczą postanowić. Ale jeżeli trwasz w zamiarze, proszę cię, abyś mi zechciała wyłożyć pobudki, które przeważą moje; rada będę oświecić się, a zwłaszcza uspokoić się o los uroczego dziecka, którego szczęścia pragnę gorąco tak przez przyjaźń dla niej, jak i przez tę, która wiąże mnie do ciebie na całe życie.

Paryż, 4 października 17**

LIST CV
Markiza de Merteuil do Cecylii Volanges

I cóż, mała – widzę – bardzo zagniewana, bardzo zawstydzona! Ten Valmont to strasznie zły człowiek, nieprawdaż? Jak to, ośmiela się postępować z tobą jak z kobietą, którą by kochał! Uczy cię tego, czego tak chciałaś się dowiedzieć, że aż umierałaś z ochoty! Doprawdy, to nie do darowania! Ty oczywiście pragniesz zachować cnotę dla kochanka (który jej nie wodzi na pokuszenie, to prawda); pociągają cię w miłości tylko umartwienia, nie rozkosze! To ślicznie; doskonale wyglądałabyś w romansie. Namiętność, nieszczęście, cnota ponad wszystko, ileż pięknych rzeczy! W tym wspaniałym orszaku można się czasem znudzić, co prawda, ale za to innym oddaje się tę nudę z nawiązką.

Widzicie biedne dziecko, jaka ona nieszczęśliwa! Miała oczy podkrążone nazajutrz! Cóż dopiero powiesz, jak to nieszczęście przyjdzie na twego kochanka! Nie bój się, aniołku, nie zawsze ci się to zdarzy; nie każdy mężczyzna jest Valmontem. I nie śmiało biedactwo podnieść tych oczków! Och, co do tego, może miałaś słuszność; każdy wyczytałby w nich twoją przygodę. Wierz mi jednakże, że gdyby tak było, większość pań, a nawet panien, chodziłaby stale ze spuszczonymi oczami.

Mimo tych pochwał, których ci nie szczędzę, jak widzisz, trzeba przyznać, że nie dopełniłaś swego arcydzieła: trzeba było wszystko opowiedzieć mamie! Tak dobrze zaczęłaś! Już rzuciłaś się w jej ramiona, szlochałaś, ona popłakiwała: cóż za wzruszająca scena! Jaka szkoda, że jej nie doprowadziłaś do końca! Czuła matka, uszczęśliwiona tą skruchą, pragnąc pomóc twej cnocie, zapakowałaby cię do klasztoru na całe życie; tam mogłabyś kochać Danceny'ego, ile byś chciała, bez rywali i bez grzechu: mogłabyś sobie rozpaczać do syta; Valmont, to pewna, nie zjawiłby się, aby mącić twą boleść tak niepożądaną pociechą.

Poważnie mówiąc, czy można mając skończonych piętnaście lat być takim dzieckiem? Masz słuszność mówiąc, że niewarta jesteś mej dobroci. Chciałam mimo to być twoją przyjaciółką: przydałoby ci się to może przy takiej matce i przy mężu, jakiego ci przeznacza! Ale jeśli bodaj trochę nie dorośniesz, cóż ja mogę zrobić z ciebie? Czego można się spodziewać, jeżeli to, co zwykle dodaje rozumu dziewczętom, tobie, przeciwnie, go odbiera.

Gdybyś umiała zastanowić się choć chwilę, doszłabyś wnet do przekonania, że powinnaś cieszyć się zamiast się skarżyć. Ale ty się wstydzisz i to cię kłopoce! Ech, uspokój się; z wstydem w miłości to tak jak z bólem: to tylko pierwszy raz. Można potem jeszcze udawać, ale już się go nie czuje. Za to przyjemność zostaje, a to też coś warte. Zdaje mi się nawet, iż mogłam rozeznać poprzez twoją paplaninę, że ona w całej przygodzie wcale niemałą odegrała rolę. No, dziecko, bądź szczera! Ejże! To pomieszanie, które nie pozwalało ci robić tak, jak mówiłaś, które sprawiało, iż tak trudno było ci się bronić, że byłaś jak gdyby zmartwiona, kiedy Valmont już odszedł, czy to wstyd je powodował, czy przyjemność? A ten jego sposób mówienia, na który nie wie się, co odpowiedzieć, czy to nie był raczej sposób działania? Ej, dziewuszko, kłamiesz, i to przed przyjaciółką! To niedobrze, bardzo niedobrze. Ale dość żartów.

To, co dla każdej innej byłoby przyjemnością i niczym więcej, to w twoim położeniu staje się prawdziwym szczęściem. Pomiędzy matką, której serce chciałabyś zachować, i kochankiem, do którego pragniesz należeć na zawsze, jak możesz nie widzieć, że jedynym sposobem połączenia tych dwóch sprzecznych celów jest zająć się kimś trzecim? Zaprzątnięta nową przygodą, zyskasz w oczach mamy zasługę, iż wyrzekasz się przez posłuszeństwo skłonności, którą ona

gani, w oczach zaś kochanka przystroisz się w powab nie-
złomnej cnoty. Zapewniając go bezustannie o swej miłości,
będziesz się bronić przed udzieleniem ostatnich jej dowodów. Tę odmowę, tak łatwą w twoim obecnym położeniu,
on położy niewątpliwie na karb twych zasad; może będzie się
żalił, ale kochać będzie tym więcej. I aby zdobyć tę podwójną
zasługę, potrzebujesz się jedynie oddać tym uciechom, których, w oczach ich obojga, wyrzekasz się na pozór! Ileż kobiet pielęgnowałoby najgorliwiej swoją dobrą sławę, gdyby
mogły jej bronić za pomocą tak miłych środków!

Czy ten sposób, jaki ci podsuwam, nie wydaje ci się naj-
rozsądniejszy i najsłodszy zarazem? A czy wiesz, co zyskałaś
na tym, do którego ty chciałaś się uciec? To, że mama wnosi
z twego rosnącego smutku, iż miłość twoja potęguje się
miast słabnąć, że jest tym oburzona i czeka tylko, aż się
upewni, aby cię ukarać. Właśnie pisała mi o tym: będzie
robiła wszystko, aby wydobyć z ciebie to wyznanie. Posunie
się może (zwierzyła mi się) do tego, iż ofiaruje ci Danceny'e-
go za męża; a to, by cię tym łatwiej nakłonić do zwierzeń.
I jeżeli dając się uwieść tym podstępnym wylewom, odpowiesz wedle swego serca, wnet zamknięta w klasztorze na
czas bardzo długi, może na zawsze, będziesz mogła opłakiwać skutki swej ślepej łatwowierności.

Ten podstęp, którego ona chce użyć, ty powinnaś zwalczyć innym znów podstępem. Zacznij tedy, okazując mniej
przygnębienia, umacniać ją w złudzeniu, że nie myślisz już
o Dancenym. Matka da się przekonać łatwo, ile że to jest
zwykły skutek rozłąki, tym więcej, iż będzie w tym widziała
tryumf swej przezorności. Ale gdyby, mając jakieś podejrzenia, mimo to wystawiała cię na próbę i zaczęła mówić
o małżeństwie, zamknij się, jak panienka dobrze wychowana,
w najdoskonalszym posłuszeństwie. Ostatecznie, cóż tracisz?
Na to, do czego potrzebny jest mąż, tyle wart jeden co i drugi, a najprzykrzejszy jest mniej jeszcze nieznośny niż matka.

Skoro raz matka się uspokoi, wyda cię wreszcie za mąż.
Wówczas, swobodniejsza w postanowieniach, możesz wedle
ochoty rzucić Valmonta, aby wziąć Danceny'ego, albo gdy

zechcesz – zachować obu. Nie ma co ukrywać, Danceny jest miły chłopiec, ale to jeden z tych mężczyzn, których kobieta ma, kiedy chce i póki chce; można więc sobie nie robić z nim zachodów. Inaczej z Valmontem: zachować go jest trudno, rzucić niebezpiecznie. Z nim trzeba wiele sprytu, a jeśli ktoś go nie ma, wiele uległości. Ale też gdyby ci się udało go przywiązać, byłoby to prawdziwe szczęście; postawiłby cię od razu w rzędzie modnych piękności. W ten sposób zdobywa się mir w świecie, a nie czerwienieniem się i płakaniem, jak wówczas gdy zakonniczki kazały wam jeść obiad na klęczkach.

Postarasz się przeto, jeśli jesteś rozsądna, pogodzić się z Valmontem, który musi być bardzo rozgniewany. Masz oto pozór: ponieważ nie byłoby bezpiecznie przechowywać ten list, oddaj go Valmontowi zaraz po przeczytaniu. Ale nie zapomnij przedtem zapieczętować go z powrotem. Po pierwsze, trzeba, abyś zachowała w jego oczach zasługę tego kroku, a nie, żeby to wyglądało na coś, co ci ktoś doradził; po wtóre, jesteś jedyną osobą, do której mam tyle przyjaźni, aby mówić tak otwarcie jak w tym liście.

Do widzenia, aniołku; idź za mymi radami; doniesiesz mi, czy czujesz się z tym dobrze.

PS. Poczekaj jeszcze, zapomniałam... słówko. Staraj się popracować nad stylem. Piszesz ciągle jeszcze jak dziecko. Wiem, skąd to pochodzi: stąd, że mówisz wszystko, co myślisz, a nic ponadto. To może ujść między nami, bo nie mamy nic skrytego dla siebie; ale z innymi! Zwłaszcza w oczach kochanka uchodziłabyś za gąskę. Rozumiesz przecie, że kiedy piszesz do kogoś, to dla niego, nie dla siebie: powinnaś więc starać się mówić nie tyle to, co myślisz, ile to, co mu sprawi przyjemność.

Do widzenia, moje serduszko, ściskam cię zamiast cię łajać, w nadziei, że na przyszłość będziesz rozsądniejsza.

Paryż, 4 października 17**

LIST CVI
Markiza de Merteuil do wicehrabiego de Valmont

Brawo, wicehrabio, za to, coś zdziałał, wart jesteś doprawdy, aby cię pokochać! Zresztą po pierwszym twoim liście można się było spodziewać drugiego; nie zdziwił mnie ani trochę; gdy ty, dumny z przyszłych zwycięstw, domagałeś się już nagrody i pytałeś, czym gotowa, ja wiedziałam, że nie ma powodu tak bardzo się śpieszyć Daję ci słowo: czytając opis tkliwej sceny, którą byłeś tak żywo wzruszony, widząc twą wstrzemięźliwość, godną pięknych czasów Rycerstwa, powiedziałam sobie dwadzieścia razy: „Oto sprawa chybiona!"

Ale czy mogło być inaczej! Cóż chcesz, aby zrobiła biedna kobieta, która się oddaje, a której mężczyzna nie bierze? Nie zostaje jej nic, jak tylko ratować honor; to właśnie zrobiła prezydentowa. Co do mnie, umiałam ocenić sposób, jaki obrała, i obiecuję sobie użyć go przy pierwszej sposobności; ale to sobie przyrzekam, że jeżeli ten, dla kogo zadam sobie tyle trudów, nie skorzysta z nich lepiej od ciebie, może wyrzec się mnie na zawsze.

Zostałeś więc na lodzie! I to pośród dwóch kobiet, z których jedna już doszła, jak mówisz, do nazajutrz, a druga niczego tak nie pragnęła, jak właśnie tam dopłynąć. Możesz sobie myśleć, że się chwalę i że łatwo jest bawić się w proroctwo po fakcie; ale, przysięgam, spodziewałam się tego. Bo też w istocie ty nie posiadłeś ducha swego zawodu; wiesz tylko to, czegoś się nauczył, ale pomysłowości żadnej! Toteż skoro tylko okoliczności nie pokrywają się z twymi formułkami, kiedy ci trzeba zejść z ubitej kolei, jesteś bezradny jak student. Ot, zwykłe dzieciństwo z jednej strony, nawrót skrupułów z drugiej; ponieważ nie zdarza się z nimi spotykać co dzień, wystarczają, aby cię zbić z tropu; nie umiesz ani ich uprzedzić, ani im zaradzić. A kiedy spiętrzyłeś, doprawdy, głupstwo na głupstwo, uciekasz się do mnie, jak gdybym nie miała nic innego do roboty, jak tylko je naprawiać. Prawda, że to już dawałoby dosyć zajęcia.

Ostatecznie rzeczy stoją tak: z tych dwóch przygód jedną podjąłeś bez mego udziału i wbrew mej chęci i do tej się nie mieszam; co do drugiej, ponieważ okazałeś w niej nieco względów dla mnie, podejmuję się tym zająć. Mam nadzieję, iż załączony list, który przeczytasz najpierw, a następnie oddasz małej Volanges, jest aż nadto wystarczający, aby ją nawrócić. Ale proszę cię, zadaj sobie nieco pracy nad tym dzieckiem, tak abyśmy wspólnymi siłami zrobili z niej przedmiot rozpaczy matki i Gercourta. Nie ma obawy o przesadzenie dawek. Widzę jasno, że młoda osóbka wcale się nie wystraszy! A skoro nasze widoki na nią już się ziszczą, niech inni troszczą się o dalsze jej losy.

Co do mnie, zraziłam się do niej zupełnie. Miałam ochotę coś z niej zrobić, bodaj komparsa pod moim kierunkiem, ale widzę, że nie ma materiału; jest w niej jakaś głupia naiwność, która nie ustąpiła nawet pod działaniem użytego przez ciebie, zwykle niezawodnego specyfiku: a to jest, moim zdaniem, najniebezpieczniejsza choroba, jaką kobieta może być obciążona. Przede wszystkim wada taka jest oznaką słabości charakteru prawie zawsze nieuleczalnej i udaremniającej wszystko: tak że podczas gdybyśmy się wysilali, aby ułożyć tę dziewczynę do przygód w większym stylu, zrobilibyśmy z niej tylko kobietę łatwą. Otóż nie znam nic bardziej płaskiego nad tę łatwość płynącą z głupoty, która się poddaje nie wiedząc ani jak, ani dlaczego, jedynie ponieważ ktoś atakuje i ponieważ nie umie się opierać. Ten rodzaj kobiet to po prostu tylko przyrządy dla rozkoszy.

Powiesz mi, że po prostu wystarczy z niej zrobić to właśnie i że to dosyć dla naszych zamiarów. Wybornie! Ale nie zapominajmy, że w takich przyrządach sprężyny i motory stają się rychło widoczne; toteż jeśli ktoś chce się posłużyć nimi bez niebezpieczeństwa, musi się spieszyć, zatrzymać się w porę i zniszczyć je następnie. Co prawda, na środkach pozbycia się jej nie braknie i Gercourt zawsze w porę ją zamknie, kiedy nam się spodoba. Skoro już nie będzie mógł wątpić o katastrofie, skoro rzecz stanie się publiczna i należycie głośna, cóż nam szkodzi, że on się zemści, byleby sam wyszedł z niezatartą plamą? To, co ja mówię o nim, ty myślisz z pewnością o matce; schodzimy się więc w tym punkcie.

W tej myśli, którą uważam za najlepszą i przy której ostatecznie stanęłam, zdecydowałam się poprowadzić młodą osóbkę w ostrzejszym tempie, jak to zobaczysz z listu; dlatego też ważnym jest, aby nic nie pozostało w jej rękach, co by nas mogło skompromitować; zechciej, proszę, o tym pamiętać. Skoro będziemy bezpieczni z tej strony, podejmuję się zająć moralną stroną panienki, do ciebie zaś należy reszta.

Czy ty wiesz, że mało brakowało, a starania moje byłyby stracone, i że szczęśliwa gwiazda Gercourta o włos nie udaremniła wszystkich kombinacji? Pani de Volanges, wystaw sobie, dostała napadu macierzyńskiej słabości! Była już niemal gotowa oddać córkę Danceny'emu! To było właśnie owo czułe zainteresowanie, które zauważyłeś n a z a j u t r z. Jeszcze ty byłbyś twórcą tego pięknego dzieła! Szczęściem, czuła matka rozpisała się z tym do mnie: mam nadzieję, że moja odpowiedź zbrzydzi jej owe plany. Tak dużo mówię o cnocie, a przede wszystkim tak obficie przeplatam list pochlebstwami, iż z pewnością przyzna mi słuszność.

Żałuję szczerze, że nie mam czasu sporządzić odpisu tego listu, aby cię zbudować surowością zasad. Zobaczyłbyś, z jaką pogardą odnoszę się do kobiet, które „zapomniały o obowiązkach". Ta niezłomna surowość w słowach to rzecz tak wygodna!... Szkodzi jedynie drugim, a nas nie krępuje w niczym... A potem, nie jest dla mnie tajemnicą, że zacna damulka, jak każda, miała swoje słabostki za młodu; miło mi było upokorzyć ją nieco, przynajmniej w sumieniu: to mi zaciera nieco smak tych pochlebstw, jakimi muszę ją raczyć.

Do widzenia, wicehrabio. Pochwalam zamiar pozostania w zamku jeszcze czas jakiś. Nie mam środków po temu, aby przyśpieszyć twoje postępy; ale radzę ci, byś urozmaicił nieco czas pokuty zabawą z naszą wspólną pupilką. Co zaś do mojej osoby, to mimo uprzejmego wezwania, widzisz, że trzeba zaczekać; przyznasz chyba – nie z mojej winy.

Paryż, 4 października 17**

254

LIST CVII
Azolan, do wielmożnego de Valmont

Jaśnie Panie!

Stosownie do rozkazów pośpieszyłem bezzwłocznie do pana Bertrand, który mi wypłacił dwadzieścia pięć ludwików, jak polecono. *Prosiłem jeszcze o dwa dla Filipa, któremu kazałem ruszać natychmiast, zgodnie z wolą jaśnie pana, i który nie miał pieniędzy. Ale bankier jaśnie pana nie chciał się na to zgodzić, mówiąc, że nie ma od pana w tej sprawie rozkazu. Byłem więc zmuszony dać mu ze swoich i mam nadzieję, że jaśnie pan zechce łaskawie mi to policzyć.*

Filip wyjechał wczoraj wieczorem. Przykazałem mu nie opuszczać oberży, aby można było go zawsze znaleźć, gdyby był potrzebny.

Natychmiast udałem się do pani prezydentowej, aby się zobaczyć z Julią, ale wyszła. Widziałem się jedynie ze służącym La Fleur, od którego nic się nie mogłem dowiedzieć, ponieważ od czasu przybycia tutaj jedynie jadał w domu. Młodszy pomocnik pełnił przez cały ten czas służbę, a jaśnie pan wie dobrze, że go nie znam. Ale zacząłem już dzisiaj kroki.

Wreszcie dziś rano zastałem Julię, która wydawała się bardzo z tego rada. Chciałem ją wybadać co do przyczyny wyjazdu, ale powiedziała, że nic nie wie, i zdaje się, że mówi prawdę. Wyrzucałem jej, że mnie nie uprzedziła: zaklęła się, że otrzymała rozkazy dopiero ostatniego wieczoru, układając panią na spoczynek, tak iż cała noc zeszła na pakowaniu rzeczy; biedna dziewczyna spała ledwie godzinę. Opuściła pokój pani o pierwszej, kiedy zaś odchodziła, pani de Tourvel siadała dopiero do pisania.

Rano, wyjeżdżając, pani prezydentowa oddała list odźwiernemu. Julia nie wie, do kogo było to pisane: mówi, że może do jaśnie pana; ale jaśnie pan nic mi o tym nie wspomina.

W ciągu podróży pani miała twarz osłoniętą kapturem; *przez to nie można było się jej przyjrzeć, ale Julia jest prawie pewna, że* *często płakała*[1]. *Nie powiedziała słowa przez całą drogę i nie chciała zatrzymać się w...*[*], *jak to uczyniła jadąc w tamtą stronę. Niezbyt to było miłe Julii, która nie jadła śniadania. Ale, jak jej powiedziałem, panowie są panami.* Znalazłszy się w domu położyła się, ale tylko na dwie godziny. Skoro wstała, kazała przywołać szwajcara i wydała rozkaz, aby nikogo nie wpuszczał. Wcale nie robiła toalety. Zeszła do obiadu, zjadła jedynie trochę rosołu i zaraz opuściła jadalnię. Kawę podano do pokoju pani. Julia zastała panią prezydentową, jak porządkowała papiery w sekretarzyku; o ile mogła spostrzec, były to listy. Założyłbym się, że to listy jaśnie pana. Z trzech, które przyszły po południu, jeden odczytywała jeszcze nad wieczorem! Jestem pewny, że to też od pana. Ale czemu właściwie wyjechała tak nagle? Nie rozumiem doprawdy! Zresztą jaśnie pan może najlepiej wiedzieć; to nie moja sprawa.

Pani prezydentowa udała się po południu do biblioteki i wzięła dwie książki, które zabrała do buduaru: ale Julia zapewnia, że w ciągu całego dnia czytała ledwie kwadrans, a tylko cały czas odczytywała ten list i dumała wsparta na ręku. Ponieważ pomyślałem sobie, że jaśnie pan będzie pewno rad wiedzieć, co to były za książki, a Julia nie wiedziała, kazałem się zaprowadzić do biblioteki pod pozorem, że chcę ją obejrzeć. Jest puste miejsce po dwóch książkach: jedna to drugi tom *Myśli chrześcijańskich*, a druga – pierwszy tom książki pod tytułem *Klarysa*. Piszę, jak jest; jaśnie pan zapewne będzie wiedział, co to takiego.

Wczoraj pani nie wieczerzała wcale; piła tylko herbatę.

Dziś rano zadzwoniła bardzo wcześnie; kazała zaprzęgać i przed dziewiątą była już w kościele, gdzie wysłuchała mszy świętej. Chciała się spowiadać, ale jej spowiednik wyjechał i nie wróci aż za tydzień. Sądziłem, że dobrze będzie powiadomić o tym jaśnie pana.

---

[1] [Boy tłumaczy całe zdanie tak: „zdaje się, że płakała prawie przez całą drogę" – A. S.].

[*] *Idzie wciąż o tę samą wioskę w połowie drogi.*

Następnie pani wróciła, spożyła śniadanie i siadła do pisania, które trwało blisko godzinę. Miałem sposobność zrobić to, czego jaśnie pan najwięcej sobie życzył: postarałem się odnieść listy na pocztę. Listu do pani de Volanges nie było, ale posyłam jaśnie panu inny, do pana prezydenta: sądziłem, że to musi być najciekawszy. Był także jeden do pani de Rosemonde; pomyślałem, że jaśnie pan i tak go przeczyta, jeśli będzie miał ochotę, i oddałem go na pocztę. Zresztą jaśnie pan dowie się sam o wszystkim, skoro pani prezydentowa i do niego pisała. Będę mógł mieć i nadal wszystkie listy, jakich pan zapragnie, bo prawie zawsze Julia odbiera je od pani. Upewniła mnie, że przez przyjaźń dla mnie, a także dla pana, zrobi chętnie, czego zażądam.

Nie chciała nawet przyjąć pieniędzy, ale myślę, że jaśnie pan zechce jej zrobić jaki prezencik. Gdyby taka była jego wola, może bym ja się tym zajął: wiedziałbym, co jej zrobi przyjemność.

Mam nadzieję, że jaśnie pan nie będzie uważał, że pełnię służbę opieszale: bardzo leży mi na sercu, aby się usprawiedliwić z wymówek, jakie mnie spotkały. *Jeśli nie wiedziałem o wyjeździe pani prezydentowej, to właśnie gorliwość w służeniu jaśnie panu jest tego powodem, bo przez nią wyruszyłem już o trzeciej nad ranem. Toteż nie widziałem Julii poprzedniego wieczora, ponieważ jak zwykle w takich razach położyłem się spać w Tournebride, żeby nie budzić wszystkich w zamku.* Co do tego, co jaśnie pan mi wyrzuca, że zwykle jestem bez pieniędzy, to najpierw dlatego, że lubię być czysto i przyzwoicie ubrany, jak jaśnie pan sam widzi; a po wtóre, trzeba podtrzymywać honor barwy, którą się nosi. Wiem, że powinienem nieco zaoszczędzić na starość, ale polegam na szlachetności jaśnie pana, który jest taki dobry dla swoich ludzi.

Co się tyczy tego, bym przyjął służbę u pani de Tourvel pozostając równocześnie w służbach jaśnie pana, mam nadzieję, że jaśnie pan nie będzie tego wymagał. Zupełnie co innego u księżnej: to pewna, że nie włożę liberii, i to jeszcze liberii w mieszczańskim domu, kiedy miałem zaszczyt być strzelcem jaśnie pana. Co się tyczy reszty, jaśnie pan może rozporządzać tym, który ma zaszczyt być równie powolnym, jak przywiązanym, najniższym jego sługą.

Roux Azolan, strzelec

Paryż, 5 października, o godzinie jedenastej wieczorem

LIST CVIII
Prezydentowa de Tourvel do pani de Rosemonde

O najpobłażliwsza matko! Jakież ci składać dzięki! Jak bardzo potrzebowałam tego listu! Czytałam go i odczytywałam bez przerwy; nie mogłam się oderwać.

Jaka ty dobra! Więc cały twój rozum, cnota nie przeszkadzają ci współczuć ze słabością! Litujesz się moich udręczeń! Ach, gdybyś je znała!... Mniemałam, iż przeżyłam wszystkie cierpienia miłości; ale męczarnia niewypowiedziana, ta, którą trzeba przejść samemu, aby mieć o niej pojęcie, to rozłączać się z tym, kogo się kocha, i to rozłączać na zawsze!... Tak, cierpienie, które mnie gnębi dzisiaj, wróci jutro, pojutrze, i tak całe życie! Mój Boże! Jakaż ja młoda i ile czasu zostaje mi na tę mękę!

Być sprawczynią własnego nieszczęścia, rozdzierać sobie serce własnymi rękami i gdy się cierpi te nieopisane męczarnie, czuć, że można by im koniec położyć jednym słowem i że to słowo jest zbrodnią!

Kiedy powzięłam to tak ciężkie postanowienie ucieczki, spodziewałam się, że rozłąka wzmocni mą odwagę i moje siły. Jakże się omyliłam. Wprzód trzeba mi było więcej walczyć, prawda; ale nawet, gdym się opierała, nie wszystkiego musiałam się wyrzekać; widywałam go od czasu do czasu; często, nawet nie śmiejąc podnieść nań oczu, czułam, że jego spojrzenia spoczywają na mnie; tak, czułam je; zdawało mi się, że rozgrzewają mi duszę; mimo iż nie przechodziły przez moje oczy, wnikały wprost do serca. Teraz, w okropnej samotności, oderwana od wszystkiego, co mi jest drogie, sam na sam z nieszczęściem, każdą chwilę istnienia znaczę łzami i nic nie łagodzi ich goryczy!

Nie dalej niż wczoraj uczułam to aż nazbyt żywo. Wśród listów, które mi oddano, był i jego list: jeszcze nie miałam go w rękach, a już z daleka poznałam go wśród innych. Podniosłam się mimo woli; drżałam, trudno mi było ukryć wzruszenie; czułam jakąś błogość. Skoro w chwilę później zostałam sama, rozwiała się ta zwodna słodycz, zostawiając tylko jedną więcej ofiarę do spełnienia. Ach, czyliż wolno mi było otworzyć ten list, tak upragniony? Przez tę fatalność, która mnie prześladuje w tym nawet, w czym mogłabym znaleźć cień pociechy, spotykać muszę jeno męki nowych wyrzeczeń; a ranią mnie tym boleśniej, że i pan de Valmont przypłaca je cierpieniem.

Padło wreszcie imię, które zajmuje mnie bez przerwy, a które z takim trudem przyszło mi napisać, cień wymówki, jaki z tego powodu przebija w pani liście, poruszył mnie do głębi. Błagam, byś zechciała wierzyć, że uczucie fałszywego wstydu nie zaćmiło bynajmniej mego zaufania do ciebie; i czemuż miałabym wstydzić się go nazwać? Ach, ja rumienię się za me uczucia, a nie za przedmiot, który jest ich powodem. Któż w świecie godniejszy byłby je obudzić! Mimo to nie wiem, czemu to imię nie nasuwa mi się pod pióro; i teraz nawet potrzebowałam pewnego wysiłku, aby je wymienić. Wracam do niego.

Donosisz mi, że był żywo poruszony moim wyjazdem. Jak się zachował? Co powiedział? Czy mówił co o powrocie do Paryża? Proszę panią, byś zechciała odwodzić go od tego, o ile tylko będzie w twojej mocy. Jeśli mnie dobrze poznał, nie powinien mieć żalu za ten postępek, ale powinien czuć, że postanowienie moje jest nieodwołalne. Największym udręczeniem dla mnie jest nie wiedzieć, co on myśli. Mam wprawdzie jeszcze przed sobą jego list... ale ty sama, pani, jesteś z pewnością mego zdania, że nie powinnam go otworzyć.

Przez ciebie jedynie, droga i dobra przyjaciółko, mogę nie być zupełnie odcięta od niego. Nie chcę nadużywać twej dobroci; wiem doskonale, że listy twoje nie mogą być długie, ale nie odmówisz wszak dwóch słów swemu dziecku: jedno, aby podtrzymać jego odwagę, drugie, aby je pocieszyć.

Do widzenia, czcigodna przyjaciółko.

Paryż, 5 października 17**

LIST CIX
Cecylia Volanges do markizy de Merteuil

Dziś dopiero oddałam panu de Valmont list, którym mnie pani zaszczyciła. Przetrzymałam go cztery dni, mimo całej obawy, aby go nie odkryto; chowałam bardzo troskliwie to pismo i kiedy strapienie chwytało mnie na nowo, zamykałam się, aby je odczytać.

Widzę jasno, że to, co uważałam za okropne nieszczęście, to znów nic tak strasznego, i trzeba przyznać, że ma się przy tym dużo przyjemności, tak że już się nie martwię prawie wcale. Jedynie myśl o Dancenym dręczy mnie od czasu do czasu. Ale coraz częściej się zdarza, że nie myślę o nim ani troszkę, bo też pan de Valmont strasznie umie być miły!

Pogodziłam się z nim od dwóch dni i bardzo mi to łatwo przyszło; jeszcze nie rzekłam dwóch słów, kiedy on odparł, ża jeżeli mam mu co do powiedzenia, przyjdzie wieczór; rzekłam więc tylko, że bardzo chętnie. A potem, kiedy już był u mnie, ani trochę nie wydał się rozgniewany, tak jakbym mu nigdy nic nie zrobiła. Połajał mnie dopiero potem i bardzo łagodnie; i to w taki sposób... tak jak pani; co mnie upewniło, że ma wiele przyjaźni dla mnie.

Nie umiałabym powtórzyć, ile on mi opowiedział zabawnych rzeczy, takich, żebym nigdy nie myślała; szczególniej o mamie. Bardzo byłabym wdzięczna, żeby mi pani doniosła, czy to prawda? Nie mogłam po prostu wstrzymać się od śmiechu słuchając; raz nawet pękałam tak, ażeśmy się przestraszyli, żeby mama nie usłyszała; no, gdyby jej przyszła ochota zajrzeć do mnie, ojoj, co by to było! Więcej niż pewne, byłaby mnie oddała do klasztoru!

Dla większej ostrożności, ponieważ pan de Valmont powiedział sam, że za nic w świecie nie chciałby mnie narażać, umówiliśmy się, że odtąd on będzie przychodził jedynie otworzyć drzwi, a potem pójdziemy do jego pokoju... W ten sposób nie ma już najmniejszej obawy; byłam już wczoraj, i teraz nawet, pisząc do pani, czekam właśnie, aż on przyjdzie. Mam nadzieję, że mnie już pani chyba nie będzie łajała.

Jedna tylko rzecz bardzo mnie zdziwiła: to, co pani pisze, niby wtedy, jak już wyjdę za mąż, co do pana Danceny i pana de Valmont. Zdawało mi się, że kiedyś w Operze mówiła pani przeciwnie, że gdy już raz wyjdę za mąż, będę mogła kochać tylko męża i trzeba będzie zapomnieć nawet o Dancenym; może zresztą źle zrozumiałam i nawet wolę to, bo teraz nie będę miała takiego strachu przed małżeństwem. Owszem, cieszę się na nie, będę miała więcej swobody; mam nadzieję, że wówczas będę się mogła urządzić w taki sposób, aby myśleć tylko o Dancenym. Zdaje mi się, że naprawdę to mogłabym być szczęśliwa tylko z nim: teraz myśl o nim nęka mnie ciągle i mogę się czuć dobrze jedynie wtedy, kiedy potrafię nie myśleć o nim całkiem, a to bardzo trudno; a jak tylko zacznę, zaraz się martwię na nowo.

Pociesza mnie trochę to, co pani mówi, że Danceny będzie mnie kochał tym więcej; ale czy pani jest pewna?... Och, tak! Pani nie chciałaby mnie zwodzić! A jednak, jakie to zabawne, że ja kocham Danceny'ego, a że pan de Valmont... Ale, jak pani mówi, może to właśnie bardzo szczęśliwie! Zresztą zobaczymy.

Niezupełnie zrozumiałam, co pani mówi o moim sposobie pisania. Zdaje mi się, że Danceny'emu podobają się moje listy, tak jak są. Czuję jednak, że nie powinnam mu nic mówić o tym, co się dzieje między mną a panem de Valmont; co do tego, może pani być bez obawy.

Mama mi jeszcze nic nie mówiła o małżeństwie, ale niech pani będzie spokojna; teraz, kiedy wiem, że to tylko po to, aby mnie złapać, przyrzekam, że będę umiała kłamać.

261

Do widzenia, dobra przyjaciółko; dziękuję bardzo i obiecuję, że nie zapomnę nigdy twej dobroci. Muszę kończyć, już blisko pierwsza: pan de Valmont powinien lada chwila nadejść.

Z zamku***, 10 października 17**

LIST CX
Wicehrabia de Valmont do markizy de Merteuil

„Potęgi niebios, dałyście mi duszę dla cierpienia, dajcież mi ją i dla szczęścia"*.
Zdaje mi się, że to czuły Saint-Preux wyraża się w ten sposób. Ja, lepiej odeń wyposażony przez losy, przeżywam równocześnie oba te istnienia. Tak, droga przyjaciółko, jestem wraz bardzo szczęśliwy i bardzo nieszczęśliwy; skoro posiadasz zupełne moje zaufanie, winien ci jestem podwójny raport z mych smutków i rozkoszy.
Wiedz więc, że niewdzięczna świętoszka wciąż jest nieubłagana. Już czwarty list otrzymałem z powrotem. Może niesłusznie wyrażam się: czwarty; domyśliwszy się bowiem z łatwością po pierwszym zwrocie, że po nim nastąpi wiele innych, i nie chcąc czasu tracić daremnie, wpadłem na pomysł skreślenia swoich lamentacji w samych ogólnikach i bez daty, tak że od drugiej poczty ciągle ten sam list wędruje i wraca; zmieniam jedynie kopertę. Jeżeli moja piękność skończy tak, jak kończą wszystkie, i zmięknie któregoś dnia, bodaj ze znużenia, wówczas przyjmie nareszcie mój list i wtedy będzie czas nadrobienia drogi. Pojmujesz, że przy tym nowym sposobie korespondowania nie mogę mieć zbyt dokładnych informacji.
Odkryłem mimo to, że płocha osóbka zmieniła powiernicę: przekonałem się przynajmniej, że od czasu wyjazdu z zamku pani de Volanges nie odebrała ani jednego listu, na-

---
* Rousseau, *Nowa Heloiza*.

262

tomiast przyszły aż dwa do starej Rosemonde; że zaś ta nie powiedziała nam ani słowa i w ogóle nie wspomina o swej pieszczotce, o której przedtem mówiła bez przerwy, wywnioskowałem, że to ona jest obecnie powiernicą. Przypuszczam, że z jednej strony potrzeba mówienia o mnie, z drugiej zaś nieco wstydu przyznania się pani de Volanges do uczucia, którego się tak długo wypierała, sprowadziły tę zmianę gabinetu. Obawiam się, iż jeszcze straciłem na tej zamianie: im kobiety bowiem robią się starsze, tym stają się surowsze i bardziej nieprzejednane. Tamta by jej powiedziała więcej złego o mnie, ta więcej złego o miłości; tkliwa zaś skromność o wiele więcej drży przed uczuciem niż przed osobą.

Jedynym sposobem przekonania się o tym jest, jak sama widzisz, przejąć te konszachty; wysłałem już odpowiednie rozkazy. Nim będę cokolwiek wiedział, mógłbym działać jedynie na los szczęścia; toteż od tygodnia przechodzę bezużytecznie w myśli wszystkie środki opisane bądź w romansach, bądź w moich sekretnych pamiętnikach, ale nie znajduję ani jednego, który by się nadawał do obecnej przygody lub do charakteru bohaterki. Ostatecznie, mógłbym zakraść się do niej, bodaj w nocy, uśpić ją wreszcie i zrobić z niej nową Klarysę: ale po dwóch przeszło miesiącach starań i trudów uciekać się do środków nie mojej inwencji! Wlec się śladami innych i odnieść zwycięstwo bez chwały!... Nie, nie będzie miała upojeń występku, a zaszczytów cnoty*. To nie dość posiąść ją, musi się sama oddać. Tak; na to trzeba nie tylko dotrzeć do niej, ale znaleźć się tam za jej zezwoleniem; zastać ją samą i skłonną do wysłuchania mnie; przede wszystkim zamknąć jej oczy na niebezpieczeństwo, bo jeśli je spostrzeże, będzie umiała zwyciężyć je lub umrzeć. Ale im bardziej wiem, co trzeba robić, tym trudniejsze mi się zdaje wykonanie, i choćbyś miała znowu się wyśmiewać, wyznam, że im więcej o tym myślę, tym bardziej wzrasta moja niepewność i wahanie.

---

* Rousseau, *Nowa Heloiza*.

W głowie by mi się pomieszało, jak sądzę, gdyby nie chwile wytchnienia, jakich mi dostarcza wspólna nasza pupilka; jej doprawdy zawdzięczam, że życie moje nie płynie na samych wzdychaniach.

Czy uwierzyłabyś, że dziewczynka była tak spłoszona, iż upłynęły całe trzy dni, zanim twój list zrobił swoje? Oto jak jeden niedorzeczny przesąd może spaczyć najlepsze skłonności!

Słowem, dopiero w sobotę zaczęła panienka krążyć koło mnie i bąkać coś niecoś, i to tak cichutko i wstydliwie, że niepodobna było jej zrozumieć. Ale rumieniec towarzyszący nieśmiałym słówkom pozwolił mi się domyślić ich sensu. Aż dotąd trzymałem się w wyniosłej dumie; ale zmiękczony tak zabawną skruchą, chętnie przyrzekłem schadzkę jeszcze tego samego wieczora; łaskę tę przyjęto z całą wdzięcznością, na jaką zasługiwała.

Ponieważ nie tracę nigdy z oczu twoich ani moich zamiarów, postanowiłem skorzystać ze sposobności, aby ściślej zbadać, co sobie można obiecywać po tej małej, a zarazem zużyć ten czas dla jej edukacji. Aby się oddać tej pracy z większą swobodą, musiałem zmienić miejsce schadzek; tu bowiem, blisko pokojów matki, nie mogła się czuć dość bezpieczną ani też swobodniej rozwinąć skrzydełek. Postanowiłem zatem wywołać jakiś nieszkodliwy hałas i przestraszyć ją na tyle, aby wykazać niezbicie konieczność bezpieczniejszego schronienia; ona sama oszczędziła mi tego trudu.

Młoda osóbka jest wielka śmieszka; aby pobudzić jej wesołość, zrobiłem sobie uciechę i w antraktach zacząłem opowiadać wszystkie pieprzne historyjki, jakie mi przeszły przez głowę; chcąc im zaś dodać więcej smaku i lepiej utrwalić je w pamięci małej, kładłem wszystko na rachunek mamy, z przyjemnością strojąc ją we wszystkie śmiesznosci i bezeceństwa.

Nie bez przyczyny zresztą zrobiłem ten wybór; okazało się, że środek ten nieporównany jest dla ośmielenia trwożliwej uczennicy; zarazem zaś wszczepiałem jej w ten sposób głęboką wzgardę dla matki. Zauważyłem od dawna, że jeżeli sposób ten nie zawsze jest potrzebny po to, by uwieść młodą dziewczynę, jest niezbędny, a często najskuteczniejszy, kiedy się chce ją zepsuć: ta, która nie szanuje matki, nie będzie szanowała i samej siebie. Ten pewnik moralny uważam za tak ważny i użyteczny, że bardzo byłem rad, iż udało mi się znaleźć nowy przykład na jego poparcie.

Podczas tego pupilka twoja, która niewiele troszczyła się w tej chwili o moralność, dławiła się raz po raz od śmiechu, wreszcie omal nie wybuchła. Bez trudności zdołałem jej wytłumaczyć, że narobiła s t r a s z n e g o h a ł a s u. Udałem przerażenie i jej też napędziłem potężnego lęku. Aby lekcja była skuteczniejsza, położyłem koniec wspólnym uciechom i opuściłem ją o trzy godziny wcześniej niż zwykle, toteż przy rozstaniu zgodziła się bez trudności, że od jutra schadzki odbywać się będą w moim pokoju.

Dwa razy była już u mnie i w tym krótkim czasie uczennica posiadła niemal całą mądrość mistrza. Tak, doprawdy, nauczyłem ją wszystkiego, nawet... być uczynną, pominąłem jedynie paragraf ostrożności.

Tak zatrudniony całą noc, zyskuję to, iż przesypiam większą część dnia, że zaś obecnie towarzystwo nie ma dla mnie żadnej ponęty, ledwie pokazuję się na jaką godzinę. Od dziś postanowiłem nawet jadać w swoim pokoju, który mam zamiar opuszczać jedynie dla krótkiej przechadzki. Ten osobliwy tryb życia idzie na karb mego zdrowia. Oświadczyłem już, że cierpię na dolegliwe w a p o r y, również i nieco gorączki. Wystarcza mi tylko mówić wolnym i omdlewającym głosem. Co do bladości i zmizerowania, możesz pod tym względem spuścić się na swą pupilkę! *„Miłość temu zaradzi"*[*].

Pozostały czas trawię na rojeniu o tym, jak odzyskać stracone przewagi nad niewdzięczną, jak również na układaniu małego katechizmu rozpusty dla mej uczennicy. Bawię się tym, aby w nim nic nie nazywać inaczej, jak tylko nazwą techniczną; śmieję się zawczasu z zajmującej rozmowy, jaką to

---

[*] *Regnard, „Szaleństwa miłosne".*

sprowadzi pomiędzy nią a Gercourtem w noc poślubną. Paradna jest naiwność, z jaką ona używa tej gwary! Nie wyobraża sobie, aby można mówić inaczej. Uroczy dzieciak! Ten kontrast naiwnej prostoty z językiem wyuzdania ma coś nieopisanie podniecającego, a nie wiem czemu, ale już tylko same osobliwości są w stanie mnie podniecić.

Może zanadto oddaję się tej całej zabawie, która pochłania mi sporo czasu i zdrowia, ale mam nadzieję, że moja udana słabość – prócz tego, że mnie ratuje od nudów salonu – może mi posłużyć wobec surowej świętoszki, której tygrysia cnota łączy się z jagnięcą tkliwością! Pewien jestem, że musiała ją już dojść wiadomość o mym niedomaganiu. Rad bym wiedzieć, co ona myśli; założyłbym się, że nie omieszka sobie przypisać zaszczytu mej choroby. Pokieruję stanem mego zdrowia wedle wrażenia, jakie to na niej uczyni.

Otóż i jesteś, piękna przyjaciółko, w toku wszystkich mych zatrudnień. Pragnąłbym mieć niebawem coś bardziej interesującego do doniesienia; chciej wierzyć, że w rozkoszach, jakie sobie obiecuję, niemałe zajmuje miejsce spodziewana od ciebie nagroda.

Z zamku***, 11 października 17**

LIST CXI
Hrabia de Gercourt do pani de Volanges

Wszystko zdaje się, pani, zapowiadać rychły spokój w tym kraju; spodziewamy się tedy lada dzień pozwolenia na powrót do Francji. Mam nadzieję, iż pani nie wątpi, że zawsze z równym upragnieniem oczekuję chwili, która pozwoli mi wreszcie połączyć się ściślejszymi węzłami z tobą, pani, i z panną de Volanges. Jednakże książę de***, mój krewny, względem którego – jak wiesz, pani – tyle mam zobowiązań, przesłał mi wiadomość, iż odwołano go z Neapolu; donosi mi, iż ma zamiar udać się przez Rzym i zwiedzić w drodze tę część Włoch, której jeszcze nie zna. Zaprasza mnie, abym mu towarzyszył w podróży mającej potrwać do ośmiu tygodni. Nie taję, iż miło by mi było skorzystać ze sposobności, gdyż wiem, że skoro będę żonaty, trudno mi będzie wydalać się z domu poza wymaganiami służbowych obowiązków. Przy tym, kto wie, czy nie byłoby właściwsze odłożyć ślub do zimy: wówczas wszyscy moi krewni będą w Paryżu, a zwłaszcza margrabia de***, któremu zawdzięczam nadzieję połączenia się z domem pani. Mimo tych pobudek poddaję w zupełności zamysły moje twej woli i jeżeli choć trochę obstaje pani przy poprzednich zamiarach, gotów jestem poniechać projektów. Proszę panią jedynie, byś zechciała uwiadomić mnie jak najśpieszniej o swych postanowieniach. Będę tutaj oczekiwał odpowiedzi i ona rozstrzygnie o mej decyzji.

Pozostaję z szacunkiem i z wszelkimi synowskimi uczuciami najuniżeńszym etc.

Hrabia de Gercourt

Bastia, 10 października 17**

LIST CXII
Pani de Rosemonde do prezydentowej de Tourvel
(dyktowany pannie służącej)

W tej chwili dopiero otrzymałam, droga ślicznotko, twój list z 11.* i nieśmiałą wymówkę, jaka się w nim mieści. Przyznaj się, że miałabyś ochotę uczynić mi więcej wyrzutów i że gdybyś sobie nie przypomniała w porę, że jesteś moją córka, byłabyś mnie naprawdę połajała. W dodatku bardzo niesprawiedliwie! Właśnie chęć i nadzieja, iż będę mogła odpisać własnoręcznie, kazały mi zwlekać z dnia na dzień; widzisz, że jeszcze dziś muszę uciec się do ręki panny służącej. Nieszczęśliwy reumatyzm znowu mnie prześladuje; tym razem w prawej ręce: jestem zupełna kaleka. Widzisz, co to

---

* Ten list się nie odnalazł.

znaczy, gdy młoda i hoża jak ty istotka znajdzie sobie taką starą przyjaciółkę! Musi pokutować za jej dolegliwości.

Skoro cierpienia pofolgują mi trochę, obiecuję sobie porozmawiać z tobą bardzo długo! Nim to nastąpi, wiedz tymczasem, że otrzymałam oba listy; że gdyby to było możliwe, zwiększyłyby jeszcze mą przyjaźń dla ciebie, i że nigdy nie przestanę brać najżywszego udziału we wszystkim, co ciebie dotyczy.

Siostrzeniec jest również cierpiący, ale nic groźnego, tak iż nie ma powodu się niepokoić: lekkie niedomaganie, na którym, o ile mi się zdaje, więcej cierpi jego humor niż zdrowie. Nie widujemy go prawie wcale.

Jego zamknięcie się i twój wyjazd nie przydają wesołości szczupłemu kółku. Małej Volanges szczególniej musi się to dawać we znaki, gdyż ziewa jak dzień długi, tak że o mało nie połknie własnych piąstek. Zwłaszcza od kilku dni czyni nam ten zaszczyt, iż zasypia głębokim snem każdego popołudnia.

Do widzenia, droga ślicznotko; jestem zawsze twą serdeczną przyjaciółką, matką, siostrą nawet, gdyby mój podeszły wiek pozwalał na ten tytuł. Słowem, mam dla ciebie wszystkie najtkliwsze uczucia.

Podpisano:

Adelajda
za panią de Rosemonde

Z zamku***, 14 października 17**

LIST CXIII
Markiza de Merteuil do wicehrabiego de Valmont

Poczuwam się do obowiązku ostrzeżenia cię, wicehrabio, iż w Paryżu zaczynają się tobą zajmować; świat zauważył twoją nieobecność, a nawet zgaduje przyczynę. Byłam wczoraj na licznym zebraniu; twierdzono z zupełną pewnością, że zagrzebałeś się na wsi z powodu jakiejś romantycznej a nieszczęśliwej miłości; trzeba było widzieć radość, jaka odbiła się na twarzy mężczyzn zazdrosnych o twoje powodzenie, jak również wszystkich kobiet, którymi nie raczyłeś się zajmować. Jeżeli zechcesz mnie posłuchać, nie pozwolisz utrwalić się tym niebezpiecznym poglądom i przybędziesz natychmiast zaprzeczyć im swoją obecnością.

Pomyśl, że jeżeli raz dasz wygasnąć przekonaniu, że tobie nie można się oprzeć, doświadczysz wkrótce, iż w istocie będą ci się opierać; rywale również stracą dla ciebie szacunek i ośmielą się z tobą mierzyć, bo któryż nie uważa się za silniejszego od cnoty kobiecej? *Pomyśl zwłaszcza, że wśród tłumu kobiet, których podbojem się chwaliłeś, te wszystkie, których nie miałeś, będą próbowały wyprowadzić świat z błędu, zaś pozostałe będą się starały go oszukać.* Słowem, grozi ci, iż spadniesz w oczach świata o tyle poniżej swej wartości, o ile dotychczas wynoszono cię ponad zasługi.

Wracaj więc, wicehrabio, i nie poświęcaj reputacji dla dziecinnego kaprysu. Zrobiłeś z małą Volanges, co było do zrobienia; co zaś do prezydentowej, to istotnie nie sądzę, abyś mógł dojść do rezultatów z odległości dziesięciu mil. Czy myślisz, że ona będzie cię szukać? Może już nie myśli o tobie albo tryumfuje, iż zdołała cię upokorzyć! Tu przynajmniej możesz znaleźć sposobność wypłynięcia na nowo w jakiś efektowny sposób, a bardzo by się to zdało; podczas gdy o ile będziesz się upierał przy twej śmiesznej przygodzie, nie sądzę, aby twój powrót coś pomógł... raczej przeciwnie.

W istocie, jeżeli prezydentowa cię ubóstwia, jak mnie o tym tak bardzo zapewniałeś, a tak mało mi tego dowiodłeś, jej jedyną pociechą, jedyną przyjemnością musi być w tej chwili mówić o tobie, wiedzieć, co robisz, co mówisz, co myślisz aż do najdrobniejszych rzeczy, które cię dotyczą. *Te głupstwa nabierają wartości proporcjonalnie do braku, jaki się odczuwa.* To owe okruchy ze stołu bogacza: on sam nimi gardzi, ale nędzarz zbiera je chciwie i żywi się nimi. Otóż biedna prezydentowa otrzymuje obecnie te wszystkie okruchy; im więcej będzie ich miała, tym mniej będzie jej pilno wyciągnąć dłonie po resztę.

Nadto, odkąd znasz jej powiernicę, nie wątpisz, iż każdy list tej damy zawiera małe kazanie wraz z wszystkim, co uważa za potrzeb-

ne, aby „podtrzymać rozwagę i wzmocnić cnotę" *. *Po cóż więc zostawiać jednej możliwość obrony, a drugiej możliwość zadawania ci krzywdy?*

Nie znaczy to bynajmniej, że jestem twego zdania, jeśli idzie o stratę, jaką miałbyś ponieść na zmianie powiernicy. Po pierwsze, pani de Volanges nienawidzi cię, a nienawiść jest zawsze bardziej przenikliwa i domyślniejsza od przyjaźni. Cała cnota twojej starej ciotki nie zmusi jej, by choć przez chwilę złorzeczyć na drogiego siostrzeńca; cnota bowiem ma również swoje słabości. Po wtóre, twoje obawy opierają się na całkiem fałszywej przesłance.

Nie jest prawdą, że im kobiety robią się starsze, tym stają się surowsze i bardziej nieprzejednane. Istotnie, pomiędzy czterdziestką a pięćdziesiątką, prawie wszystkie, z rozpaczy, że więdnie im twarz, i z wściekłości, że muszą wyrzec się zakusów i przyjemności, na których im jeszcze zależy, popadają w świętoszkostwo i zgryźliwość. Trzeba im tak długiego czasu, by dokonały wreszcie tego wielkiego poświęcenia. Lecz gdy tylko zostało uczynione, dzielą się na dwie grupy.

Najliczniejsza, złożona z kobiet, których jedynymi przymiotami były uroda i młodość, znajduje się w stanie tępej apatii i wychodzi zeń czasem dla gry i pobożnych praktyk. Niewiasty te są zawsze nudne, często gderliwe, niekiedy trochę dokuczliwe, rzadko jednak złe. Nie sposób również twierdzić, że są lub nie są surowe: pozbawione własnego zdania i pozbawione istnienia, powtarzają jednako i nie rozumiejąc wszystko, co usłyszą, i po prostu są nikim.

Druga grupa, znacznie rzadsza, lecz naprawdę cenna, składa się z kobiet, które w młodości miały charakter i nie zaniedbywały kształcenia rozumu, a przeto umieją zbudować sobie egzystencję, gdy sama natura już nie wystarcza, i starają się okrasić umysł, tak jak dawniej krasiły lica. Mają zazwyczaj osąd zdrowy, a dowcip zarazem solidny, wesoły i wdzięczny. Uwodzicielskie powaby zastępują ujmującą dobrocią, a także humorem, którego czar wzmaga się wraz z wiekiem. W ten sposób udaje się im poniekąd zbliżyć do młodych i zaskarbić sobie ich sympatię. Znaczy to jednak, że nie są wcale, jak

***

* *Z komedii „Nie sposób wszystkiego przewidzieć"*. [Chodzi o operę komiczną Sedaine'a *On ne s'avise jamais de tout* – A. S.].

mówisz, s u r o w e i n i e p r z e j e d n a n e, albowiem, nawykłe do po-błażania, często rozmyślające o ludzkich słabościach, a zwłaszcza bo-gate we wspomnienia własnej młodości, które tak mocno trzymają je przy życiu, skłaniają się raczej, zanadto być może, do wyrozumiałości.

Powiem ci na koniec, iż poszukując zawsze towarzystwa starszych dam, jako że ich poparcie rychło zdało mi się wielce użyteczne, spo-tkałam kilka takich, z którymi potem przestawałam tyleż dla korzy-ści, co z prawdziwej ochoty. Dosyć jednak; bo skoro tak się teraz łatwo rozpalasz, i to na tak moralną modłę, boję się, byś się nie zakochał na-raz w twojej starej ciotce i nie pogrążył wraz z nią w grobie, w którym żyjesz już od dłuższego czasu. Wracam więc do rzeczy.

Również, mimo zachwytu, jaki zdaje się w tobie budzić mała uczennica, nie przypuszczam, aby miała odgrywać jakąkolwiek rolę w twych zamiarach. Miałeś ją pod ręką, wziąłeś: doskonale! Ale w tym nie ma materiału nawet na przelotny kaprys. To nie jest nawet, prawdę mówiąc, zupełne posiadanie: władasz jedynie i wyłącznie tylko jej osobą! Nie mówię o sercu, o które, nie wątpię, troszczysz się zbyt mało: ale nie zajmujesz nawet jej główki. Nie wiem, czy to zauwa-żyłeś, ale ja mam dowód w ostatnim jej liście*: posyłam ci go, abyś mógł osądzić. Widzisz, że kiedy mówi o tobie, to zaw-sze przez p a n d e V a l m o n t; wszystkie jej myśli, nawet te, które ty w niej budzisz, odnoszą się jedynie do Danceny'ego; jego nie nazywa panem, lecz zawsze po prostu D a n c e n y m. Przez to odróżnia go od wszystkich innych; nawet oddając się tobie czuje się bliską wyłącznie z nim jednym. Jeżeli taka zdobycz wydaje ci się z a c h w y c a j ą c a, jeżeli przyjemności, jakie ci daje, p o c h ł a n i a j ą c i ę, trzeba przyznać, że jesteś skromny i mało wymagający! Zresztą, chcesz dłużej bawić się małą? Owszem, to godzi się nawet z mymi zamiarami. Ale zdaje mi się, że to nie jest warte, aby sobie robić kłopot bodaj na kwadrans, a również, że trzeba by mieć na nią jakiś wpływ i nie pozwolić, na przykład, aby się zbliżyła do Dan-ceny'ego wprzód, nim się go trochę zatrze w jej pamięci.

---

* *Patrz list CIX.*

Zanim przestanę zajmować się tobą, aby przejść do siebie, chcę ci jeszcze powiedzieć, że sztuczka z chorobą, do której się uciekłeś, jest dobrze znana i bardzo zużyta. W istocie, wicehrabio, nie masz daru wynalazków! I ja również powtarzam się niekiedy, jak to zaraz zobaczysz, ale staram się ratować urozmaiceniem szczegółów, a przede wszystkim usprawiedliwia mnie powodzenie. Jeszcze o jedną zdobycz pragnę się pokusić i puszczam się na nową przygodę. Przyznaję, iż nie daje ona pola do zwalczania zbyt wielkich trudności, ale przynajmniej będzie jakaś rozrywka, a nudzę się wprost śmiertelnie.

Nie wiem czemu, ale od czasu przygody z Prévanem Belleroche obrzydł mi zupełnie. Do tego stopnia podwoił swoje względy, czułość, s z a c u n e k, że znieść już tego doprawdy nie mogę. Jego gniew w pierwszej chwili ubawił mnie; należało jednak uspokoić go za wszelką cenę. Byłoby dla mnie kompromitujące, gdyby kawaler miał się wdać w tę sprawę, a nie było sposobu przywiedzenia go do rozsądku. Uciekłam się zatem do tego, iż zdwoiłam mą czułość w nadziei, że na tej drodze łatwiej z nim sobie dam radę; wziął to dosłownie i od tego czasu zamęcza mnie swym rozanieleniem. Drażni mię zwłaszcza bezgraniczne zaufanie, spokojna pewność, z jaką patrzy na mnie, jako na przynależną doń na zawsze. Doprawdy, to mnie upokarza. Bardzo mało mnie ceni chyba, jeżeli myśli, że on zdołał mnie przywiązać. Wyobraź sobie, kiedyś, ni mniej ni więcej, powiedział mi, że nie mogłabym pokochać innego! Och, trzeba mi było całego panowania nad sobą, aby go nie wyprowadzić natychmiast z błędu, mówiąc po prostu, jak się rzeczy mają. Śmieszna doprawdy figura, ze swymi pretensjami do wyłącznych praw! Przyznaję, że jest dobrze zbudowany i niebrzydki, ale razem wziąwszy, to ostatecznie tylko wyrobnik miłości. Słowem, nadeszła chwila; trzeba się go pozbyć.

Czynię już w tym kierunku próby od dwóch tygodni; używam kolejno chłodu, kaprysów, złego humoru, sprzeczki; ale uparta kreatura nie daje tak łatwo za wygraną; trzeba się zdobyć na energiczniejsze środki: zabieram go tedy na wieś. Wyjeżdżamy pojutrze. Będzie z nami zaledwie kilka osób bez znaczenia i niezbyt przenikliwych; toteż będziemy mieli niemal tyle swobody, co gdybyśmy byli sami. Tam przekarmię go do tego stopnia miłością i pieszczotami, będziemy żyli tak jedynie i wyłącznie dla siebie, że ręczę, iż z większym ode mnie utęsknieniem będzie wzdychał do końca tej podróży, po której sobie obiecuje tyle rozkoszy. Jeżeli nie wróci bardziej znudzony mną niż ja nim w tej chwili, możesz powiedzieć, że rozumiem się na tych sprawach tyle co ty, to znaczy bardzo niewiele.

Pozorem do tej sielanki jest konieczność poważnego zajęcia się moim procesem, co do którego wyrok ma zapaść wreszcie z początkiem zimy. Bardzo się z tego cieszę, bo to nie jest zbyt przyjemnie, gdy cały majątek wisi niejako na włosku. Nie obawiam się wprawdzie zbytnio o wynik; po pierwsze, mam słuszność, wszyscy adwokaci upewniają mnie o tym, a zresztą, choćbym nie miała, musiałabym być bardzo niezręczna, gdybym nie zdołała wygrać procesu, w którym mam za przeciwników jedynie małoletnich, niemal dzieci jeszcze, i starego opiekuna! Ponieważ w sprawie tak wielkiej wagi nie należy nic zaniedbywać, biorę z sobą dwóch adwokatów. Podróż nie wydaje ci się zbyt wesoła? Ba, jeśli mi przysporzy wygraną procesu, a uwolni mnie od Belleroche'a, nie będę żałowała straconego czasu.

A teraz zgadnij, wicehrabio, kto będzie następcą, trzymam o jeden przeciw stu. Ale prawda! Przecież ty nigdy jeszcze nic nie zgadłeś! Słuchaj więc: Danceny. Dziwi cię to, nieprawdaż? Ostatecznie, nie jestem jeszcze w tym położeniu, abym była skazana na wychowywanie dzieci! Ale on zasługuje na wyjątek; posiada jedynie powaby młodości, a nic jej niebezpieczeństw. Jego powaga i statek dają zupełne gwarancje w oczach świata; tym milszy jest za to, gdy się ośmieli nieco w swobodniejszym sam na sam. To nie znaczy, abym już z nim kosztowała sama tych słodyczy; jestem dopiero powiernicą; ale pod zasłoną przyjaźni zdaje mi się, iż spostrzegam bardzo żywą skłonność, czuję zaś, że i ja nabieram jej coraz więcej. Byłaby naprawdę szkoda, gdyby tyle talentu i subtelności miało się zmarnować i stępić przy takiej gęsi jak ta Volanges! Mam nadzieję, iż on się łudzi, że ją kocha: ona o tyle niżej stoi od niego! Nie jestem zazdrosna o nią, ale to byłoby proste samobójstwo: chcę go ocalić. Proszę cię więc, wicehrabio, dołóż starań, aby on nie mógł się zbliżyć do swojej Cecylii (jak przez niemądry nałóg nazywa ją jeszcze). Pierwsze uczucie zawsze ma więcej siły, niż się zdaje: nie byłabym niczego pewna, gdyby ją znów miał ujrzeć, zwłaszcza w czasie mej nieobecności. Skoro wrócę, podejmuję się wszystkiego i ręczę za skutek.

Myślałam o tym, i bardzo, aby wziąć tego chłopca z sobą, ale poniechałam zamiaru z prostej ostrożności; obawiałam się przy tym, aby nie spostrzegł czego między Belleroche'em a mną. Byłabym w rozpaczy, gdyby się miał domyślać. Pragnę bodaj w jego wyobraźni oddać mu się czysta i bez zmazy; słowem taka, jaką trzeba by być, aby być jego godną.

Paryż, 15 października 17**

LIST CXIV
Prezydentowa de Tourvel do pani de Rosemonde

Droga przyjaciółko, daję folgę moim niepokojom i mimo iż nie wiem, czy będziesz zdolna odpowiedzieć, nie mogę się powstrzymać od tego pytania. Stan pana de Valmont, o którym mówisz, że nie jest niebezpieczny, budzi we mnie więcej obaw, niż ty, pani, zdajesz się odczuwać. Często się zdarza, że melancholia i niechęć do świata są pierwszym objawem poważnej choroby; dolegliwości ciała, zarówno jak umysłu, budzą pragnienie samotności i nieraz wini się kogoś o dziwactwo zamiast współczuć z jego cierpieniami.

Zdaje mi się, że powinien by się przynajmniej poradzić. W jaki sposób, sama będąc niezdrową, nie ma pani przy sobie doktora? Mój lekarz, którego widziałam dziś rano i którego, nie taję, starałam się wybadać ogólnie, jest zdania, że u osób z natury żywych tego rodzaju nagła apatia jest zawsze poważnym objawem; powiedział również, że leczenie może okazać się bezsilne, o ile go się nie zastosuje dość wcześnie. Po cóż narażać na niebezpieczeństwo kogoś, kto pani jest drogi?

Obawę mą zdwaja jeszcze to, iż od czterech dni nie mam do niego żadnych wiadomości. Mój Boże! Czy pani mnie nie zwodzi? Czemuż by przestał pisać tak nagle? Gdyby to był jedynie skutek wytrwałości, z jaką zwracam jego listy, byłby się zdobył może na to wcześniej. Wreszcie, jakkolwiek nie wierzę w przeczucia, od kilku dni gnębi mnie smutek, który przeraża mnie po prostu. Och, może jesteśmy w przededniu strasznego nieszczęścia!

Nie zdołałabyś pani uwierzyć – i ja wstydzę się przyznać – jak mi boleśnie jest nie odbierać już tych listów, których czytania odmawiałam tak uporczywie! Czułam przynajmniej, że myśli o mnie! Widziałam coś, co pochodzi od niego. Nie otwierałam listów, ale płakałam patrząc na nie i łzy płynęły mi słodziej i łatwiej. Te jedne łzy uśmierzały nieco nieustanne przygnębienie, jakiego doświadczam od powrotu. Zaklinam cię, najlepsza przyjaciółko, napisz sama, skoro tylko będziesz mogła; a zanim to nastąpi, prześlij codziennie bodaj jakąś wiadomość.

Widzę, że zaledwie znalazłam w tym liście jakieś słowo dla ciebie, pani; ale znasz moje uczucia, przywiązanie bez granic, serdeczną wdzięczność; wybaczysz to przez wzgląd na straszny ucisk, w jakim żyję, na tę okropną męczarnię... Och, ciągle drżeć przed nieszczęściem, którego może jestem przyczyną!...

Do widzenia, najdroższa przyjaciółko; kochaj mnie, lituj się nade mną. Czy będę miała list od ciebie dzisiaj?

Paryż, 16 października 17**

LIST CXV
Wicehrabia de Valmont do markizy de Merteuil

To rzecz w istocie niepojęta, moja piękna przyjaciółko, jak
łatwo ludzie przestają się rozumieć, skoro tylko oddalą się od
siebie. Jak długo byliśmy razem, mieliśmy zawsze o wszystkim jedno mniemanie, jeden sposób widzenia; dlatego że blisko od trzech miesięcy nie widujemy się, nie możemy się
zgodzić, nawet co do najmniejszego drobiazgu. Które z nas
jest w błędzie? Ty zapewne nie wahałabyś się w odpowiedzi;
ale ja, rozsądniejszy lub tylko uprzejmiejszy, nie chcę rozstrzygać. Odpowiadam jedynie na list i w dalszym ciągu zdaję
ci sprawę z mego postępowania.

Przede wszystkim dziękuję ci, markizo, za ostrzeżenie co
do krążących pogłosek; nie trapię się nimi jeszcze; mam pewność, iż niebawem potrafię im położyć koniec. Bądź spokojna; zjawię się z powrotem, głośniejszy niż przedtem i coraz
godniejszy ciebie.

Mam nadzieję, że świat mi policzy nawet za coś przygodę
z małą de Volanges, o której ty zdajesz się mniemać tak niewiele: jak gdyby to było niczym – zdmuchnąć w ciągu wieczora młodą panienkę ukochanemu przez nią wielbicielowi,
rozporządzać nią następnie wedle ochoty, wręcz jak swoją
własnością, i to nie zadając sobie najmniejszego trudu; uzyskać od niej to, czego się nie śmie nawet wymagać od zawo-
dowych dziewczyn, i to wszystko nie mącąc w niczym jej tkliwej miłości, nie przyprawiając jej o niestałość, nawet o niewierność; bo, istotnie, ja nie zaprzątam nawet jej główki! Tak,
że skoro kaprys mój minie, oddam ją z powrotem czułemu
kochankowi ledwie świadomą wszystkiego, co zaszło. Czy to
jest tak pospolite? A potem, wierzaj, skoro raz wyjdzie z moich rąk, zasady, jakie w nią wszczepię, rozwiną się z czasem;
przepowiadam, że nieśmiała uczennica wkrótce zabłyśnie
w sposób przynoszący zaszczyt mistrzowi.

Jeżeli jednak ktoś bardziej smakuje w rodzaju heroicznym,
ukażę mu prezydentową, ów słynny zbiornik cnoty, szano-
waną nawet przez najzuchwalszych; taką, słowem, że nikomu

na myśl nie przyszło przypuszczać do niej szturm! Pokażę ją, powiadam, jak zapomina o obowiązkach i cnocie, jak poświęca dobrą sławę i dwa lata przykładnego życia, aby uganiać się za szczęściem pozyskania mych względów, aby się upijać rozkoszą kochania mnie; jak za tyle ofiar – jako jedynej nagrody – żebrze jednego słowa, jednego spojrzenia, które nie zawsze uda się jej uzyskać. Zrobię więcej: porzucę ją; i albo wcale nie znam tej kobiety, albo nie doczekam się następcy w jej sercu. Oprze się potrzebie szukania pociechy, nawykowi pieszczot, pragnieniu nawet zemsty. Słowem, będzie istniała jedynie przeze mnie; ja jeden będę tym, który rozpoczął i który zamknie jej istnienie. Raz osiągnąwszy tryumf, powiem współzawodnikom: „Patrzcie na me dzieło i szukajcie w całym stuleciu drugiego takiego przykładu!"

Zapytasz, skąd mi się bierze dzisiaj taka pewność siebie? To dlatego, że od tygodnia jestem powiernikiem mej uroczej pani: nie zwierza mi swych tajemnic, ale je podchwytuję. Dwa listy od niej do pani de Rosemonde pouczyły mnie dokładnie w tej mierze, tak że jeśli będę czytał dalsze, to jedynie przez prostą ciekawość. Aby zwyciężyć, trzeba mi jedynie zbliżyć się do niej. Środki już obmyślone i niezwłocznie wprowadzę je w życie.

Jesteś ciekawa, jak sądzę, markizo? Ale nie, aby cię ukarać, że nie wierzysz w mój zmysł wynalazczy, nie powiem. Całkiem szczerze, zasługiwałabyś, markizo, abym ci odebrał zaufanie, przynajmniej na czas tej przygody; w istocie, gdyby nie słodka nagroda, jaką związałaś z tryumfem, nie mówiłbym ci o tym więcej. Widzisz, że jestem zagniewany. Jednakże w nadziei, że się poprawisz, gotów jestem poprzestać na tej lekkiej karze; ulegając tedy pobłażliwym uczuciom, zapominam na chwilę o mych wielkich zamiarach, aby pomówić nieco o twoich.

Jesteś tedy, markizo, zakopana na wsi, nudna jak uczucie i smutna jak wierność! Biedny Belleroche! Nie zadowalasz się tym, aby go napawać wodą zapomnienia, ale pompujesz ją w niego jak przy wodnej torturze! Jakże on się miewa? Czy znosi dobrze nudności miłosne? Wiele dałbym za to, aby się tym więcej przywiązał do ciebie; ciekaw byłbym widzieć, jakie nowe, skuteczniejsze lekarstwo zdołałabyś obmyślić. Żal mi cię istotnie, że byłaś zmuszona aż do tego. Raz tylko w życiu uprawiałem miłość z obowiązku. Miałem z pewnością ważne powody, gdyż partnerką była hrabina de***; ale po dwadzieścia razy w ramionach jej miałem pokusę wykrzyknąć: „Pani, zrzekam się miejsca, o które się ubiegam, ale pozwól mi opuścić to, które zajmuję". Toteż ze wszystkich kobiet, które miałem, to jedyna, o której mówić źle sprawia mi prawdziwą przyjemność.

Co do twoich pobudek, wydają mi się one, szczerze mówiąc, niewypowiedzianie pocieszne; słusznie przypuszczałaś, iż nie domyślę się następcy. Jak to! Dla Danceny'ego zadajesz sobie całą fatygę? Ech, droga przyjaciółko, pozwólże mu ubóstwiać cnotliwą Cecylię i nie narażaj reputacji dla takich dziecinnych zabawek! Pozwól studencikom zdobywać pierwsze wykształcenie przy pokojówkach lub bawić się w niewinne gry z pensjonarkami. Po cóż ci się ubierać w smarkacza, który nie będzie umiał ani cię wziąć, ani cię opuścić, i z którym trzeba ci będzie wszystko robić samej? Mówię poważnie: nie pochwalam wyboru i, choćby ci się udało utaić go przed światem, poniżyłby cię bodaj w moich i twoich własnych oczach.

Czujesz, jak powiadasz, markizo, coraz więcej dlań skłonności! Cóż znowu! Łudzisz się: zdaje mi się nawet, iż doszedłbym przyczyn omyłki. To zdrowe obrzydzenie do Belleroche'a przyszło na ciebie w porze ogórków; wobec tego zaś, iż Paryż nie nastręczył ci innego wyboru, myśli twoje, zawsze zbyt płoche, zwróciły się na pierwszy przedmiot, który znalazłaś pod ręką. Ale pomyśl, że za powrotem będziesz mogła wybierać wśród tysiąca; jeśli zaś tak bardzo obawiasz się bezczynności, która grozi utratą wprawy, ofiaruję ci moją skromną osobę, aby zapełnić twe wywczasy.

Do twego powrotu perypetie moje ukończą się w taki czy inny sposób; a z pewnością ani mała Volanges, ani sama prezydentowa nawet nie będą mnie zajmowały wówczas w tym stopniu, abym nie był zawsze gotów do twoich usług, ile tylko zapragniesz. Może nawet do tej pory oddam już moją małą w ręce tak szanującego ją kochanka.

Pragnąc, aby zachowała o mnie całe życie mniemanie stawiające mnie w jej pamięci ponad innych mężczyzn, wziąłem rzecz z tonu, którego nie mógłbym podtrzymywać długo, nie nadwerężając zdrowia; toteż wycofałbym się z zabawy, gdyby nie troskliwość należna „sprawom rodzinnym"...

Nie rozumiesz? Oto oczekuję właśnie drugiej epoki, aby potwierdzić swe nadzieje i upewnić się, że zamiary powiodły mi się w całej pełni. Tak, piękna przyjaciółko, mam już pierwszą oznakę, że małżonek mej uczennicy nie będzie narażony na obawę bezpotomnego zejścia i że głowa rodziny Gercourt będzie zarazem młodszą odroślą rodziny Valmontów. Ale pozwól mi skończyć wedle mojej myśli tę sprawę, którą podjąłem jedynie na twoje prośby. Pomyśl, że jeśli jej uwiedziesz Danceny'ego, odejmiesz cały pieprzyk wydarzeniu. Zważ wreszcie, że ofiarowując się zastąpić go przy tobie, mam, o ile mi się zdaje, niejakie prawa pierwszeństwa.

Liczę na to tak bardzo, że nie lękałem się skrzyżować twoich planów, przyczyniając się sam do odświeżenia tkliwych uczuć nieśmiałego kochanka dla pierwszego i godnego przedmiotu jego wyboru. Zastawszy wczoraj naszą pupilkę zajętą pisaniem i przerwawszy jej zrazu to słodkie zatrudnienie dla innego jeszcze słodszego, kazałem jej następnie pokazać list; że zaś wydał mi się zimny i wymuszony, wytłumaczyłem jej, że nie w ten sposób zdoła pocieszyć swego wielbiciela. Nakłoniłem ją, aby napisała inny pod dyktandem, gdzie naśladując, jak umiałem, jej szczebiot, starałem się podsycić miłość młodego człowieka realniejszymi nadziejami. Młoda osóbka zachwycona była, iż przyszła bez trudu do tak pięknego stylu: na przyszłość ja mam się zajmować korespondencją. I czegóż nie robię dla tego Danceny'ego? Będę naraz jego przyjacielem, powiernikiem, rywalem i kochanką! Jeszcze w tej chwili oddaję mu przysługę ocalając go z twoich niebezpiecznych więzów. Tak, niebezpiecznych, gdyż posiadać ciebie, a potem utracić – znaczy kupić chwilę szczęścia za całą wieczność niedoli.

Do widzenia, piękna przyjaciółko, postaraj się załatwić z Belleroche'em jak najrychlej; daj pokój Danceny'emu i pozwól mi wskrzesić z tobą niezapomniane słodycze naszego pierwszego związku.

PS. Winszuję ci, markizo, bliskiego osądzenia procesu. Bardzo będę rad, iż ten szczęśliwy fakt wypadnie za mego panowania.

Z zamku***, 19 października 17**

LIST CXVI
Kawaler Danceny do Cecylii Volanges

Pani de Merteuil wyjechała dziś rano; i oto, urocza Cecylio, pozbawiony jestem jedynej pociechy, jaka mi została w czasie twej nieobecności, to jest mówienia o tobie ze wspólną przyjaciółką. Od pewnego czasu pozwoliła mi darzyć się tym tytułem; skorzystałem skwapliwie, odnosząc wrażenie, że przez to jeszcze zbliżam się do ciebie. Mój Boże! Jaka ta kobieta miła! Ileż uroku umie tchnąć w swą przyjaźń! Zdawałoby się, że w to słodkie uczucie wkłada wszystko, czego tak stale odmawia miłości. Gdybyś wiedziała, jak ona cię kocha, jak lubi słuchać, gdy mówię o tobie!... Z pewnością to wiąże mnie do niej tak bardzo. Jakież to szczęście móc żyć wyłącznie dla was obu, przechodzić wciąż od rozkoszy miłości do słodyczy przyjaźni, poświęcać im całe istnienie, być do pewnego stopnia punktem stycznym waszego wzajemnego przywiązania; czuć nieustannie, że starając się o szczęście jednej, pracuję i dla szczęścia drugiej! Kochaj, kochaj bardzo, Cesiu słodka, tę czarującą kobietę. Dodaj jeszcze ceny przywiązaniu, jakie mam dla niej, dzieląc je w całej pełni. Od czasu jak zakosztowałem uroków przyjaźni, pragnąłbym, abyś i ty ich mogła smakować. Przyjemność, której nie dzielę z tobą, jest jedynie połowiczna. Tak, Cecylio, pragnąłbym otoczyć twoje serce samymi najsłodszymi uczuciami, tak aby każde z jego uderzeń budziło w tobie wzruszenie szczęścia; wówczas jeszcze mniemałbym, iż zdołam oddać ci budaj cząstkę błogości, jaką otrzymałbym od ciebie.

I czemuż trzeba, aby te czarowne marzenia były jedynie chimerą! Widzę dobrze, że nadzieja, iż będę mógł widywać cię na wsi, nie spełni się nigdy. Jedyną pociechą, jaka mi została, to wytłumaczyć sobie, że w istocie nie było to możebne. I ty nie śpieszysz mi tego powiedzieć, pożalić się wraz ze mną! Dwa razy już me skargi zostały bez odpowiedzi. Och, Cecylio, Cecylio! Wierzę, iż mnie kochasz wszystkimi władzami duszy, ale twoja dusza nie jest tak płomienna jak moja! Czemuż nie mnie przypadło zwalczać te przeszkody? Umiałbym cię rychło przekonać, że nic nie jest niepodobnym dla miłości.

Nie donosisz mi również, kiedy się ma skończyć ta okrutna rozłąka; tutaj przynajmniej chyba będę cię mógł widywać! Twoje urocze spojrzenia skrzepią mą zgnębioną duszę; ich słodka wymowa doda otuchy sercu, które niekiedy, zaprawdę, potrzebowałoby tego. Daruj, Cecylio moja; ta obawa nie jest posądzeniem. Ja wierzę w twą miłość, twą stałość. Och! Zbyt nieszczęśliwy byłbym, gdybym wątpił. Ale tyle przeszkód! I ciągle nowych! Smutny jestem, ukochana, bardzo smutny. Zdaje się, że wyjazd pani de Merteuil odnowił we mnie poczucie niedoli. Do widzenia, Cecylio moja, do widzenia, ukochana. Pamiętaj, że twój miły cierpi: ty jedna możesz mu wrócić szczęście.

Paryż, 17 października 17**

LIST CXVII
Cecylia Volanges do kawalera Danceny
(list dyktowany przez Valmonta)

Czy myślisz, ukochany, że trzeba aż twoich wymówek, abym się czuła smutna, kiedy wiem, że ty się trapisz? Czy wątpisz, że przechodzę po równi z tobą wszystkie twoje cierpienia? Wiem, co cię martwi; to, że ostatnie dwa razy, kiedy prosiłeś, abyś mógł przybyć tutaj, nie odpowiedziałam: ale czy to tak łatwo? Czy myślisz, że ja nie wiem, że to bardzo niedobrze zrobić to, czego ty chciałbyś? Pomyśl tylko: jeżeli tak mi trudno odmówić ci z daleka, cóż by dopiero było, gdybyś był tutaj! I potem za to, że cię chciałam pocieszyć na chwilę, musiałabym być nieszczęśliwa całe życie!

Posłuchaj, ja nie mam tajemnic dla ciebie: oto moje pobudki, sam osądź. Byłabym może uczyniła to, czego pragniesz, ale wszak ci pisałam, co zaszło. Otóż ten pan de Gercourt, który jest przyczyną całego strapienia, nie przybędzie jeszcze tak prędko; że zaś od pewnego czasu mama okazuje mi wiele dobroci, a i ja staram się być z nią jak najczulej, kto wie, czego nie uda się od niej uzyskać? A gdybyśmy mogli być szczęśliwi tak, żebym nie musiała sobie nic wyrzucać, czyby to nie było o wiele lepiej? Jeżeli mam wierzyć temu, co mi często mówiono, nawet sami mężczyźni mniej kochają potem żony, skoro one zanadto ich kochały, nim jeszcze były żonami. Ta obawa wstrzymuje mnie bardziej niż wszystko inne. Mój najdroższy, czy ty nie jesteś pewny mego serca i czy nie będzie zawsze na to dosyć czasu?

Posłuchaj, przyrzekam ci, że jeśli nie zdołam uniknąć nieszczęsnego małżeństwa z panem de Gercourt, którego tak już nienawidzę, nim go na oczy widziałam, nic mnie nie wstrzyma od tego, żebym była twoją natychmiast, jak tylko będę mogła, wcześniej nawet jeszcze. Ponieważ dbam tylko o to, abyś ty mnie kochał, a ty będziesz widział, że jeśli robię źle, to nie z mojej winy; poza tym nic mnie nie będzie obchodziło, byleś przyrzekał, że zawsze będziesz mnie kochał jak teraz. Ale, najdroższy, do tego czasu pozwól mi robić, jak robię; nie żądaj rzeczy, których dla ważnych powodów nie mogę uczynić, a których mimo to tak przykro mi odmawiać.

Chciałabym także bardzo, aby pan de Valmont nie był taki natarczywy za ciebie; to mnie tylko tym więcej gnębi. Och, masz w nim dobrego przyjaciela, wierz mi! Troszczy się o wszystko za ciebie tak, że ty sam nie mógłbyś lepiej. Ale do widzenia, drogi, bardzo późno zaczęłam pisać i zużyłam na to większą część nocy. Idę się położyć i odzyskać stracony czas. Ściskam cię, ale nie łaj mnie już więcej.

Z zamku***, 18 października 17**

LIST CXVIII
Kawaler Danceny do markizy de Merteuil

Jeśli wierzyć kalendarzowi, dopiero dwa dni upłynęły, urocza przyjaciółko, od twego wyjazdu; ale jeśli wierzyć memu sercu, to dwa wieki. Otóż słyszałem to z własnych ust twoich, że jedynie sercu zawsze wierzyć należy: już wielki czas zatem, abyś wracała, wszystkie sprawy muszą być od dawna skończone. Jakże pani chce, abym się interesował twoim procesem, skoro, czy w razie wygranej, czy przegranej – muszę ponosić jego koszta dręcząc się twą nieobecnością? Och, jakże miałbym ochotę robić ci wymówki! Jak ciężko, mając taki powód do żalu i niezadowolenia, nie mieć prawa ich okazywać!

Czy to nie jest prawdziwa niewierność, czarna zdrada, zostawiać tak przyjaciela, przyzwyczaiwszy go wprzód do tego, aby się nie mógł obchodzić bez twej obecności? Próżno byś się radziła, pani, swoich adwokatów: nie znajdą wymówki dla tak niegodziwego postępku; zresztą ci ludzie umieją tylko rozumować, a uczucie nie da się oszukać rozumowaniem.

Co do mnie, tyle razy mówiłaś mi, markizo, iż rozsądek każe ci podjąć tę podróż, że doprowadziłaś mnie do zupełnej niezgody z tym panem. Nie chcę go już w niczym słuchać; nawet wówczas, gdy mi mówi, aby zapomnieć o tobie. Mimo to ten rozsądek radzi bardzo rozsądnie; i doprawdy to nie byłoby tak trudne do wykonania, jak pani przypuszcza. Wystarczyłoby tylko pozbyć się nałogu ustawnego myślenia o pani; nie spotykam zaś nic, upewniam, co by mi mogło panią przypominać.

Najpiękniejszym kobietom, tym, które cieszą się największym rozgłosem powabu, jeszcze tak daleko do pani, że mogłyby mi dać o niej jedynie słabe wyobrażenie. Daremnie się silą, daremnie dokładają starań: brak im zawsze tego, że nie są tobą, a w tym właśnie siła twego uroku. Nieszczęściem, gdy dni się tak wloką i gdy człowiek jest bezczynny, zaczyna marzyć, buduje zamki na lodzie, tworzy sobie chimerę; stopniowo wyobraźnia się rozpala; pragnie upiększyć swoje dzieło, gromadzi wszystko miłe, ładne, ponętne, dochodzi wreszcie do doskonałości; i gdy się posunął tak daleko, portret sprowadza myśl do modelu i czuję się nagle zdziwiony widząc, iż myślałem cały czas o pani!

W tej chwili nawet znów padłem ofiarą prawie że takiej omyłki. Pani myśli może, że siadłem do pisania po to, aby się panią zajmować? Wcale nie: jedynie, aby się pocieszyć. Miałem do powiedzenia tyle rzeczy, których ty wcale nie byłaś przedmiotem, a które, jak pani wie, obchodzą mnie nader żywo; i oto myśl moja zeszła na bezdroża. Od kiedyż to powab przyjaźni ma prawo nas odrywać od uroku miłości? Ach, gdybym się dobrze zastanowił, kto wie, czybym nie uczuł wyrzutu! Ale sza! Zapomnijmy o tym lekkim błędzie, z obawy, aby weń nie popaść znowu; niech nawet moja ukochana o nim się nie dowie.

Bo też czemu pani nie ma tutaj, aby rozmawiać ze mną, aby mnie naprowadzić na właściwą drogę, gdybym się zabłąkał, aby mi mówić o mej Cecylii i zwiększyć, jeśli możliwe, szczęście kochania jej, przez tę myśl tak słodką, że ta, którą kocham, jest twoją przyjaciółką? Tak, wyznaję, miłość, jaką budzi we mnie, stała mi się tym cenniejsza od czasu, gdy ty, pani, zgodziłaś się przyjmować me zwierzenia. Tak lubię otwierać przed panią serce, zajmować się mymi uczuciami, odsłaniać ci je bez obawy! Zdaje mi się, że są mi one droższe, odkąd raczysz je przyjmować! Patrzę na ciebie potem i mówię: „W niej zamknięte jest całe moje szczęście".

Nie mam nic nowego do doniesienia o swoich sprawach. List, który dostałem od n i e j, zwiększa i umacnia mą nadzieję, ale i opóźnia ją jeszcze. Jednakże pobudki Cesi są tak serdeczne i zacne, że nie mogę ani jej ganić, ani się uskarżać.

Może pani nie rozumie zbyt dobrze tego, co mówię, ale bo czemuż cię tu nie ma? Można wszystko mówić swej przyjaciółce, ale nie wszystko pisać. Tajemnice miłości zwłaszcza są tak drażliwe, że nie można im pozwolić wędrować na los szczęścia. Jeśli pozwalamy się im wymknąć niekiedy, trzebaż bodaj nie dać się im zgubić z oczu: trzeba niejako patrzeć, jak się dostają do nowego schronienia. Ach, wracaj więc, czarująca przyjaciółko; widzisz sama, jak powrót twój jest potrzebny. Zapomnij wreszcie o „tysiącu przyczyn", które cię zatrzymują, lub naucz mnie, jak żyć tam, gdzie ciebie nie ma.

Paryż, 19 października 17**

LIST CXIX
Pani de Rosemonde do prezydentowej de Tourvel

Mimo że cierpię jeszcze bardzo, droga ślicznotko, próbuję pisać sama, aby móc mówić o tym, co ciebie zajmuje. Siostrzeniec trwa ciągle w mizantropii. Dowiaduje się co dzień bardzo regularnie o moje zdrowie, ale nie zjawił się osobiście, jakkolwiek o to prosiłam. Mimo to spotkałam go dziś rano, i to tam, gdzie go się nie spodziewałam: w kaplicy, dokąd udałam się po raz pierwszy od czasu mej dolegliwości. Dowiedziałam się dziś, że od czterech dni chodzi regularnie słuchać mszy świętej. Dałby Bóg, aby to trwało!

Skoro weszłam, zbliżył się do mnie i powinszował mi bardzo serdecznie polepszenia. Ponieważ msza miała się zacząć, przerwałam rozmowę spodziewając się jej dokończyć później, ale znikł, zanim mogłam doń podejść. Nie ukrywam, że wydał mi się nieco zmieniony. Ale, droga ślicznotko, nie każ mi żałować, żem zaufała w twój rozsądek, i nie przejmuj się tym zbyt żywo; bądź pewna zwłaszcza, że wolałabym nawet zmartwić cię niż okłamać.

Jeżeli będzie upierał się w swym zamknięciu, mam zamiar, skoro tylko polepszy mi się nieco, odwiedzić go; będę się starała przeniknąć przyczynę tej szczególnej manii, która, przypuszczam, nie jest bez związku z twoją osobą. Doniosę ci wszystko, czego się dowiem. Żegnam cię, nie mogę już ruszać palcami: gdyby Adelajda wiedziała, że pisałam, łajałaby mnie cały wieczór. Do widzenia, ślicznotko.

Z zamku***, 20 października 17**

LIST CXX

Wicehrabia de Valmont do ojca Anzelma,
zakonnika reguły Św. Bernarda
w klasztorze przy ulicy Św. Honoriusza

Nie mam wprawdzie zaszczytu być znanym wielebnemu ojcu, jednakże wiem, jak zupełne zaufanie pokłada w nim pani prezydentowa de Tourvel; wiem zwłaszcza, jak bardzo to zaufanie godnie jest umieszczone. Sądzę więc, iż mogę bez niedyskrecji zwrócić się do ojca, aby uzyskać od niego przysługę nader ważną, naprawdę godną jego świętego urzędu, w sprawie, w której pani de Tourvel zainteresowana jest nie mniej ode mnie.

Posiadam w rękach ważne papiery, które jej dotyczą. Papierów tych nie mogę powierzyć nikomu – i nie powinienem, ani też nie chcę złożyć ich w inne ręce, jak tylko jej własne. Nie mam innego sposobu uwiadomienia pani de Tourvel: przyczyny, może wiadome ojcu od niej samej, ale których nie sądzę, iżbym miał prawo wyjawić, skłoniły ją do uchylenia się od wszelkiej korespondencji. Dzisiaj, wyznaję, nie potrafiłbym zganić tego jej postanowienia, zważywszy, iż pani de Tourvel nie mogła przewidzieć wypadków, których ja sam nie przewidywałem; możebne były bowiem jedynie dla siły więcej niż ludzkiej.

Proszę zatem wielebnego ojca, aby zechciał powiadomić panią de Tourvel o mych nowych postanowieniach i prosić ją w mym imieniu o poufne widzenie. Pragnę przynajmniej w części naprawić winy szczerą skruchą; zarazem zaś w jej oczach zniszczyć jedyny ślad błędów, jakich się dopuściłem względem jej osoby.

Dopiero po dopełnieniu tej wstępnej ekspiacji ośmielę się złożyć u twoich stóp, ojcze, korne wyznanie mych licznych nieprawości i błagać cię o pośrednictwo w pojednaniu o wiele ważniejszym i na nieszczęście trudniejszym jeszcze. Czy mogę spodziewać się, wielebny ojcze, iż nie odmówisz tak potrzebnej mi i cennej pomocy? Że raczysz wzmocnić mą słabość i poprowadzić kroki na nowej ścieżce, którą bardzo gorąco pragnę postępować, ale której – wyznaję to ze wstydem – nie znam jeszcze? Oczekuję twej odpowiedzi z niecierpliwością człowieka, który żałuje i pragnąłby złe naprawić; tymczasem pozostaję z poważaniem i wdzięcznością najuniżeńszym etc.

PS. Upoważniam wielebnego ojca, w razie gdyby uznał za właściwe, do pokazania tego listu pani de Tourvel. Osobę tę szanować będę przez całe życie i nigdy w niej nie przestanę czcić istoty, którą niebo raczyło obrać za narzędzie, aby przez budujący przykład cnót zawieść mą duszę ku drodze zbawienia.

Z zamku***, 22 października 17**

LIST CXXI
Markiza de Merteuil do kawalera Danceny

Odebrałam twój list, mój nazbyt młody przyjacielu; ale nim podziękuję, muszę cię zań połajać. Uprzedzam, że jeśli się nie poprawisz, nie spodziewaj się odpowiedzi. Porzuć zatem, jeśli łaska, ten pochlebno-pieszczotliwy ton, który staje się pustą igraszką z chwilą, gdy nie jest wyrazem miłości. Czy to jest styl przyjaźni? Nie, drogi panie: każde uczucie ma swój język, który mu odpowiada; posługiwać się innym znaczy fałszować myśli. Wiem, że nasze światowe kobietki niezdolne są niczego w ogóle zrozumieć, o ile im się nie przełoży na tę gwarę; ale sądziłam, wyznaję, iż warta je-

287

stem, aby mnie pan nie mieszał z nimi. Bardzo mnie to obeszło, bardziej może nawet, niż powinno, że tak źle mnie oceniłeś.

Znajdzie pan więc w moim liście jedynie to, czego brakuje twemu, to jest szczerość i prostotę. Powiem na przykład, że byłabym rada pana tu oglądać i że bardzo mi przykro mieć koło siebie jedynie osoby, które mnie nudzą, zamiast tych, które mi są miłe. To zdanie pan przetłumaczyłby z pewnością w ten sposób: „Naucz mnie żyć tam, gdzie ciebie nie ma", tak iż należałoby mi mniemać, że kiedy znajdziesz się przy boku ukochanej, nie będziesz umiał żyć, o ile mnie nie będzie jako trzeciej. Cóż za dzieciństwa! A te kobiety, którym „brak jest zawsze tego, iż nie są mną"! Czy znajdziesz może także, iż tego brak jest twojej Cesi? Oto masz, dokąd prowadzi ów sposób mówienia, który nadużywany dziś do niemożliwości stał się czymś gorszym jeszcze niż szablon komplementów i jest niejako formułką, do której nie więcej przywiązuje się wagi niż do „bardzo uniżonego i powolnego sługi".

Mój przyjacielu, skoro piszesz do mnie, pisz po to, aby powiedzieć, co czujesz i myślisz, a nie, aby mi przesyłać frazesy, które i bez ciebie znajdę mniej lub więcej dobrze powiedziane w pierwszym lepszym modnym romansie. Mam nadzieję, że nie pogniewasz się o to, co mówię, choćbyś się nawet dopatrzył w tym nieco irytacji. Nie zaprzeczam, że jestem trochę podrażniona: ale aby uniknąć nawet cienia tej wady, jaką tobie wyrzucam, nie powiem panu, że podrażnienie to spotęgowane jest może odległością, jaka mnie dzieli od pana. Zdaje mi się, że, razem wziąwszy, więcej jesteś wart niż proces i dwóch adwokatów, więcej nawet może niż nadskakujący Belleroche.

Widzi pan zatem, że miast zamartwiać się mą nieobecnością, powinien by się pan cieszyć, bo nigdy jeszcze nie powiedziałam panu tak pięknego komplementu. Zdaje się, że przykład się udziela i że ja również zaczynam karmić pana pochlebstwami; ale nie, wolę pozostać przy szczerości: ona tedy jedynie upewnia pana o serdecznej przyjaźni i życzliwości, jaką mam dla niego. Bardzo miło mieć młodego przyjaciela, którego serce zajęte jest gdzie indziej: takie jest moje zdanie, mimo iż kobiety inaczej na to zazwyczaj patrzą. Zdaje mi się, że z większą przyjemnością kosztuje się uczucia, które nie grozi niebezpieczeństwem; toteż chętnie przeszłam oto, dość wcześnie może, do roli powiernicy. Ale bo też wybrał pan sobie przedmiot miłości tak młody, iż dałeś mi sposobność spostrzec po raz pierwszy, że zaczynam się robić stara! To dobrze dla pana: zapewniasz sobie w ten sposób długie lata wierności, a życzę z całego serca, aby była wzajemną.

Ma pan słuszność poddając się „tkliwym i zacnym pobudkom", które – wedle tego, co piszesz – „opóźniają twoje szczęście". Wy, mężczyźni, wy nie macie pojęcia, co to jest cnota i ile kosztuje ją poświęcić! Ale skoro tylko kobieta choć trochę zdolna jest myśleć, musi sobie zdawać sprawę, że niezależnie już od winy upadek jest dla niej największym nieszczęściem; nie rozumiem też, jak która może ulec, jeśli zastanowi się bodaj chwilę.

Niech pan nie próbuje zwalczać tego mniemania, bo ono właśnie przywiązuje mnie głównie do pana. Pan mnie ocali od niebezpieczeństw miłości; a jakkolwiek umiałam i sama obronić się dotąd, gotowa jestem na pana przenieść mą wdzięczność i będę go lubiła za to lepiej i więcej. Kończąc na tym, drogi kawalerze, proszę Boga, aby cię miał w swej świętej i wszechmocnej opiece.

***, 22 października 17**

LIST CXXII
Pani de Rosemonde do prezydentowej de Tourvel

Miałam nadzieję, miła córeczko, że będę mogła wreszcie uśmierzyć twe obawy: tymczasem, przeciwnie, widzę ze smutkiem, że trzeba mi je pomnożyć. Uspokój się jednak; siostrzeńcowi nic nie grozi; nie można nawet powiedzieć, aby był istotnie chory. To pewna, że dzieje się w nim coś niezwykłego. Nic nie rozumiem, ale opuściłam jego pokój z uczuciem smutku, może nawet przerażenia. Wyrzucam sobie, że i ciebie może zaniepokoję, ale nie mogę się wstrzymać, aby o tym nie pomówić. Oto co zaszło: możesz być pewna, że opis jest wierny; mogłabym bowiem żyć drugie osiemdziesiąt lat, a nie zapomniałabym wrażenia, jakie na mnie zrobiła ta smutna scena.

Udałam się tedy rano do jego pokoju; zastałam go przy pisaniu, otoczonego stosami papierów. Pogrążony był w zajęciu do tego stopnia, że byłam już na środku pokoju, a on nie odwrócił głowy. Skoro mnie wreszcie spostrzegł, zauważyłam dobrze, iż wstając silił się ukryć bolesny wyraz fizjonomii; może dlatego właśnie wpadło mi to w oczy. Prawda, że był nie uczesany i bez pudru: ale wydał mi się blady i mizerny, bardzo zmieniony. Spojrzenie, które znałyśmy tak żywym i wesołym, było smutne i przybite; słowem, mówiąc między nami, lepiej, żeś go nie widziała w tym stanie: miał bowiem wygląd bardzo wzruszający i łatwo byłby w tobie zbudził owo tkliwe współczucie, które jest tak niebezpieczną zasadzką miłości.

Jakkolwiek mocno zmieszana tym wszystkim, zawiązałam rozmowę tak, jakbym nic nie zauważyła. Zaczęłam mówić o jego zdrowiu, próbowałam zrzędzić na to zamknięcie trącące mocno dziwactwem i starałam się zaprawić wesołością moją połajankę. Odpowiedział jedynie skupionym tonem: „To jeden błąd więcej, przyznaję, ale naprawię go wraz z innymi". Jego fizjonomia więcej jeszcze niż słowa zmąciła nieco mój żartobliwy ton: rzekłam co prędzej, iż nazbyt wiele wagi przywiązuje do zwykłej przyjacielskiej wymówki.

Zaczęliśmy tedy rozmawiać spokojnie. Powiedział mi w chwilę potem, iż pewna sprawa, n a j w a ż n i e j s z a w j e-g o ż y c i u, powoła go może niebawem do Paryża; obawiając się zwierzeń, których chciałam uniknąć, rzekłam jedynie, że więcej rozrywki byłoby wskazane dla zdrowia. Dodałam, że tym razem nie będę w niczym nań nalegać, gdyż kocham moich bliskich dla nich, a nie dla siebie; wówczas, na to zdanie tak proste, uścisnął mi ręce i rzekł z przejęciem, którego nie umiem ci opisać: „Tak, cioteczko, kochaj, kochaj bardzo siostrzeńca, który cię czci i miłuje, i – jak powiadasz – kochaj go dla niego samego. Nie trap się o jego los i nie mąć próżnym żalem wiecznej szczęśliwości, której on ma nadzieję dostąpić niebawem. Powtórz, że mnie kochasz, że mi przebaczasz; tak, ty przebaczasz, znam twoją dobroć, ale czy mogę spodziewać się tej samej łaski od tej, którą tyle obraziłem?" Przy tych słowach pochylił się do mych rąk, jak sądzę, aby ukryć oznaki boleści, którą głos zdradził mimo woli.

Wzruszona bardziej, niżbym umiała powiedzieć, podniosłam się śpiesznie; musiał zauważyć moje przerażenie, gdyż natychmiast opamiętując się dodał: „Wybacz, wybacz mi, ciociu; czuję, że sam nie wiem, co mówię. Proszę, racz zapomnieć o moich słowach i pamiętaj jedynie o mej głębokiej czci. Nie omieszkam – dodał – złożyć ci jeszcze raz jej wyrazów przed wyjazdem". Zdawało mi się, że ostatnie zdanie miało na celu skrócić moje odwiedziny; za czym rychło opuściłam pokój.

Ostatecznie, im dłużej się zastanawiam, tym mniej domyślam się, co on chciał powiedzieć. Co to za sprawa, najważniejsza w jego życiu? Za co prosi o przebaczenie? Skąd mu ta nagła czułość? Zadawałam sobie te pytania z tysiąc razy, nie znajdując odpowiedzi. Nie widzę w tym nawet nic, co by się odnosiło do ciebie: mimo to, jako że oczy miłości bardziej są jasnowidzące od oczu przyjaźni, nie chciałam nic zataić przed tobą.

Cztery razy musiałam zasiadać, aby napisać ten długi list, który byłby jeszcze dłuższy, gdyby nic to, iż czuję się nazbyt zmęczona. Do widzenia, droga ślicznotko!

Z zamku***, 25 października 17**

LIST CXXIII
Ojciec Anzelm do wicehrabiego de Valmont

Otrzymałem, panie wicehrabio, list, którym mnie pan zaszczycił, i zaraz wczoraj udałem się, zgodnie z pańskim życzeniem, do wymienionej osoby. Wyłożyłem przedmiot i pobudki pańskiego żądania. Mimo iż zrazu obstawała przy roztropnym postanowieniu, jakie powzięła poprzednio, skoro jej przedstawiłem, iż odmową swą stawia może przeszkodę twemu szczęśliwemu nawróceniu i sprzeciwia się niejako pełnym miłosierdzia widokom Opatrzności, zgodziła się przyjąć odwiedziny pod warunkiem wszelako, że będą to ostatnie. Poleciła mi oznajmić, panie wicehrabio, iż oczekuje cię w najbliższy czwartek, 28. Gdyby ten dzień był niedogodny, zechcesz uwiadomić ją o tym i naznaczyć inny.

Mimo to, panie wicehrabio, przyjm moją radę i nie zwłócz bez ważnej przyczyny, aby się tym rychlej i już wyłącznie poświęcić chwalebnym postanowieniom, jakie objawiłeś. Pomyśl, że kto się ociąga z korzystaniem z momentu łaski, naraża się, iż może mu być odjęta; że jeśli dobroć boska jest nieskończona, działanie jej jest ograniczone sprawiedliwością; i że może przyjść chwila, w której Bóg miłosierdzia zmienia się w Boga pomsty.

Jeżeli chcesz nadal zaszczycać mnie swą ufnością, bądź pewien, iż skoro tylko zapragniesz, poświęcę ci najchętniej wszystkie me starania. Jakkolwiek liczne są moje zatrudnienia, najważniejszą sprawą będzie zawsze dla mnie wypełniać obowiązki świętego urzędu, któremu jestem oddany całą duszą, najpiękniejszą zaś chwilą życia ta, w której ujrzę moje wysiłki uwieńczone błogosławieństwem Wszechmogącego. My, słabi grzesznicy, cóż możemy zdziałać sami! Ale Bóg, który cię wzywa, może wszystko. Jego to dobroci będziemy zawdzięczali, ty – stałe pragnienie połączenia się z Nim, ja – środki prowadzenia cię do Niego. Przy Jego to pomocy mam nadzieję przekonać cię niebawem, że jedynie święta wiara nasza zdolna jest dać, nawet w tym życiu, trwałe i mocne szczęście, którego próżno się szuka w omamach namiętności.

Paryż, 25 października 17**

LIST CXXIV
Prezydentowa de Tourvel do pani de Rosemonde

Wśród zdumienia, w jakim mnie pogrążyła wczorajsza nowina, nie zapominam o radości, jaką ona tobie, pani, musi sprawić: śpieszę przeto ci jej udzielić. Pan de Valmont nie myśli już ani o mnie, ani o swej miłości; pragnie jedynie naprawić skruchą i budującym życiem błędy, a raczej zbłąkania młodości. Dowiedziałam się o tym wielkim wydarzeniu z ust ojca Anzelma, do którego się zwrócił z prośbą o duchowną opiekę na przyszłość, jak również o wyjednanie rozmowy ze mną. Głównym jej przedmiotem będzie, jak sądzę, zwrot listów, które zachował dotąd wbrew memu ponawianemu w swoim czasie żądaniu.

Wolno mi jedynie przyklasnąć tej cudownej odmianie i czuć się szczęśliwą, jeżeli – jak on twierdzi – danym mi było w czymkolwiek przyczynić się do niej. Ale czemuż trzeba było, abym ja stała się jej narzędziem i musiała ją przypłacić spokojem mego życia? Czyż szczęście pana de Valmont mogło się na każdy sposób ziścić jedynie kosztem mej niedoli? Och, daruj mi tę skargę, ukochana przyjaciółko! Wiem, że nie do mnie należy zgłębiać wyroki Wszechmocnego, ale gdy ja Go błagam bez przerwy i wciąż na próżno o siłę zwalczenia mej nieszczęśliwej miłości, On użycza siły jemu, który tego wcale nie żądał, a mnie zostawia bez ratunku, zdaną na pastwę własnej niemocy!

Ale uciszmy to występne szemranie. Czyliż nie wiem, iż dziecię marnotrawne uzyskało za powrotem więcej łaski od ojca niż syn, który nigdy domu nie opuścił? Jakiegoż rachunku możemy żądać od tego, który nam nic nie jest winien?

A gdyby nawet było możebne, abyśmy mieli jakieś prawa u niego, jakież ja bym mogła sobie rościć? Mogęż szczycić się zwycięstwem, które winna jestem jedynie Valmontowi? On mnie ocalił: i ja, cierpiąc dlań, śmiałabym się skarżyć? Nie, cierpienia moje będą mi drogie, jeśli zdołają okupić jego szczęście. Potrzeba widocznie było, aby on wrócił kiedyś do wspólnego Ojca. Bóg, który go ukształtował, musiał miłować swoje dzieło. Nie stworzył snadź tej istoty tak pełnej uroku po to, aby ją skazać na wieczne potępienie. Mnie to przystało ponosić karę za mą zuchwałą nierozwagę. Skoro mi było wzbronione kochać Valmonta, czyż nie powinnam była czuć, iż nie wolno mi przebywać w jego pobliżu?

Błędem moim lub też nieszczęściem jest to, iż zbyt długo zamykałam oczy na tę prawdę. Jesteś mi świadkiem, droga i godna przyjaciółko, że zdobyłam się na poświęcenie, skoro tylko uznałam jego konieczność. Ale tym straszliwszym stało mi się ono teraz, odkąd wiem, że pan de Valmont przestał je dzielić. Czyż mam wyznać, że ta myśl jest obecnie mą najsroższą męczarnią! Ach, ta niegodziwa duma, która sprawia, iż wśród własnych nieszczęść szukamy pociechy w niedolach, jakie drudzy przez nas cierpią! Och, ja zwyciężę to oporne serce, przyzwyczaję je do upokorzeń!

W tym celu głównie zgodziłam się wreszcie przyjąć w przyszły czwartek bolesne odwiedziny pana de Valmont. W tym dniu usłyszę z własnych jego ust, że jestem mu niczym, że słabe i przelotne wrażenie, jakie uczyniłam na nim, zupełnie się już zatarło! Wzrok jego spoczywać będzie na mnie bez wzruszenia, gdy ja, aby się nie zdradzić, będę musiała wzrok kierować ku ziemi. Te listy, których odmawiał tak długo tylokrotnym prośbom, otrzymam z powrotem dzięki jego zobojętnieniu; zwróci mi je jak przedmioty zbyteczne i bez wartości; moje drżące ręce, przyjmując ten upokarzający depozyt, będą czuły, że zwraca go ręka spokojna i pewna! Wreszcie, ujrzę, jak się oddala... na zawsze! I moje oczy, które pobiegną za nim, nie spotkają jego oczu!

I mnie było przeznaczone tyle upokorzenia! Och, niechaj się ono bodaj obróci na pożytek, przenikając mnie do głębi poczuciem mej słabości!... Tak, te listy, o które on już nie dba, przechowam najtroskliwiej. Nałożę sobie wstyd odczytywania ich co dzień, póki łzy nie wytrą z nich ostatniego śladu, jego zaś listy spalę jako niebezpieczną truciznę, która skaziła mą duszę. Och, i czymże jest miłość, jeśli każe żałować nawet niebezpieczeństw, jakimi nam grozi? Jeśli trzeba się jej obawiać wówczas jeszcze, kiedy się jej już nie budzi! Uchodźmy przed tą złowrogą namiętnością, która zostawia jeno wybór między hańbą a nieszczęściem, a często je jednoczy; niechaj mi bodaj opamiętanie zastąpi miejsce cnoty.

Jakże ten czwartek daleko! Czemuż nie mogę spełnić natychmiast tej bolesnej ofiary i pogrzebać w niepamięci jej przyczynę i przedmiot zarazem! Drażnią mnie te odwiedziny; żałuję, że na nie się zgodziłam. I po cóż jemu widzieć mnie jeszcze? Czymże jesteśmy dla siebie? Jeśli mnie obraził, przebaczam mu. Winszuję mu nawet, że pragnie naprawić swoje błędy; pochwalam to. Uczynię więcej: będę go naśladować; i ja popadłam w też same zbłąkania: przykład jego mnie nawróci. Ale skoro jego zamiarem jest uciec przede mną, po cóż szuka mnie jeszcze? Czyż nie powinniśmy dążyć do tego, aby najrychlej zapomnieć o sobie? Och, tak! To będzie jedynym mym staraniem.

Jeśli pozwolisz, droga przyjaciółko, do ciebie pospieszę, aby się oddać temu trudnemu zadaniu. Gdy będę potrzebowała pomocy, może nawet pociechy, pragnę otrzymać je tylko od ciebie. Ty jedna umiesz zrozumieć mnie i przemawiać do mego serca. Twoja droga przyjaźń wypełni całe me istnienie. Będę ci winna spokój, szczęście, cnotę, a owocem twej dobroci będzie to, iż uczynisz mnie jej godną.

Zdaje mi się, że w czasie pisania serce niejednokrotnie poniosło mnie na bezdroża; tak sądzę po wzruszeniu, które mi towarzyszyło. Jeśli znajdziesz w mym liście jakie uczucia, za które bym się powinna rumienić, osłoń je swą pobłażliwą przyjaźnią; odwołuję się do niej w zupełności. Nie tobie pragnę ukrywać by najmniejsze drgnienia serca.

Bądź zdrowa, czcigodna przyjaciółko. Mam nadzieję, że za niewiele dni oznajmię ci dzień swego przybycia.

Paryż, 25 października 17**

KONIEC CZĘŚCI TRZECIEJ

Część czwarta

LIST CXXV

Wicehrabia de Valmont do markizy de Merteuil

A więc nareszcie zwyciężyłem tę dumną kobietę, która śmiała mniemać, iż mnie zdoła się oprzeć! Tak, droga przyjaciółko, jest moją, zupełnie moją; od wczoraj nie ma już prawa niczego mi odmówić.

Nazbyt jeszcze jestem pod wrażeniem szczęścia, aby móc je ocenić, ale zdumiewa mnie nieznany czar, jakiego doznałem. Czyżby więc było prawdą, że cnota podnosi wartość kobiety nawet w chwili upadku? Nie! Zostawmy starym piastunkom te baśnie. Czyż nie spotyka się wszędzie przy pierwszym tryumfie lepiej lub gorzej udanego oporu? A czyż znalazłem gdzie ten urok? Nie jest to mimo wszystko urok miłości; choć miewałem przy tej dziwnej kobiecie chwile roztkliwienia dość podobne do tego upokarzającego uczucia, zawsze umiałem je zwyciężyć i wrócić do swoich zasad. Jeśli nawet wczorajsza scena poniosła mnie nieco dalej, niż się spodziewałem; jeślim przez chwilę podzielał upojenie, jakie obudziłem, owo lotne złudzenie byłoby się już rozwiało; tymczasem urok trwa ciągle. Wyznaję, poddałbym mu się nawet z rozkoszą, gdyby mnie nie przejmował pewnym niepokojem. Czyżbym, w moim wieku, jak student jaki pozwolił władać sobą niezależnemu ode mnie i nieznanemu uczuciu? Nie! Trzeba przede wszystkim zwalczyć je i zbadać.

Może zresztą odgadłem już przyczynę. Podoba mi się ta myśl i chciałbym, aby była prawdą.

Z tłumu kobiet, przy których spełniałem dotąd rolę i obowiązki kochanka, każda zdradzała co najmniej tyle ochoty do ustępstw, ile ja chęci skłonienia jej do nich; utarło się niemal nazywać świętoszkami te, które wychodziły jedynie do połowy drogi, w przeciwieństwie do tylu innych, których wyzywająca obrona bardzo licho maskowała zachętę.

Tu, przeciwnie, zastałem pierwotny nastrój niekorzystny, umocniony jeszcze radami i oskarżeniami kobiety kierowanej nienawiścią, ale widzącej jasno; zastałem wrodzoną trwożliwość i pełne delikatności uczucie wstydu; miłość cnoty płynącą z zasad religii i mającą za sobą dwa lata tryumfu; patrzyłem wreszcie na zadziwiające postępki natchnione tymi pobudkami: postępki, których jedynym celem było oprzeć się mym zabiegom.

Nie jest to więc jak w innych przygodach zwykła, mniej lub więcej zaszczytna kapitulacja, z której snadniej można korzystać niż nią się pysznić; to zwycięstwo zupełne, kupione uciążliwą walką i odniesione dzięki umiejętnej grze wojennej. Nic dziwnego, że ten tryumf, który zawdzięczam tylko sobie, staje mi się tym cenniejszy; rozkosz zwycięstwa, pod której czarem jeszcze pozostaję, jest jedynie słodkim poczuciem własnej chwały. Trafia mi do przekonania ten pogląd: ratuje mnie od upokarzającej myśli, że mógłbym w jakimkolwiek względzie być zawisły od niewolnicy, której nałożyłem jarzmo: że nie posiadam w sobie samym pełni własnego szczęścia i że władza sycenia mnie nim w całej jego sile miałaby być dana jednej tylko kobiecie.

Te budujące refleksje będą miarą mego zachowania: możesz być pewna, że nie pozwolę się spętać tak, abym nie mógł w każdej chwili skruszyć tych kajdanów. Ale mówię o zerwaniu, a ty nie wiesz jeszcze, w jaki sposób nabyłem praw do niego. Słuchaj więc: uważałem tak bacznie i na własne słowa, i na jej odpowiedzi, że mam nadzieję odmalować wiernie całą scenę.

Zobaczysz z kopii dwóch listów, które dołączam, jakiego pośrednika obrałem sobie, aby się zbliżyć do mej piękności, i jak gorliwie świątobliwa osoba wzięła się do tego, aby nas skojarzyć Trzeba ci jeszcze wiedzieć – o czym ja dowiedziałem się z listu przejętego moim zwyczajem – że obawa połączona z upokorzeniem, iż mogłaby być opuszczona, zmąciła nieco główkę nabożnisi; zarazem nastręczyła jej uczucia i myśli, które mimo iż pozbawione sensu, były wcale interesujące. Po tych wstępnych czynnościach, wczoraj, we czwartek, dnia 28-go, w dniu naznaczonym przez nią samą, zjawiłem się jako nieśmiały i pełen skruchy niewolnik, aby opuścić dom jako zwycięzca.

Była szósta wieczór, kiedy przybyłem do pięknej samotnicy: od powrotu drzwi jej zamknięte były dla wszystkich. Kiedy mnie oznajmiono, próbowała wstać; drżenie kolan nie pozwoliło jej utrzymać się w tej pozycji: musiała usiąść z powrotem. Służący krzątał się jeszcze chwilę, czym pani de Tourvel zdawała się zniecierpliwiona. Zapełniliśmy tę chwilę wymianą zwykłych grzeczności. Równocześnie, aby nic nie tracić z czasu, którego każdy moment był cenny, rozejrzałem się po pokoju: od razu naznaczyłem teren zwycięstwa. Nie mógłbym wymarzyć dogodniejszych okoliczności: w tym samym pokoju znajdowała się otomana. Ale zauważyłem również, że naprzeciw niej wisi portret męża, i obawiałem się, wyznaję, aby z kobietą tak osobliwego kroju jedno przypadkowe jej spojrzenie w tę stronę nie zniszczyło owocu tylu starań. Wreszcie zostaliśmy sami; przystąpiłem do rzeczy.

Zaznaczywszy pokrótce, iż ojciec Anzelm musiał jej wspomnieć o pobudkach mych odwiedzin, począłem się żalić na surowość, której byłem przedmiotem, akcentując zwłaszcza wzgardę, jaką mi okazano. Broniła się od tego zarzutu, jak było do przewidzenia; przeprowadziłem tedy dowód, powołując się na jej nieufność i obawę, na skandaliczną ucieczkę, nieodpowiadanie na listy, nieprzyjmowanie ich nawet etc., etc. Chciała coś odpowiedzieć; przerwałem jej; aby zaś złagodzić brutalność tego postępku, przybrałem go wraz pochlebstwem. „Jeżeli tyle wdzięków – ciągnąłem – zrobiło na mym sercu wrażenie tak głębokie, cnoty twoje wyryły się nie mniej głęboko w mej duszy. Wiedziony żądzą zbliżenia się do nich, odważyłem się mniemać, iż stałem się ich godny.

Nie wyrzucam pani, iż osądziłaś inaczej, ale karzę siebie za mą omyłkę". Ponieważ spotkałem się z pełnym zakłopotania milczeniem, ciągnąłem dalej: „Pragnąłem albo usprawiedliwić się w twych oczach, albo uzyskać przebaczenie; potrzebuję tego, aby bodaj dokończyć w spokoju dni, do których nie przywiązuję żadnej ceny, odkąd ty wzdragasz się być ich jedyną słodyczą".

Tu próbowała odpowiedzieć: „Obowiązki nie pozwalały mi..." Kłamstwo nie mogło jej przejść przez gardło; urwała. Zacząłem tedy tonem najgłębszej tkliwości: „Więc to prawda, że ty uciekłaś przede mną?" „Wyjazd był konieczny". – „I że oddalasz mnie od siebie?" – „Tak trzeba". – „Na zawsze?" – „Tak powinnam". Nie potrzebuję dodawać, że w czasie tej krótkiej rozmowy głos tkliwej świętoszki był zdławiony, oczy zaś nie śmiały się na mnie podnieść.

Uznałem, iż trzeba ożywić nieco wlokącą się scenę, toteż podnosząc się, z wyrazem żalu: „Stałość pani – rzekłem – przywraca mi siłę. Dobrze więc, rozstaniemy się; nawet bardziej, niż myślisz: będziesz się mogła pysznić swoim dziełem". Nieco zdziwiona moim tonem, chciała odpowiedzieć: „Postanowienie, jakie pan powziął..." – rzekła. – „Jest wynikiem rozpaczy – wybuchłem. – Chciałaś, abym był nieszczęśliwy; dowiodę, że ci się to udało ponad własne życzenia". „Pragnę pańskiego szczęścia" – odparła. Tu głos zwiastował już silne wzruszenie, toteż rzucając się do jej kolan wykrzyknąłem owym dramatycznym tonem, który znasz, markizo: „Ach, okrutna, czy istnieje dla mnie szczęście, gdy ty go nie chcesz dzielić? Gdzież ono, z dala od ciebie? Och, nigdy! Nigdy!"

Wyznaję, iż zapędzając się w ten sposób, wiele liczyłem na sukurs łez: ale czy to z nieusposobienia, czy z przyczyny napięcia uwagi, niepodobna mi było się rozpłakać.

Szczęściem przypomniałem sobie, że aby zdobyć kobietę, każdy sposób jest dobry i że lada wielki gest wystarczy, aby wywrzeć silne i korzystne wrażenie. Nadrobiłem tedy grozą to, w czym czułość nie dopisała. „Tak – wykrzyknąłem – przysięgam oto u twoich stóp, iż posiądę cię albo zginę!"

Gdym wymawiał te słowa, spojrzenia nasze spotkały się. Nie wiem, czego trwożliwa istotka dopatrzyła się w mym wzroku, ale podniosła się przerażona i wysunęła się z mych ramion. Nie wstrzymywałem jej, gdyż zauważyłem nieraz, że sceny rozpaczy, wzięte zbyt górnie, z chwilą gdy się nadto przewlekają, przechodzą w śmieszność lub zostawiają jedynie drogę środków prawdziwie tragicznych, na którą wkroczyć nie miałem najmniejszego zamiaru. Gdy mi się wymykała z ramion, dodałem jedynie niskim i posępnym głosem, ale tak, aby mogła słyszeć: „A więc śmierć!"

Podniosłem się i, zachowując przez chwilę milczenie, rzuciłem na nią, jak gdyby przypadkiem, parę złowrogich spojrzeń, które mimo pozorów obłędu były przenikliwe i jasnowidzące. Wpółomdlała postawa, przyspieszony oddech, skurcz mięśni, drżące i nieco wzniesione ramiona, wszystko to było oznaką, iż osiągnąłem żądane wrażenie: ale ponieważ w miłości pierwszym warunkiem dojścia do celu jest, aby dwoje osób znalazło się blisko siebie, my zaś byliśmy w tej chwili dość daleko, trzeba było przede wszystkim przybliżyć się. Przeszedłem tedy do pozornego spokoju, aby złagodzić następstwa wybuchu nie osłabiając jego wrażenia.

Przejście było mniej więcej takie: „Jestem bardzo nieszczęśliwy. Chciałem żyć dla twego szczęścia i zakłóciłem je. Poświęcam się dla twego spokoju i również go mącę". Potem starając się niby opanować, ale z widocznym wysiłkiem: „Wybacz, pani, nie nawykłem do burz namiętności, nie umiem tłumić ich wybuchu. Uniosłem się: źle uczyniłem, ale pomyśl, że to ostatni raz. Och, uspokój się, pani, uspokój, błagam!" Zarazem podczas tej długiej apostrofy zbliżałem się nieznacznie. „Jeżeli pan chce, bym się uspokoiła – odparła – niech się pan stara sam być spokojniejszy". – „Dobrze więc, przyrzekam – rzekłem. Po czym dodałem słabszym głosem: – Wysiłek ciężki, ale przynajmniej nie będzie zbyt długi. Ale – podjąłem natychmiast jakby wpółprzytomnie – przyszedłem tu, prawda, zwrócić pani listy. Racz je odebrać, proszę. Niech się spełni i to poświęcenie: nie zostawiaj mi nic, co by mogło osłabić mą odwagę. – Następnie dodałem wyciągając z kieszeni cenny zbiorek: – Oto zwodniczy zakład twej przyjaźni! Wiązał mnie do życia, odbierz go tedy. Sama chciej dać znak, który mnie oddali na zawsze".

Tu ona poddała się najzupełniej drgnieniom tkliwego niepokoju. „Ależ, panie Valmont, co panu? Co pan chce powiedzieć? Czy ten krok pański nie jest dobrowolny? Czy nie jest owocem namysłu? Czyż nie pan sam zgodził się z postanowieniem, które ja obrałam z obowiązku?" – „To postanowienie – odparłem – rozstrzygnęło o moim". – „I jakież ono?" – „Jedyne, które może, rozdzielając mnie z tobą, położyć kres cierpieniom". – „Ale niech mi pan powie, co pan zamierza?" Na to objąłem ją bez oporu z jej strony. Z tego zapomnienia mogłem wnioskować, jak musi być wzruszona; krzyknąłem tedy, ryzykując nowy wybuch: „Kobieto anielska, nie masz pojęcia o miłości, jaką oddycham dla ciebie; nie dowiesz się nigdy, jak cię ubóstwiałem, ile to uczucie było mi droższym niż własne istnienie! Oby dni twoje mogły spłynąć szczęśliwie i spokojnie; oby mogło je złocić całe szczęście, z którego mnie odarłaś! Odpłać bodaj te szczere życzenia jednym westchnieniem, jedną łzą i wierz mi, że to ostatnie z poświęceń nie będzie najcięższe. Żegnaj!"

Gdy tak mówiłem, czułem, że serce jej bije coraz gwałtowniej, śledziłem, jak się twarz mieni, widziałem zwłaszcza łzy, które ją dławiły, dobywając się z oczu z trudnością. Wówczas dopiero spróbowałem udać, że się chcę oddalić; na co ona, wstrzymując mię z siłą, krzyknęła: „Nie, wysłuchaj mnie wprzódy!" – „Puść mnie, pani" – odparłem. – „Wysłuchaj mnie, ja żądam". – „Trzeba uciekać, trzeba!" – „Nie!" – krzyknęła. Przy tym słowie rzuciła się lub raczej padła zemdlona w moje ramiona. Ponieważ wątpiłem jeszcze o tak szczęśliwym wyniku, udałem przerażenie, ale zarazem wciąż niby przerażony wiodłem ją lub niosłem na pole mej chwały. Jakoż, w istocie, przyszła do siebie dopiero zupełnie ujarzmiona, stawszy się łupem szczęsnego zwycięzcy.

Dotąd, piękna przyjaciółko, mogłaś, jak sądzę, z uznaniem i z przyjemnością stwierdzić wzorową czystość metody w mym postępowaniu. Przyznasz, że w niczym nie oddaliłem się od klasycznych zasad owej wojny, w której nieraz, rozmawiając o tym, stwierdziliśmy tyle podobieństwa do prawdziwej. Sądź mnie przeto tak, jak by to uczynił Tureniusz lub Fryderyk. Zmusiłem do bitwy przeciwnika, który chciał jedynie zwlekać unikając stanowczej rozprawy; zapewniłem sobie przez umiejętne obroty wybór terenu i warunków walki; zdołałem uśpić nieprzyjaciela, aby go łatwiej dosięgnąć w szańcach; umiałem rzucić nań postrach, nim przyszło do spotkania. Jeżeli zdałem się w czym na los przypadku, to jedynie wówczas, gdy miałem widoki korzyści w razie powodzenia, a pewność posiłków w razie porażki; wreszcie wydałem bitwę jedynie po zapewnieniu sobie odwrotu pozwalającego zachować już osiągnięte zdobycze. To, zdaje mi się, wszystko, co można uczynić; ale lękam się obecnie, iż zmiękłem jak Hannibal w rozkoszach Kapui. Oto co zaszło od tej chwili.

Byłem przygotowany, że tak doniosły wypadek nie obędzie się bez łez i bez przyjętej w takich razach rozpaczy; tu natomiast zauważyłem raczej wstyd i jakby skupioną powagę. Jedno i drugie tłumaczyłem sobie stanem mojej bogobojnej pani; toteż nie zaprzątając się tymi drobnymi różnicami, które uważałem za czysto okolicznościowe, chciałem po prostu kroczyć wielkim gościńcem pocieszeń, przekonany, że jak zwykle jeden czyn zdziała więcej niż wszystkie perswazje. Ale napotkałem opór istotnie przerażający nie tyle przez swą gwałtowność, ale przez formę, w jakiej się objawił.

Wyobraź sobie kobietę zesztywniałą, o nieruchomej twarzy, robiącą wrażenie, iż nie myśli, nie słyszy, nie rozumie: jedynie z oczu utkwionych w jeden punkt łzy dość obfite cieką jakby bezwiednie. Taką była pani de Tourvel; gdy zaś próbowałem ściągnąć jej uwagę jakąś pieszczotą, gestem nawet najniewinniejszym, w miejsce poprzedniej martwoty zjawiały się oznaki przerażenia, spazmy, konwulsje, szlochy i od czasu do czasu bezładne okrzyki.

Te napady powtórzyły się kilka razy, coraz silniejsze; ostatni wręcz tak gwałtowny, że byłem bliski zniechęcenia i zaczynałem przez chwilę myśleć, iż odniosłem najzupełniej jałowe i daremne zwycięstwo. Próbowałem się chwytać przyjętych ogólników, w których liczbie był i ten frazes: „Więc to cię wtrąca w rozpacz, że dałaś mi szczęście?" Na to słowo czarująca kobieta zwróciła się do mnie; twarz jej, jeszcze wpółbłędna, przybrała znowu swój niebiański wyraz. „Twoje szczęście!" – rzekła. Domyślasz się mej odpowiedzi. „Więc jesteś szczęśliwy?" Podwoiłem zapewnienia. „I szczęśliwy przeze mnie!" Dorzuciłem jeszcze słów zachwytu i tkliwości. Podczas gdy mówiłem, członki jej straciły swą sztywność, osunęła się miękko w fotel i nie broniąc ręki, którą ośmieliłem się ująć, rzekła: „Czuję, że ta myśl pociesza mnie i przynosi mi ulgę".

Pojmujesz, że odnalazłszy wreszcie drogę, nie opuściłem jej już; była to w istocie droga dobra i może jedyna. I tak, kiedy chciałem pokusić się o drugie zwycięstwo, spotkałem się zrazu z pewnym oporem (to zaś, na co patrzyłem przed chwilą, uczyniło mnie oględnym), ale przywoławszy na pomoc tę samą myśl o moim szczęściu, odczułem wkrótce zbawienne jej skutki: „Masz słuszność – rzekła tkliwa istota – odtąd mogę znosić istnienie me jeno o tyle, o ile może się ono zdać dla twego szczęścia. Poświęcam mu się w zupełności: od tej chwili oddaję ci się; nie doświadczysz z mej strony odmowy ani żalu". Z tą naiwną czy też wzniosłą prostotą wydała mi swą osobę i wdzięki i zdwoiła wartość mego szczęścia podzielając je. Upojenie było pełne i obustronne; pierwszy raz w życiu trwało u mnie dłużej niż chwila rozkoszy. Wysunąłem się z jej ramion jedynie po to, aby jej paść do kolan, aby przysiąc wieczystą miłość i – muszę wyznać – w tej chwili wierzyłem w to. Słowem, nawet kiedyśmy się rozstali, myśl o niej nie opuszczała mnie i trzeba mi było bardzo pracować nad sobą, aby się z tego wyzwolić.

Ach, czemuż nie ma cię tutaj, aby zrównoważyć urok mego zwycięstwa urokiem nagrody? Ale nie stracę na oczekiwaniu, nieprawdaż? Mam nadzieję, iż mogę uważać za przyjęty układ, jaki ofiarowałem ci w ostatnim liście? Widzisz, że dotrzymuję słowa i że – jak przyrzekłem – uporałem się z moimi sprawami, aby ci móc poświęcić nieco czasu. Odpraw tedy co rychlej nudnego Belleroche'a, daj spokój słod-kiemu Danceny'emu, aby się zająć jedynie mną. Ale co ty tam robisz na wsi, że nie odpowiadasz nawet? Wiesz, miałbym ochotę wykłócić się z tobą. Ale szczęście czyni wyrozumiałym. Nie zapominam przy tym, że stojąc na nowo w rzędzie twych kornych wielbicieli winien jestem, markizo, poddać się twoim kaprysom. Pamiętaj jednak, iż nowy kochanek nie chce nic stracić z praw dawnego przyjaciela. Do widzenia, jak niegdyś... Tak, do widzenia, aniele: ślę ci najtkliwsze, najgorętsze pocałunki miłości.

PS. Czy wiesz, że Prévan, odsiedziawszy miesiąc, musiał wystąpić z pułku? Cały Paryż to powtarza. Trzeba przyznać, że srogą poniósł karę za winę, której nie popełnił, i że tryumf twój jest zupełny!

Paryż, 29 października 17**

LIST CXXVI
Pani de Rosemonde do prezydentowej de Tourvel

Byłabym ci odpowiedziała wcześniej, moje miłe dziecko, gdyby utrudzenie ostatnim listem nie ściągnęło znów dawnych dolegliwości, co pozbawiło mnie na szereg dni władzy w ręce. Śpieszno mi było podziękować ci za dobre wiadomości o mym siostrzeńcu i nie mniej śpieszno złożyć ci serdeczne powinszowania. Trzeba w istocie uznać tu działanie Opatrzności, która wzruszając jego serce ocaliła zarazem ciebie. Tak, droga ślicznotko. Bóg, który pragnął cię tylko doświadczyć, przyszedł ci z pomocą w chwili, gdy siły twoje były na wyczerpaniu; toteż mimo nieśmiałego szemrania winna Mu jesteś niemałą podziękę. Rozumiem, iż milej by ci było, gdyby postanowienie to przyszło tobie pierwszej, krok zaś Valmonta aby był jedynie jego następstwem; zdaje mi się nawet, mówiąc po ludzku, że prawa naszej płci byłyby w ten sposób lepiej zachowane, a my tych praw, broń Boże, nie lubimy się wyrzekać! Ale czymże są te drobne względy wobec ważnego celu, który został osiągnięty? Czyż zdarza się, aby tonący, który ocalił się z rozbicia, skarżył się, iż nie zostawiono mu wyboru środków?

Przekonasz się wkrótce, droga córko, iż cierpienia, których się obawiasz, pofolgują same przez się; a gdyby nawet miały trwać wiecznie, niemniej będziesz czuła, że lżejsze są jeszcze niż wyrzuty i wzgarda dla samej siebie. Próżno byłabym mówiła do ciebie wcześniej tak surowo: miłość to uczucie niezależne od nas, od którego roztropność może uchronić, ale którego nie zdołałaby zwalczyć; skoro raz się urodzi, umiera jedynie naturalną śmiercią albo też zdławione zupełnym brakiem nadziei. To właśnie, iż obecnie znajdujesz się w tym położeniu, daje mi odwagę i prawo powiedzenia ci otwarcie mego zdania. Okrucieństwem jest przerażać beznadziejnie chorego, któremu przydać się mogą jedynie słowa pociechy i środki uśmierzające, ale obowiązkiem jest oświecać kogoś, kto wraca do zdrowia, aby go natchnąć rozwagą i posłuszeństwem wobec wskazówek, jakie mogą mu być jeszcze pożyteczne.

Skoro mnie obrałaś za lekarza, jako taki zatem przemawiam do ciebie i mówię, że drobne cierpienia, jakich doświadczasz teraz, niczym są w porównaniu do straszliwej choroby, z której masz pewność uleczenia. Wreszcie, jako przyjaciółka, jako przyjaciółka kobiety rozumnej i cnotliwej, pozwolę sobie dodać, że namiętność, która cię ujarzmiła, już tak nieszczęśliwa sama przez się, jeszcze groźniejsza była przez swój przedmiot. Jeżeli mam wierzyć temu, co powiadają, siostrzeniec mój, którego – wyznaję – kocham może do słabości i który jednoczy w istocie wiele zalet, nie jest ani zbyt bezpieczny dla kobiet, ani też bez winy względem nich i tyleż niemal rozkoszy sprawia mu uwodzić je co gubić. Wierzę chętnie, iż zdołałabyś go odmienić: nikt nie był tego godniejszy; ale tyle innych łudziło się tym i zawiodło się, że wolę, iż nie jesteś zdana na taką pociechę. Zważ teraz, drogie dziecko, iż zamiast tylu niebezpieczeństw, na które byłabyś narażona, będziesz miała, poza spokojem sumienia i własnym, zadowolenie, iż stałaś się przyczyną szczęśliwego nawrócenia Valmonta. Co do mnie, nie wątpię, iż to było w znacznej części dzieło twego wytrwałego oporu i że chwila słabości z twej strony byłaby go uuwaliła na zawsze w złym. Miło mi w to wierzyć i pragnę, abyś ty myślała tak samo; znajdziesz w tym pewną pociechę, ja zaś nową przyczynę, aby cię kochać tym więcej.

Oczekuję cię tutaj, miła córeczko, jak mi to oznajmiasz. Przybądź, aby odnaleźć spokój i szczęście w miejscu, w którym go utraciłaś; przybądź zwłaszcza cieszyć się wraz z tkliwą matką, iż tak szczęśliwie dotrzymałaś danego słowa, że nie uczynisz nic, co by nie było godne jej i ciebie!

Z zamku***, 30 października 17**

LIST CXXVII
Markiza de Merteuil do wicehrabiego de Valmont

Jeżeli nie odpowiedziałam, wicehrabio, na list z 19-go, to nie dla braku czasu, ale po prostu dlatego, że mnie zirytował i wydał mi się pozbawiony sensu. Sądziłam, iż najlepiej uczynię zostawiając ów list w zapomnieniu; ale skoro doń wracasz, skoro zdajesz się obstawać przy swoich pomysłach, a moje milczenie bierzesz za znak zgody, muszę ci powiedzieć jasno, co mniemam.

Mogłam niekiedy mieć pretensję zastąpienia całego seraju, ale nigdy nie miałam ochoty stanowić jego cząstki. Myślałam, że wiesz o tym. Teraz bodaj, kiedy już jesteś oświecony w tym względzie, będziesz mógł ocenić, jak twoja propozycja musiała mi się wydać śmieszna. Kto, ja?! Ja miałabym poświęcić swój kaprys, w dodatku świeży jeszcze, aby zajmować się tobą? I to zajmować jak? Czekając jako uległa niewolnica łaski waszej wysokości? Skoro, na przykład, zapragniesz się rozerwać na chwilę po nieznanym uroku, który ubóstwiana, niebiańska pani de Tourvel, jedyna z wszystkich dała ci poznać, lub kiedy będziesz się lękał narazić w oczach powabnej Cecylii chlubne mniemanie, które rad byłbyś zostawić jej o sobie, wówczas, zstępując do mnie, przyjdziesz szukać przyjemności, mniej żywych, prawda, ale za to nie obowiązujących; a twoje cenne chwile dobroci, jakkolwiek niezbyt obfite, wystarczą odtąd dla mego szczęścia!

W istocie, bogaty jesteś w dobrą opinię o sobie: ale zdaje się, ja nie jestem dość uposażona w skromność; próżno się sobie przyglądam, nie mogę uznać, abym tak nisko już spadła. Może to jest wada, ale uprzedzam cię, że mam i inne wady.

Mam zwłaszcza tę, iż mniemam, że ów u c z n i a k, ów s ł o d k a w y Danceny, jedynie mną zajęty, poświęcający mi bez szukania w tym chluby pierwszą swą miłość, nim jeszcze ją uwieńczono, i kochający mnie wiernie, jak się kocha w jego wieku, mógłby mimo swoich dwudziestu lat skuteczniej od ciebie pracować dla mego szczęścia i przyjemności. Pozwolę sobie zauważyć, że gdyby mi przyszedł kaprys przydania mu pomocnika, i tak nie byłbyś nim ty, przynajmniej na tę chwilę.

„I z jakiej przyczyny?" – gotóweś zapytać. Ależ przede wszystkim mogłoby nie być w ogóle żadnej: ten sam kaprys, który stałby się w danym razie przyczyną twego wyróżnienia, mógłby tak samo spowodować twą niełaskę. Pragnę jednak z prostej grzeczności wytłumaczyć ci swoje pobudki. Zdaje mi się, że musiałbyś uczynić dla mnie zbyt wiele poświęceń, a ja zamiast czuć wdzięczność, której niechybnie byś oczekiwał, gotowa bym mniemać, iż jeszcze mi się więcej od ciebie należy! Widzisz, że wobec takich różnic w sposobie myślenia, nie możemy zbliżyć się również i w innym sposobie; zarazem lękam się, że potrzebowałabym dużo, bardzo dużo czasu, nimbym odmieniła poglądy. Skoro się poprawię, przyrzekam cię uwiadomić. Do tej pory, wierzaj, znajdź inne kombinacje i zachowaj swoje pocałunki; tyle masz lepszych miejsc dla ich ulokowania!

„Do widzenia, jak dawniej", powiadasz? Ale dawniej, o ile mi się zdaje, nieco więcej przywiązywałeś do mnie wagi; nie przeznaczałeś mnie do ról komparsów, a przede wszystkim raczyłeś czekać, aż ja powiem „tak", nim byłeś pewny zgody. Pozwól więc, że ja, zamiast powiedzieć również: „Do widzenia, jak dawniej", powiem ci: „Do widzenia, jak teraz",

Uniżona sługa, panie wicehrabio.

31 października 17**

LIST CXXVIII

Prezydentowa de Tourvel do pani de Rosemonde

Wczoraj dopiero otrzymałam, pani, twą spóźnioną odpowiedź. Byłaby mnie zabiła na miejscu, gdyby moje istnienie mieściło się jeszcze we mnie, ale kto inny jest jego właścicielem; jest nim pan de Valmont. Widzisz, pani, że nic nie ukrywam. Jeżeli mnie uznasz za niegodną twej przyjaźni, i tak mniej straszne byłoby mi utracić ją niż ją podejść. Wszystko, co mogę powiedzieć, to, że zmuszona przez pana de Valmont do wyboru między jego śmiercią a jego szczęściem, wybrałam ostatnie. Nie chełpię się tym ani się nie oskarżam: mówię, jak jest.

Odczuje pani tedy łatwo, jakie wrażenie musiał na mnie uczynić twój list i jego surowe prawdy. Nie sądź mimo to, że zdołał obudzić we mnie żal lub że skłoni mnie kiedy do zmiany uczuć i postępowania. Prawda, przechodzę chwile straszne: ale kiedy serce najbardziej się rozdziera, kiedy obawiam się, iż nie zdołam już znieść mych udręczeń, powiadam sobie: „Valmont jest szczęśliwy", i wszystko znika wobec tej myśli lub raczej ona wszystko zmienia w rozkosz samą.

Siostrzeńcowi twemu zatem poświęciłam istnienie; dla niego się zgubiłam. Stał się jedynym celem moich myśli, uczuć, postępków. Jak długo moje życie będzie potrzebne dla jego szczęścia, będzie ono dla mnie miało wartość i nie pozwolę sobie skarżyć się na niego. Skoro któregoś dnia on zmieni się w tym względzie... nie usłyszy skargi ani wyrzutu. Odważyłam się już objąć tę nieszczęsną chwilę i wiem, co wówczas należy mi uczynić.

Widzisz, pani, zatem, jak próżna jest twoja obawa, iż kiedyś panu de Valmont spodoba się może mnie zgubić: nim mu przyjdzie ta ochota, musi przestać mnie kochać, a wówczas czymże mi będą czcze nagany świata, których nie będę słyszała?

Oto, pani, otwarłam ci serce. Wolę stracić twój szacunek przez szczerość niż stać się go niegodną przez kłamstwo. Sądziłam, iż winna ci jestem to zwierzenie za twą dawną dobroć. Nie dodaję ani słowa, aby nie zbudzić w tobie, pani, podejrzenia, iż odważam się liczyć jeszcze na twą przyjaźń, gdy, przeciwnie, wymierzam sobie sprawiedliwość przestając rościć do niej prawa.

Pozostaję z całym szacunkiem, bardzo powolną i uniżoną sługą.

Paryż, 1 listopada 17**

LIST CXXIX
Wicehrabia de Valmont do markizy de Merteuil

Powiedz mi, proszę, piękna przyjaciółko, skąd pochodzi ten cierpki i szyderczy ton w ostatnim liście? Gdzież ta zbrodnia, której snadź dopuściłem się bezwiednie i która cię tak rozdrażniła? Wyrzucasz mi, iż popełniłem zuchwalstwo licząc na twą zgodę, nim ją uzyskałem: ale zdawało mi się, iż to, co mogłoby uchodzić za zarozumiałość u kogo innego, między nami oznacza tylko zaufanie: a od kiedyż uczucie to nie godzi się z przyjaźnią lub miłością? Wiem, iż obyczaj nałożył w takich razach obowiązek pełnego czci powątpiewania: ale ty w zamian wiesz dobrze, że to jedynie pusta forma, o ile zaś mi się zdaje, miałem prawo przypuszczać, że w naszym stosunku te drobiazgi są już zbyteczne. Zdaje mi się nawet, że takie szczere i proste postępowanie, kiedy się opiera na dawnych węzłach, więcej jest warte od mdłych zawodzeń, które tak często odejmują smak miłości.

Oto jedyna wina, do której się poczuwam, bo nie wyobrażam sobie, abyś mogła myśleć poważnie, iż istnieje w świecie kobieta, którą bym przełożył nad ciebie; a jeszcze mniej, abym cię mógl cenić tak lekko, jak to niby przypuszczasz, markizo. Powiadasz, iż przyjrzałaś się sobie i nie sądzisz, abyś upadła tak nisko. Bardzo wierzę; to dowodzi tylko, że zwierciadło jest wierne. Ale czy nie mogłabyś stąd wyciągnąć o wiele prostszego i prawdziwszego wniosku, że i ja tak nie myślałem?

Szukam na próżno, czym dałem powód do tej dzikiej myśli. Zdaje mi się, że ona wiąże się, mniej lub więcej, z pochwałami, jakie pozwoliłem sobie oddać innym. Wnoszę to przynajmniej z nacisku, z jakim podkreślasz przydomki: czarująca, niebiańska, pociągająca, którymi posłużyłem się, mówiąc bądź o pani de Tourvel, bądź o małej Volanges. Ale czy nie wiesz, że takie słowa, raczej nasuwające się pod pióro niżeli wybierane z rozmysłu, nie tyle wyrażają cenę, jaką ktoś przywiązuje do osoby, ile stan, w jakim się znajduje, gdy mówi o niej? A jeżeli w chwili, w której byłem tak podniecony myślą o jednej lub drugiej, mimo to tęsknota za tobą wcale nie była mniejsza, jeżeli dawałem ci wyraźne pierwszeństwo nad obydwiema, nie zdaje mi się, aby w tym był powód do obrazy?

Nie trudniej mi będzie usprawiedliwić się z nieznanego czaru, którym również wydajesz mi się podrażniona. Z tego, że jest nieznany, nie wynika, aby miał być najsilniejszy. Ach, i któż by zdołał zatrzeć w mej pamięci upojenia, które ty jedna umiesz nasycać wciąż nowym i coraz to żywszym powabem! Chciałbym więc powiedzieć tylko, że w tym wypadku urok był z rodzaju, którego dotychczas nie znałem; nie miałem jednak przez to zamiaru oznaczać jego stopnia; dodałem zarazem, co powtarzam i dziś, że mimo wszystko potrafię ten urok przezwyciężyć. Przyłożę się do tego tym gorliwiej, skoro w tym nieznacznym wysiłku ujrzę sposobność oddania tobie nowego hołdu.

Co do Cesi, zdaje mi się zbyteczne mówić o niej. Pamiętasz chyba, że to na twoją prośbę zająłem się tym dzieckiem i że czekam jedynie twego pozwolenia, aby się jej pozbyć. Mogłem zwrócić przelotną uwagę na jej naiwność i świeżość; mogła mi się nawet wydać przez chwilę pociągająca, ponieważ, mniej lub więcej, człowiek podoba sobie zawsze w swym dziele: ale z tym wszystkim nie jest ona dość wyraźnie zarysowana w żadnym kierunku, aby mogła w jaki bądź sposób przywiązać do siebie.

A teraz, piękna przyjaciółko, odwołuję się do twej sprawiedliwości, do dawnych względów, do wypróbowanej przyjaźni, do zupełnej ufności, która z biegiem czasu zacieśniła nasze więzy: czy zasłużyłem na ten ton? Ale jakże ci łatwo będzie wynagrodzić mnie, skoro tylko zechcesz! Powiedz słowo, a zobaczysz, czy wszystkie czary, uroki, więzy zatrzymają mnie tutaj, nie dzień, ale minutę. Polecę do twoich stóp i w twoje ramiona i dowiodę ci tysiąc razy i na tysiąc sposobów, że jesteś, że będziesz zawsze prawdziwą panią mego serca.

Do widzenia, piękna przyjaciółko; oczekuję niecierpliwie odpowiedzi.

Paryż, 3 listopada 17**

LIST CXXX
Pani de Rosemonde do prezydentowej de Tourvel

I czemuż to, drogie dziecko, nie chcesz już być moją córką? Czemu dajesz do zrozumienia, że chcesz poniechać wszelkiej między nami styczności? Czy aby mnie ukarać, iż nie odgadłam tego, co było przeciwne wszelkiemu prawdopodobieństwu? Czy podejrzewasz, że zrobiłam ci przykrość umyślnie? Nie, znam zbyt dobrze twe serce, aby przypuszczać, iż mogłoby tak myśleć o moim.

O moja młoda przyjaciółko! Z bólem mówię ci te słowa; ale zbyt godna jesteś kochania, aby kiedykolwiek miłość mogła cię uczynić szczęśliwą. Ach, któraż kobieta, naprawdę szlachetna i tkliwa, znalazła co innego prócz niedoli w tym uczuciu tak bogatym w obietnice szczęścia! Czyż mężczyzna umie ocenić kobietę, którą posiada? Prawda, zdarzają się ludzie uczciwi i stali: ale pomiędzy tymi nawet jakże niewielu umie się dostroić do naszego serca! Nie sądź, drogie dziecię, że ich miłość podobna jest do naszej. Prawda, doświadczają tych samych upojeń; nieraz nawet wkładają w nie więcej zapału: ale nie znają ani owej czujnej tkliwości, ani owej delikatnej troski, które w nas są pobudką tych nieustannych starań i których jedynym celem jest zawsze kochana istota. Mężczyzna poi się własnym szczęściem; kobieta tym, które daje. Ta różnica, tak zasadnicza, a tak mało brana w rachubę, bardzo wpływa na całość stosunku. Szczęściem jednej strony jest zaspokajać swe pragnienia, drugiej, przede wszystkim, budzić je. Podobać się jest dla mężczyzny jedynie środkiem tryumfu, gdy dla kobiety jest tryumfem samym. Zalotność nawet, z której tak często robi się zarzut kobietom, jest nie czym innym, jak tylko nadużyciem tego sposobu odczuwania i tym samym dowodzi jego rzeczywistości. Wreszcie ta wyłączność w pociągu zmysłów, która jest tak znamienna dla miłości, u mężczyzny rozstrzyga jedynie o stopniu rozkoszy, gdy u kobiet jest to uczucie głębokie, które nie tylko unicestwia wszelką inną chęć, ale które, silniejsze od natury samej i wyzwolone spod jej władzy, nieci w niej jedynie odrazę i wstręt tam nawet, gdzie – zdawałoby się – powinna by się rodzić rozkosz.

Mniemałam, drogie dziecko, że może z pożytkiem dla ciebie będzie przeciwstawić te prawdy złudom doskonałego szczęścia, którym miłość nigdy nie omieszka nas mamić. Łagodzić twe zgryzoty – oto jedyne zadanie, jakie chcę, jakie mogę wypełnić w tej chwili. W cierpieniach bez lekarstwa rady mogą miarkować jedynie sposób postępowania. O to też proszę cię jeno, abyś pamiętała, iż ubolewać nad chorym, nie znaczy potępiać go. Kimże jesteśmy, abyśmy mieli potępiać jedni drugich? Zostawmy prawo sądu Temu, który czyta w sercach; śmiem wierzyć, że w Jego ojcowskich oczach mnogość cnót może okupić jedną chwilę zbłąkania.

Ale zaklinam cię, droga przyjaciółko, strzeż się przede

wszystkim tych gwałtownych postanowień, które nie tyle są oznakami siły, jak raczej zupełnego jej upadku: nie zapominaj, że czyniąc kogo innego właścicielem swego istnienia – aby się posłużyć twoim wyrażeniem – nie mogłaś mimo to wyzuć twych przyjaciół z cząstki, którą posiadali przedtem i o którą nie przestaną się upominać.

Do widzenia, droga córko, pomyśl niekiedy o swej tkliwej matce i bądź pewna, że będziesz zawsze i ponad wszystko przedmiotem jej serdecznych myśli.

Z zamku***, 4 listopada 17**

LIST CXXXI
Markiza de Merteuil do wicehrabiego de Valmont

Odebrałam twój list, wicehrabio, i wolę cię tym razem. Ale teraz pomówmy po przyjacielsku, a mam nadzieję przekonać cię, że zarówno dla ciebie, jak dla mnie obrót, którego zdajesz się pragnąć, byłby szaleństwem.

Czy nie zauważyłeś jeszcze, że przyjemność, która w istocie jest jedyną pobudką stosunków płci, nie wystarcza jednak, aby zadzierzgnąć między nimi węzeł, i że po chwili rozkoszy wywołuje niechybny przesyt połączony z niesmakiem? To jest prawo natury, które jedynie miłość może zmienić; a czyż można wzbudzić w sobie miłość na zawołanie? Potrzebę jej czuje się mimo to ciągle: i byłoby to w istocie bardzo przykre, gdyby nie spostrzeżono, na szczęście, że wystarcza, gdy ona istnieje z jednej strony. Trudność zmniejszyła się przez to do połowy; i nawet bez wielkiej dla kogokolwiek szkody zazwyczaj dzieje się tak, iż jedna strona ma szczęście kochania, druga przyjemność budzenia miłości. Ta druga rozkosz jest nieco mniej żywa, to prawda, ale łączy się z nią przyjemność oszukiwania, co równoważy szale, i wszystko jakoś się układa.

Ale powiedz mi, wicehrabio, kto z nas dwojga podejmie się okłamywać drugą stronę! Znasz historię o dwóch hultajach, którzy grając w karty poznali się na sobie: „Nie zarobimy tu nic – powiedzieli – zapłaćmy karty po połowie". I wstali od partii. Idźmy, wierzaj mi, za tym przykładem i nie traćmy z sobą czasu, który możemy spożytkować gdzie indziej.

Aby ci dowieść, że chodzi mi tu zarówno o twoje, jak o własne dobro, że nie działam pod wpływem urazy ani kaprysu, nie odmawiam ci wręcz umówionej ceny: czuję, że na jeden wieczór wystarczymy sobie jeszcze; nie wątpię nawet, że potrafimy go wypełnić dość mile, aby patrzeć z żalem na to, iż ma on swój koniec. Ale nie zapominajmy, że ten żal właśnie niezbędny jest dla szczęścia, i choćby złudzenie miało być najsłodsze, nie próbujmy wierzyć, że mogłoby być trwałe.

Widzisz, i ja dotrzymuję słowa, i to nawet nie formalizując się zgoła: pamiętasz wszakże, że powinnam była dostać jako dowód pierwszy list skromnisi.

A teraz, wicehrabio, jedna prośba, i to zarówno w twoim, jak w moim interesie: mianowicie, abyś zechciał odłożyć chwilę, której pragnę nie mniej może od ciebie, aż do mego powrotu. Z jednej strony, nie mielibyśmy tutaj potrzebnej swobody; z drugiej, narażałoby mnie to na pewne niebezpieczeństwo: trzeba by jeno odrobiny zazdrości, aby przywiązać do mnie na nowo opłakanego Belleroche'a, który teraz trzyma się ledwie na włosku. Dobywa ostatniego tchu, aby mnie kochać; tak iż obecnie w pieszczoty, którymi go przekarmiam, wkładam tyleż złośliwości co wyrachowania. Widzisz tedy, że nie miałabym sposobności uczynić dla ciebie żadnego poświęcenia! Obustronna niewierność doda naszemu kaprysowi o wiele więcej uroku.

Czy ty wiesz, że niekiedy żałuję mimo wszystko, że jesteśmy skazani na szukanie takich środków?! W czasie kiedyśmy się kochali, bo zdaje mi się, że to była miłość, byłam szczęśliwa; a ty, wicehrabio?... Ale po cóż zaprzątać myśl szczęściem, które nie może wrócić? Nie! Mów, co chcesz, mój drogi, taki powrót jest niemożebny. Przede wszystkim wymagałabym ofiar, których z pewnością nie mógłbyś albo nie chciałbyś uczynić, których może nie jestem zresztą warta; a potem, czyż ciebie zdoła kto trwale przywiązać?... Och, nie, nie chcę nawet dopuszczać tej myśli: mimo przyjemności, jaką znajduję w pisaniu do ciebie, wolę pożegnać się od razu.

Do widzenia, wicehrabio.

***, 6 listopada 17**

LIST CXXXII
Prezydentowa de Tourvel do pani de Rosemonde

Wzruszona do głębi, pani, twą dobrocią, napawałabym się nią z całym oddaniem, gdyby nie wstrzymywała mnie poniekąd obawa sprofanowania twej łaski. W chwili gdy przyjaźń twoja jest mi tak cenna, czemuż muszę czuć, że przestałam jej być godna?

Toż samo mogę rzec o twych radach, pani: czuję ich wartość i nie jestem zdolna ich posłuchać. I jakżebym miała nie wierzyć w istnienie doskonałego szczęścia, skoro doznaję go w tej chwili? Tak, jeśli mężczyźni są tacy, jak powiadasz, trzeba uciekać przed nimi, godni są jedynie wstrętu; ale jakże wysoko wówczas Valmont stoi nad nimi! Ileż w swym uczuciu ma delikatności! O moja przyjaciółko! Mówisz o podzielaniu mych zgryzot, ciesz się więc ze mną moim szczęściem. Kochasz siostrzeńca, mówisz, z nadmierną może słabością? Ach, gdybyś go znała jak ja! Ja kocham go bałwochwalczo: a i to jest o wiele mniej, niż zasługuje. Zapewne, mógł dać się porwać błędom świata, sam to przyznaje, ale któż lepiej od niego znał wartość prawdziwej miłości? Cóż więc powiedzieć więcej? Odczuwa ją tak, jak ją wzbudza.

Gotowa jesteś mniemać, że to jest jedna z owych zwodniczych chimer, którymi miłość lubi mamić wyobraźnię: ale w takim razie czemuż miałby się on stać tkliwszym, bardziej uważającym, od chwili gdy wszystko uzyskał? Wyznaję, przedtem budził we mnie wrażenie jakiegoś chłodu, jakiejś rozwagi, tak iż często mimo woli nasuwały mi się na myśl fałszywe i okrutne pojęcia, jakie mi o nim wpojono. Ale od czasu jak może się oddać bez hamulca porywom serca, zdaje się odgadywać najskrytsze pragnienia mej duszy. Kto wie, czy nie byliśmy zrodzeni dla siebie! Ach, jeśli to złudzenie, niech umrę, nim minie!

Ale nie! Chcę żyć, aby go kochać, aby go ubóstwiać. I czemuż miałby przestać kochać? Któraż kobieta mogłaby się stać przezeń szczęśliwsza ode mnie? Czuję to po sobie, że szczęście, które dajemy, jest najmocniejszym węzłem, jedynym, który wiąże prawdziwie. Tak, to rozkoszne uczucie uszlachetnia miłość, oczyszcza ją, czyni ją naprawdę godną duszy tkliwej i szlachetnej, jak dusza Valmonta.

Żegnam cię, droga, czcigodna, pobłażliwa przyjaciółko. Próżno bym chciała pisać dłużej: nadchodzi godzina, w której oczekuję jego, i wszelka inna myśl znika mi z oczu. Daruj! Ale wszak ty chcesz mego szczęścia, a jest ono tak wielkie w tej chwili, że ledwie mnie całej starczy, by je odczuwać.

Paryż, 7 listopada 17**

LIST CXXXIII
Wicehrabia de Valmont do markizy de Merteuil

Jakież są, piękna przyjaciółko, ofiary, których bym, wedle ciebie, nie uczynił, mimo iż nagrodą ich byłoby przypodobanie się tobie? I jakże ty mnie sądzisz od jakiegoś czasu, skoro nawet w łaskawszym usposobieniu wątpisz o mych uczuciach lub o mej energii? Ofiary, których nie chciałbym, nie mógłbym uczynić! Uważasz może, iż jestem zakochany, ujarzmiony? Posądzasz mnie, iż wartość posiada w mych oczach nie samo zwycięstwo, lecz osoba? Nie! Dzięki niebu, nie upadłem tak nisko i gotów ci jestem tego dowieść. Tak, dowiodę, choćby nawet pani de Tourvel miała paść ofiarą: teraz nie powinnaś mieć chyba wątpliwości.

Mogłem, jak sądzę, bez zhańbienia się, poświęcić się jakiś czas kobiecie, która w każdym razie posiada bodaj tę wartość, że nie jest przeciętna. Kto wie, czy fakt, iż przygoda ta wypadła na czas martwego sezonu, nie był przyczyną, iż poświęciłem się jej nieco więcej; i teraz jeszcze, kiedy życie w Paryżu jeszcze się na dobre nie zaczęło, nic dziwnego, że miłostka ta pochłania mnie niemal całkowicie. Ale też pomyśl, że ledwo tydzień upływa, odkąd cieszę się owocem trzechmiesięcznych zabiegów. Ileż razy dłużej tkwiłem w czymś, co było o wiele mniej warte i nie kosztowało mnie tyle!... A nigdy dlatego nie sądziłaś tak źle o mnie.

A przy tym chcesz znać prawdziwą przyczynę mej wytrwałości? Więc ci powiem. Ta kobieta jest z natury nieśmiała; w pierwszych chwilach wątpiła nieustannie o swym szczęściu i to wystarczyło, aby ją utrzymywać w ciągłym niepokoju; obecnie dopiero zaczynam przekonywać się, dokąd sięga moja potęga w tym kierunku. Było dla mnie nader ciekawe zdać sobie sprawę z tego; sposobność zaś nie nastręcza się tak łatwo, jak by można mniemać.

Najpierw, dla wielu kobiet rozkosz to po prostu rozkosz, nic poza tym. Przy tych kobietach, mimo pochlebnych tytułów, jakimi nas zaszczycają, jesteśmy tylko wyrobnikami, których sprawność decyduje o wartości.

W drugiej klasie, może najliczniejszej dzisiaj, rozgłos kochanka, zadowolenie, że się go odebrało rywalce, obawa postradania go na rzecz innej pochłaniają kobietę prawie w zupełności. W szczęściu, jakie jest jej udziałem, liczymy się za coś, zapewne; ale na ogół zależy ono więcej od okoliczności niż od osoby. Czerpią je przez nas, ale nie z nas.

Trzeba więc było znaleźć dla mych spostrzeżeń kobietę delikatną i czułą, która by mieściła całe swe życie w miłości, w miłości zaś widziała jedynie kochanka: której wzruszenie, miast kroczyć pospolitą drogą, jedynie z serca dostawałoby się do zmysłów. I tak widziałem ją, na przykład (a nie mówię tu o pierwszym dniu), jak wychodziła z objęć rozkoszy, cała we łzach, aby w chwilę później odnaleźć upojenie w jednym słowie, które odpowiedziało jej duszy. Wreszcie trzeba było, aby posiadała zarazem ową wrodzoną prostotę i szczerość, które są u niej wręcz nieodpartym nałogiem i które nie pozwalają jej ukryć najmniejszego drgnienia serca. Otóż zgodzisz się, markizo, takie kobiety są rzadkie; gdyby nie ta, nigdy bym może nie spotkał tego typu.

Nie byłoby zatem nic dziwnego, gdyby mnie zatrzymała dłużej; jeżeli zaś studia moje wymagają, abym ją uczynił szczęśliwą, zupełnie szczęśliwą, czemuż bym się przed tym bronił, zwłaszcza kiedy mi to nic nie szkodzi; przeciwnie! Ale z tego, że umysł jest czymś zajęty, czyż wynika, że serce jest w niewoli? Nie. Toteż mimo iż mam prawo przywiązywać niejaką wartość do tej przygody, nie przeszkodzi mi to gonić za innymi lub poświęcić ją wręcz dla lada rozrywki.

Czuję się tak wolny, że nie zaniedbałem nawet małej Volanges, na której przecież zależy mi dość mało. Matka wraca z nią do miasta za trzy dni; otóż już wczoraj zdołałem sobie zapewnić środki komunikacji: nieco pieniędzy sypniętych odźwiernemu, parę fatałaszek dla jego żony ubiły całą sprawę. Czy możesz pojąć, że Danceny nie umiał wpaść na sposób tak prosty? I mówią, że miłość czyni przemyślnym! Przeciwnie, ogłupia. I ja nie miałbym się jej obronić! Ach, bądź spokojna! Już teraz, za niewiele dni, zacznę osłabiać, za pomocą takiego podziału, zbyt silne może wrażenie, jakiemu uległem; a jeżeli prosty podział nie wystarczy, postaram się rozdrobnić jeszcze więcej.

Swoją drogą, będę gotów wrócić młodą pensjonarkę nieśmiałemu kochankowi, z chwilą gdy uznasz za stosowne. Zdaje mi się, że nie masz już przyczyn wstrzymywać go; ja zaś godzę się oddać tę usługę poczciwemu Danceny'emu. Bodaj tyle należy mu się ode mnie za wszystko, co mu zawdzięczam. Obecnie przechodzi śmiertelne niepokoje, czy pani de Volanges go przyjmie; uspokajam go, jak mogę, zapewniając, że w ten czy inny sposób doprowadzę go pewnego dnia do wrót raju; tymczasem ofiaruję się pośredniczyć w korespondencji, którą pragnie na nowo podjąć za przybyciem swojej Cecylii. Mam już od niego sześć listów, będę miał z pewnością jeszcze parę do tej nieszczęsnej doby. Musi chłopak strasznie nie mieć nic do roboty!

Ale zostawmy tę parę dzieciaków i wróćmy do nas: niech

mi będzie wolno zająć się wyłącznie nadzieją zawartą w ostatnim liście. Tak, z pewnością, ty potrafisz zmienić mnie we wzór stałości; nie przebaczyłbym ci, gdybyś miała wątpić. Czyż zresztą kiedy okazałem się wobec ciebie niestałym? Rozwiązaliśmy, ale nie zerwali nasze więzy; rzekome zerwanie było tylko omyłką wyobraźni: nasze uczucia, istoty pozostały mimo wszystko zespolone. Podobny podróżnikowi, który wraca pełen rozczarowań, uznam jak on, że zostawiłem szczęście, aby biec za nadzieją, i powiem, jak d'Harcourt:

> Im więcej ziem zwiedziłem, tym droższą mi własna*.

Nie zwalczaj już tedy myśli, a raczej uczucia, które sprowadza cię do mnie: spróbowawszy w naszym pościgu, każde na własną rękę, wszystkich rozkoszy, cieszmy się szczęsną świadomością, że żadna z nich nie da się przyrównać tej, którą odnajdziemy znowu, stokroć słodszą jeszcze niż dawniej!

Do widzenia, urocza przyjaciółko. Zgadzam się czekać twego powrotu: ale przyspiesz go, ile możesz, i nie zapominaj, jak go pragnę.

Paryż, 8 listopada 17**

LIST CXXXIV
Markiza de Merteuil do wicehrabiego de Valmont

Doprawdy, wicehrabio, jesteś jak dzieci, którym nie można nic powiedzieć, nic pokazać, żeby zaraz nie chciały chwytać! Ależ to była, ot, taka sobie myśl, która mi przeszła przez głowę! Zatrzymywać się nawet przy niej nie chcę, bo skoro tylko coś wspomnę, ty zaraz tego nadużywasz, aby mnie prowadzić w tym kierunku, utrwalać w tej myśli, gdy ja chcia-

---

* Du Belloi, *Tragédie du Siège de Calais*. [Znów nieporozumienie u Boya. Powinno brzmieć: De Belloi, tragedia *Siège de Calais* – A. S.].

łabym się raczej z niej wyzwolić. Czy to szlachetnie kazać mi dźwigać samej cały ciężar rozsądku? Powtarzam ci znowu i sobie jeszcze częściej, że twój układ jest istotnie niemożliwy. Gdybyś nawet włożył weń całą dobrą wolę, jaką w tej chwili okazujesz, czy myślisz, że i ja nie mam także swojej dumy i że chciałabym przyjąć poświęcenie, które byś uczynił dla mnie kosztem własnego szczęścia?

Czyżbyś ty, wicehrabio, w istocie miał złudzenia co do uczuć, jakie cię wiążą do pani de Tourvel? Ależ to miłość albo też miłość nie istniała nigdy: przeczysz na sto sposobów, ale udowadniasz to na tysiąc. Cóż znaczy, na przykład, ta sztuczka, do jakiej się uciekasz z samym sobą (wobec mnie, przypuszczam, że jesteś szczery), a która każe ci rzekomą chęcią obserwacji tłumaczyć niepowściągnioną ochotę zatrzymania tej kobiety? Powiedziałby kto, że jeszcze nigdy nie uczyniłeś żadnej szczęśliwą, zupełnie szczęśliwą? Ach, jeśli wątpisz o tym, słabą masz pamięć! Ale nie, to nie to. Po prostu serce twoje sprowadza na manowce rozum i każe mu się żywić byle jakimi racjami; ale ja, która mam tyle interesu w tym, aby nie paść ofiarą omyłki, nie dam się tak łatwo zaspokoić.

Tak więc, stwierdzając twą uprzejmość w starannym usunięciu wszystkich słów, które mogły mi się nie podobać, widzę jednak, że, może bezwiednie, zachowałeś te same pojęcia. Istotnie, nie ma już mowy o czarującej, niebiańskiej pani de Tourvel, ale jest k o b i e t a z d u m i e w a j ą c a, k o b i e t a d e l i k a t n a i c z u ł a, i to z odsądzeniem od tego wszystkich innych; kobieta r z a d k a wreszcie i taka, ż e n i e m o ż n a b y s p o t k a ć t a k i e j d r u g i e j. Tak samo jest z owym czarem „nieznanym", który nie jest n a j s i l n i e j s z y m. Niech i tak będzie; ale skoro nie znalazłeś go nigdzie dotąd, trzeba wierzyć, że nie znajdziesz i w przyszłości: strata byłaby tedy nie do nagrodzenia. Albo to są oczywiste znaki miłości, albo się trzeba wyrzec nadziei spotkania ich na świecie.

Bądź pewien, że tym razem mówię bez żadnego podrażnienia. Przyrzekłam sobie, że już mu się nie dam unieść; zbyt dobrze poznałam, że mogłoby się stać dla mnie niebezpieczną zasadzką. Wierzaj mi, bądźmy tylko przyjaciółmi i poprzestańmy na tym. Oceń mą siłę woli, wicehrabio; niekiedy potrzebna jest nawet do tego, aby nie powziąć postanowień, które uważa się za zgubne.

Zatem, już tylko po to, aby cię drogą perswazji skłonić do zgody na moje poglądy, odpowiem na pytanie, jakie mi stawiasz co do ofiar, których bym wymagała, a których byś ty nie mógł uczynić. Posługuję się z rozmysłem słowem w y-m a g a ć, ponieważ jestem aż nadto pewna, że za chwilę znajdziesz mnie w istocie zbyt wymagającą: ale tym lepiej! Nie tylko nie pogniewam się za odmowę, ale podziękuję za nią. Ot, powiem ci wprost (z tobą nie będę grała w ślepą babkę), że potrzebowałabym tego.

Wymagałabym tedy – patrz, co za okrucieństwo! – aby ta rzadka, ta zdumiewająca pani de Tourvel stała się kobietą zwyczajną, taką, jaką jest po prostu; bo nie trzeba się łudzić: ów czar, jakiemu ulegamy niekiedy, istnieje tylko w nas samych: miłość to jedynie tak upiększa przedmiot ukochania. Mimo całej niemożliwości moich żądań uczyniłbyś może ten wysiłek, aby mi to przyrzec, przysiąc nawet, ale, wyznaję, nie umiałabym wierzyć pustym słowom. Mogłaby mnie przekonać jedynie całość twego postępowania.

To nie wszystko: ja mam i swoje kaprysy. Wyrzeczenie się Cesi, które ofiarujesz mi tak skwapliwie, wcale mi nie dogadza. Prosiłabym cię, przeciwnie, abyś, do nowych rozkazów, ciągnął tę uciążliwą służbę. Tłumacz to sobie, jak chcesz: czy że lubię nadużywać swej władzy, czy że wspaniałomyślnie zadowalam się ofiarą twoich uczuć nie pragnąc cię odzierać z przyjemności. Tak czy tak, żądałabym absolutnego posłuszeństwa; a rozkazy moje byłyby bardzo surowe.

W zamian za to poczułabym się może do obowiązku podziękowania; kto wie? Może pomyślałabym o nagrodzie. To pewna, na przykład, że skróciłabym czas mej nieobecności, która stałaby mi się nie do zniesienia. Ujrzałabym cię nareszcie, wicehrabio, i ujrzałabym... jak?... Ale ty może pamiętasz, że to jedynie prosta gawędka, fantazjowanie na temat niemożliwości; a nie lubiłabym zapominać o tym sama jedna...

Czy wiesz, że mój proces niepokoi mnie trochę? Chciałam wreszcie poznać do gruntu, jakie są moje widoki: panowie adwokaci cytują mi wprawdzie rozmaite prawa, a zwłaszcza rozmaite autorytety, jak oni to nazywają, ale nie mogę się dopatrzyć, aby tak bardzo słuszność była po mej stronie. Zaczynam niemal żałować, iż odrzuciłam polubowne załatwienie sprawy. Nabieram otuchy, przypominając sobie, że pełnomocnik mój jest zręczny, adwokat wymowny, a klientka ładna. Jeżeli te trzy środki miałyby już nic nie znaczyć, trzeba by zmienić cały tok Sprawiedliwości, a cóż by się stało wówczas z tradycją!

Ten proces jest obecnie jedyną przeszkodą, która mnie zatrzymuje. Co do procesu Belleroche'a – już ukończony: przegrany z zasądzeniem na zwrot kosztów. Oddam mu całkowitą wolność za powrotem. Czynię to bolesne poświęcenie i pocieszam się nadzieją jego wdzięczności za ten szlachetny uczynek.

Do widzenia, wicehrabio, pisuj często: szczegóły twoich uciech wynagrodzą mi bodaj w części nudę, jakiej tu jestem pastwą.

***, 11 listopada 17**

LIST CXXXV
Prezydentowa de Tourvel do pani de Rosemonde

Próbuję pisać do pani, choć nie wiem, czy potrafię. Och, Boże, kiedy pomyślę, że ostatniego listu z nadmiaru szczęścia niepodobna mi było dokończyć! Dziś przygniata mnie bezmiar rozpaczy: zostawia mi sił tylko tyle, abym mogła czuć swą niedolę; na wyrażenie jej już mi ich nie staje.

Valmont... Valmont mnie nie kocha, nigdy mnie nie kochał. Miłość tak nie umiera. Oszukuje mnie, zdradza, znieważa. Wszystko, co może istnieć: nieszczęść, upokorzeń, wszystkiego doznałam, i to z jego, z jego ręki! I nie sądź, pani, aby to było proste podejrzenie! Ach, jakże daleka byłam od takich podejrzeń! Nie jestem tak szczęśliwa, aby móc wątpić. Widziałam go: cóż mógłby powiedzieć na swe usprawiedliwienie? Ale co jemu zależy!... Nawet nie będzie próbował... Nieszczęśliwa! I cóż mu twoje łzy i wyrzuty? Czyż on się tobą zajmuje w tej chwili!

Prawdą jest zatem, że mnie poświęcił, wydał na pastwę nawet: i komu?... Nędznej kreaturze... Ale co ja mówię? Ach, nie ja wszakże mam prawo nią pogardzać!

Ona zdradziła mniej obowiązków, mniej jest winna ode mnie. Och, jakże bolesna jest kara, skoro płynie z wyrzutów! Och, jak ja cierpię!

Odczytuję mój list i spostrzegam, że nie zrozumiesz zeń nic: spróbuję zdobyć się na zdanie ci sprawy z tego okrutnego zdarzenia. Było to wczoraj; pierwszy raz od powrotu wybierałam się gdzieś na wieczór do znajomych. Valmont odwiedził mnie o piątej; był czuły i serdeczny jak nigdy. Okazał, że zamiar mój sprawia mu przykrość: domyślasz się, że natychmiast przekreśliłam projekt i ofiarowałam się zostać w domu. W dwie godziny potem, zupełnie nagle, ton i wyraz Valmonta zmieniły się dotkliwie. Nie wiem, czy mi się wymknęło coś, co mu się mogło nie podobać; bądź co bądź, oznajmił, że sobie przypomniał jakąś sprawę, która mu każe mnie opuścić, i odszedł. Odchodząc wyraził parę słów żalu, słów, które zdawały się płynąć z serca i które uważałam za szczere.

Zostawszy sama, uznałam wobec tego za właściwe nie uchylać się od swych zobowiązań. Skończyłam toaletę i wsiadłam do powozu. Nieszczęściem, woźnica powiózł mnie koło Opery, gdzie znalazłam się wciśnięta w tłok przy wyjściu: wtem, o cztery kroki przed sobą, w sznurze pojazdów ciągnącym się równolegle z naszym, spostrzegłam powóz Valmonta. Serce zaczęło mi bić jak szalone, ale nie z obawy: jedyną moją myślą było pragnienie, aby mój powóz zdołał się z nim zrównać. Zamiast tego – jego pojazd musiał się cofnąć i znalazł się równo z moim. Wychyliłam się ku Valmontowi, ale jakież było me zdumienie, gdy ujrzałam przy jego boku dziewczynę głośną z licznych przygód! Cof-

nęłam się, jak możesz sobie wyobrazić, to było aż nadto, aby
mnie pognębić; ale czy zdoła pani uwierzyć, ta dziewczyna,
widocznie objaśniona przez Valmonta, nie opuściła ani na
chwilę okna karety nie przestając mi się przyglądać, i to wśród
wybuchów śmiechu zwracających powszechną uwagę!

Odrętwiała, ledwie przytomna, kazałam się mimo to zawieźć do znajomych, gdzie mnie czekano z wieczerzą; ale
niepodobna mi było zostać; czułam się bliska omdlenia, nie
umiałam wstrzymać łez cisnących się do oczu.

Znalazłszy się u siebie, napisałam do pana de Valmont
i posłałam list natychmiast: nie było go w domu. Pragnąc za
wszelką cenę wyjść z tego stanu równającego się śmierci,
wysłałam na nowo służącego z rozkazem czekania. Przed
północą zjawił się, oznajmiając, iż woźnica, który wreszcie
wrócił, powiedział mu, że pan nie będzie nocował w domu.
Sądziłam, iż nie pozostaje mi nic do zrobienia, jak tylko
zażądać dziś rano zwrotu listów i prosić pana de Valmont,
aby się więcej nie pojawiał. Wydałam istotnie rozkazy w tej
mierze; jestem pewna zresztą, iż były one zbyteczne. Już blisko południa; jeszcze się nie pokazał i nie mam ani słowa
wiadomości.

A teraz, droga przyjaciółko, nie dodaję ani słowa: wiesz
wszystko i znasz moje serce. Moją jedyną nadzieją jest, iż
niedługo już będę nadużywała twej łaskawej przyjaźni.

Paryż, 15 listopada 17**

LIST CXXXVI
Prezydentowa de Tourvel do wicehrabiego de Valmont

Po tym, co zaszło wczoraj, nie spodziewa się pan, bym go
przyjmowała u siebie, zapewne zresztą niewiele panu na tym
zależy! Bilet ten ma zatem na celu już nie tyle prosić pana,
abyś się więcej nie pojawiał, co żądać zwrotu listów, które
nigdy nie powinny były istnieć. Jeżeli mogły one zajmować
pana przez chwilę jako dowody zaślepienia, które było twoim

dziełem, muszą być mu obojętne teraz, kiedy zaślepienie pierzchło i kiedy wyrażają jedynie uczucie, które zniszczyłeś.

Rozumiem i przyznaję, że błędem z mej strony było pokładać w panu zaufanie, którego tyle kobiet przede mną padło już ofiarą; co do tego obwiniam jedynie siebie samą: ale sądziłam bodaj, iż nie zasłużyłam na to, aby mnie pan wydał na wzgardę i pośmiewisko. Mniemałam, iż poświęcając panu wszystko i zrzekając się dla niego praw do szacunku własnego i innych, mogłam się mimo to spodziewać, iż nie będzie mnie pan sądził surowiej niż głos publiczny, który czyni jeszcze ogromną różnicę między kobietą słabą a kobietą rozwiązłą. Nie mówię o zbrodni, jakiej dopuściłeś się na mej miłości: pańskie serce nie zrozumiałoby tego. Żegnam pana.

Paryż, 15 listopada 17**

LIST CXXXVII
Wicehrabia de Valmont do prezydentowej de Tourvel

W tej chwili dopiero, pani, oddano mi twój list! Zadrżałem czytając go i ledwie zostaje mi dość siły, aby nań odpowiedzieć. Jakże straszne mniemanie masz o mnie? Och, z pewnością zawiniłem, i to tak, że nie przebaczę tego sobie w życiu, choćbyś ty nawet okazała mi całą pobłażliwość. Ale te winy, które mi wyrzucasz, jakże dalekie były od mej duszy! Kto, ja! Ciebie upokarzać! Poniżać! Ja, który cię poważam tyle i kocham, który poznałem, co to duma, dopiero od chwili, w której mnie uznałaś godnym siebie! Pozory cię zwiodły: wyznaję, mogły świadczyć na mą niekorzyść, ale czyż serce twoje nie stanęło w mej obronie? Nie zbuntowało się na samą myśl, że mógłbym się go stać niegodny? I ty mimo wszystko uwierzyłaś? Nie tylko przypuszczałaś, iż jestem zdolny dopuścić się tak ohydnego szaleństwa, ale nie wahałaś się nawet szukać jego przyczyn w swej dla mnie dobroci! Ach, jeżeli miłość twoja tak cię poniża we własnych oczach, i ja chyba muszę być w twym mniemaniu czymś bardzo nikczemnym?

Dławiony tą bolesną myślą, tracę czas na daremne żale miast usprawiedliwić się co prędzej. Ach, inny wzgląd wstrzymuje mnie jeszcze! Trzebaż mi będzie przypominać sobie uczynki, które pragnąłbym unicestwić; ściągać twą i moją uwagę na chwilę zapomnienia, którą chciałbym okupić resztą życia i której pamięć stanie mi się na zawsze przedmiotem upokorzenia i rozpaczy? Ach, jeżeli oskarżając się przed tobą muszę obudzić gniew twój, pani, nie będzie ci trzeba daleko szukać pomsty: wystarczy wydać mnie na łup zgryzoty.

A jednak, któż by uwierzył? Pierwszą przyczyną tego wypadku stał się ów wszechpotężny czar, jakiego doznaję w twoim pobliżu. On to kazał mi zapomnieć zbyt długo o ważnej i nie cierpiącej zwłoki sprawie. Rozstałem się z tobą za późno i nie zastałem już osoby, której szukałem. Spodziewałem się złapać ją w Oporto, ale i to na próżno. Otóż spotkałem tam Emilię, którą znałem niegdyś, kiedy nie znałem jeszcze ani ciebie, ani miłości. Nie miała powozu i prosiła, abym ją odwiózł, ot, parę minut. Nie przywiązując do tego wagi, przystałem. Wówczas spostrzegłem ciebie i uczułem natychmiast, że pozór ten uczyni mnie winnym w twych oczach.

Obawa dotknięcia cię czymkolwiek lub sprawienia ci przykrości jest we mnie tak potężna, iż musiała odbić się na mej twarzy, co Emilia spostrzegła wkrótce. Prosiłem dziewczynę, aby przynajmniej nie pokazywała się w oknie: delikatność ta obróciła się przeciw mnie. Przyzwyczajona, jak wszystkie podobne istoty, ufać swej władzy opierającej się zawsze na nadużywaniu, ani myślała się wyrzec takiej sposobności. Im bardziej rosło moje zakłopotanie, tym więcej ona wystawiała się na pokaz; jej wybuchy wesołości, które ty, pani, ku mej rozpaczy, mogłaś choć chwilę odnosić do siebie, miały na celu jedynie pomnożenie mej przykrości płynącej właśnie z szacunku i przywiązania do ciebie.

Dotąd, bez wątpienia, byłem bardziej nieszczęśliwy niż

winny; zbrodnia, o której piszesz, nie może obciążać mego sumienia po prostu dlatego, że nie istniała. Ale próżno chcesz zmilczeć przewiny miłości; nie zachowam o nich tegoż samego milczenia; zbyt ważne pobudki każą mi wyznać wszystko. Tak, muszę wyznać mimo wstydu, w jakim żyję od czasu tego chwilowego a niepojętego szaleństwa; mimo boleści, o jaką mnie przyprawia to wspomnienie.

Przejęty poczuciem mych błędów, zgodziłbym się ponieść karę lub oczekiwać, aż kiedyś moja wierna tkliwość i mój żal wyjednają mi przebaczenie. Ale jak zamilczeć, skoro sumienie moje wobec ciebie każe mi odsłonić całą prawdę?

Nie sądź, iż chcę szukać wykrętu, aby usprawiedliwić lub złagodzić winę; przyznaję, byłem występny. Ale nie uznaję, nie uznam nigdy, aby ten haniebny upadek mógł w oczach twoich stanowić zbrodnię przeciw miłości. Ach, i cóż może być wspólnego między odruchem zmysłów, chwilą zapomnienia, po której następują rychło żal i wstyd, a czystym uczuciem, które może zrodzić się jedynie w szlachetnej duszy, może się wspierać jedynie na czci i szacunku, a którego owocem jest prawdziwe szczęście! Och, nie poniżaj w ten sposób miłości! Nie chciej przede wszystkim poniżać siebie, oceniając z tego samego punktu widzenia dwie rzeczy, które nie mają, nie mogą mieć z sobą nic wspólnego! Zostaw upadłym i zniokczemniałym kobietom obawę współzawodnictwa, w którym mimo woli widzą zawsze niebezpieczeństwo dla swej władzy; zostaw im męczarnie równie dotkliwej, jak upokarzającej zazdrości. Ale ty! Odwróć oczy od tych przedmiotów, które splamiłyby twoje spojrzenia; sama czysta jak bóstwo, ukarz jak ono obrazę nie chowając jej wszakże w sercu.

Ale na jakież cierpienie mogłabyś mnie skazać, które by było dotkliwsze od tego, co czuję? Które by mogło iść w porównanie z żalem, iż obraziłem ciebie, z rozpaczą, że widzę cię zmartwioną, z przygnębiającą myślą, iż stałem się mniej godny ciebie? Ty miałabyś obmyślać karę! A ja, ja u ciebie szukam pociesznia: nie, iżbym zasłużył na nie, ale dlatego że go potrzebuję i że mogę je znaleźć jedynie u ciebie.

Jeżeli zapominając naraz o naszej miłości, nie przywiązując już wagi do mego szczęścia, pragniesz, przeciwnie, wydać mnie na pastwę wieczystej boleści, masz prawo: uderzaj; ale jeżeli, wiedziona pobłażliwością lub głosem serca, wspominasz jeszcze tkliwe uczucia, które jednoczyły nasze istoty; upojenia duszy wciąż tak nowe, coraz to żywsze, owe dni tak słodkie, tak szczęśliwe, któreśmy sobie dali wzajem; wszystkie te skarby miłości, które ona tylko stworzyć jest zdolna; ach, jeśli pamiętasz – wówczas może zapragniesz raczej je wskrzesić niż zniweczyć na zawsze. Cóż powiem wreszcie? Straciłem wszystko i straciłem z własnej winy; ale mogę wszystko odzyskać z twej łaski. Ty rozstrzygaj. Dodam jedno słowo: wczoraj jeszcze przysięgałaś mi, że mogę być pewny mego szczęścia póty, póki ono będzie zależało od ciebie! Czy zechcesz mnie dziś wydać na pastwę wieczystej rozpaczy?

Paryż, 15 listopada 17**

LIST CXXXVIII
Wicehrabia de Valmont do markizy de Merteuil

Obstaję przy swoim, piękna przyjaciółko: nie, ja nie jestem zakochany; nie moja zaś wina, jeśli okoliczności zmuszają mnie do tej roli. Zgódź się i wracaj; przekonasz się niebawem własnymi oczami, jak dalece mówię prawdę. Złożyłem dowody tego wczoraj, a dzisiejsze wypadki nie mogą ich unicestwić.

Byłem tedy wczoraj u mojej świętoszki; nie miałem zresztą na ten dzień innych widoków, bo mała Volanges mimo swego stanu miała spędzić noc na baliku u pani de V***. W braku innego zatrudnienia miałem zrazu ochotę przeciągnąć ten wieczór; ale zaledwie to uzyskałem, nawet kosztem małego poświęcenia, zaczęła mnie prześladować myśl o tej rzekomej miłości, której ty tak uparcie dopatrujesz się w mym postępowaniu. Otóż owładnęła mną jedna tylko chęć: aby za jednym zamachem upewnić siebie samego, a przekonać ciebie, że jest to z twojej strony, markizo, czysta potwarz.

Chwyciłem się gwałtownego środka: pod błahym pozorem opuściłem nagle moją damę, mocno zdziwioną, a z pewnością więcej jeszcze zmartwioną tym obrotem. Ja natomiast poszedłem spokojnie po Emilię do Opery; ta dziewczyna może poświadczyć, że aż do rana, to jest do chwili, w której nastąpiło rozstanie, najmniejszy wyrzut nie zmącił naszych uciech.

A jednak miałbym wcale ładny powód do niepokoju, gdyby zupełna obojętność nie chroniła mnie od podobnej troski: trzeba ci bowiem wiedzieć, znajdowałem się ledwie o cztery kroki od Opery, siedząc wygodnie z Emilią w powozie, kiedy pojazd pani de Tourvel zjechał się tuż z moim, natłok zaś przy wyjściu przetrzymał nas blisko kwadrans obok siebie. Spotkaliśmy się po prostu nos w nos; nie było sposobu nie widzieć.

Posłuchaj dalej, markizo: otóż przyszło mi na myśl opowiedzieć Emilii, że ma przed sobą bohaterkę mego słynnego listu. (Przypominasz sobie może owo szaleństwo, w którym ta dziewczyna służyła mi za pulpit*). Nie zapomniała tego; że zaś jest wielka śmieszka, nie miała spokoju, póki się nie napatrzyła do syta tej c n o t c e, jak mówiła, i to wśród wybuchów śmiechu w najwyższym stopniu nieprzyzwoitych i zwracających powszechną uwagę.

To nie wszystko. Zazdrosna osóbka posłała do mnie tegoż wieczora. Nie było mnie w domu; posłała jeszcze raz, z rozkazem czekania. Co do mnie, kiedy namyśliłem się zostać u Emilii, odesłałem powóz dając woźnicy jedynie zlecenie, aby zajechał nazajutrz rano; że zaś ten, wróciwszy do domu, zastał tam owego posłańca miłości, uważał za najprostsze powiedzieć, że nie wrócę na noc. Zgadujesz wrażenie tej nowiny i domyślasz się, że za powrotem zastałem formalną dymisję wystylizowaną z nieodzowną godnością!

---

* *Listy XLVII i XLVIII.*

A zatem cała przygoda, wbrew twojej opinii, mogła, jak widzisz, skończyć się dziś rano, a jeśli się to nie stało, to nie dlatego, bym ja, jak gotowa jesteś przypuszczać, przywiązywał do niej wagę; nie uważałem po prostu za właściwe dać się porzucić, z drugiej zaś strony chciałem sposobność tego poświęcenia zachwać jako hołd dla ciebie.

Na surowy bilecik odpowiedziałem zatem obszernym wylewem; rozwiodłem się w wymownych usprawiedliwieniach, miłości zaś zostawiłem troskę o to, aby je wzięto za dobrą monetę. Już mi się to powiodło. Otrzymałem w tej chwili drugi list, wciąż jeszcze bardzo surowy i obstający przy wiekuistym zerwaniu, ale ton już zupełnie inny. Przede wszystkim nie chce mnie widzieć: powtarza to cztery razy w sposób najbardziej nieodwołalny. Wywnioskowałem stąd, że powinienem zjawić się co rychlej. Posłałem już strzelca, aby się zajął szwajcarem, a za chwilę pospieszę sam uzyskać moje ułaskawienie: w przewinach bowiem tego rodzaju istnieje tylko jedna formułka, która zawiera generalne przebaczenie, a tę da się zastosować jedynie w obecności oskarżonego.

Do widzenia, urocza przyjaciółko, biegnę zdobywać wielki akt odpustu.

Paryż, 15 listopada 17**

LIST CXXXIX
Prezydentowa de Tourvel do pani de Rosemonde

Jakże wyrzucam sobie, droga, dobra przyjaciółko, iż zbyt wcześnie pozwoliłam sobie mówić ci o mych przelotnych zgryzotach! Jestem przyczyną, że obecnie martwisz się z pewnością; strapienia twoje spowodowane przeze mnie trwają jeszcze, a ja jestem szczęśliwa! Tak, wszystko zapomniane, wybaczone; powiedzmy lepiej, wszystko naprawione. Po bezmiarze boleści i rozpaczy, spokój i upojenie. O radości mego serca! Jakże cię zdołam wyrazić! Valmont jest niewinny: nie można być występnym mając w sercu tyle miłości. Nie, on nie popełnił owych ciężkich, obrażających win, które wyrzucałam mu z taką goryczą; a jeżeli na jednym punkcie muszę zdobyć się na pobłażliwość, czy i ja nie zawiniłam, choćby niesprawiedliwością?

Nie będę ci szczegółowo przytaczała faktów i pobudek, które go uniewinniają; może nawet rozum nie oceniłby ich z właściwej strony: serce jedno zdolne jest je odczuć. Gdybyś mimo to miała mnie obwiniać o słabość, mogę się powołać na własny twój sąd, pani. U mężczyzn, powiadasz sama, niewierność nie zawsze jeszcze jest zdradą.

Czuję, czuję wprawdzie, że rozróżnienie to, mimo że w istocie uświęcone mniemaniem ogółu, boleśnie uraża naszą delikatność; ale czyż mnie godzi się skarżyć, skoro on sam tyle nad tym cierpi? Ach, gdybyś wiedziała, ile razy wyrzucał sobie przewinę, którą ja puściłam w niepamięć: a okupił stokrotnie ten drobny błąd nadmiarem swej miłości i mego szczęścia!

Albo szczęście moje jest większe, albo też lepiej czuję jego cenę od chwili, gdy mi się zdawało, że straciłam je na zawsze: ale to mogę powiedzieć, że gdybym czuła w sobie siły zniesienia jeszcze zgryzot równie okrutnych jak te, których doznałam, nie uważałabym, iż zbyt drogo okupuję nimi nadmiar szczęścia, jakiego kosztowałam później. Och, moja tkliwa matko, wyłaj swą niebaczną córkę, iż zbytnim pośpiechem przyprawiła cię o zmartwienie; wyłaj, iż lekkomyślnie osądziła i spotwarzyła tego, który nie przestał ani na chwilę jej ubóstwiać: ale ganiąc nierozwagę patrz na jej szczęście i pomnóż jej radość dzieląc je z nią razem.

Paryż, 16 listopada 17**, wieczorem

LIST CXL
Wicehrabia de Valmont do markizy de Merteuil

Czym się dzieje, śliczna przyjaciółko, że nie mam dotąd odpowiedzi? Ostatni list zasługiwał chyba na jakieś słówko;

i oto już trzeci dzień czekam próżno. Gniewam się doprawdy; toteż, aby cię ukarać, nie powiem ci już o mych wielkich sprawach.

Że pojednanie odbyło się w najwspanialszym sposobie; że w miejsce wymówek i niewiary pociągnęło za sobą jedynie nowy wylew czułości; że to ja obecnie przyjmuję łaskawie przeprosiny i skruchę, należne mej podejrzewanej niewinności: o tym wszystkim nie powiem ci ani trochę. W ogóle gdyby nie nieprzewidziany wypadek, jaki zaszedł ubiegłej nocy, wcale bym się nie odezwał. Ale ponieważ to dotyczy twojej pupilki, ona zaś sama prawdopodobnie nie będzie mogła powiadomić cię o tym, przynajmniej na razie, podejmuję się tego zadania.

Okoliczności, których się domyślisz lub nie domyślisz, zmusiły mnie do przerwania na kilka dni bliższych stosunków z panią de Tourvel; że zaś te okoliczności nie mogły mieć miejsca u małej Volanges, tym gorliwiej zwróciłem się w tamtą stronę. Dzięki uprzejmości odźwiernego nie miałem przeszkód w tym względzie, toteż prowadziliśmy oboje z twoją pupilką życie wygodne i uregulowane. Ale przyzwyczajenie jest matką nieopatrzności: jakoż wczoraj niepojęte roztargnienie stało się powodem przykrego wypadku.

Spoczywaliśmy oboje, nie śpiąc, ale pogrążeni w owym bezwładzie, który następuje po chwilach rozkoszy, gdy naraz usłyszeliśmy, jak drzwi sypialni otwierają się. Chwytam szpadę i postępuję w ich kierunku, ale nie widzę nikogo: mimo to drzwi były w istocie otwarte. Wziąwszy światło wysunąłem się na zwiady; nie znalazłem żywej duszy. Wówczas przypomniałem sobie, że zaniedbaliśmy tego dnia zwykłych ostrożności: niewątpliwie drzwi, przymknięte tylko, otwarły się same z siebie.

Spieszę z powrotem, aby uspokoić towarzyszkę, ale nie znajduję jej w łóżku; upadła albo też schroniła się między łóżko a ścianę; dość, że leżała bez zmysłów, wstrząsana konwulsjami. Możesz sobie wyobrazić moje położenie! Udało mi się przenieść ją do łóżka, a nawet doprowadzić do przytomności, ale okazało się, iż uderzyła się padając, i niebawem zaczęła odczuwać tego skutki.

Bóle w krzyżach, gwałtowne kurcze, inne jeszcze mniej dwuznaczne objawy oświeciły mnie wkrótce co do jej stanu: ale aby o nim pouczyć młodą pacjentkę, trzeba było wytłumaczyć jej stan, w jakim znajdowała się poprzednio, bo nie miała o nim pojęcia. Chyba nikt nie zachował tyle niewinności czyniąc z takim zapałem wszystko, co trzeba, aby się jej pozbawić! Och, ta nie traci czasu na zastanawianie się!

Gdy mała oddawała się daremnym rozpaczom, czułem, że trzeba coś postanowić. Umówiłem się z nią tedy, że udam się natychmiast do lekarza i do chirurga i że uprzedzając ich, iż będą wezwani za chwilę, wyznam wszystko, zapewniwszy sobie tajemnicę; ona ze swej strony zadzwoni na pannę służącą, przyzna się lub nie przyzna do wszystkiego, jak zechce, ale pośle ją, aby szukała pomocy, przede wszystkim zaś zabroni bezwarunkowo budzić panią de Volanges: pełen delikatności wzgląd, naturalny u córki, która lęka się niepokoić matkę.

Załatwiłem dwie wizyty najspieszniej, jak mogłem, po czym wróciłem do domu, gdzie dotąd siedzę kamieniem. Chirurg, którego znałem skądinąd, przyszedł w południe zdać mi sprawę ze stanu chorej. Nie omyliłem się w diagnozie, ale on ma nadzieję, że jeżeli nie zajdzie jaki wypadek, nikt w domu się nie spostrzeże. Panna służąca jest w tajemnicy, lekarz zmyślił naprędce jakąś chorobę i sprawa ułoży się jak tysiąc podobnych, chyba że w przyszłości mielibyśmy ochotę dać jej rozgłos.

Ale czy istnieje jeszcze coś wspólnego między mną a tobą? Twoje milczenie każe mi wątpić; nie wierzyłbym w to wcale, gdybym tak bardzo nie pragnął zachować jakiejś w tej mierze nadziei.

Do widzenia, piękna przyjaciółko; ściskam cię mimo całej urazy.

Paryż, 21 listopada 17**

LIST CXLI
Markiza de Merteull do wicehrabiego de Valmont

Mój Boże, wicehrabio, jak ty mnie męczysz swoim uporem! Czemu wymawiasz mi milczenie! Czy sądzisz, że jeżeli milczę, to z braku argumentów? Ach, dałby Bóg, aby tak było! Ale nie, to tylko dlatego, że ciężko mi wytaczać je przeciw tobie.

Mów otwarcie: czy ty łudzisz sam siebie, czy pragniesz mnie oszukać? Sprzeczność między twymi słowami a uczynkami pozwala mi przypuszczać albo jedno, albo drugie: cóż jest prawdą? Cóż chcesz, abym ci powiedziała, skoro sama nie wiem, co myśleć?

Widzę, że poczytujesz sobie za wielką zasługę ostatnią scenę z prezydentową; ale w czymże przemawia ona na rzecz twych perswazji, a zbija moje zarzuty? Toż ja nie twierdziłam nigdy, że ty kochasz tę kobietę na tyle, aby jej nie oszukiwać, aby nie chwytać każdej sposobności, która ci się wyda łatwą lub przyjemną: nie dziwi mnie też, że przez rozpustę ducha, której próżno by ci ktoś odmawiał, zrobiłeś raz z rozmysłu to, co zrobiłbyś tysiąc razy ot tak sobie. Wszak to u was najpospolitszy bieg rzeczy.

Mówiłam natomiast, myślałam, myślę jeszcze, że ty mimo to kochasz prezydentową; nie żadną miłością zbyt czystą ani zbyt tkliwą, ale, bądź co bądź, miłością wystarczającą, aby w danej kobiecie znajdować powaby i przymioty, których nic posiada; miłością, która daje jej odrębne miejsce, wszystkie zaś inne stawia w drugim rzędzie.

Jeszcze w ostatnim liście jeżeli nie mówisz wyłącznie o tej kobiecie, to dlatego że nie chcesz mi mówić o swoich wielkich sprawach; wydają ci się tak ważne, że milczenie uważasz za karę dla mnie. I oto po tysiącznych dowodach wybitnej przewagi, jaką posiadła inna kobieta, pytasz spokojnie, czy jest jeszcze coś wspólnego między mną a tobą! Strzeż się, wicehrabio! Skoro raz ci odpowiem, odpowiedź będzie nieodwołalna; jeśli nie chcę dać jej w tej chwili,

335

już tym mówię może zbyt wiele. Toteż nie chcę bezwarunkowo dłużej zatrzymywać się przy tym.

Co najwyżej mogłabym ci opowiedzieć jedną powiastkę. Może nie będziesz miał czasu jej przeczytać lub zastanowić się nad nią tak, aby ją dobrze pojąć. Twoja wola. W najgorszym razie powiastka pójdzie na marne i na tym koniec.

Jednemu z moich znajomych zdarzyło się, jak tobie, zacietrzewić w kobiecie, która nie przynosiła mu wiele zaszczytu. Miał on w chwilach jasnowidzenia tyle rozsądku, iż czuł, że prędzej czy później związek ten wyjdzie mu na szkodę; ale mimo iż wstydził się własnej słabości, nie miał odwagi zerwać. Położenie jego było tym kłopotliwsze, ile że chełpił się przed przyjaciółmi, że jest najzupełniej wolny; wiedział zaś, iż w podobnych wypadkach tym większą śmiesznością okrywa się mężczyzna, im bardziej się od niej broni. W ten sposób trawił życie wpadając z jednej niedorzeczności w drugą i mówiąc sobie jako jedyną pociechę: „To nie moja wina". Człowiek ten posiadał przyjaciółkę, która przez chwilę miała pokusę wydać go oczom świata w tym stanie ogłupienia i okryć go w ten sposób śmiesznością bez ratunku; ale czy to wspaniałomyślność wzięła górę nad złośliwością, czy może z innego powodu, postanowiła spróbować ostatniego środka, aby, jak jej przyjaciel, mieć prawo sobie powiedzieć: „To nie moja wina". Przesłała mu zatem bez innych wskazówek taki oto list, w mniemaniu, iż może się okazać skutecznym lekarstwem:

Wszystko się przykrzy, mój aniele, takie prawo natury. To nie moja wina.

Jeżeli więc sprzykrzyła mi się dziś miłostka, która zaprzątała mnie niemal wyłącznie od czterech śmiertelnych miesięcy, to nie moja wina.

Jeżeli miłość moja była równie wytrwała jak twoja cnota – a to wiele powiedziane! – nic w tym dziwnego, że jedna wyzionęła ducha z drugą. To nie moja wina.

Wynika stąd, że od pewnego czasu oszukiwałem cię: ale też, przyznaj, twoja bezlitosna czułość zmuszała mnie poniekąd do tego! To nie moja wina.

Dziś kobieta, którą kocham do szaleństwa, wymaga, abym jej ciebie poświęcił. To nie moja wina.

Czuję, że daję ci piękną sposobność do deklamacji o zdradzie etc., ale jeżeli natura obdarzyła mężczyzn jedynie stałością, kobietom zaś użyczyła przymiotu naprzykrzania się, to nie moja wina.

Posłuchaj mnie: znajdź sobie innego, jak ja biorę inną. Wierz mi, to dobra, bardzo dobra rada, a jeśli ci się nie podoba, to nie moja wina.

Żegnam cię, aniele; wziąłem cię z przyjemnością, opuszczam bez żalu: może jeszcze wrócę do ciebie. Tak toczy się świat. To nie moja wina.

Nie pora teraz opowiadać ci, wicehrabio, jaki skutek osiągnęła ta ostatnia próba ratunku, i co z tego wynikło, ale przyrzekam wiadomość o tym w najbliższym liście. Znajdziesz tam również moje ultimatum co do odnowienia traktatu, które proponujesz. Tymczasem do widzenia po prostu...

Ale, ale, dziękuję ci za szczegóły o małej Volanges, zachowamy sobie ten artykulik do „Dziennika Obmowy" nazajutrz po jej ślubie. Tymczasem przesyłam ci wyrazy ubolewania z powodu utraty potomstwa. Dobranoc, wicehrabio.

***, 24 listopada 17**

LIST CXLII
Wicehrabia de Valmont do markizy de Merteuil

Na honor, piękna przyjaciółko, nie wiem, czym dobrze przeczytał, czym dobrze zrozumiał i list, i historyjkę, i dołączony do niej wzorek sztuki epistolarnej. Tyle mogę powiedzieć, że wydał mi się oryginalny i efektowny, toteż przepisałem go po prostu i przesłałem niebiańskiej prezydentowej. Spodziewałem się, że będę ci mógł odesłać dziś rano jej odpowiedź, ale już blisko południe, a jeszcze nic nie mam. Doczekam piątej; jeśli nie otrzymam wiadomości, pójdę sam po nią; w takich rzeczach jedynie pierwszy krok jest trudny.

A teraz, jak możesz się domyślać, pilno mi dowiedzieć się losu owego znajomego, tak mocno posądzonego o to, że niezdolny jest w potrzebie poświęcić kobiety. Czy się poprawił? I czy wspaniałomyślna przyjaciółka nie wróciła go do łaski?

Niemniej pragnę otrzymać twoje ultimatum, jak się wyrażasz o nim wielce politycznie! Ciekawym zwłaszcza, czy i w tym ostatnim postępku dopatrzysz się jeszcze miłości? Och, z pewnością, że jest miłość, i wielka! Ale do kogo? Mimo to nie chcę się zbroić w żadne prawa i wszystko chcę zawdzięczać jedynie twej dobroci.

Do widzenia, urocza przyjaciółko; nie zamknę listu przed drugą w nadziei, że będę mógł dołączyć upragnioną odpowiedź.

O drugiej po południu.

Ciągle nic, śpieszno mi, nie mam czasu dodać ani słowa: ale tym razem, czy jeszcze odrzucisz najtkliwszy uścisk miłości?

Paryż, 27 listopada 17**

LIST CXLIII
Prezydentowa de Tourvel do pani de Rosemonde

Rozdarła się zasłona, na której namalowane były złudzenia mego serca. Przyświeca mi złowroga prawda i ukazuje, jako nadzieję, jedynie pewną i bliską śmierć: śmierć, której droga znaczy się między hańbą a zgryzotą. Pójdę nią... ukocham swoje męczarnie, jeśli zdołają skrócić me istnienie. Przesyłam ci list, który otrzymałam wczoraj; nie dodaję żadnej uwagi, wszystko się w nim mieści. Nie czas na skargi, zostało tylko cierpienie. Nie współczucia mi trzeba, ale siły.

Przyjm, pani, jedyne moje pożegnanie i wysłuchaj ostatniej prośby: abyś mnie zostawiła memu losowi, zapomniała o mnie i przestała mnie liczyć do żyjących. Jest granica w nie-szczęściu, poza którą przyjaźń nawet pomnaża mękę nie mogąc jej uleczyć. Skoro rana jest śmiertelna, pomoc staje się okrucieństwem. Wszelkie uczucie jest mi obce poza uczuciem rozpaczy. Pociąga mnie jedynie owa głęboka noc, w której pragnę zagrzebać swą hańbę. Będę płakała w niej za swoje winy, jeśli potrafię jeszcze płakać! Bo od wczoraj nie wylałam ani jednej łzy. Moje zdeptane serce już do nich nie jest zdolne.

Żegnam cię, pani. Nie odpowiadaj mi. Na tym okrutnym liście składam przysięgę, iż jest to ostatni, jaki w życiu odebrałam.

Paryż, 27 listopada 17**

LIST CXLIV
Wicehrabia de Valmont do markizy de Merteuil

Wczoraj, urocza przyjaciółko, o trzeciej po południu, zniecierpliwiony brakiem wiadomości, udałem się do opuszczonej bogdanki; powiedziano mi, że wyszła. Myślałem po prostu, że mnie nie chce przyjąć, co mnie ani zmartwiło, ani zdziwiło; oddaliłem się w nadziei, że mój krok zachęci kobietę tak grzeczną do zaszczycenia mnie bodaj słowem odpowiedzi. Zajrzałem do domu koło dziewiątej: jeszcze nic. Zdziwiony milczeniem, którego się nie spodziewałem, poleciłem strzelcowi, aby poszedł zasięgnąć języka i dowiedział się, czy uparta osóbka umarła, czy jest umierająca. Otóż za powrotem obwieścił mi, że pani de Tourvel w istocie wyszła o jedenastej rano w towarzystwie służącej; kazała się zawieźć do klasztoru***, o siódmej zaś odesłała powóz i ludzi, nakazując, aby na nią nie czekano. W istocie, to się nazywa załatwić rzecz po formie. Klasztor jest naturalnym schronieniem wdowy; jeśli tedy wytrwa w chwalebnym postanowieniu, do wszystkich zobowiązań, które mam już dla niej, dołączę i wdzięczność za rozgłos, jakiego nabędzie cała przygoda. Wszak przepowiadałem ci niedawno, że mimo twych obaw zjawię się znów na scenie świata, strojny w blask nowych tryumfów!

To jej postanowienie pochlebia mojej dumie, przyznaję; ale drażni mnie to, iż znalazła dość siły, aby się tak stanowczo oderwać. Będą zatem między nami inne przeszkody prócz tych, których ja sam jestem twórcą! Jak to! Gdybym się zbliżył, mogłaby nie chcieć; co mówię? Nie pragnąć tego jako najwyższego szczęścia! Toż więc była jej miłość? Jak myślisz, markizo, czy godzi mi się to ścierpieć? Czy nie lepiej byłoby ukazać tej kobiecie możliwość pojednania, którego człowiek pragnie zawsze, póki widzi bodaj ślad nadziei? Mógłbym spróbować tego kroku, ot tak, od niechcenia: to by cię przecież w niczym nie mogło obrazić. Przeciwnie, byłoby to tylko proste doświadczenie, które przeprowadzilibyśmy wspólnie z tobą, a gdyby się nawet powiodło, byłby to tylko jeden sposób więcej do ponowienia, gdybyś sobie życzyła, ofiary, która pono znalazła łaskę w twych oczach. A teraz, piękna przyjaciółko, oczekuję przyrzeczonej nagrody i wszystkie moje chęci wiążę do twego powrotu. Wracaj prędko odnaleźć swego kochanka, swoje uciechy, swoje przyjaciółki i zwykły bieg naszego światka.

Sprawa małej Volanges, o której ci pisałem, poszła gładko. Wczoraj, nie mogąc w mym niepokoju wysiedzieć na miejscu, znalazłem się wśród rozlicznych wizyt i u pani de Volanges. Zastałem pupilkę już w salonie, jeszcze w stroiku chorej, ale już w pełnej rekonwalescencji, świeższą jeszcze i powabniejszą niż wprzódy. Wy, kobiety, w podobnym wypadku miesiąc nie ruszałybyście się z szezlonga: na honor, niech żyją panny! Doprawdy, zbudziła we mnie ochotę sprawdzenia, czy w istocie jej stan zdrowia jest pod każdym względem zadowalający.

Muszę ci jeszcze powiedzieć, że wypadek dziewczęcia przyprawił niemal o szaleństwo czułego Danceny'ego. Z początku ze zmartwienia, dziś znowu z radości. Jego Cecylia była chora! Pojmujesz, można głowę stracić w takim nieszczęściu! Trzy razy na dobę posyłał po wiadomości, a nie przeszedł dzień, aby sam ich nie zasięgał; wreszcie piękną epistołą wystosowaną do mamy poprosił o pozwolenie złożenia powinszowań z powodu ozdrowienia drogiej istoty. Pani de Volanges pozwoliła, tak iż zastałem młodego człowieka zasiedziałego jak dawniej, jedynie troszkę ceremonialniej.

Od niego mam te szczegóły, bo wyszliśmy razem; pociągnąłem go za język. Nie masz pojęcia o wrażeniu, jakie sprawiły na nim te odwiedziny. Radość, pragnienia, zachwyty – niepodobne wprost do oddania. Lubię silne efekty, toteż do reszty przyprawiłem go o utratę głowy upewniając, że w niedługim czasie dostarczę mu sposobności oglądania jego bóstwa jeszcze bardziej z bliska.

W istocie jestem gotów mu ją oddać, skoro tylko się uporam z moim doświadczeniem... Pragnę poświęcić się tobie w zupełności; a przy tym czyż warto, aby twoja pupilka była i moją wychowanicą, gdyby miała oszukiwać jedynie męża? Arcydzieło – to oszukiwać kochanka, zwłaszcza pierwszego kochanka! Bo co do mnie, panna Cesia nie może się pochlubić, bym kiedykolwiek zaszczycił ją słowem miłości.

Do widzenia, piękna przyjaciółko; wracaj co rychlej objąć nade mną władzę, przyjąć mój hołd i uszczęśliwić mnie zapłatą.

Paryż, 28 listopada 17**

LIST CXLV
Markiza de Merteuil do wicehrabiego de Valmont

Na serio, wicehrabio, porzuciłeś prezydentową? Posłałeś list, który ułożyłam? Doprawdy, jesteś czarujący! Przeszedłeś moje oczekiwania. Wyznaję otwarcie, ten tryumf pochlebia mi więcej niż wszystkie, jakich zaznałam. Wyda ci się może, że ja stawiam bardzo wysoko tę kobietę, którą niegdyś ceniłam tak nisko; wcale nie, ależ ja nie nad nią odniosłam zwycięstwo; nad tobą, wicehrabio; to jest najzabawniejsze i naprawdę rozkoszne.

Tak, ty bardzo kochałeś panią de Tourvel, a nawet kochasz jeszcze, kochasz ją jak szaleniec: ale dlatego że ja dla zabawy wykłuwałam ci tym oczy, poświęciłeś ją tak rycersko. Byłbyś ją raczej poświęcił tysiąc razy, niżbyś ścierpiał jakiś żarcik! Co robi z człowieka próżność! Mędrzec ma słuszność, kiedy mówi, że to prawdziwy wróg szczęścia.

Jakżebyś teraz wyglądał, gdybym ci chciała wypłatać tylko figla? Ale ja nie umiem zwodzić, wiesz dobrze: gdybyś nawet z kolei i mnie miał doprowadzić do rozpaczy i klasztoru, podejmuję to ryzyko i poddaję się zwycięzcy.

Mimo to jeśli kapituluję, to z czystej słabości: gdybym chciała, ileż jeszcze miałabym sposobności, aby się podrożyć! A może zasługiwałbyś na to? Podziwiam, na przykład, jak chytrze albo jak naiwnie podsuwasz, abym ci pozwoliła pojednać się z prezydentową. Bardzo by ci dogadzało, nieprawdaż, zyskać całą zasługę zerwania, nie tracąc rozkoszy dalszego stosunku? W ten sposób niebiańska świętoszka mniemałaby, iż zawsze jest jedyną panią twego serca, gdy ja napawałabym się dumą, że jestem zwycięską rywalką; łudziłybyśmy się obie, ale ty byłbyś zadowolony, a o cóż więcej chodzi?

Szkoda, że przy takim talencie do projektów masz go tak mało do wykonania; i że przez jeden nierozważny krok oddzieliłeś się niezwyciężoną przeszkodą od tego, czego tyle pragniesz.

Jak to! Ty pieściłeś myśl nawiązania na nowo tego stosunku i mogłeś posłać mój list! Uważałeś mnie chyba za bardzo niezręczną! Och, wierzaj, wicehrabio, kiedy kobieta wymierzy cios w serce drugiej, zawsze trafi w najczulsze miejsce i rana, którą zada, jest nie do zgojenia. Gdy ja godziłam w nią lub raczej kierowałam twą ręką, nie zapomniałam, że ta kobieta była mą rywalką, że bodaj chwilę mogłeś ją znajdować pożądańszą ode mnie i mnie stawiać niżej od niej. Jeżeli chybiłam w zemście, zgadzam się ponieść następstwa omyłki. Toteż pozwalam ci próbować wszystkich środków: zachęcam cię nawet; przyrzekam, że się nie pogniewam, jeśli ci się powiedzie. Jestem tak spokojna, że nie chcę się tym nawet zajmować. Mówmy o czym innym.

Na przykład o zdrowiu małej Volanges. Udzielisz mi o nim stanowczych wiadomości za powrotem, nieprawdaż? Bardzo mnie to zajmuje. Później twoją rzeczą będzie osądzić, czy wolisz oddać dzieweczkę miłemu, czy kusić się drugi raz o stworzenie nowej gałęzi Valmontów pod nazwiskiem Gercourt. Myśl ta wydała mi się dość zabawna; zostawiając ci wybór, proszę jednak, abyś nic nie postanawiał, póki nie pomówimy z sobą. Nie znaczy to, bym chciała cię skazywać na zbyt długie oczekiwanie; będę w Paryżu lada moment. Nie mogę stanowczo oznaczyć dnia, ale bądź pewien, że skoro tylko przybędę, pierwszy otrzymasz wiadomość.

***, 29 listopada 17**

LIST CXLVI
Markiza de Merteuil do kawalera Danceny

Nareszcie wyruszam, mój młody przyjcielu, i jutro wieczór będę z powrotem w Paryżu. *Śród całego rozgardiaszu, jaki pociąga za sobą przeprowadzka,* nie mam zamiaru przyjmować nikogo[1]. Mimo to gdybyś miał jakie pilne zwierzenie, godzę się wyłączyć pana z ogólnej reguły; ale jedynie pana, toteż proszę o zachowanie w tajemnicy mego przyjazdu. Nawet Valmonta o nim nie uprzedzam.

Gdyby mi ktoś powiedział niedawno, że wkrótce będziesz posiadał moje wyłączne zaufanie, nie byłabym uwierzyła. Widać twoja ufność pociągnęła moją. Gotowa jestem przypuszczać, że włożyłeś w to nieco przebiegłości, może nawet kokieterii. To by nie było dobrze! Ale dziś to nie jest niebezpieczne: wszak masz teraz co innego do roboty. Skoro He-

---

[1] [Zdanie u Boya: „Przez parę dni nie mam zamiaru przyjmować nikogo" – A. S.].

roina jest na scenie, komuż przyszłoby do głowy zajmować się Powiernicą...

Nic dziwnego też, iż nie znalazłeś nawet czasu, aby mnie powiadomić o swoich postępach. Gdy Cesia była nieobecna, dnia nie starczyło, aby słuchać twych czułych lamentów. Byłbyś je posyłał echom, gdyby mnie nie było pod ręką. Kiedy potem była cierpiąca, i wówczas jeszcze zaszczyciłeś mnie zdaniem sprawy ze swych niepokojów: potrzebowałeś zwierzyć się komuś, ale teraz, kiedy przedmiot twych uczuć jest w Paryżu, kiedy się ma dobrze, a zwłaszcza kiedy go widujesz od czasu do czasu, starczy ci już za wszystko, a przyjaciele stali się niczym.

Nie potępiam cię, to wina twoich dwudziestu lat. Od Alcybiadesa do ciebie wiadomo, że młodzi ludzie znali przyjaźń jedynie w strapieniach! Szczęście rodzi w nich czasem potrzebę niedyskrecji, nigdy zaufania. Powiem tedy razem z Sokratesem: „Lubię, aby przyjaciele przychodzili do mnie, gdy są nieszczęśliwi"*. Ale on jako filozof obchodził się wybornie bez nich, gdy nie przychodzili. Pod tym względem nie jestem jeszcze tak wytrawna jak on i odczuwam twoje milczenie całą słabością kobiety.

Nie sądź jednak, że jestem wymagająca: dalekam od tego! To samo uczucie, które każe mi dostrzegać ów brak spotkań, pozwala mi go dzielnie znosić, gdy jest dowodem lub przyczyną szczęścia moich przyjaciół. Liczę więc na twoje przyjście jutro wieczorem tylko o tyle, o ile miłość pozostawi cię wolnym i bez zajęcia, i zabraniam, byś czynił mi najmniejsze poświęcenie.

Do widzenia, kawalerze; serdecznie cieszę się, że cię zobaczę: czy przyjdziesz?

***, 29 listopada 17**

---

* Marmontel, *Opowiastka moralna o Alcybiadesie*. [Kolejne nieporozumienie. Winno być: Marmontel, *Alcybiades*, z *Powiastek moralnych* – A. S.].

344

Pani de Volanges do pani de Rosemonde

Martwisz się zapewne nie mniej ode mnie, czcigodna przyjaciółko, dowiadując się o stanie pani de Tourvel; jest chora od wczoraj; choroba wystąpiła tak nagle i groźnie, że jestem istotnie zaniepokojona.

Gwałtowna gorączka, prawie ciągła nieprzytomność, nieugaszone pragnienie – oto wszystko co można stwierdzić. *Lekarze mówią, że nie mogą jeszcze o niczym wyrokować.* O tyle trudniej będzie ją pielęgnować, iż uparcie wzbrania się przyjąć jakiekolwiek lekarstwo; aby krew puścić, trzeba było ją trzymać przemocą. Ty, która jak ja znałaś ją tak wątłą, nieśmiałą i łagodną, czy wyobrażasz sobie, że cztery osoby ledwie mogą ją utrzymać i że, o ile próbujemy ją do czego skłonić, popada w niepojęte ataki szału? *I trzeba było użyć siły jeszcze dwukrotnie, żeby nałożyć opaskę, którą chce zrywać ustawicznie w swym wzburzeniu.* Co do mnie, lękam się, że to coś więcej niż gorączka: obawiam się wprost choroby umysłowej.

Obawy moje pomnaża jeszcze wszystko, co zaszło przedwczoraj. Około jedenastej przybyła w towarzystwie panny służącej do klasztoru***. Ponieważ chowała się w tym klasztorze i miała zwyczaj odwiedzać go niekiedy, przyjęto ją jak zwykle; wydała się spokojna i zdrowa. W dwie godziny potem spytała, czy pokój, który zajmowała będąc pensjonarką, jest wolny; gdy odpowiedziano twierdząco, prosiła, iż chce go zobaczyć. Następnie oznajmiła, ze pragnie zamieszkać w tym pokoju, i dodała, iż opuści go dopiero po zgonie: dosłownie tak.

Zrazu nie wiedziano, co powiedzieć; ale gdy ustąpiło pierwsze zdumienie, przedstawiono jej, iż jako osoba zamężna nie może być przyjęta bez szczególnego upoważnienia. Ten argument jak i tysiąc innych pozostał bez wpływu; uparła się nie tylko nie opuścić klasztoru, ale nawet izdebki. Wreszcie, po długiej walce, o siódmej wieczór przełożona zgodziła się przyjąć ją na noc. Odesłano powóz i ludzi i odłożono do następnego dnia dalsze postanowienia.

Mówiono mi, że przez cały wieczór jej wygląd i zachowanie nie tylko nie zdradzały żadnego rozstroju, ale były wręcz pełne powagi i rozsądku. Tyle że kilka razy popadła w zadumę tak głęboką, iż nie sposób było wyrwać jej z niej rozmową. A ilekroć z niej wychodziła, kładła ręce na czole i zdawała się ściskać je z całą mocą. Kiedy widząc to, jedna z obecnych zakonnic spytała, czy cierpi na ból głowy, wpatrywała się w nią długo, nim odrzekła w końcu: „To nie tutaj tkwi ból!". W chwilę później poprosiła, aby zostawić ją samą i nie zadawać więcej żadnych pytań.

Wszyscy się oddalili z wyjątkiem panny służącej, która, szczęściem, dla braku miejsca musiała nocować w tym samym pokoju.

Wedle opowiadań dziewczyny, pani jej była dość spokojna do jedenastej wieczór. Oznajmiła, że chce się położyć: ale nim ją rozebrano, zaczęła przechadzać się po pokoju zdradzając wielkie podniecenie. Julia, która była świadkiem tego, co się działo w ciągu dnia, nie śmiała nic powiedzieć i czekała w milczeniu blisko godzinę. Wreszcie pani de Tourvel zawołała na nią dwukrotnie, raz po razu; ledwie miała czas nadbiec, pani upadła w jej ramiona mówiąc: „Już nie mogę". Pozwoliła się zaprowadzić do łóżka, ale nie chciała nic przyjąć ani nie pozwoliła wzywać jakiej bądź pomocy. *Kazała jedynie postawić wodę koło łóżka i poleciła Julii iść spać.*

Julia mówi, że sama nie spała do drugiej nad ranem i że nie słyszała w tym czasie żadnego ruchu ani skargi. Ale o piątej zbudziły ją słowa jej pani, która przemawiała silnym i podniesionym głosem. Wówczas, spytawszy, czy pani czego nie potrzebuje, i nie otrzymawszy odpowiedzi, podeszła do łóżka pani de Tourvel, która jej nie poznała; za to, przerywając nagle swą bezładną mowę, zakrzyknęła gwałtownie: „Zostawcie mnie samą, zostawcie mnie w ciemnościach! To ciemności są dla mnie najlepsze". Ja sama zauważyłam wczoraj, że często powtarza to zdanie.

W końcu, Julia wykorzystała ów szczególny rozkaz, by pobiec po ludzi i pomoc. Ale pani de Tourvel nie chciała ani jednego, ani drugiego, okazując wzburzenie i szał, które odtąd tak często powracały.

Nazajutrz o siódmej rano zaniepokojona przeorysza posłała po mnie... Jeszcze było ciemno. Przybiegłam bezzwłocznie. Kiedy mnie oznajmiono, pani de Tourvel odzy-skała przytomność na chwilę i rzekła: „Ach, dobrze, niech wejdzic". Kiedy się zbliżyłam, uścisnęła mnie rękę i rzekła: „Umieram, iżem ci nie uwierzyła". *Zaraz potem, kryjąc twarz, jęła powtarzać swoje „zostawcie mnie samą..." itd.* Wkrótce straciła na nowo przytomność.

Te słowa zwrócone do mnie i parę wyrazów, jakie wy-mknęły się w jej majaczeniach, budzą we mnie obawę, że ta straszna choroba ma może za źródło jeszcze straszliwsze przyczyny. Ale uszanujmy tajemnicę przyjaciółki i ograniczmy się do ubolewania nad jej nieszczęściem.

Cały wczorajszy dzień był również niespokojny: po napadach następowały chwile letargicznej obojętności, jedyne, w których ona sama i otoczenie zażywają nieco spoczynku. *Odeszłam od jej wezgłowia dopiero o dziewiątej wieczór i mam zamiar tam wrócić dziś rano na cały dzień. Z pewnością nie pozostawię mojej nieszczęśliwej przyjaciółki; lecz największym smutkiem napawa jej upór w odmawianiu wszelkiej pielęgnacji i pomocy.*

Wysyłam pani biuletyn z tej nocy; właśnie go dostałam i, jak się przekonasz, nie jest bynajmniej pocieszający. Postaram się, by wszystkie do pani docierały.

Żegnam cię, czcigodna przyjaciółko, śpieszę do chorej. Córka moja, która na szczęście ma się już prawie dobrze, załącza wyrazy uszanowania.

Paryż, 29 listopada 17**

LIST CXLVIII
Kawaler Danceny do markizy de Merteuil

O ty jedyna! Ty ubóstwiana! Ty, która pierwsza dałaś mi poznać szczęście! Która upoiłaś mnie do niepamięci! Czuła przyjaciółko, kochanko tkliwa, czemuż wspomnienie twej boleści musi zamącać czar, którego doznaję? Ach, pani, uspokój się, przyjaźń błaga cię o to. O moja przyjaciółko! Bądź szczęśliwa – oto prośba miłości.

I cóż ty możesz sobie wyrzucać? Wierzaj, skrupuły prowadzą cię zbyt daleko. Twoja zgryzota, twoje żale do mnie zarówno są bezpodstawne; czuję w sercu, że jedynym naszym uwodzicielem była miłość. Nie lękaj się więc już poddać uczuciu, które budzisz, pozwól się ogarnąć ogniom przez siebie zrodzonym! Jak to, dlatego że poznały całą prawdę zbyt późno, czyż serca nasze miałyby być mniej czyste? Przenigdy! Przeciwnie, jedynie sztuka uwodzenia działając zawsze z rozmysłem zdolna jest opanować swoje postępy i środki i przewidywać z góry bieg wydarzeń. Ale miłość prawdziwa nie pozwala namyślać się i obliczać; *oddala nas od naszych myśli poprzez uczucia*; najsilniej działa, kiedy zjawia się bez świadomości, w cieniu milczenia oplata nas więzami, których zarówno niepodobna się ustrzec, jak je zerwać.

Tak i wczoraj jeszcze, mimo wzruszenia, jakie sprawiała mi myśl o twym powrocie, mimo radości, jakiej doznałem widząc cię, mniemałem, mimo to wszystko, iż woła mnie i prowadzi jedynie spokojna przyjaźń; lub raczej, całkowicie oddany słodkim drgnieniom serca, zbyt mało zastanawiałem się nad ich źródłem. Tak i ty, droga przyjaciółko, nieświadomie jeno odczuwałaś ten czar nieprzeparty; oboje poznaliśmy miłość dopiero budząc się z upojenia, w jakim nas pogrążyła.

Ale to właśnie nas usprawiedliwia, nie potępia. Nie, ty nie zdradziłaś przyjaźni, ani ja nie nadużyłem twego zaufania. Nie znaliśmy naszych uczuć; bez woli i winy padliśmy ofiarą złudzeń. *Lecz owych złudzeń doświadczaliśmy tylko, nie starając się ich wywołać*. Ach, nie skarżmy się na nie, myślmy jedynie o szczęściu, jakie nam zesłały. *I nie mącąc ich niesprawiedliwymi wyrzutami, dbajmy o to wyłącznie, by jeszcze się wzmogły dzięki czarowi ufności i spokoju*. O ty ukochana! Jakże nadzieja ta droga jest memu sercu! Tak, odtąd wolna od wszelkiej obawy, cała oddana miłości, będziesz dzielić me pragnienia, zapały, szaleństwa moich zmysłów, upojenia mej duszy; każda chwila szczęsnych dni będzie się znaczyła nową rozkoszą.

Do widzenia, ubóstwiana. Zobaczę cię dziś wieczór, ale

czy samą? Nie śmiem marzyć o tym. Och, ty pewno nie pragniesz tego tak jak ja.

Paryż, 1 grudnia 17**

LIST CXLIX
Pani de Volanges do pani de Rosemonde

Spodziewałam się wczoraj przez cały dzień, czcigodna przyjaciółko, iż będę mogła udzielić ci dziś rano pomyślniejszych nowin, ale od wieczora nadzieja prysła. Wypadek, obojętny na pozór, lecz bardzo smutny w następstwach, uczynił stan chorej co najmniej równie rozpaczliwym jak poprzednio, jeżeli go nawet nie pogorszył.

Nie byłabym zrozumiała tego nagłego przewrotu, gdybym nie wysłuchała wczoraj zwierzeń naszej nieszczęśliwej przyjaciółki. Ponieważ nic ukrywała przede mną, żc ty, pani, jesteś świadoma wszystkich jej niedoli, mogę mówić bez zastrzeżeń.

Wczoraj rano, kiedy przybyłam, powiedziano mi, że chora śpi przeszło od trzech godzin; sen był tak spokojny i głęboki, że obawiałam się przez chwilę, czy to nie letarg. W jakiś czas obudziła się i sama rozsunęła zasłony. Spojrzała po nas z wyrazem zdumienia, że zaś ja podniosłam się, aby podejść, poznała mnie, nazwała po imieniu, prosząc, abym się zbliżyła. Nie zostawiła mi czasu na żadne pytania i spytała sama, gdzie jest, co my tu robimy, czy była chora i czemu nie jest u siebie. *Sądziłam zrazu, że to nowe majaki, jeno spokojniejsze niż poprzednie. Zauważyłam jednak, że rozumie dobrze moje odpowiedzi; istotnie, odzyskała rozum, ale nie pamięć.*

Wypytywała mnie szczegółowo o wszystko, co się zdarzyło, odkąd jest w klasztorze: nic pamiętała zresztą, jak tu się znalazła. Odpowiadałam skrupulatnie, pomijając tylko to, co mogłoby ją zbytnio przerazić. A gdy ja z kolei spytałam, jak się czuje, odrzekła, że w tej chwili nie cierpi; ale że bardzo się męczyła w nocy i jest znużona. Poprosiłam, by się uspokoiła i mówiła mało; za czym zsunęłam trochę zasłony i usiadłam na łóżku. W tej chwili podano jej bulion, który wypiła, mówiąc, że jej smakuje.

349

Przetrwała w ten sposób około pół godziny, w czasie której zwróciła się do mnie raz tylko ze słowami podzięki; *i włożyła w nie cały ów wdzięk, który tak dobrze jest ci znajomy*. Następnie zachowała dość długo zupełne milczenie, które przerwała jedynie, aby rzec: „Ach, tak, przypominam sobie, że przybyłam tutaj..." I w chwilę potem wykrzyknęła boleśnie: „Ach, moja przyjaciółko, wracają me cierpienia". Chwyciła mnie za rękę i ściskając ją mówiła dalej: „Wielki Boże, czyż nie pozwolisz mi umrzeć!" Wyraz jej twarzy bardziej jeszcze niż słowa wzruszył mnie do łez; spostrzegła to po moim głosie i rzekła: „Żałuj mnie! Ach, gdybyś znała..." A potem przerywając sobie: „Każ, niech nas zostawią same, powiem wszystko".

Jak chyba pani wspomniałam, podejrzewałam już, co mogło być przedmiotem tego wyznania. Toteż pełna obaw, aby ta rozmowa, która musiała być długa i smutna, nie pogorszyła stanu naszej nieszczęśliwej przyjaciółki, odmówiłam z początku, tłumacząc, że musi wypocząć. Nalegała jednak i uległam jej prośbom. Gdy tylko zostałyśmy same, opowiedziała mi o wszystkim, o czym ty, pani, już wcześniej wiedziałaś, i czego zatem nie będę ci powtarzać.

Na koniec, mówiąc o tym, w jak okrutny sposób została poświęcona, dorzuciła: „Byłam pewna, że od tego umrę, i czekałam na to bez lęku. Ale żyć po mym nieszczęściu i mojej hańbie w żadnym razie nie mogę". Próbowałam zwalczyć to zniechęcenie czy raczej tę rozpacz orężem religii, który dotąd tak przemożny miał na nią wpływ; ale nie miałam dość siły, aby sprostać temu świętemu posłannictwu, więc poddałam jej myśl, by wezwała ojca Anzelma, do którego, jak wiedziałam, miała całkowite zaufanie. Zgodziła się i zdawała się wręcz bardzo tego pragnąć. Posłano po niego; zjawił się natychmiast. Bardzo długo pozostawał z chorą, a kiedy wychodził, powiedział, że jeśli lekarze potwierdzą to, co mu się zdaje, można jeszcze poczekać z ceremonią sakramentów; obiecał też przyjść nazajutrz.

Była mniej więcej trzecia po południu i [1] *aż do piątej przyja-*

---

[1] [Cały opuszczony fragment Boy „streszcza" w ten sposób: „Po owej bolesnej rozmowie przyszedł stan wyczerpania, jednak aż do piątej..." – A. S.].

ciółka nasza była dość spokojna; odzyskaliśmy trochę nadziei. Na nieszczęście przyniesiono list. Odpowiedziała zrazu, iż nie życzy sobie przyjąć żadnego listu; nikt nie nalegał. Ale od tej chwili zdawała się bardzo niespokojna. Wkrótce zapytała, skąd pochodzi list? Z czyjego zlecenia go przysłano? Nikt nie umiał dać odpowiedzi. Trwała jakiś czas w milczeniu, następnie zaczęła mówić, ale słowa bez związku przekonały nas wkrótce, że nieprzytomność wraca.

Skoro uspokoiła się wreszcie, zażądała, aby jej oddano ów list. Ledwie rzuciła oczami, wykrzyknęła: „Od niego! Wielki Boże!" A potem silnym, choć zdławionym głosem: „Zabierzcie, zabierzcie!" Kazała natychmiast zasunąć firanki i zabroniła się zbliżać; ale musiałyśmy to uczynić, gdyż napady szału wystąpiły silniej niż wprzódy, a dołączyły się do nich konwulsje istotnie przerażające. Te objawy nie ustały już cały wieczór, a ranny biuletyn opiewa, że noc była nie mniej burzliwa. Słowem, stan, jak obecnie, *jest taki, że dziwię się wręcz, iż jeszcze śmierć jej nie zabrała, i nie taję, że* zostawia niewiele nadziei.

Przypuszczam, że ten nieszczęśliwy list jest od pana de Valmont; co ten człowiek śmie jeszcze jej pisać? Wybacz, droga przyjaciółko, wstrzymuję się od sądów; ale zbyt boleśnie jest patrzeć, jak nędznie ginie kobieta dotąd tak szczęśliwa i tak godna szczęścia.

Paryż, 2 grudnia 17**

LIST CL
Kawaler Danceny do markizy de Merteuil

Czekając na szczęście ujrzenia cię, czuła przyjaciółko, oddaję się rozkoszy pisania do ciebie, i zaprzątając tobą myśli, koję żal oddalenia. Mówić ci o mych uczuciach, przywoływać twoje, to prawdziwa słodycz dla mojego serca, i dzięki niej nawet czas wyrzeczeń wzbogaca nowymi skarbami mą miłość. Tymczasem, jeśli mam ci wierzyć, nie będziesz mi już odpisywać. Ten list byłby wręcz ostatnim i mielibyśmy

zaprzestać pisemnej rozmowy, która, według ciebie, jest niebez-
pieczna i której nie potrzebujemy. Uwierzę z pewnością, jeśli
będziesz przy tym obstawać: czegóż bowiem możesz pragnąć, czego i ja
bym nie pragnął z tej tylko racji, że tego chcesz? Lecz nim ostatecznie
rzecz postanowisz, czy pozwolisz, abyśmy jeszcze razem o tym pogawę-
dzili?

   Co się tyczy niebezpieczeństw, musisz osądzić sama: nie wiem, jak
je przewidzieć, toteż pozostaje mi tylko prosić cię usilnie, abyś nad
swym bezpieczeństwem czuwała, albowiem nie będę spokojny, kiedy ty
będziesz żyć w niepokoju. W tym przedmiocie nie my oboje jesteśmy jed-
nym, ale ty jesteś obojgiem.

   Inaczej rzeczy mają się z potrzebą. Tutaj oboje musimy mieć jed-
no zapatrywanie, a jeśli różnimy się zdaniem, to może się tak dziać tyl-
ko dlatego, żeśmy sobie nie udzielili wyjaśnień lub że się nie zrozumie-
liśmy. Oto więc, co o tym myślę.

   To prawda, że list zdaje się mało potrzebny, kiedy można się swo-
bodnie widywać. Zali wyrazi coś, czego nie wyraziłyby stokroć lepiej
słowo, spojrzenie, milczenie nawet? Wydaje mi się to tak oczywiste, że
w chwili, gdy mi rzekłaś, byśmy już więcej nie pisali do siebie, pomysł
ten łatwo znalazł drogę do mej duszy: był trochę dla niej przykry, lecz
nie bolesny. Podobnie, gdy chcę złożyć pocałunek na twym sercu i napo-
tykam jaką wstążkę czy muślin, odgarniam je tylko, lecz nie mam
przecie wrażenia, że to przeszkoda.

   Ale od tamtej chwili nie widzieliśmy się i gdy tylko się z tobą roz-
stałem, ta myśl o listach zaczęła mnie dręczyć. Po co — mówiłem so-
bie — jeszcze jedno wyrzeczenie? Jak to! Czy dlatego, żeśmy z dala jed-
no od drugiego, nie mamy już sobie nic do powiedzenia? A jeśli zda-
rzyłaby się tak sprzyjająca sposobność, iżbyśmy mogli spędzić razem
cały dzień, czy mamy przeznaczać na rozmowę część naszego czasu
rozkoszy? Tak, moja tkliwa przyjaciółko, czasu rozkoszy właśnie, al-
bowiem przy tobie nawet chwile odpoczynku niosą rozkoszną słodycz.
Lecz w końcu, choćby dzień był najdłuższy, trzeba się rozstać, a potem
tak bardzo doskwiera samotność! Wtedy właśnie widać, jak cenny jest
list. Jeśli się go nawet nie czyta, patrzy się nań przynajmniej... O tak!
Można przecież patrzeć na list nie czytając go, skoro ja, jak mi się
zdaje, czułbym pewną lubość, dotykając twego portretu po ciemku...

   Powiedziałem: portretu? Toć list jest portretem duszy. Lecz nie zimnym wizerunkiem, bo nie ma w sobie owego bezruchu, tak odległego od miłości; nagina się do wszystkich naszych wzruszeń: raz po raz ożywia się, upaja rozkoszą, odpoczywa. Tak drogie mi są wszystkie twe uczucia! Zali pozbawisz mnie sposobu, który mi je przybliża?

Czy pewna jesteś, iż potrzeba napisania do mnie nigdy cię nie będzie dręczyć? Jeśli kiedy, samotna, poczujesz, że serce wypełnia ci się szczęściem lub ściska bólem, że poryw radości przenika duszę lub że mimowolny smutek ogarnia ją na chwilę, czy nie obrócisz się do twego przyjaciela, by przelać weń twą szczęśliwość albo twą zgryzotę? Zaznasz więc uczuć, których on nie będzie dzielił? Pozwolisz, aby w zadumie i samotności trwał zagubiony z dala od ciebie? Moja przyjaciółko..., moja czuła przyjaciółko! Od ciebie tylko zależy wyrok. Chciałem się jedynie naradzić, a nie mamić cię tkliwym słowem; przedłożyłem jedynie argumenta, lecz śmiem przypuszczać, że dobitniej zabrzmiałyby prośby. Jeśli więc nie zmienisz zdania, postaram się nie smucić: będę usiłował powiedzieć sobie to, co byś mi napisała. Lecz tak myślę, że ty sama powiesz mi to lepiej, zwłaszcza że będzie o wiele przyjemniej usłyszeć to z twoich ust.

Do widzenia, czarująca przyjaciółko. Nadchodzi wreszcie godzina, w której będę mógł cię ujrzeć. Opuszcza cię śpiesznie, by tym prędzej się u ciebie znaleźć.

Paryż, 3 grudnia 17**

LIST CLI
Wicehrabia de Valmont do markizy de Merteuil

Zapewne, markizo, nie uważasz mnie za takiego dudka, aby przypuszczać, że dałem zamydlić sobie oczy co do owego sam na sam, na jakim zastałem cię dziś wieczór, i co do zadziwiającego przypadku, który sprowadził Danceny'ego do ciebie! *Umiałaś oczywiście nadać wybornie swemu wyćwiczonemu obliczu wyraz spokoju i pogody ducha; nie zdradziło cię również żadne z owych zdań, które czasem mogą się wymknąć za sprawą zakłopotania bądź wyrzutu sumienia. Przyznaję nawet, że twoje uległe spojrzenia były wcale skuteczne i że gdyby mogły być równie wiarygod-*

ne, co porozumiewawcze, nie naszłoby mnie najmniejsze podejrzenie i nie zwątpiłbym ani przez chwilę w bezmierną przykrość, jaką ci sprawiała obecność tego uprzykrzonego gościa. Ale na nic się nie zdały znamienite talenty w sztuce udawania: jeśli chciałaś osiągnąć cel, trzeba było przedtem staranniej wykształcić niedoświadczonego kochanka.

Skoro zaczynasz zajmować się wychowaniem, przyzwyczaj swoich uczniów, aby nie czerwienili się i nie mieszali przy lada żarcie; aby się nie wypierali tak gwałtownie, potwierdzając tym najoczywiściej wszelkie podejrzenia. Naucz ich dalej, aby umieli słuchać pochwał oddawanych kochance i nie czuli się w obowiązku przyjmować tę grzeczność w swoim imieniu; a jeśli im pozwolisz patrzeć na siebie w towarzystwie, niech się bodaj nauczą wprzódy osłaniać owo spojrzenie posiadania, tak łatwe do odgadnięcia, które miesza się tak niezręcznie ze spojrzeniem miłości. Wówczas będziesz mogła ich przedstawić na popisach publicznych bez obawy, aby ich zachowanie przyniosło ujmę doświadczonej nauczycielce; ja sam, szczęśliwy, iż mogę przyczynić się do twego rozgłosu, przyrzekam ci sporządzić i ogłosić prospekt tej nowej uczelni.

Na razie jednak muszę ci wyrazić zdziwienie, iż to mnie właśnie umyśliłaś traktować jako uczniaka.

Och, jakże rychło zemściłbym się na każdej innej! Tak, dla ciebie jednej godzę się przełożyć pojednanie nad odwet; a nie sądź, że wstrzymuje mnie najmniejsza wątpliwość, niepewność: wiem wszystko.

Jesteś w Paryżu od czterech dni; co dzień widywałaś się z Dancenym, i tylko z nim. Dziś nawet drzwi twoje były jeszcze zamknięte; jeżeli mimo to wszedłem, to jedynie dlatego, iż twemu szwajcarowi nie stało tej pewności siebie, jaką ty posiadasz. Jednakże zapewniłaś mnie, iż pierwszy otrzymam wiadomość o twym przybyciu, przybyciu, którego dnia niby to nie mogłaś mi jeszcze oznaczyć, gdy – wiem o tym – pisałaś do mnie w wilię wyjazdu. Czy zaprzeczysz faktom, czy spróbujesz się wytłumaczyć? Jedno i drugie jest zarówno niemożliwe; i ja mimo to paktuję z tobą jeszcze! Poznaj

354

w tym swoją władzę: ale wierz mi, poprzestań na tej próbie i nie przeciągaj struny. Znamy się, markizo, niech ci to wystarczy.

Powiedziałaś mi, że nie będzie cię jutro cały dzień! Doskonale, jeżeli tak jest w istocie; zgadujesz, że się dowiem prawdy. Ale mam nadzieję, iż wrócisz wieczorem; że zaś jednanie nasze dość jest trudne, nie będziemy mieli zbyt wiele czasu na nie aż do rana. Proszę więc o wiadomość i oznaczenie miejsca, gdzie się mogą odbyć nasze liczne i obustronne ekspiacje: u ciebie czy tam, u n a s? A przede wszystkim koniec z Dancenym. Pomyśl, że od tej chwili to, co było jedynie kaprysem, stałoby się wręcz wyróżnieniem go moim kosztem i na mą niekorzyść. Nie mam najmniejszej ochoty znosić tego upokorzenia i nie spodziewam się doznać go od ciebie.

Mam nadzieję, iż ofiara nie będzie zbyt ciężka. Ale gdyby cię to nawet miało coś kosztować, zdaje mi się, że ja dałem dosyć piękny przykład? Że urocza i kochająca kobieta, istniejąca jedynie dla mnie, umierająca może w tej chwili z miłości i żalu, warta jest młodego uczniaka, któremu, mogę przyznać, nie zbywa urody i wdzięku, ale który ostatecznie jest jeszcze smarkaczem.

Do widzenia, markizo; nie mówię nic o mych uczuciach dla ciebie. Wolę w tej chwili nie zastanawiać się zbytnio nad nimi. Czekam odpowiedzi. Pomnij, że im łatwiej ci zatrzeć w mej pamięci zniewagę, tym bardziej odmowa z twej strony, prosta odwłoka nawet, wyryłaby ją w mym sercu niezatartymi głoskami.

Paryż, 3 grudnia 17**

LIST CLII
Markiza de Merteuil do wicehrabiego de Valmont

Miejże trochę względów, wicehrabio, i oszczędzaj lękliwą kobietę! Zmiażdżyłeś mnie groźbą, iż mogę ściągnąć na siebie twoje oburzenie, a cóż dopiero zemstę! Tym bardziej że, jak wiesz, gdybyś ty mi wypłatał jakie szelmostwo, niepodobna byłoby mi go odpłacić. Mogłabym co najwyżej rozgłosić to i owo: ale cóż stąd? Nie naruszyłoby to przecie w niczym świetności ani bezpieczeństwa twojej egzystencji. W istocie, czegóż miałbyś się obawiać? Że będziesz zmuszony wyjechać, o ile zostawią ci czas na to? Ba, czyż nie można żyć za granicą, tak samo jak tutaj? Razem wziąwszy, byle dwór francuski zostawił cię w spokoju na tym dworze, przy którym byś się schronił, byłoby to jedynie dla ciebie zmianą pola tryumfów. Po tej próbie przywrócenia ci zimnej krwi niniejszymi paroma uwagami, wracam do naszej sprawy.

Czy wiesz, wicehrabio, czemu nigdy nie chciałam wyjść powtórnie za mąż? Z pewnością nie z braku korzystnych partii; jedynie, aby nikt nie miał prawa wtrącać się do mych czynności. Nawet nie z obawy o moją swobodę, tę zawsze umiałabym wywalczyć: ot, po prostu, chciałam oszukiwać dla przyjemności, nie z musu. I oto ty mi piszesz list najbardziej mężowski, jaki można sobie wyobrazić. Prawisz mi o winach i o przebaczeniu! W jaki sposób można uchybić temu, komu się nie jest nic winną? Tego doprawdy nie umiem pojąć!

I o cóż idzie? Zastałeś u mnie Danceny'ego i to ci się nie podobało? Doskonale! Ale cóż za wnioski? Albo że to wynik przypadku, jak ci mówiłam, albo też mojej woli, jak nie mówiłam. W razie pierwszej ewentualności list twój jest niesprawiedliwy; w razie drugiej – śmieszny; warto było pisać doprawdy! Ale ty jesteś zazdrosny, a zazdrość nie rozumuje. Dobrze więc! Spróbuję rozumować za ciebie.

Albo tedy masz rywala, albo nie. Jeżeli masz, trzeba starać się o moje łaski, aby go zwyciężyć; jeżeli nie masz, trzeba również starać się o moje łaski, aby się go ustrzec na przyszłość. Tak czy tak, droga zawsze jedna; po cóż zatem się dręczyć, po cóż zwłaszcza mnie dręczyć! Czy nie umiesz być milszy? Czy nie jesteś już pewny swej siły? Ależ, wicehrabio, niesprawiedliwy jesteś dla samego siebie. Ale nie, to nie to: rzecz w tym, że ja w twoich oczach nie jestem warta, abyś sobie zadawał tyle trudu. Nie tyle pragniesz mych uczuć, ile chciałbyś nadużywać swej władzy. Niewdzięcznik z ciebie, doprawdy. Otóż i wpadłam w ton sentymentalny! Gdybym poszła trochę dalej, skończyłoby się na czułości; ale nie, nie zasługujesz na to.

Nie zasługujesz również, abym się miała usprawiedliwiać. Aby cię ukarać za posądzenia, zostawię cię przy nich: ani o tym, kiedy wróciłam, ani o powodzie odwiedzin Danceny'ego nie powiem ni słowa. Zadałeś sobie niemało trudu, aby się wywiedzieć o wszystkim, nieprawdaż? No i cóż, dużoś zyskał? Cieszę się, jeśli znalazłeś w tym wiele przyjemności; moich nie zamąciłeś w niczym, to pewna.

Na list z pogróżkami mogę zatem odpowiedzieć tyle, że ani mnie ujął, ani przeraził, i że na razie czuję się bardzo odległa od tego, aby zaspokoić twoje pretensje.

Istotnie, przyjąć cię takim, jakim okazujesz się dzisiaj, znaczyłoby dopuścić się względem ciebie prawdziwej niewierności. To by nie znaczyło wrócić do dawnego kochanka, ale wziąć nowego, który nie może iść z tamtym w porównanie. Nie zapomniałam jeszcze na tyle o dawnym Valmoncie, aby móc zdradzić go w ten sposób. Valmont, którego kochałam, był pełen uroku; chętnie przyznaję, iż w ogóle nie spotkałam milszego odeń człowieka. Ach, proszę, wicehrabio, jeżeli go odnajdziesz, przyprowadź mi go; ten się spotka zawsze z najlepszym przyjęciem.

Uprzedź go jednak, że w żadnym wypadku nie mogłoby to być ani dziś, ani jutro. Jego sobowtór zaszkodził mu nieco w mych oczach; trzeba mi czasu, aby ochłonąć z przykrego wrażenia; albo może przyrzekłam Danceny'emu oba te dni? A twój list nauczył mnie, że ty nie żartujesz, skoro się chybi słowu. Widzisz zatem, że trzeba czekać.

Ale cóż ci to szkodzi? Tak łatwo możesz się zemścić nad

rywalem! Nie uczyni twojej kochance nic gorszego niż ty jego własnej; a wreszcie, czyż jedna kobieta niewarta drugiej? To twoje zasady. Tę nawet, która byłaby k o c h a j ą c a i t k l i - w a, która by i s t n i a ł a j e d y n i e d l a c i e b i e, u m i e r a ł a z m i ł o ś c i i ż a l u, i tę byś poświęcił dla kaprysu, z obawy prostego żarciku; i ty chcesz, aby sobie robić z tobą ceremonie? Och, to by było niesprawiedliwie.

Do widzenia, wicehrabio; wracaj zatem i wracaj miły jak dawniej. Wierz mi, niczego nie pragnę więcej niż dopatrzyć się w tobie wszelkich uroków; gdy to nastąpi, zobowiązuję się donieść ci o tym. Doprawdy, jestem za dobra.

Paryż, 4 grudnia 17**

LIST CLIII
Wicehrabia de Valmont do markizy de Merteuil

Odpowiadam natychmiast i postaram się być jasnym, co nie jest łatwe z panią, gdy raz postanowiłaś sobie nie rozumieć.

Nie trzeba długich rozpraw na to, aby stwierdzić, że wobec tego, iż każde z nas posiada w rękach środki zgubienia drugiego, mamy równy interes w tym, aby się oszczędzać wzajem. Nie o to też chodzi. Ale między dwiema ostatecznościami jest tysiąc innych: nie widzę zatem nic śmiesznego w tym, co powiedziałem i co jeszcze powtórzę, że jeszcze dziś albo zostanę twym kochankiem, albo wrogiem.

Czuję, że taki wybór jest ci nie na rękę; że o wiele wolałabyś kręcić; wiem, że nigdy nie lubiłaś znaleźć się pomiędzy t a k a n i e; ale ty musisz czuć wzajem, że ja z mej strony niełatwo się godzę, aby mnie wystrychnięto na dudka. Chętnie gotów jestem dać dobry przykład i oświadczam z przyjemnością, że wolę zgodę i pokój, ale jeżeli trzeba będzie je naruszyć, sądzę, że mam po temu prawo i środki.

Dodam więc, że najmniejszą trudność z twej strony wezmę za wypowiedzenie wojny: frazesy są zbyteczne; dwa słowa wystarczą.

Paryż, 4 grudnia 17**

Odpowiedź markizy de Merteuil skreślona u dołu tegoż listu:

A więc wojna!

LIST CLIV
Pani de Volanges do pani de Rosemonde

Biuletyny powiadomią cię lepiej, niż ja bym mogła uczynić, droga przyjaciółko, o smutnym stanie chorej. Pochłonięta cała pielęgnowaniem jej, nie odrywałabym się od tego obowiązku nawet dla pisania do ciebie, gdyby nie wydarzenie zaiste najmniej spodziewane. Oto dostałam list od pana de Valmont; podobało mu się obrać mnie za swą powiernicę, a nawet za pośredniczkę u pani de Tourvel, dla której dołączył list przesłany razem z pismem do mnie. Odesłałam go z powrotem wraz z mą odpowiedzią. Posyłam pani list pisany do mnie; mniemam, iż sądzisz jak ja, że nie mogłam ani nie byłam powinna uczynić tego, o co prosi. Gdybym nawet chciała, nieszczęśliwa przyjaciółka nie byłaby zdolna mnie zrozumieć. Bezprzytomność, majaczenie trwają ciągle. Ale co pani powie o tej rozpaczy pana de Valmont? Czy tym razem jest szczery, czy też pragnie oszukać świat aż do końca?* Jeśli rozpacz jego nie jest udana, może sobie powiedzieć, iż sam jest sprawcą swego nieszczęścia. Nie sądzę, aby był zadowolony z mej odpowiedzi; ale wyznaję, wszystko, co mi wiadomo o tej nieszczęsnej przygodzie, oburza mnie coraz więcej na jej sprawcę.

Żegnam cię, droga przyjaciółko; wracam do moich smut-

---

* Ponieważ dalszy ciąg niniejszej korespondencji nie rozwiązuje tej wątpliwości, uważano za stosowne pominąć list pana de Valmont.

nych zadań, tym smutniejszych, iż pozbawionych jakiejkolwiek nadziei. Znasz uczucia, z jakimi pozostaję dla ciebie.

Paryż, 5 grudnia 17**

LIST CLV
Wicehrabia de Valmont do kawalera Danceny

Zachodziłem dwa razy do ciebie, drogi kawalerze: ale odkąd porzuciłeś rolę kochanka dla roli zdobywcy serc, oczywiście stałeś się niewidzialny. Służący zapewniał mnie, że wrócisz do domu przed wieczorem, ale ja, który świadom jestem twych zamiarów, odgadłem łatwo, iż wpadniesz jedynie na chwilę, aby przywdziać strój odpowiedni do sytuacji, i natychmiast pognasz na pole chwały i zwycięstw. Ślicznie; mogę ci tylko przyklasnąć; ale – kto wie – na dziś wieczór zmienisz może kierunek tryumfalnej pogoni. Znasz jedynie połowicznie własne sprawy; trzeba cię obznajmić z nimi wszechstronniej, a potem sam rozstrzygniesz.

Masz schadzkę na dzisiejszą noc, nieprawdaż? Z kobietą uroczą, którą ubóstwiasz? Ach, bo którejż kobiety nie ubóstwia się w twoim wieku, bodaj przez pierwszy tydzień! Wszystko ułożone; oczekuje cię w mieszkanku urządzonym wyłącznie dla ciebie, liczysz minuty dzielące cię od chwili, w której tam pośpieszysz. To wiemy obaj, jakkolwiek nie rzekłeś mi ani słowa. A teraz oto czego nie wiesz i co trzeba, abym ci powiedział.

Od czasu powrotu do Paryża pracowałem nad sposobami zbliżenia cię do panny Volanges: przyrzekłem ci to. Jeszcze ostatni raz, kiedyśmy o tym mówili, mogłem sądzić z twych uniesień, że czyniąc to pracuję dla twego szczęścia. Nie mogłem sam doprowadzić do skutku tego trudnego przedsięwzięcia, ale przygotowawszy grunt, resztę powierzyłem gorliwości twej ukochanej. Miłość natchnęła ją pomysłowością, której nie stało memu doświadczeniu; jakoż powiedziała mi dziś wieczór, iż od dwóch dni przeszkody znikły i szczęście twoje zależy jedynie od ciebie.

Od dwóch dni poiła się myślą, iż sama ci oznajmi tę nowinę; byłaby cię przyjęła w nieobecności mamy, ale ty się nie pokazałeś! Nie taję, iż młoda osóbka była nieco dotknięta tym brakiem zapału. Wreszcie znalazła sposób porozumienia się ze mną i kazała mi przyrzec, iż oddam jak najspieszniej list, który dołączam. Założyłbym się, że chodzi o schadzkę na dziś wieczór; w każdym razie przyrzekłem na honor i przyjaźń, że otrzymasz przesyłkę dziś, i nie mogę ani nie chcę chybić słowu.

A teraz, młody człowieku, jakąż cząstkę wybierasz? Na rozdrożu między miłostką a miłością, między przyjemnością a szczęściem, jakiż uczynisz wybór? Gdybym mówił do Danceny'ego sprzed trzech miesięcy, nawet sprzed tygodnia, byłbym zarówno pewny jego serca, jak postępków; ale Danceny dzisiejszy, rozrywany przez kobiety, goniący za przygodami Danceny, który się stał, jak zwyczajnie się dzieje, po trosze łotrzykiem, czy będzie umiał przełożyć młodą dziewczynę, bardzo nieśmiałą, której wdzięk stanowią jedynie jej piękność, niewinność i miłość, nad powaby dojrzałej i wytrawnej kobiety? Co do mnie, drogi przyjacielu, zdaje mi się, że nawet wedle twoich nowych zasad, które, wyznaję, i ja dzielę po trosze, skłoniłbym się jednak ku młodej kochance. Przede wszystkim będzie to jedna więcej; przy tym, gdy chodzi o pierwszy krok, niełatwo odzyskać sposobność, gdy ją się raz utraci. Tonąca cnota czepia się niekiedy gałęzi, a skoro raz się ocali, ma się już na baczności i nierychło daje się podejść.

Z drugiej strony, przeciwnie, cóż ci grozi? Nawet nie zerwanie; co najwyżej dąs, któremu będziesz zawdzięczał nowe rozkosze pojednania. Jakaż inna droga zostaje kobiecie, która się już oddała, niż droga pobłażania? Cóż zyskałaby na uporze? Utratę przyjemności bez zysku dla dobrej sławy.

Jeżeli – jak przypuszczam – pośpieszysz drogą miłości, która wydaje mi się zarazem drogą rozsądku, sądzę, iż przezorniej będzie nie odwoływać dzisiejszej schadzki; pozwól po prostu czekać na siebie: gdybyś spróbował podać jakąś przyczynę, bardzo możliwe, iż starano by się ją sprawdzić. Jutro możesz obmyślić jakąś niezwalczoną przeszkodę, która cię rzekomo zatrzymała; mogłeś zasłabnąć albo coś innego w tym rodzaju; wyrazisz żal i wszystko się naprawi.

Jakkolwiek zresztą wypadnie twoje postanowienie, proszę jedynie, byś mnie uwiadomił o nim; że zaś mnie to nie dotyczy, tak czy tak będę uważał, iż dobrze uczyniłeś. Do widzenia, drogi przyjacielu.

Powiem ci jeszcze, iż żałuję pani de Tourvel, że rozłączenie z nią doprowadza mnie do rozpaczy i że połową życia opłaciłbym szczęście poświęcenia jej drugiej połowy. Ach, wierzaj, nie ma na świecie nic nad miłość!

Paryż, 5 grudnia 17**

LIST CLVI
Cecylia Volanges do kawalera Danceny
(dołączony do poprzedzającego)

Czym się dzieje, drogi kochanku, że tak rzadko cię widuję, mimo iż pragnę tego zawsze? Czyżbyś nie miał już takiej ochoty jak ja? Ach, teraz dopiero naprawdę czuję się smutna!... Bardziej smutna niż wtedy, kiedy byliśmy całkiem rozłączeni. Przedtem zgryzoty moje pochodziły od innych; teraz od ciebie: a to bardziej boli.

Od kilku dni mamy prawie zupełnie nie ma w domu, wiesz o tym; miałam nadzieję, że spróbujesz korzystać z chwil swobody, ale ty ani zatroszczysz się o mnie; bardzo jestem nieszczęśliwa! Tyle razy mówiłeś, że to ja mniej kocham! Wiedziałam, że jest przeciwnie, i oto dowody. Wart byś był, abym ci nic nie powiedziała, com zrobiła dla ułatwienia widywań, z czym ogromnie dużo miałam kłopotu; ale zbyt pana kocham i nadto mam ochotę go widzieć, abym mogła zataić; przy tym chcę się przekonać, czy pan mnie kocha naprawdę!

Zatem dokazałam tego, że odźwierny trzyma z nami: przyrzekł, że ile razy pan przyjdzie, pozwoli panu wejść udając, że nic nie widzi. Możemy mu zaufać, to bardzo poczciwy człowiek. Chodzi więc tylko o to, aby pana nikt nie spostrzegł w domu; a to bardzo łatwo, jeżeli pan przyjdzie późno wieczór. Panna służąca przyrzekła, że się nie zbudzi; to też bardzo poczciwa dziewczyna! A teraz zobaczymy, czy pan przyjdzie.

Mój Boże, czemu mi serce bije tak mocno, gdy piszę do pana? Czy to oznacza jakie nieszczęście, czy też to z nadziei zobaczenia ciebie? Wiem tylko, że jeszcze nigdy pana tak nie kochałam ani nie miałam takiej ochoty, żeby to panu powiedzieć. Niech pan przyjdzie, mój złoty, najdroższy panie; niech mogę powtórzyć sto razy, że cię kocham, ubóstwiam, że nie będę kochała nikogo prócz ciebie.

Przyjdź, jeżeli nie chcesz, aby twoja Cesia była bardzo nieszczęśliwa.

Do widzenia, najdroższy, ściskam cię z całego serca.

Paryż, 4 grudnia 17**

LIST CLVII
Kawaler Danceny do wicehrabiego de Valmont

Nie wątp, drogi wicehrabio, ani o mym sercu, ani o postanowieniach: jakżebym się zdołał oprzeć życzeniom Cecylii? Ach, tak! Czuję, że ją jedną kocham, kochać będę zawsze! Jej prostota, tkliwość mają dla mnie urok, któremu mogłem sprzeniewierzyć się na chwilę, lecz którego nic nie zatrze w pamięci. Zaplątany, mogę rzec, niemal bezwiednie w inną przygodę, nieraz, nawet wśród najsłodszych uciech, dręczyłem się wspomnieniem Cecylii; nigdy może serce nie wspominało jej tak tkliwie i szczerze, jak właśnie w chwili gdy byłem jej niewierny. Mimo to, drogi przyjacielu, oszczędzajmy jej wrażliwość, niech nie wie nic o moich winach: nie, aby ją oszukiwać, ale aby jej nie martwić. Szczęście Cecylii jest najgorętszym pragnieniem mej duszy; nie przebaczyłbym sobie błędu, który by ją kosztował bodaj jedną łzę.

Zasłużyłem, czuję, na przycinki, jakimi mnie smagasz mówiąc o moich nowych zasadach; ale możesz mi wierzyć, że nie one w tej chwili kierują mym postępowaniem i że nie dalej jak jutro gotów jestem to udowodnić. Pójdę oskarżyć się przed istotą, która stała się przyczyną mego zbłąkania i sama je podzieliła; powiem jej: „Czytaj w mym sercu; oddycha dla ciebie najtkliwszą przyjaźnią; przyjaźń złączona z pożądaniem tak podobna jest do miłości!... Obojeśmy ulegli pomyłce; ale jeżeli byłem zdolny do popełnienia błędu, nie jestem zdolny do złej wiary". Znam moją przyjaciółkę; jest równie zacna, jak rozumna; nie tylko przebaczy, ale uczyni więcej: pochwali mój postępek. Ona sama czyniła sobie nieraz wyrzuty, iż zdradziła przyjaźń; często skrupuły jej brały niemal górę nad miłością; ona wzmocni w mej duszy ten zbawczy głos sumienia, który ja starałem się lekkomyślnie przygłuszyć w jej sercu. Jej będę zawdzięczał, iż stanę się lepszy, tak jak tobie, iż będę szczęśliwy. O przyjaciele moi, przyjmijcie mą wdzięczność! Myśl, iż wam zawdzięczać będę szczęście, zwiększa jego cenę.

Do widzenia, wicehrabio. Mimo wybuchu radości, myślę o twoich zgryzotach i biorę w nich najżywszy udział. Czemuż nie mogę ci być użyteczny! Pani de Tourvel jest więc wciąż nieubłagana? Mówiono mi też, że jest bardzo chora. Mój Boże, jak mi cię żal!

Chciałbym dłużej rozmawiać z tobą, ale czas nagli: może Cecylia mnie już oczekuje.

Paryż, 5 grudnia 17**, wieczorem

Wicehrabia de Valmont do markizy de Merteuil
(przesłany rano na chwilę jej przebudzenia)

I cóż, markizo, jakże się czujesz po rozkoszach ubiegłej nocy? Nie jesteś nieco zmęczona? Przyznaj, że Danceny jest zachwycający! Cudów, doprawdy, dokazuje ten chłopak! Nie spodziewałaś się tego po nim, nieprawdaż? Szczerze uderzam się w piersi; taki rywal zasługuje, aby mnie dlań poświęcić. W istocie, pełen jest cennych przymiotów! Ach, jeśli kiedykolwiek zdoła pokochać cię tak, jak kocha Cecylię, nie będziesz miała przyczyn obawiać się rywalek. Dowiódł ci tego ubiegłej nocy. Może przy pomocy wyrafinowanej zalotności inna kobieta potrafi ci go odebrać na chwilę; młodemu chłopcu trudno zostać nieczułym na zbyt czynne dowody sympatii; ale jedno słowo ukochanej istoty starczy, jak widzisz, aby rozproszyć złudzenie; toteż trzeba ci się jedynie postarać, aby zostać tą ukochaną istotą, a będziesz zupełnie szczęśliwa.

Z pewnością ty, markizo, nie omylisz się w tym względzie; zbyt wiele masz znajomości przedmiotu, aby się można było o to obawiać. Mimo to przyjaźń, jaka nas łączy, równie szczera z mej strony, jak wzajemna z twojej, obudziła we mnie chęć uczynienia, w twoim interesie, dzisiejszej nocy tej małej próby. Tak, jest to moje dzieło; powiodło się najzupełniej; ale proszę, żadnych podziękowań; nie warto mówić o tym; nie było nic łatwiejszego pod słońcem. Ot, po prostu, zgodziłem się podzielić z młodym człowiekiem względy jego kochanki: ostatecznie miał do nich tyleż praw co ja, a mnie zależało na tym tak niewiele! Sam dyktowałem list, który młoda osoba napisała; ale to jedynie, aby zyskać nieco czasu: mieliśmy na ten czas o tyle lepszy użytek! Dołączyłem do listu kilka słów od siebie; och, prawie bez znaczenia; parę przyjacielskich uwag, aby pokierować decyzją świeżego kochanka; ale, doprawdy, były zupełnie zbyteczne: trzeba mu przyznać, nie wahał się ani chwili.

Zresztą on sam, w całej niewinności, wybiera się dziś do

ciebie, aby wyznać wszystko; z pewnością ta opowieść sprawi ci wielką przyjemność. Powie ci: „Czytaj w moim sercu", czyż to nie opłaca wszystkiego? Mam nadzieję, że czytając w nim to, czego on pragnie, wyczytasz również, że kochankowie tak młodzi mają swe niebezpieczeństwa; i jeszcze to, że lepiej jest mieć we mnie przyjaciela niż wroga.

Do widzenia, markizo, do najbliższej sposobności.

Paryż, 6 grudnia 17**

LIST CLIX
Markiza de Merteuil do wicehrabiego de Valmont

Nie lubię, gdy ktoś dołącza liche żarty do szpetnych postępków; nie leży to ani w moim zwyczaju, ani w moim smaku. Kiedy mam do kogoś urazę, nie szydzę zeń; robię lepiej: mszczę się. Mimo całego zadowolenia, w jakim toniesz w tej chwili, nie zapominaj, że nie pierwszy raz oklaskujesz się zawczasu, i to sam jeden, w nadziei tryumfu, który wymyka ci się z rąk w chwili, gdy się nim szczycisz. Do widzenia.

Paryż, 6 grudnia 17**

LIST CLX
Pani de Volanges do pani de Rosemonde

Piszę do ciebie z pokoju twej nieszczęśliwej przyjaciółki, której stan jest prawie wciąż taki sam. Dziś po południu ma się odbyć konsylium czterech lekarzy. Niestety, jak wiesz, jest to częściej oznaka niebezpieczeństwa niż środek ratunku.

Zdaje się wszakże, iż przytomność wróciła jej nieco zeszłej nocy. Służąca powiadomiła mnie rankiem, że jej pani wezwała ją była koło północy, chciała zostać z nią sama i podyktowała dość długi list. Po czym, kiedy Julia sporządzała kopertę, panią de Tourvel znów ogarnęła gorączka, więc dziewczyna nie wiedziała, do kogo ma być adresowany. Zdziwiłam się zrazu, iż nie dowiedziała się tego z treści listu;

ale kiedy mi odpowiedziała, że bała się pomylić, a jej pani kazała go wysłać natychmiast, postanowiłam kopertę otworzyć.

Znalazłam w środku list, który załączam i który istotnie nie ma żadnego adresata, bo mógłby mieć zbyt wielu. Myślę jednak, że to do pana de Valmont chciała najpierw pisać nasza nieszczęsna przyjaciółka, lecz wkrótce uległa bezwiednie majakom. Jakkolwiek rzeczy się miały, uznałam, że ten list nie może być doręczony nikomu. Posyłam ci go, bo lepiej z niego niźli z moich słów zmiarkujesz, jakie myśli zaprzątają głowę naszej chorej. Dopóki w tak silnym zostaje wzburzeniu, nie mam wielkiej nadziei. Ciało z trudem zdrowieje, kiedy umysł tak niespokojny.

Żegnam cię, moja droga i godna przyjaciółko. Ciesz się, że jesteś z dala od smutnego widoku, który mam ustawicznie przed oczyma.

Paryż, 6 grudnia 17**

LIST CLXI

Prezydentowa de Tourvel do...
(podyktowany przez nią i napisany przez pannę służącą)

Okrutna i złoczynna istoto, czy nie przestaniesz mnie prześladować? Czy nie starczyło ci zadręczyć mnie, poniżyć, upodlić? Czy chcesz mi odebrać nawet spokój grobu? Jakże! Czyż w mrocznej otchłani, w której pogrzebała mnie hańba, nigdy nie ustaną udręki, nie ma nadziei? Nie błagam o łaskę, bom jej niegodna: aby cierpieć bez skargi, wystarczy, by cierpienia nie przekraczały moich sił. Lecz nie czyń mej męki niemożliwą do zniesienia. Pozostawiając mi boleść, odbierz okrutne wspomnienie dóbr, które utraciłam. Skoro mi je wydarłeś, nie ukazuj mi już ich dotkliwego obrazu. Byłam niewinna i spokojna: utraciłam spokój dlatego, że cię ujrzałam; stałam się występna słuchając cię. Sprawco moich win, jakie masz prawo, by za nie karać?

Gdzie są przyjaciele, którym byłam droga, gdzie? Moja niedola przeraża ich. Żaden nie śmie się do mnie zbliżyć. Ja ginę, a oni zostawiają mnie bez pomocy! Umieram i nikt nade mną nie płacze. Znikąd żadnej pociechy. Litość nie przekracza skraju przepaści, w której pogrąża się zbrodniarz. Wyrzuty drą jego duszę i nikt nie słyszy jego krzyku!

A ty, któryś doznał ode mnie zniewagi, ty, którego szacunek dla mnie zwiększa jeszcze męczarnię, ty który miałbyś święte prawo zemścić się – co robisz z dala ode mnie? Przybądź, aby ukarać niewierną żonę. Niech zaznam wreszcie mąk najbardziej zasłużonych. Już wcześniej chciałam się poddać twojej zemście, lecz brakło mi odwagi, by cię powiadomić o wstydzie, który ci zgotowałam. Nie był to fałsz, lecz wyraz szacunku. Niech przynajmniej ten list okaże ci moją skruchę. Niebo sprzymierzyło się z tobą i mści się za zniewagę, o której nie wiedziałeś. To ono zamknęło mi usta i nie pozwoliło mówić, w obawie, abyś nie darował winy, za którą chciało ukarać. Nie dało mi skorzystać z twej wyrozumiałości, ta bowiem kłóciłaby się z jego sprawiedliwością.

Nieubłagane w swojej zemście, wydało mnie na pastwę tego, co mnie zgubił. Cierpię dla niego i przez niego zarazem. Chcę od niego uciec; na próżno: ściga mnie, jest tutaj, prześladuje mnie bez przerwy. Lecz jakże jest do siebie niepodobny! Jego oczy nie wyrażają nic poza nienawiścią i pogardą. Jego usta wypowiadają tylko obelgi i wyrzuty. Jego ramiona otaczają mnie tylko po to, by mnie rozedrzeć. Kto mnie ocali przed jego barbarzyńskim szałem?

Ale cóż to? To on... Nie mylę się, to jego widzę. Och, mój miły przyjacielu, przyjmij mnie w swe ramiona, ukryj na swej piersi! Tak, to ty, to naprawdę ty! Cóż za ponura ułuda nie pozwoliła mi cię rozpoznać? Jakże się nacierpiałam, kiedy cię nie było! Nie rozstawajmy się więcej, nie rozstawajmy się nigdy. Pozwól mi odetchnąć. Dotknij mego serca, poczuj, jak bije. Och, nie ze strachu już, lecz od słodkich wzruszeń miłości! Czemuż się wzbraniasz przed tkliwą pieszczotą? Zwróć na mnie swe czułe spojrzenie! Co to za więzy, które usiłujesz przeciąć? Co znaczą te żałobne przygotowania? Czemu tak strasznie odmienia ci się twarz? Co czynisz? Zostaw mnie! Drżę cała... Boże! To znów on, ów potwór! Moje przyjaciółki, nie opuszczajcie mnie. Ty, co mi radziłaś uciekać od niego, pomóż mi go pokonać; i ty, bardziej wyrozumiała, co przyrzekałaś koić me zgryzoty, przyjdź tu do mnie. Gdzie jesteście? Jeśli nie wolno mi już zobaczyć się z wami, odpowiedzcie przynajmniej na ten list. Niechaj wiem, że jeszcze mnie kochacie.

Zostawże mnie, okrutny! Cóż za nowy szał cię ogarnął? Lękasz

368

się, by jakie słodsze uczucie nie zagościło w mej duszy? Zdwajasz moje męki, zmuszasz mnie, żebym cię nienawidziła. Ach, jak bolesna jest nienawiść! Jak przeżera serce, z którego się sączy! Dlaczego mnie pan prześladujesz? Co możesz jeszcze mieć mi do powiedzenia? Czyż nie sprawił pan, że nie mogę cię słuchać ani ci odpowiadać? Nie oczekuj już ode mnie niczego. Żegnaj, panie.

Paryż, 5 grudnia 17**

LIST CLXII
Kawaler Danceny do wicehrabiego de Valmont

Wiem wszystko, panie wicehrabio. Nie poprzestając na tym, iż oszukałeś mnie i zadrwiłeś ze mnie niegodnie, chełpisz się jeszcze i czujesz się z tego dumny. Widziałem dowód zdrady kreślony własną twą ręką. Wyznaję, serce moje zakrwawiło się, uczułem wstyd, iż tak bardzo przyczyniłem się do wstrętnego nadużycia, jakiego dopuściłeś się na mej ufności. Mimo to nie zazdroszczę ci tej haniebnej przewagi: ciekaw jestem jedynie, czy we wszystkim potrafisz ją uzyskać. Przekonam się o tym, jeżeli, jak mam nadzieję, zechcesz się znaleźć jutro między ósmą a dziewiątą rano przy bramie lasku Vincennes we wsi Saint-Mandé. Będę się starał dostarczyć tam wszystkiego, co będzie potrzebne dla wyjaśnień, jakich pozostaje mi od pana żądać.

Kawaler Danceny

Paryż, 6 grudnia 17**, wieczorem

LIST CLXIII
Pan Bertrand do pani de Rosemonde

Z niezmiernym żalem przychodzi mi dopełnić smutnego obowiązku zwiastowania pani nowiny, która cię przyprawi o tak okrutną boleść. *Pozwól pani, bym wprzódy prosił cię o owo nabożne poddanie się losowi, które wszyscy tak często u pani podziwia-*

369

li i które jest jedynym sposobem, by znosić niedole, jakimi jest usiany nasz nędzny żywot.

Szanowny siostrzeniec pani... Mój Boże! Trzebaż, abym musiał martwić tak czcigodną jak pani istotę! Szanowny siostrzeniec pani miał nieszczęście polec w pojedynku, jaki stoczył dziś rano z kawalerem Danceny. Nie znam przyczyny, ale sądząc z biletu, który znalazłem w kieszeni pana wicehrabiego i który mam zaszczyt dołączyć, nie on, zdaje się, był wyzywającym. I trzebaż, aby jemu właśnie niebo pozwoliło zginąć!

Byłem w domu pana wicehrabiego w chwili, gdy go przyniesiono. Niech pani sobie wyobrazi moje przerażenie, gdy ujrzałem siostrzeńca jej, dźwiganego przez dwóch ludzi, zlanego krwią. Miał dwie rany zadane szpadą, bardzo już był osłabiony. Pan Danceny był także obecny i nawet płakał. Ach, to pewna, że godzi mu się płakać, ale nieco późno wylewać łzy, kiedy się sprawiło nieszczęście bez ratunku!

Co do mnie, nie mogłem zapanować nad wzburzeniem; mimo że jestem tak skromną osobą, wyraziłem, co o tym mniemam. Ale tutaj pan wicehrabia okazał się istotnie wielkim. Kazał mi umilknąć; ujął za rękę człowieka, który był jego mordercą, nazwał go swym przyjacielem, uściskał wobec wszystkich i rzekł: „Nakazuję wam, abyście mieli dla pana wszystkie względy, jakie należą dzielnemu i szlachetnemu człowiekowi". Kazał mu jeszcze oddać w mojej obecności pakę papierów, których zawartości nie znam, ale wiem, że pan wicehrabia przywiązywał do nich dużą wagę. Następnie zażądał, aby ich zostawiono samych. Wśród tego kazałem natychmiast posłać po wszelką pomoc, tak doczesną, jak duchowną; niestety, rzecz była już bez ratunku. W niespełna pół godziny pan wicehrabia był bezprzytomny. Ledwie udzielono mu ostatniego namaszczenia, skończył.

Mój Boże! Kiedy przy urodzeniu tuliłem tę szacowną nadzieję znamienitego domu, czyż mogłem przewidzieć, że w moich ramionach wyzionie ducha i że mnie przyjdzie ten zgon opłakiwać? Śmierć tak przedwczesna i tak nieszczęśliwa! Łzy płyną mi z oczu mimo woli. Racz wybaczyć, pani, iż śmiem wyrażać wobec ciebie mą boleść; ale, w jakim bądź stanie, człowiek ma serce; toż byłbym bardzo niewdzięczny, gdybym nie opłakiwał całe życie pana, który okazywał mi tyle dobroci i zaszczycał mnie takim zaufaniem.

Jutro, po wyniesieniu ciała, każę opieczętować wszystko; może pani najzupełniej polegać na mej wierności. Nie jest pani tajne, że ten nieszczęśliwy wypadek kładzie koniec pełnomocnictwu i daje zupełną swobodę twoim, pani, rozporządzeniom. Jeżeli mogę być w czymś użyteczny, proszę o łaskawe rozkazy: dołożę całej gorliwości, by je ściśle wykonano.

Pozostaję z najgłębszym uszanowaniem, bardzo pokornym etc.

Paryż, 7 grudnia 17**

LIST CLXIV
Pani de Rosemonde do pana Bertrand

Otrzymuję twój list w tej chwili, drogi Bertrandzie, i dowiaduję się zeń o okropnym wypadku, którego mój siostrzeniec stał się nieszczęsną ofiarą. Tak, oczywiście, mam zlecenia i jedynie dla nich mogę się zająć w tej chwili czym innym niż mą śmiertelną boleścią.

Bilet pana Danceny, przysłany mi przez ciebie, jest niezbitym dowodem, że to on wywołał pojedynek: toteż żądam, abyś natychmiast wniósł skargę w mym imieniu. Przebaczając wrogowi, siostrzeniec szedł za popędem wrodzonej szlachetności, ale, co się mnie tyczy, winnam pomścić jednocześnie jego śmierć, ludzkość i religię. Mamy prawo i obowiązek odwołać się do surowości ustaw przeciwko temu zabytkowi barbarzyństwa, który plugawi jeszcze nasze obyczaje; nie sądzę też, aby przykazanie, które zaleca wybaczanie krzywd, mogło się odnosić do tego zdarzenia. Oczekuję tedy, że wdrożysz kroki w tej sprawie z całym oddaniem i energią, do jakich wiem, że jesteś zdolny i które winien jesteś pamięci mego siostrzeńca.

Udasz się przede wszystkim w moim imieniu do prezydenta de*** i naradzisz się z nim w tym przedmiocie. Nie piszę do niego, gdyż pragnę najspieszniej oddać się cała mej boleści. Przeprosisz go za to i zaznajomisz go z treścią mego listu.

Bywaj zdrów, drogi Bertrandzie; chwalę ci twoje dobre uczucia, dziękuję za nie i jestem oddana ci na całe życie.

***, 8 grudnia 17**

LIST CLXV
Pani de Volanges do pani de Rosemonde

Wiem, że ci już doniesiono, droga i godna przyjaciółko, o stracie, jaką poniosłaś; znałam twoje przywiązanie do pana de Valmont i podzielam szczerze twą zgryzotę. Ciężko mi doprawdy, iż muszę przyczyniać nowych żalów do tych, których doświadczasz w tej chwili; ale – niestety – już tylko łzy możesz ofiarować naszej nieszczęśliwej przyjaciółce. *Utraciliśmy ją wczoraj, o jedenastej wieczór. Jakoweś fatum, przywiązane do jej losu i naigrawające się z ludzkiej przezorności, sprawiło, że krótki czas, o który przeżyła pana de Valmont, przeznaczony był na to, aby się dowiedziała o jego śmierci; i aby, jak sama powiedziała, mogła zginąć pod ciężarem nieszczęść dopiero wówczas, gdy przepełni się ich miara.*

Wiesz, że przeszło od dwóch dni była zupełnie bezprzytomna; jeszcze wczoraj rano, kiedy przybył lekarz i kiedy zbliżyliśmy się do łóżka, nie poznała jego ani mnie: nie mogliśmy uzyskać ani jednego słowa, najlżejszego znaku. I oto ledwie odeszliśmy z powrotem do kominka, gdy lekarz zawiadomił mnie o smutnym wypadku pana de Valmont, nieszczęsna kobieta odzyskała przytomność.

Powtarzające się kilkakrotnie słowa „Valmont" i „śmierć" obudziły jej czujność. Odsunęła zasłony wołając: „Jak to! Co mówicie? Valmont nie żyje!" Miałam nadzieję, iż uda mi się wmówić jej, że się omyliła; zapewniałam ją zrazu, że źle zrozumiała: na próżno. Wymogła na lekarzu, aby powtórzył owo okrutne opowiadanie; a gdy jeszcze próbowałam odwieść ją od tej myśli, przywołała mnie i rzekła po cichu: „Po co mnie oszukiwać? Czyż on nie był dla mnie umarły?" Trzeba było ustąpić.

Nieszczęśliwa przyjaciółka słuchała zrazu dość spokojnie, ale wkrótce przerwała mówiąc: „Dosyć, już dosyć". Zażądała natychmiast, aby zasunąć ścianki, a gdy lekarz chciał jej udzielić jakiejś pomocy nie pozwoliła bezwarunkowo, aby się zbliżył.

Kiedy wyszedł, odesłała również pielęgnującą ją siostrę i pannę służącą. A gdy zostałyśmy same, poprosiła, bym jej pomogła klęknąć na łóżku i ją podtrzymywała. Przez jakiś czas trwała tak milcząc, a twarz jej nie wyrażała nic, jeno łzy lały się obficie. Wreszcie złączyła dłonie, wzniosła je ku niebu i rzekła słabym, lecz żarliwym głosem: „Boże wszechmogący, poddaję się Twojej sprawiedliwości – lecz przebacz Valmontowi. Niech jego niedole, na które wiem, że zasłużył, nie staną się dlań oskarżeniem, a będę błogosławić Twoje miłosierdzie!".

Jeśli pozwalam sobie, droga i godna przyjaciółko, wdawać się w szczegóły tyczące przedmiotu, który – jak przeczuwam – odnowi i pogłębi twą boleść, to dlatego, że nie wątpię, iż owa modlitwa pani de Tourvel przyniesie wielką pociechę twojej duszy.

Wymówiwszy tych kilka słów, nasza przyjaciółka osunęła mi się w ramiona. I gdy tylko znów ułożyłam ją w łóżku, popadła w długie omdlenie, które jednak przeszło po zwykłych zabiegach. Kiedy odzyskała przytomność, od razu poprosiła, abym posłała po ojca Anzelma, i dodała: „To teraz jedyny lekarz, jakiego potrzebuję. Czuję, że moje cierpienia niebawem się skończą". Mówiła z trudem i skarżyła się na duszności.

Wkrótce potem podała mi przez pannę służącą szkatułkę, zawierającą jakiejś jej papiery, którą ci posyłam, albowiem zleciła mi, żebym ci ją przekazała zaraz po jej śmierci*. Potem mówiła mi o tobie,

---

* *Szkatułka zawierała wszystkie listy tyczące jej związku z panem de Valmont.*

373

o twojej przyjaźni dla niej – z wielkim wzruszeniem i tak długo, jak mogła.

Około czwartej przybył ojciec Anzelm i został całą godzinę z chorą. Skoro wróciliśmy, twarz jej była pełna spokoju i pogody, *lecz łatwo mogliśmy spostrzec, że ojciec Anzelm płakał. Pozostał jeszcze, by spełnić ostatnie obrzędy Kościoła. Widok ten, zawsze podniosły i bolesny, był takim jeszcze bardziej przez przeciwieństwo, jakie tworzyły spokojna rezygnacja chorej i głębokie cierpienie jej czcigodnego spowiednika, który wylewał łzy u jej boku. Wzruszenie ogarnęło wszystkich, i ta, którą wszyscy opłakiwali, była jedyną, która płakać nad sobą nie chciała.*

Reszta dnia spłynęła na wskazanych zwyczajem modłach, przerywanych jedynie częstymi omdleniami chorej. Około jedenastej wieczór wydało mi się, iż oddycha trudniej i więcej cierpi. Wysunęłam rękę, aby ją ująć za ramię: miała jeszcze na tyle siły, iż wzięła moją rękę i położyła ją sobie na sercu. Nie czułam już jego uderzeń; w istocie, nieszczęśliwa wyzionęła ducha w tejże chwili.

Przypominam sobie, droga przyjaciółko, jak w czasie twego ostatniego pobytu w Paryżu niespełna przed rokiem rozmawiałyśmy wspólnie o kilku osobach, których szczęście zdawało się nam mniej lub więcej pewne. Wspominałyśmy wówczas z upodobaniem los tej właśnie kobiety, której i zgon, i nieszczęścia opłakujemy dziś równocześnie! Tyle cnót, tyle chwalebnych przymiotów i powabów; usposobienie tak miłe i łatwe; mąż, którego kochała i który ją ubóstwiał; towarzystwo, w którym sobie podobała, a którego była rozkoszą; uroda, młodość, majątek, tyle najcenniejszych darów zniszczonych przez jedną nierozwagę! O Opatrzności! To pewna, iż trzeba uwielbiać twoje wyroki, ale jakże są niepojęte! *Nie chcę mówić więcej: lękam się, że pomnażam twój smutek, dając upust własnemu.*

Opuszczam cię i spieszę do córki, która jest nieco cierpiąca. Dowiedziawszy się dziś rano o niespodzianej śmierci dwojga znajomych osób zasłabła nagle, tak iż kazałam ją położyć do łóżka. Mam nadzieję, że to lekkie niedomaganie nie będzie miało następstw. *W tym wieku nie nawykło się jeszcze*

do trosk, więc wrażenie, jakie zostawiają, jest tym żywsze i silniejsze.
Ta żywiołowa czułość jest zapewne chwalebną cechą; lecz jakże to, co
widzimy codziennie, każe się nam jej obawiać!
Do widzenia, droga i godna przyjaciółko.

Paryż, 9 grudnia 17**

LIST CLXVI
Pan Bertrand do pani de Rosemonde

W myśl rozkazów, jakie pani raczyła wydać, miałem zaszczyt udać się do pana prezydenta de*** i zapoznałem go
z treścią listu. Oznajmiłem mu zarazem, że stosując się do
twoich życzeń nie uczynię nic bez jego wskazówki. Czcigod-
ny dostojnik polecił mi zwrócić pani uwagę, że skarga, jaką
masz zamiar wnieść przeciw kawalerowi, naraziłaby zarazem
pamięć jej szanownego siostrzeńca: wyrok musiałby z konieczności naruszyć jego dobrą sławę, co byłoby z pewnością wielkim nieszczęściem. Pan prezydent jest zdania, że
trzeba się wstrzymać od jakichkolwiek kroków; przeciwnie,
dołożyć starań, aby ministerstwo publiczne nie powzięło
wiadomości o tej nieszczęśliwej przygodzie, niestety, aż nazbyt już głośnej.
Uwagi te wydały mi się pełne roztropności, toteż uznałem
za właściwe oczekiwać nowych rozkazów z twej strony.
Pozwalam też sobie prosić panią, abyś, przekazując mi je, zechciała
dołączyć słowo o stanie twego zdrowia, albowiem nadzwyczaj się lękam
złych skutków, jakie może dla niego mieć tyle zmartwień. Mam na-
dzieję, że wybaczy pani tę śmiałość, ku której skłania mnie moje żarli-
we oddanie.
Pozostaję z szacunkiem, pani najniższym etc.

Paryż, 10 grudnia 17**

LIST CLXVII
Anonim do kawalera Danceny

Mam zaszczyt uprzedzić pana, że w wysokich kołach sądowych była mowa dziś rano o sprawie, jaka zaszła w ostatnich dniach między panem a wicehrabią de Valmont; należy się obawiać, aby ministerstwo publiczne nie wniosło skargi w tej mierze. Mniemałem, iż to ostrzeżenie może być panu użyteczne, bądź to abyś za pomocą wpływów, jakimi możesz rozporządzać, postarał się uprzedzić te przykre następstwa, bądź w razie gdyby się to nie powiodło, abyś mógł pomyśleć zawczasu o osobistym bezpieczeństwie.

Jeżeli pan pozwoli udzielić sobie rady, sądzę, iż dobrze uczyniłby pan nie pokazując się jakiś czas publicznie. Jakkolwiek zwykle tego rodzaju sprawy spotykają się z pobłażaniem, należy się prawom bodaj ta zewnętrzna oznaka szacunku.

Radzę to tym usilniej, ile że doszło mej wiadomości, iż niejaka pani de Rosemonde, krewna pana de Valmont nosi się z zamiarem wniesienia skargi; wówczas władze publiczne nie mogłyby się uchylić od dochodzeń. Byłoby może wskazane, aby pan trafił przez kogo do tej osoby.

Szczególne przyczyny nie pozwalają mi podpisać tego listu. Ale mam nadzieję, że nie wiedząc nawet, od kogo pochodzi, potrafisz sprawiedliwie ocenić uczucia, które go dyktowały.

Mam zaszczyt etc.

LIST CLXVIII
Pani de Volanges do pani de Rosemonde

Rozchodzą się tutaj, droga i godna przyjaciółko, zadziwiające i bardzo przykre wieści co do pani de Merteuil. Oczywiście, daleka jestem od dania im wiary i trzymałabym zakład, że to tylko nikczemne potwarze, ale, niestety, dobrze wiem, jak łatwo nawet najmniej prawdopodobne oszczerstwa znajdują grunt i jak trudno przychodzi zatrzeć ich wrażenie. Z tej przyczyny zaniepokojona jestem nieco pogłoskami, mimo iż – jak mniemam – łatwo będzie obrócić je wniwecz. Co do mnie, zaledwie wczoraj, i to bardzo późno, dowiedziałam się o tych okropnościach. Posłałam dziś do pani de Merteuil; oznajmiono mi, że wyjechała na wieś; gdzie ma spędzić dwa dni. Nie umiano mi bliżej objaśnić, gdzie bawi.

Otóż, mam nadzieję, że ty będziesz mogła jeszcze przed jej powrotem udzielić mi wyjaśnień, które mogą być dla pani de Merteuil użyteczne; te wstrętne historie bowiem opierają się na okolicznościach śmierci pana de Valmont. Oto co głoszą, a raczej – ściślej mówiąc – szepcą dopiero, ale co lada dzień niechybnie wybuchnie.

Mówią tedy, że sprzeczka, jaka zaszła między panem de Valmont a kawalerem, jest dziełem pani de Merteuil, która oszukiwała na równi ich obu; że, jak zdarza się niemal zawsze, rywale zaczęli od zbrojnego spotkania, a dopiero potem przystąpili do wyjaśnień. Następstwem tych wyjaśnień miało być zupełne i szczere pojednanie; aby zaś kawalerowi Danceny dać poznać w pełnym świetle panią de Merteuil, jak również aby się całkowicie uniewinnić, pan de Valmont dołączył na poparcie swoich słów mnóstwo listów pochodzących z jego stałej z nią korespondencji, w których to listach markiza opowiada o sobie samej, i to w stylu jak najswobodniejszym, skandaliczne wprost anegdoty.

Dodają, że w pierwszym oburzeniu Danceny pokazywał te listy każdemu, kto je chciał oglądać, i że obecnie obiegają one cały Paryż. Wymieniają zwłaszcza dwa*: jeden, w którym markiza rozwija całkowite dzieje swego życia i zasad i który ma być szczytem ohydy; drugi, który oczyszcza zupełnie pana de Prévan, stanowiąc jawny dowód, iż Prévan uległ jedynie wyraźnym zachętom pani de Merteuil i że obecność jego u niej była umówiona.

Na szczęście posiadam silne dowody na to, że te pogłoski

---

* List LXXXI i LXXXV.

są nikczemnym oszczerstwem. Przede wszystkim wiemy dobrze obie, że pan de Valmont z pewnością nie zajmował się panią de Merteuil, a mam powód mniemać, iż Danceny nie zajmował się nią również: toteż wydaje mi się pewne, że nie mogła być ani przedmiotem, ani sprawczynią ich zwady. Tym bardziej nie rozumiem, jaki interes miałaby pani de Merteuil, którą pomawiają o stosunek z panem de Prévan, w wywoływaniu sceny, która mogła być w każdym razie jedynie niemiła przez rozgłos, a mogła stać się niebezpieczna dla niej, czyniąc nieprzejednanego wroga z człowieka będącego panem jej tajemnicy i liczącego wielu stronników. Zaznaczyć trzeba, że od tej przygody nie podniósł się ani jeden głos na korzyść Prévana i nawet on sam się nie bronił.

Te spostrzeżenia kazałyby mi podejrzewać, że to on mógłby być twórcą pogłosek, które krążą dzisiaj. Byłyby dziełem nienawiści i zemsty człowieka, który widząc się zgubionym pragnie może w ten sposób sprowadzić korzystne dla siebie zamieszanie w opinii. Ale z jakiejkolwiek strony pochodzą te ohydy, najpilniejszą rzeczą jest unicestwić je. Upadłyby same przez się, gdyby się okazało, jak jest prawdopodobne, iż panowie de Valmont i Danceny nie mówili z sobą po owym nieszczęśliwym spotkaniu i że wieść o oddaniu jakichś papierów również jest zmyślona.

Wiedziona chęcią rychłego sprawdzenia tych faktów, posłałam dziś rano do pana Danceny; nie ma go również. Służącemu oznajmiono, że wyjechał tej nocy wskutek ostrzeżenia, które otrzymał wczoraj. Miejsce jego pobytu jest tajemnicą. Widocznie obawia się następstw zajścia. Jedynie zatem przez ciebie, droga i godna przyjaciółko, spodziewam się uzyskać szczegóły, które mnie obchodzą i które mogą stać się tak potrzebne dla dobra pani de Merteuil. Ponawiam przeto prośbę, abyś mi zechciała możliwie najprędzej przesłać dotyczące wiadomości.

PS. Zasłabnięcie córki nie miało następstw; załącza wyrazy poważania.

Paryż, 11 grudnia 17**

LIST CLXIX
Kawaler Danceny do pani de Rosemonde

Pani,

Może krok, na który się odważam, wyda ci się dziwny, ale błagam panią, wysłuchaj mnie, nim osądzisz, i nie dopatruj się zuchwalstwa ani płochości w tym, co wypływa z czci i zaufania. Nie taję przed sobą win, jakie na mnie ciążą wobec pani, i nie przebaczyłbym ich sobie w życiu, gdybym mógł myśleć przez chwilę, iż możebne było ich uniknąć. *Może być pani nawet przekonana, że, wolny od wyrzutów sumienia, nie jestem wolny od żalu; i dodam szczerze, iż ten, którego pani przysparzam, jest w znacznej mierze częścią tego, który ja odczuwam. Aby uwierzyć w uczucia, o których śmiem cię zapewniać, wystarczy, byś oddała sobie sprawiedliwość i pamiętała, że nie mając zaszczytu być ci znanym, mam jednak zaszczyt znania ciebie.*

Obecnie, kiedy ja opłakuję fatalność, która stała się wraz przyczyną twej boleści i mego nieszczęścia, ludzie usiłują mnie zastraszyć, iż pani, cała oddana uczuciom zemsty, nawet w surowości prawa chcesz szukać jej zaspokojenia.

Pozwól mi, pani, przede wszystkim zauważyć, iż tutaj boleść sprowadza cię na manowce. Dobro moje jest pod tym względem ściśle związane z pamięcią pana de Valmont, który musiałby być nieodzownie objęty uzyskanym przeciw mnie wyrokiem. Sądziłbym zatem, pani, iż w staraniach, aby ten nieszczęśliwy wypadek został zagrzebany w niepamięci, winien bym liczyć z twej strony raczej na pomoc niż na przeszkody.

Ale to odwołanie się do wspólnictwa, dostępne zarówno niewinnemu, jak i zbrodniarzowi, nie może wystarczyć memu sumieniu. Starając się oddalić panią jako stronę, wzywam cię, abyś raczyła być mym sędzią. Zbyt cenną jest rzeczą szacunek osób, które się poważa, abym sobie pozwolił wydrzeć twój, pani, nie usiłując go bronić; a zdaje mi się, że mam środki po temu.

W istocie, jeżeli pani uznaje, że zemsta jest dozwolona, powiedzmy lepiej, że winien ją jest samemu sobie ktoś, kto doznał zdrady w miłości, przyjaźni, a przede wszystkim w zaufaniu; jeżeli pani godzi się na to, wina moja zniknie w twych oczach. Nie polegaj na słowach; czytaj, jeśli masz odwagę, korespondencję, którą składam w twoje ręce*. *Liczba listów oryginalnych zdaje się dowodzić autentyczności tych, których istnieją tylko kopie.* Otrzymałem te papiery tak, jak mam zaszczyt je przesłać, od samego pana de Valmont. Nic nie dodałem, wyjąłem jedynie dwa listy, które pozwoliłem sobie podać do wiadomości publicznej.

Jeden był potrzebny dla wspólnej zemsty pana de Valmont i mojej: obaj mieliśmy do niej prawo, a spełnienie jej wyraźnie mi nałożył jako obowiązek przyjaźni. Mniemałem prócz tego, że usługą dla społeczeństwa będzie zedrzeć maskę z kobiety tak niebezpiecznej, która, jak pani się przekona, jest jedyną prawdziwą przyczyną wszystkiego, co zaszło.

Uczucie sprawiedliwości skłoniło mnie również do ogłoszenia drugiego listu, a to dla oczyszczenia pana de Prévan, którego nie znam prawie, ale który niczym nie zasłużył na dotkliwą karę, jakiej padł ofiarą, ani na straszliwszą jeszcze surowość ludzkiego sądu, pod którym jęczy od tego czasu, nie mogąc nic uczynić dla swego uniewinnienia.

Znajdzie pani przeto jedynie kopie tych dwu listów, których oryginały uznałem za potrzebne zachować. Co się tyczy reszty, sądzę, iż nie mogę złożyć w pewniejsze ręce tego depozytu, *który chciałbym oczywiście uchronić przed zniszczeniem, ale którego zwłaszcza wstydziłbym się nadużyć. Mniemam, pani, że powierzając ci te papiery, przysłużę się zainteresowanym osobom równie dobrze, jakbym je im wręczył osobiście; a w ten sposób oszczędzam im konfuzji, w jakiej by się znalazły, otrzymując je ode mnie i wiedząc, że znane mi są sprawy, które zapewne pragnęłyby ukryć przed światem.*

Winienem cię jeszcze uprzedzić, że niniejsza korespondencja jest

---

* *Właśnie z tej korespondencji, jak również z tej, którą przekazano po śmierci pani de Tourvel, i z listów powierzonych pani de Rosemonde przez panią de Volanges, utworzono niniejszy zbiór, którego oryginały pozostają w rękach spadkobierców pani de Rosemonde.*

tylko częścią o wiele pokaźniejszego pakunku, z którego pan de Val-
mont ją wyjął w mojej obecności i który znajdzie pani po zdjęciu pieczę-
ci pod napisem „Rachunki pomiędzy markizą de Merteuil a wicehra-
bią de Valmont". Poweźmie pani w związku z tym kroki, jakie ci
podsunie twoja roztropność.

Pozostaję z najgłębszym szacunkiem i czcią etc.

P.S. Przestrogi, jakie otrzymałem, i rady kilku przyjaciół, skło-
niły mnie do wyjazdu z Paryża na pewien czas. Ale miejsce mego od-
osobnienia, utrzymywane w tajemnicy przed wszystkimi, nie będzie se-
kretem dla pani. Jeśli zechcesz zaszczycić mnie odpowiedzią, proszę byś
ją wysłała do Komandorii***, za pośrednictwem P***, i na nazwisko
pana komandora de***. To od niego mam honor pisać do pani.

Paryż, 12 grudnia 17**

LIST CLXX
Pani de Volanges do pani de Rosemonde

Stąpam, droga przyjaciółko, z niespodzianki w niespodziankę i ze zmartwienia w zmartwienie. Trzeba być matką,
aby mieć pojęcie, co wycierpiałam wczoraj całe rano, a jeżeli
najokrutniejsze niepokoje uśmierzyły się później, zostaje mi
jeszcze dość przyczyn do zgryzoty.

Wczoraj, około dziesiątej, zdziwiona, iż córka nie zjawia
się u mnie, posłałam garderobianą, aby się dowiedziała, co
może być przyczyną opóźnienia. Wróciła w chwilę potem,
bardzo przerażona, i przeraziła mnie jeszcze więcej oznajmiając, iż Cesi nie ma; rano już panna służąca zauważyła jej
nieobecność. Wyobraź sobie, co się ze mną działo! Zwołuję
wszystkich ludzi, zwłaszcza odźwiernego; przysięgają, że nie
wiedzą o niczym i że nie mogą mi dać żadnych wyjaśnień.
Pospieszyłam natychmiast do jej pokoju. Nieład, jaki tam panował, przekonał mnie, że widocznie opuściła go dopiero
rano: zresztą nie znalazłam nic, co by mnie mogło oświecić.
Zajrzałam do jej szaf i sekretarzyka. Wszystko było na miejscu, tak-

że stroje – z wyjątkiem sukni, w której była wyszła. Nie wzięła nawet niewielkiej sumy pieniędzy, jaką miała u siebie.

Cecylia dowiedziała się dopiero wczoraj wszystkiego, co mówią o pani de Merteuil, a że bardzo jest do niej przywiązana, płakała bez przerwy cały wieczór. Ponieważ przypomniałam sobie, że nic nie wiedziała o jej wyjeździe, pierwszą mą myślą było, że może chciała odwiedzić przyjaciółkę i że popełniła tę nierozwagę, iż udała się tam sama. Ale czas upływał, a jej nie było; wszystkie me obawy zbudziły się na nowo. *Każda chwila wzmagała moją troskę, a choć tak spieszno mi było dowiedzieć się, co zaszło, nie śmiałam zasięgnąć języka, lękając się nadać rozgłos postępkowi, który może chciałabym poniewczasie ukryć przed wszystkimi.* W życiu tyle nie wycierpiałam.

Wreszcie, i to dopiero po *drugiej*[1], otrzymałam list od córki i równocześnie drugi od przełożonej klasztoru**. List Cesi donosił tylko, iż obawiając się, abym się nie sprzeciwiała jej powołaniu do życia zakonnego, nie śmiała mi o tym mówić; przeprasza, iż powzięła bez mej wiedzy postanowienie, którego – dodaje – nie potępiłabym z pewnością, gdybym znała jej pobudki; prosi wszakże, abym nie pytała o nic.

Przełożona pisała, że ujrzawszy młodą osobę, która przybyła sama, nie zgodziła się zrazu, by ją przyjąć. Wypytawszy ją jednak i dowiedziawszy się, kim jest, zdało się jej, że odda mi przysługę, udzielając na razie schronienia mojej córce, iżby nie narażać jej na dalsze podróże po Paryżu, na które Cecylia była zdecydowana. Donosząc, że oczywiście przyprowadzi mi ją, gdy tylko tego zażądam, nakłaniała mnie, zważywszy na stan córki, abym nie sprzeciwiała się powołaniu, o której ta mówi, iż jest już tak mocno postanowione. Wyjaśniała też, dlaczego nie powiadomiła mnie wcześniej o zdarzeniu: długo namawiała mą córkę do napisania listu, jako że Cesia nie zamierzała zdradzać nikomu, gdzie się schroniła. Okrutną rzeczą jest nierozsądek dzieci!

---

[1] [U Boya „po dziesiątej", co kłóci się zresztą wyraźnie ze wspomnianą wyżej porą zauważenia nieobecności Cecylii – A. S.].

Udałam się natychmiast do klasztoru i pospieszywszy do przełożonej zażądałam widzenia z córką; przybyła dopiero po długich wzdraganiach, cała drżąca. Mówiłam z nią wobec zakonnic i mówiłam na osobności: jedynym wyznaniem, jakie wśród mnóstwa łez zdołałam wydobyć, było to, iż szczęśliwa może być tylko w klasztorze. Po namyśle pozwoliłam, aby została, ale nie wchodząc jeszcze w grupę postulantek, jak było jej życzeniem. Obawiam się, że może śmierć pani de Tourvel i pana de Valmont rozstroiła zbytnio młodą główkę. *Jakikolwiek szacunek żywiłabym do powołań zakonnych, nie mogłabym patrzeć bez bólu, a nawet strachu, jak moja córka wstępuje w ów stan. Zdaje mi się, że mamy dość obowiązków do wypełnienia, by nie stwarzać sobie nowych; i że ponadto nie w tym wieku bynajmniej wiemy już, co jest dla nas dobre.*

Kłopoty moje zdwaja jeszcze powrót, bardzo już bliski, pana de Gercourt; czy trzeba zerwać to upragnione małżeństwo? *Jakże więc dać szczęście dzieciom, jeśli nie wystarczy pragnąć tego ze wszech sił i dokładać do tego wszelkich starań?* Bardzo mnie pani zobowiążesz donosząc mi, co uczyniłabyś na moim miejscu; nie umiem zdobyć się na postanowienie. *Nie ma dla mnie nic bardziej przerażającego niż konieczność rozstrzygania o losie innych; a w tym przypadku lękam się okazać zarówno surowość sędziego, jak słabość matki.*

Wyrzucam sobie nieustannie, iż pomnażam twe zgryzoty mówiąc ci o własnych strapieniach; ale znam twoje serce, wiem, że pociecha użyczona innym jest ci największą osłodą.

Żegnam cię, droga i godna przyjaciółko; oczekuję odpowiedzi z całą niecierpliwością.

Paryż, 14 grudnia 17**

LIST CLXXI
Pani de Rosemonde do kawalera Danceny

Po tym, co mi pan dał poznać, pozostaje mi jedynie płakać i milczeć. Trzeba żałować, że się żyje jeszcze, dowiadując się o podobnych potwornościach; trzeba rumienić się, że się jest kobietą, widząc, iż jedna z nich była zdolną do takiej ohydy.

Godzę się chętnie, o ile mnie dotyczy, pogrzebać w milczeniu i niepamięci te smutne wypadki. Pragnę gorąco, aby nie sprowadziły nowych zgryzot. *Pragnęłabym nawet, aby nie przysporzyły panu innych zgryzot niż te, co są przywiązane do nieszczęsnego zwycięstwa, które pan odniósł nad moim siostrzeńcem. Mimo jego win*[1]*, które zmuszona jestem uznać, czuję, że nie pocieszę się nigdy po tej stracie. Ale mój wieczny smutek będzie jedyną zemstą, na jaką się zdobędę wobec pana: niechaj twoje serce oceni jej rozmiar.*

A jeśli pozwolisz na refleksję, którą czyni się w moim wieku, rzadko zaś w twoim, to brzmi ona, iż gdyby należycie pojmowano prawdziwe szczęście, nie szukano by go nigdy poza granicami wyznaczonymi przez Prawa i Religię.

Może pan być pewny, iż wiernie i chętnie przechowam depozyt, który zechciałeś mi powierzyć, ale proszę o upoważnienie nieoddania go nikomu, nawet panu, chyba że stałby się niezbędny dla twego usprawiedliwienia. *Ośmielam się mieć nadzieję, że nie odmówisz temu życzeniu i że nie czujesz już mąk, jakie pociąga za sobą zadawanie najsłuszniejszej nawet zemsty.*

Nie poprzestaję na tej prośbie, tak przekonana jestem o pańskiej delikatności i szlachetności: byłoby może właściwe, aby pan oddał również w moje ręce listy panny de Volanges, które prawdopodobnie pan zachował, a które z pewnością nie mają już dla niego wartości. Wiem, że ta młoda osoba zawiniła ciężko wobec pana, ale nie sądzę, abyś myślał karać ją za to. Choćby przez szacunek dla samego siebie, nie będziesz chciał okrywać hańbą istoty, którą tak kochałeś. *Nie muszę przeto dodawać, że względy, na które nie zasługuje córka, należą się przynajmniej matce — owej czcigodnej kobiecie, wobec której masz chyba niemało win do naprawienia. Boć przecież, jakiekolwiek byłoby złudzenie, że kieruje nami delikatność uczuć, ten, kto pierwszy*

---

[1] [U Boya czytamy zamiast tego fragmentu: „Pragnę gorąco, aby nie sprowadziły nowych zgryzot. Mimo win mego siostrzeńca..." – A. S.].

próbuje uwieść serce młode jeszcze i naiwne, staje się pierwszym sprawcą jego zepsucia i winien być na zawsze odpowiedzialny za błędy i wybryki za zepsuciem idące.

Niech się pan nie dziwi takiej surowości z mojej strony: jest ona najlepszym dowodem mego całkowitego szacunku dla pana. Nabierze pan do niego nowych praw, skłaniając się do zachowania tajemnicy, której rozgłoszenie tobie samemu przyniosłoby ujmę, a byłoby śmiertelnym ciosem dla serca matki, i tak skrzywdzonego przez ciebie. Wyznaję, iż pragnę oddać jej tę usługę; gdybym się mogła obawiać, że pan mi odmówi tej pociechy, prosiłabym, byś pomyślał wprzódy, iż to jest jedyna, jaką mi pan pozostawił.

Mam zaszczyt etc.

Z zamku***, 15 grudnia 17**

LIST CLXXII
Pani de Rosemonde do pani de Volanges

Gdybym była zmuszona, droga przyjaciółko, wzywać i oczekiwać z Paryża objaśnień, których żądasz co do osoby pani de Merteuil, niepodobna byłoby mi udzielić ci ich jeszcze; ale otrzymałam inne, zgoła nieoczekiwane wieści, a w nich mieści się już aż nadto wiele pewności jak bardzo, o moja przyjaciółko, ta kobieta nadużyła twej wiary.

Zbyt wielkim wstrętem przejmuje mnie wchodzić w szczegóły tego steku potworności; ale co bądź ludzie powiadają, bądź pewna, że to wszystko blady cień istotnej prawdy. Spodziewam się, droga przyjaciółko, iż znasz mnie na tyle, aby wierzyć na słowo i nie wymagać żadnego dowodu. Niech ci wystarczy, że te dowody istnieją, i to liczne, i że mam je w ręku.

Wierzaj, iż nie bez największej przykrości proszę cię również, abyś mi nie kazała wyjaśniać pobudek rady, której ode mnie żądasz. Otóż radzę ci, nie sprzeciwiaj się pragnieniom córki. Z pewnością żadna przyczyna nie uprawnia, aby zmuszać kogoś do stanu zakonnego, jeśli dana osoba nie ma powołania; ale niekiedy szczęściem jest, jeżeli powołanie takie się objawi. Wszak sama córka upewnia, iż nie sprzeciwiałabyś się, gdybyś znała przyczyny. Ten, kto w nas tchnie nasze uczucia, lepiej od znikomego rozumu wie, co każdemu jest potrzebne; a nieraz to, co wydaje się surowością, jest – przeciwnie – dziełem łaski.

Wiem, iż rada moja cię zmartwi: tym samym możesz być pewna, że nie udzielam ci jej bez głębokiego zastanowienia. Brzmi ona, abyś zostawiła pannę de Volanges w klasztorze, skoro taki jej wybór; abyś raczej utrwalała, niż osłabiała zamiar, jaki powzięła, i abyś oczekując jego ziszczenia nie wahała się zerwać ułożonego związku.

Po spełnieniu tych ciężkich obowiązków przyjaźni i w niemożności dołączenia do nich żadnego słowa pociechy, pozostaje mi prosić cię, droga przyjaciółko, o jedną łaskę: to jest, abyś już nie pytała o nic, co miałoby związek z tymi smutnymi wypadkami; zostawmy je w niepamięci, jaka im przystała, i nie szukając zbytecznych i bolesnych wyjaśnień poddajmy się wyrokom Opatrzności. Żegnam cię, droga przyjaciółko.

Z zamku***, 15 grudnia 17**

LIST CLXXIII
Pani de Volanges do pani de Rosemonde

Och, moja przyjaciółko, jakąż przerażającą zasłoną okrywasz los mej córki! I zdajesz się obawiać, abym tej zasłony nie próbowała uchylić! Cóż się pod nią skrywa jeszcze, co mogłoby okrutniej zgnębić serce matki niż straszliwe podejrzenia, na których łup mnie wydajesz? Im więcej znam twą przyjaźń, twą pobłażliwość, tym bardziej staję się pastwą udręczeń; dwadzieścia razy od wczoraj chciałam wyjść z tej okrutnej niepewności i prosić cię o podzielenie się ze mną wszystkim, bez oszczędzań i niedomówień; i za każdym razem zadrżałam z obawy wspominając o twej prośbie, aby cię o nic nie pytać. Wreszcie zdobyłam się na postanowienie, które zostawia mi jeszcze jakąś nadzieję. Spodziewam się po twej przyjaźni, iż nic uchylisz się od tego, o co proszę. Odpowiedz tylko, czy w przybliżeniu zrozumiałam to, co się ukrywa pod twoim milczeniem; nie lękaj się zaznajomić mnie ze wszystkim, co pobłażliwość macierzyńska może pokryć i co nie jest niemożebne do naprawienia. Jeżeli moje nieszczęścia przekraczają tę miarę, wówczas, zgadzam się, powiadom mnie o tym jedynie swym milczeniem. Oto więc, co już wiedziałam i dokąd rozciągają się moje obawy:

Córka objawiała niejaką skłonność do kawalera Danceny; odkryłam nawet, iż rzeczy doszły do wymiany listów. Mniemałam, iż udało mi się zapobiec niebezpiecznym następstwom tego dzieciństwa; dziś, kiedy lękam się wszystkiego, zaczynam uważać za możebne, iż oszukano mą czujność; obawiam się, czy nieszczęśliwa, idąc za namową uwodziciela, nie przekroczyła granic zapomnienia.

Przypominam sobie kilka okoliczności, które mogą utwierdzić tę obawę. Doniosłam ci, że Cecylia zaniemogła na wiadomość o nieszczęściu, jakie spotkało pana de Valmont; może przyczyną była jedynie myśl o niebezpieczeństwie, na jakie Danceny narażał się w tej walce? Kiedy później płakała tyle dowiadując się o wszystkim, co mówią o pani de Merteuil, to, co uważałam za troski przyjaźni, było może skutkiem zazdrości lub żalu, że kochanek okazał się niewierny? Jej ostatni krok można by również, o ile mi się zdaje, wytłumaczyć tą samą pobudką. Nieraz mniema ktoś, iż jest powołany ku Bogu, przez to jedynie, że się czuje zrażony do ludzi. *Toteż zakładając, że te fakty są prawdziwe i że ty o nich wiedziałaś, zrozumiałabym, iż mogłaś oczywiście uznać je za wystarczające, aby udzielić mi owej surowej rady, którą znajduję w twoim liście.*

Gdyby tak było w istocie, mniemałabym, mimo wszystko, iż obowiązkiem moim jest próbować wszystkich środków, by jej oszczędzić męczarni i niebezpieczeństw złudnego i przemijającego powołania. Jeżeli pan Danceny nie jest pozbawiony wszelkiej uczciwości, nie uchyli się od naprawienia winy, której jest jedynym sprawcą; mogę zresztą przypuszczać, że małżeństwo z mą córką przedstawia dlań dosyć korzyści, aby je uważał za zaszczyt, on i jego rodzina.

Oto, droga i godna przyjaciółko, jedyna nadzieja, jaka mi pozostaje; pospiesz mnie w niej utwierdzić, jeżeli możliwe. Pojmujesz, jak pragnę odpowiedzi i jakim ciosem będzie dla mnie twe milczenie*.

Miałam już zapieczętować list, kiedy odwiedził mnie jeden ze znajomych i opowiedział straszliwe zajście, którego przedmiotem stała się przedwczoraj pani de Merteuil. Ponieważ nie widziałam nikogo w ciągu ostatnich dni, nic nie wiedziałam o tym; oto przebieg podany przez naocznego świadka:

Wróciwszy przedwczoraj ze wsi, pani de Merteuil kazała się zawieźć do Włoskiej Komedii, gdzie ma lożę; była sama i musiało się jej wydać szczególne, iż nikt z mężczyzn nie zjawił się u niej. Wychodząc wstąpiła wedle zwyczaju do foyer, gdzie już było pełno ludzi; natychmiast wszczął się szmer, ale widocznie nie odnosiła go do siebie. Spostrzegła puste miejsce na ławeczce i podeszła, aby je zająć, ale równocześnie wszystkie kobiety, które tam poprzednio siedziały, podniosły się jak zmówione i zostawiły ją zupełnie samą. Ten jaskrawy objaw powszechnego oburzenia spotkał się z poklaskiem mężczyzn i wzbudził szemranie, które, jak mówią, doszło aż do okrzyków.

Aby niczego nie zbrakło do jej upokorzenia, nieszczęście chciało, że pan de Prévan, który nigdzie nie pojawiał się od czasu swej przygody, wszedł w tej samej chwili. Skoro go spostrzeżono, wszyscy zebrani, mężczyźni i kobiety, otoczyli go wśród oklasków i zanieśli go niejako do pani de Merteuil, publiczność zaś otoczyła ich zwartym kołem. Twierdzą, że ta kobieta zachowała fizjonomię osoby, która nic nie widzi i nie słyszy, i że nie zmieniła wyrazu twarzy! Ale sądzę, że to prze-

---

* Ten list został bez odpowiedzi.

388

sada. Ta upokarzająca scena trwała do chwili, w której oznajmiono powóz markizy; przy odjeździe skandaliczne okrzyki jeszcze się podwoiły. *To straszne być krewną tej kobiety.* Pan de Prévan spotkał się tegoż wieczora z najserdeczniejszym przyjęciem oficerów jego pułku i nie ma wątpienia, że niebawem wrócą mu rangę i stanowisko.

Osoba, która udzieliła mi tych szczegółów, mówiła mi, że pani de Merteuil dostała w nocy silnej gorączki. Przypisywano to zrazu ciężkiemu wstrząśnieniu; lecz od wczoraj wiadomo, że pojawiła się u niej ospa, i to o bardzo złośliwym charakterze. W istocie, sądzę, że gdyby umarła, byłoby to dla niej prawdziwe szczęście. Mówią też, że cała ta przygoda bardzo jej może zaszkodzić w procesie, który ma być w najbliższym czasie sądzony, a którego wynik wiele podobno zależał od przychylności sędziów.

Do widzenia, droga i godna przyjaciółko. Widzę w tym wszystkim, że winni ponieśli zasłużoną karę, ale nie widzę pociechy dla nieszczęśliwych ofiar.

Paryż, 18 grudnia 17**

LIST CLXXIV
Kawaler Danceny do pani de Rosemonde

Ma pani słuszność i z pewnością nie odmówię niczego, co będzie zależało ode mnie i do czego raczysz przywiązywać wagę. Paczka, którą mam zaszczyt przesłać, zawiera wszystkie listy panny de Volanges. Jeżeli je przeczytasz, zdziwisz się, pani, zapewne, iż można połączyć tyle naiwności i tyle przewrotności razem. To przynajmniej mnie uderzyło, gdym raz ostatni odczytywał te listy.

Ale nade wszystko, czyż można się obronić uczuciu najwyższego oburzenia na panią de Merteuil, skoro się przypomni, z jaką potworną rozkoszą dołożyła starań, aby sprowadzić na złą drogę samą niewinność i prostotę?

Nie, nie kocham już. Nie pozostało nic z uczucia zdradzonego tak niegodnie; nie ono to każe mi się silić na usprawiedliwienie panny de Volanges. Jednak to serce tak proste, to usposobienie tak łatwe i miłe, czyż nie było zdolne zwrócić się ku dobremu, łatwiej jeszcze niż się dało pociągnąć do złego. Któraż młoda osoba, wychodząc prosto z klasztoru, bez doświadczenia, niemal bez pojęć o świecie, wnosząc weń, jak zawsze bywa, jedynie zupełną nieświadomość, któraż młoda osoba, powiadam, byłaby się oparła tak zbrodniczym sztukom? Ach, aby być pobłażliwym, wystarczy zastanowić się, od ilu niezależnych od nas okoliczności zawisła przerażająca alternatywa uczciwości lub zepsucia! Słusznie zatem pani osądziła mniemając, iż winy panny de Volanges, które odczułem bardzo żywo, nie budzą we mnie żadnego pragnienia zemsty. Dość już męki przestać kochać! Zbyt wiele by mnie kosztowało nienawidzić.

Nie potrzebowałem wcale się namyślać, by zrodziło się we mnie pragnienie, ażeby wszystko, co jej dotyczy i co mogłoby jej zaszkodzić, pozostało na zawsze tajemnicą. Jeśli zdawałem się zwlekać przez jakiś czas ze spełnieniem pani życzeń w tym przedmiocie, to przyczyna była prosta i nie muszę kryć jej przed panią: chciałem wprzódy być pewny, że nie będę niepokojony w związku z następstwami mojej nieszczęsnej przygody. Wówczas gdy prosiłem panią o wyrozumiałość, gdy ośmielałem się sądzić, że mam wręcz do niej prawo, obawiałbym się, że przychylając się natychmiast do pani prośby, wyglądałbym na takiego, który tę wyrozumiałość kupuje; i, pewny czystości swych pobudek, miałem, przyznaję, tę śmiałość, ażeby pragnąć, byś w ową czystość nie mogła wątpić. Mam nadzieję, że wybaczysz tę wrażliwość, może nazbyt skrupulatną, i przypiszesz ją czci, jaką do pani żywię, wadze, jaką przywiązuję do pani szacunku.

Uczucie czci, jakim jestem przepełniony, każe mi prosić, jak o ostatnią łaskę, o powiadomienie mnie, czy uważasz, iż wypełniłem wszystkie obowiązki. Skoro raz uspokoję się pod tym względem, powziąłem postanowienie: udam się na Maltę; z rozkoszą złożę śluby dzielące mnie od świata, od którego, tak młody jeszcze, tak wiele już złego doznałem. Spróbuję również pod obcym niebem zgubić pamięć o tylu ohydach, których wspomnienie mogłoby jedynie zasmucać i kalać mą duszę.

Pozostaję z całym szacunkiem, najpowolniejszym etc.

Paryż, 26 grudnia 17**

LIST CLXXV
Pani de Volanges do pani de Rosemonde

Los pani de Merteuil spełnił się wreszcie, droga i godna przyjaciółko, a jest taki, że najwięksi nieprzyjaciele ważą się pomiędzy oburzeniem, na jakie zasługuje, a litością, jaką budzi. Miałam słuszność mówiąc, że szczęściem byłoby dla niej może umrzeć z owej ospy. Wyszła, to prawda, ale strasznie zniekształcona: przede wszystkim straciła jedno oko. Może się pani domyślać, że jej nie widziałam, ale mówiono mi, że jest po prostu odrażająca.

Markiz de***, który nie omija nigdy sposobności powiedzenia czegoś złośliwego, zauważył wczoraj mówiąc o niej, że choroba ją przenicowała i że obecnie dusza jej mieści się na twarzy. Niestety, wszyscy uznali, że określenie jest sprawiedliwe.

Inny wypadek dołączył się jeszcze do jej nieszczęść i błędów. Proces rozstrzygnięto przedwczoraj: przegrała jednogłośnie. Koszty, straty i procenty, odszkodowanie używalności, wszystko przysądzono małoletnim, tak iż niewielką część majątku nie objętą procesem pochłonęły, i to z górą, koszty.

Skoro tylko dowiedziała się o tej nowinie, natychmiast, mimo iż jeszcze chora, poczyniła przygotowania i wyjechała sama w nocy pocztą. Mówią, że się udała w kierunku Holandii.

Ten wyjazd narobił więcej hałasu niż wszystko inne, a to dlatego, iż zabrała swoje diamenty wartości bardzo znacznej, które miały wejść w masę spadkową po mężu; uwiozła również srebra i klejnoty, słowem, co mogła; tak iż zostawia blisko 50 000 funtów długów. Formalne bankructwo.

Rodzina ma się zebrać jutro, aby wejść w układy z wierzycielami. Mimo iż jestem jedynie bardzo daleką krewną, ofiarowałam mój współudział; ale nie będę na tym zebraniu, muszę być obecna przy jeszcze smutniejszym obrzędzie. Córka przywdziewa jutro habit postulantki. Mam nadzieję, nie zapominasz, droga przyjaciółko, iż jedyną pobudką, zniewalającą mnie do tego poświęcenia, jest milczenie, jakie zachowałaś po mym ostatnim liście.

Pan Danceny opuścił Paryż blisko przed dwoma tygodniami. Mówią, że udał się na Maltę i że ma zamiar tam zostać. Byłby może jeszcze czas go wstrzymać?... Moja zacna przyjaciółko!... Więc moja córka tak bardzo jest winna?... Wybaczysz matce, iż z trudem godzi się poddać tej straszliwej pewności.

Jakaż fatalność gromadzi się dokoła mnie od jakiegoś czasu i trafia mnie w najdroższych mi przedmiotach! Córka, przyjaciółka!...

Któż by nie zadrżał rozpamiętując nieszczęścia, jakie może spowodować jeden nieopatrzny związek! Iluż niedoli uniknęłoby się więcej o tym myśląc! Któraż kobieta nie ratowałaby się ucieczką przed pierwszym zakusem uwodziciela? Któraż matka mogłaby bez drżenia patrzeć, jak ktoś obcy rozmawia z jej córką? *Lecz te spóźnione refleksje przychodzą zawsze wtedy, gdy rzecz się już zdarzyła. I jedna z najważniejszych prawd – a może i z najpowszechniej uznawanych – niknie zduszona i bezużyteczna w wirze naszych nieopatrznych obyczajów.*

Żegnaj, droga i godna przyjaciółko; czuję w tej chwili, iż rozum nasz, tak wątły już, gdy chodzi o to, aby uprzedzić nieszczęścia, tym bardziej nie wystarcza, aby nas po nich pocieszyć.

Przypis nakładcy

Szczególne powody oraz względy, których poszanowanie zawsze będzie dla nas obowiązkiem, każą nam się zatrzymać w tym miejscu.

Nie możemy w tej chwili przedłożyć czytelnikowi dalszego ciągu przygód panny de Volanges ani też zaznajomić go ze smutnymi zdarzeniami, który dopełniły nieszczęść lub kary pani de Merteuil.

Być może kiedyś będzie nam wolno uzupełnić to dzieło, aliści nie możemy do niczego się zobowiązać w tym przedmiocie. A nawet gdyby to było możliwe, uważamy, iż należałoby wprzódy poradzić się gustu czytelników, którzy nie mają tych samych powodów co my, aby się tą lekturą interesować.

Andrzej Siemek

Posłowie

Zagadkowość *Niebezpiecznych związków* zaczyna się już na poziomie biograficznym. Powieść, która miała się zrazu nazywać *Niebezpieczeństwo związków*, ukazała się pod ostatecznym tytułem w 1782 roku i odniosła od razu niebywały sukces. Mówił o niej cały Paryż, krążyły „klucze" identyfikujące rzekome pierwowzory bohaterów. Do końca wieku doczekała się kilkudziesięciu wydań, w tym dziewięciu w samym roku 1782. I od razu też rozgłos miał posmak skandalu: czytelników poruszał, oburzał obraz zła, który podawał się zą obraz współczesnych obyczajów. Odtąd skandaliczna reputacja towarzyszyć będzie nazwisku autora: jeszcze w połowie XX wieku umieszczano je chętnie obok mrocznego Sade'a lub odsyłano w niebyt literatury marginalnej, zaś szkolne podręczniki nie wspominały o Laclosie ani słowem. Choć bezdyskusyjna, konsekracja *Niebezpiecznych związków* jako arcydzieła klasyki francuskiej jest stosunkowo świeżej daty.

Któż je jednak napisał? Żołnierz, oficer-artylerzysta, który przeszedł wszystkie szarże od podporucznika do generała i który poza nielicznymi próbkami poetyckimi i jednym nieudanym librettem żadnej innej literatury nie pozostawił. Do 1788 roku, kiedy zdymisjonował, prowadził nudnawe życie garnizonowe w różnych miastach Francji, przerywane wprawdzie wielomiesięcznymi urlopami w Paryżu, które pozwoliły mu otrzeć się o światowe życie elit. Władze wojskowe ceniły jego zdolności i poruczały ważne zadania. Zakładał szkołę artylerii w Valence, budował arsenał w La Rochelle, kierował pracami fortyfikacyjnymi na wyspie Aix. Tu właśnie, na pustej, piaszczystej wysepce u wybrzeży atlantyckich, wśród nielicznych rybaków i żołnierzy, którymi dowodził, napisał *Niebezpieczne związki*, powieść z całkiem innego świata.

Potem spróbował polityki. Na początku rewolucji, u boku Ludwika Filipa Orleańskiego, opowiadał się jeszcze za odnowioną monarchią, ale po dniach sierpniowych 1792 roku został republikaninem, a rząd żyrondystowski przywrócił go do służby jako komisarza wojennego. Aresztowany za Terroru, przebywał w więzieniu ponad rok, w każdej chwili spodziewając się śmierci. Wyszedł na wolność dopiero pod koniec 1794 roku, w parę miesięcy po upadku Robespierre'a. Odtąd trzymał się na uboczu życia politycznego, aż do 18 brumaire'a. Niektórzy twierdzą, że pomagał Bonapartemu w przygotowaniu zamachu stanu. Brak na to dowodów, ale wiadomo, że popierał pierwszego konsula, ten zaś przywrócił mu wojskowe zaszczyty i powierzył nowe zadania: brał udział w kampanii włoskiej, zasiadał w Komitecie Artylerii, wreszcie został oddelegowany do sztabu wojsk francuskich w południowych Włoszech, w Tarencie, gdzie zmarł w 1803 roku. Jego grób na włoskim wybrzeżu sprofanowano i zniszczono po powrocie Burbonów na tron.

Trochę dziwny to żywot: jest historią kogoś, kto robi wojskową i polityczną karierę, lecz w sumie udaje mu się to połowicznie lub nie udaje wcale; kogoś, kto wciąż, mimo zdolności i związków ze zmieniającą się władzą, stoi na drugim planie, nieco bezbarwny, nieco oportunistyczny. I oto cały ten niewyraźny zarys tamtych dokonań wyostrza się naraz w spuściźnie całkiem innego rodzaju, jaką jest jedna genialna książka. To ona oświetla niespodzianym blaskiem całą resztę, to ona każe zrekonstruować człowieka, który miał być kimś innym.

Problem w tym, że ona sama okazywała się zagadką. Po wielekroć zastanawiano się nie tylko, skąd się wzięła pod żołnierskim piórem, ale i co naprawdę znaczy. Historia recepcji i interpretacji powieści Laclosa jest literaturą samą w sobie, pouczającym, bo krańcowym przykładem zmienności sądów krytycznych. Nie będziemy jej tu przytaczać. Zauważmy tylko, że *Niebezpieczne związki* stały się ważnym i złożonym punktem odniesienia dla takich tuzów literatury francuskiej, jak Stendhal, Baudelaire, Giraudoux, Gide, Malraux, nie licząc całego legionu znakomitych krytyków najrozmaitszej proweniencji.

Zasadnicze pytania i rozbieżności dotyczą moralnego i społecznego przesłania. Czy uznać za pisarski zamysł moralizatorskie zakończenie i wierzyć autorowi na słowo, gdy w *Przedmowie redaktora* głosi chęć objawienia zła po to, by dobro mogło skutecznie się bronić? Czy przeciwnie – traktować owo rozwiązanie i owe deklaracje jako pozory, kryjące fascynację grą libertyńskich wodzirejów: Valmonta i markizy de Merteuil? Czy jest to rewolucyjny pamflet przyszłego republikanina, który kreśli obraz obyczajów odchodzącej klasy? Czy – inaczej – fresk społecznie neutralny, sporządzony przez kogoś, kto w tym świecie żył?

Względna zgodność opinii występuje w próbach charakterystyki społecznego i obyczajowego momentu, do którego odsyłają *Niebezpieczne związki*. Wiadomo więc z grubsza, że chodzi o kulminację procesu, w którym francuska arystokracja XVIII wieku zamienia swój prestiż polityczny na wyszukane formy kultury towarzyskiej i konsumpcyjnej. Chwilą przełomową była regencja Filipa Orleańskiego na początku stulecia, z jej sławnym rozprzężeniem obyczajowym. Kryzys wartości, co obejmie wnet całą sferę myśli, godzi przede wszystkim w system norm etycznych szlacheckiej tradycji. Rzuca się w oczy demistyfikacja etyki miłosnej i miłosnego postępowania: próba odrzucenia, wręcz ośmieszenia sentymentalnego lub tragicznego koturnu, uświęcenie niestałości jako zasady, stworzenie swoistego etosu salonowych podbojów i towarzyskiej gry, która im służy. Przyświeca temu ustawicznie kult przyjemności, rozkoszy, nie pozbawiony związków z epikureizmem filozoficznym epoki; z ateizmem również, jako że owa swoboda kłóciła się, rzecz prosta, z nakazami wiary: w XVIII wieku nie *bourgeois*, lecz arystokrata najczęściej jest niedowiarkiem. W tym sensie jest on spadkobiercą libertynów siedemnastowiecznych, zwłaszcza tego ich wcielenia, jakim był Don Juan, ów zmiennik w uczuciach, co chwila nowym ulegający pobudkom natury, wytworny impertynent i egoista, ateusz i sceptyk, który wierzył jeno w to, że „dwa a dwa są cztery", by wspomnieć klasyczną Molierowską wersję.

Wystąpiła tu wszakże znamienna ewolucja. Dla salonowca XVIII wieku zatraca się coraz bardziej komponent metafizyczny, antyreligijny tamtego libertynizmu na rzecz wąskiej, rygorystycznie wytyczonej sfery obyczajowej. (Nieliczne są aluzje do niedowiarstwa Valmonta i markizy: rozumie się ono samo przez się i nie jest głównym założeniem ich poczynań.) Zaszła też ewolucja w ciągu kilkudziesięciu lat dzielących Regencję od końca panowania Ludwika XV i pierwszych lat rządów Ludwika XVI. Światowiec z początku wieku to libertyn uśmiechnięty, szukający przyjemności w uciechach, używający chwili. W miarę upływu lat uśmiech zmienia się w pogardliwy i cyniczny grymas, przyjemność zmysłowa – w chłodną operację intelektu; arystokratyczny świat zamyka się coraz bardziej w sobie, kultywując w swych grach miłosnych wyrachowanie i okrucieństwo.

Idąc dalej tym tropem, zgadzano się również na ogół co do organizacji wewnętrznej społeczności *Niebezpiecznych związków*. Naprzeciw siebie stają dwa obozy: z jednej strony, jak często ich nazywano, „drapieżcy", z drugiej – ich „ofiary". Markiza de Merteuil i wicehrabia de Valmont są panami gry, którą sami reżyserują. Dobre towarzystwo, czyli po prostu „świat", jednoczy wszystkich na wspólnym terenie, ale tylko tych dwoje umie ów teren przygotować i wyzyskać dla swych celów, po mistrzowsku prowokować zachowania innych i je kontrolować, wreszcie zadawać przemyślane zło. Cecylia, prezydentowa de Tourvel, Danceny – a spoza nich pani de Volanges i pani de Rosemonde – reprezentują cnotę i (lub) niewinność nieświadomą i osaczoną, prawdę uczuć i pryncypiów moralnych, wydaną na łup zamaskowanych manewrów.

Zainteresowanie komentatorów, niezależnie od ocen moralnych, skupiało się nieodmiennie na mechanizmach tego modelu dominacji. Stał się on czystym schematem libertyńskiej rozgrywki, pociągającym także dzięki oryginalnej kombinacji, jaką stanowi u Laclosa damsko-męski tandem wiodących postaci. Roger Vailland, ów libertyn XX wieku, posunął się w swej sugestywnej i przerysowanej interpretacji do wyobrażenia ich zabiegów jako korridy, w której każdy gest torreadora jest przemyślanym i koniecznym etapem prowadzącym do ostatecznego ciosu.

Główną zasadą „drapieżców" jest właśnie wierność ścisłym zasadom. Nie tym oczywiście, którym hołdują „ofiary". Już na samym początku pani de Merteuil, sądząc, iż Valmont zakochał się w prezydentowej, pisze mu, że postępuje „zupełnie bez zasad, zdając się na los przypadku" (list X). Istotę tych zasad można wywieść ze znanego listu LXXXI, w którym autobiografia markizy jest zarazem katechizmem niezbędnych reguł. Pierwszą z nich jest sztuka maski i bezwzględna samokontrola, wykluczająca „przypadek", równoznaczna z treningiem odruchów, tak by każdy z nich mógł być przywołany stosownie do potrzeby chwili („gdy doznawałam przykrości, uczyłam się przybierać wyraz słodyczy"). Drugą – traktowanie przeżyć miłosnych jako takiego połączenia rozkoszy i refleksji, w którym intelekt i – by użyć słów markizy – „strona doświadczalna" przeważają nad pobudkami natury. Trzecią wreszcie – umiejętność wnikania w myśli i intencje innych, która daje nad nimi przewagę i pozwala nimi rządzić.

Cel – to być „swoim własnym dziełem" (list LXXXI). Dziełem sztuki wręcz, bo libertyn Laclosa pieści swój obraz w najdrobniejszych szczegółach, dążąc do „chwały", która jest specyficznym odpryskiem glorii wyczynów z innej epoki. Pani de Merteuil ma tę wyższość nad Valmontem (traktowano to wielokrotnie jako feministyczny rewanż za nierówność płci), że, bogata w teorię, czyni ze swego partnera, w otwierających powieść projektach zemsty, narzędzie własnych poczynań, deprawatora służącego zepsuciu wyższego rzędu. Ale i wicehrabia wie, co znaczą przepisane „zasadami" posunięcia, które wykonuje, kiedy uwodzi prezydentową de Tourvel. Najpierw, zna wagę wyboru ofiary, która ma być nie kobietą łatwą, lecz twierdzą na pozór nie do zdobycia: taką jest prezydentowa. Dalej, przygotowuje i urzeczywistnia całą strategię podboju, opartą właśnie na owej trudności. Nie jest spódniczkarzem, co ma łatwy łup w zasięgu ręki, lecz wytrawnym myśliwym, który smakuje każdy unik pierzchającej, lecz przeznaczonej mu z góry zdobyczy: „Niech wierzy w cnotę – pisze o pani de Tourvel – lecz niech ją dla mnie poświęci; niech z przerażeniem patrzy na własny upadek, niezdolna zatrzymać się w drodze, i niechaj, miotana wyrzutami, nie umie zapomnieć o nich ani ukryć się przed nimi inaczej niż w moich ramionach" (list VI). Pole uwodzenia staje się terenem polowania i polem bitewnym. W liście CXXV, opowiadającym o upadku prezydentowej, Valmont mówi o swej „wzorowej czystości metody" w kategoriach militarnych: przypomina „wybór terenu" i „warunki walki", chwali się, że „uśpił nieprzyjaciela, aby go łatwiej dosięgnąć na szańcach", bierze wzór z Turenne'a i Fryderyka Wielkiego. Nie raz przywoływano wojskowe i inżynierskie wykształcenie Laclosa, by opisać tę geometrię miłosnych podchodów... A kresem tychże i miarą wielkości jest nie tyle upadek ofiary, sam w sobie niewystarczający mimo całego kunsztu uwodziciela, co jej perfidne pognębienie i rozgłos, jaki przygoda uzyska: chcąc dowieść markizie swego pełnego mistrzostwa, Valmont wysyła pani de Tourvel list z pamiętnym refrenem „to nie moja wina", który ją zabije.

Sferą, w której podział na polujących i ofiary objawia się najpełniej, jest sfera języka. Wymiana listów to wymiana słów: całą intrygę powieści można sprowadzić do tego, że jedni wierzą w ich sens, a drudzy nie. Kiedy prezydentowa, Cecylia, Danceny wyznają miłość, ich mowa – choćby pełna grandilokwencji i zahamowań – służy przejrzystości uczuć. Słowa markizy i Valmonta są przejrzyste jedynie dla nich – i to też nie do końca. Zwrócone ku innym, stają się nieustanną manipulacją, bronią wykorzystującą konwencję języka sentymentów. Uderza dwoisty rytm językowych kontaktów: zafałszowany dyskurs kierowany do ofiar i ich otoczenia jest regularnie „tłumaczony" na kod, który obowiązuje dwoje libertynów. Klasycznym, krańcowym przykładem jest zespół listów XLVII, XLVIII i L, związanych z epizodem, w którym Valmont spędza noc z kurtyzaną Emilią i akurat w trakcie owych igraszek, na „pulpicie", jakim jest Emilia, pisze płomienną epistołę do pani de Tourvel. Każde zdanie jest parodią miłosnego słownictwa, albowiem odnosi się jednocześnie do wzniosłej namiętności i do wyuzdanego kontekstu („Nigdy jeszcze, pisząc do ciebie, nie doznałem takiej rozkoszy..." – list XLVIII). Ale parodię można zrozumieć tylko wtedy, gdy zna się poprzedni list do markizy de Merteuil, wyjaśniający całą grę; prezydentowej niedostępne są kulisy wypowiedzi, toteż w liście L bierze każde słowo za dobrą monetę uczucia.

Spontaniczność i przezroczystość języka są oczywiście najwyraźniejsze u dziewiczej Cecylii. Dlatego ona przede wszystkim staje się obiektem słownej manipulacji. Lekcja, którą jej daje markiza, jest powszechnym prawidłem rządzącym dwoistą korespondencją *Niebezpiecznych związków*: „Kiedy piszesz do kogoś, to dla niego, nie dla siebie: powinnaś więc starać się mówić nie tyle to, co myślisz, ile to, co mu sprawi przyjemność" (list XV). Dla Cecylii wszystkie słowa są jednako autentyczne – do tego stopnia, że Valmont, wykonując na niej zemstę markizy, uczy ją nie tylko przedmałżeńskich technik seksualnych, ale i „technicznych" terminów, wiedząc, że nie zdoła ona pojąć ich niestosowności. Kto wie, czy głównym źródłem niezdrowej atmosfery, jaka otaczała powieść Laclosa, nie było językowe wspólnictwo złoczyńców i czytelnika: tylko czytelnik bowiem jest wprowadzony w arkana podwójnej mowy, uczestnicząc niejako w jej ironicznych i okrutnych kamuflażach.

Przyjrzyjmy się jednak temu wszystkiemu bliżej. Okaże się wówczas, że dwubiegunowy układ świata *Niebezpiecznych związków* nie jest układem o czystych konturach. Różnice interpretacyjne biorą się przede wszystkim stąd, że gra przeciwieństw, którą opisałem, zamazuje się gdzieniegdzie lub zgoła odwraca. „Drapieżca" sam może się stać ofiarą swojego polowania: Valmont uwodzi prezydentową według wszelkich reguł sztuki, ale jednocześnie ulega jej czarowi, zakochuje się wręcz, i choć skrywa to starannie, markiza de Merteuil wyczuwa bezbłędnie jego słabość, widząc w niej zagrożenie dla libertyńskich zasad i... dla siebie samej. I przeciwnie: cnotliwe ofiary nie zawsze konsekwentnie szukają oparcia we własnych zasadach, godzą się na niebezpieczne kompromisy, zatrącające nieco złą wiarą i prowadzące do występku. Dwuznacznie rysuje się zwłaszcza eksperyment z Cecylią de Volanges, który uzmysławia z jednej strony perwersję manipulującej nią pary, z drugiej – podatność niewinności na zło, gdy tej brakuje poczucia rozróżnień moralnych i obyczajowych (lub – by pikantniej rzecz ująć – gdy jedynym gwarantem obyczajności jest wychowanie klasztorne). Cecylia nie tylko nie umie odróżnić miłości od wyuzdania, ale też łacno daje się przekonać markizie i Valmontowi, że pierwsze igraszki z wicehrabią nie kłócą się z jej uczuciami dla Danceny'ego, że mogą wręcz je wzbogacać. W ten sposób Valmont może dosłownie zastępować jej ukochanego – zarówno w łóżku, jak w korespondencji, nie obawiając się panieńskich skrupułów. Z kolei czysty i egzaltowany Danceny zostaje kochankiem pani de Merteuil pod pretekstem, że szuka w niej powiernicy, aby mówić jej o swej miłości do Cecylii.

Ambiwalentne są rozwiązania poszczególnych wątków. Libertyni triumfują w zasadniczej fazie swoich planów: markiza, sama i za pośrednictwem Valmonta, deprawuje małą Volanges, by zemścić się na dawnym wrogu, który ma pannę poślubić. Valmont, „równolegle", wykonuje swój majstersztyk, uwodząc panią de

Tourvel. Ale na sukcesach kładą się cienie: wspomniana miłosna słabość Valmonta, spór, wręcz wojna między „drapieżcami", wreszcie ostateczna klęska – śmierć Valmonta w pojedynku z Dancenym, ospa markizy de Merteuil i jej wyjazd-ucieczka, zerwanie małżeństwa Cecylii z hrabią de Gercourt. A więc występek ukarany? Zapewne. Odnosimy jednak wrażenie, że idzie tu o karę nie za zło, lecz za nie dość konsekwentne przestrzeganie libertyńskich „zasad": markiza i wicehrabia mogliby działać, gdyby nie pojawiły się luki w systemie. Także wydźwięk tej kary zdaje się problematyczny, jeśli pomyśleć o szlachetności Valmonta w godzinie śmierci, o niewzruszonej postawie pani de Merteuil, dotkniętej naraz – jakby przesadnie – nieszczęściami: przegranym procesem, szpetną chorobą, towarzyskim ostracyzmem.

Droga Laclosowskiego przesłania komplikuje się. Trudno przyjąć z całym dobrodziejstwem inwentarza moralizatorską intencję *Przedmowy redaktora*, zawierającą przestrogi dla kobiet, które dopuszczają do towarzystwa „mężczyzn wyzutych z czci", i dla matek, które nieoględnie pozwalają innym zdobyć zaufanie córek. Echem tej intencji zdają się być ostatnie słowa nieszczęsnej pani de Volanges: „Któż by nie zadrżał rozpamiętując nieszczęścia, jakie może spowodować jeden nieopatrzny [w oryginale „niebezpieczny" – A. S.] związek [...] Któraż kobieta nie ratowałaby się ucieczką przed pierwszym zakusem uwodziciela? Któraż matka mogłaby bez drżenia patrzeć, jak ktoś obcy rozmawia z jej córką?" (list CLXXV). Lecz po czym poznać „niebezpieczeństwo" związku? Na czym polega „pierwszy zakus"? A zwłaszcza, jakże nie pozwolić, by w wielkim świecie „ktoś obcy" rozmawiał z panną na wydaniu? Ażeby się uchronić, należałoby zatem nie widywać nikogo – rzecz nie do pomyślenia w towarzyskim uniwersum. Jak wspomnieliśmy, jednoczy ono wszystkich na wspólnym terenie i świadomość tej wspólnoty oraz jej moralnych niekonsekwencji jest powszechna – o czym świadczy choćby list XXXII, w którym taż sama pani de Volanges wyjaśnia, dlaczego Valmont jest w pełni akceptowanym członkiem elitarnej społeczności. On i markiza doznają porażki poniekąd sztucznej, sprowokowanej; istota ich stylu życia, ich metody nie została narażona na szwank. Rzecz bowiem w tym, że artykułowała się w takiej właśnie przestrzeni społecznej i nią się karmiła.

Sens *Niebezpiecznych związków* nie wyczerpuje się w dychotomicznym obrazie „drapieżców" i ich ofiar. Idzie raczej o układ dynamiczny, w którym żaden system wartości nie jest spójny, bezkompromisowy, trwały. Koniec powieści jest pobojowiskiem. Nie ma zwycięzców, są sami zwyciężeni. Nie ma porozumienia między postaciami we wszystkich ich podstawowych konfiguracjach. Wnikliwy czytelnik zauważy, jak często kontakt – pozornie oczywisty – jest blokowany, ekranizowany przez osoby trzecie: Valmont, choć zwycięski, ale i zakochany, rozmija się w istocie z prezydentową, odsuwany od niej przez panią de Merteuil; Cecylia rozmija się z Dancenym, kochając go za pośrednictwem Valmonta; Danceny rozmija się z Cecylią, zastępując ją markizą; ta wreszcie rozmija się z Valmontem, który ucieka ku prezydentowej. Wciąż się zamyka i odnawia ów krąg chybionej komunikacji, który jest zarazem kręgiem pytań moralnych.

Jeśliby szukać najbliższego Laclosowi literackiego i filozoficznego źródła tych pytań, znajdzie się je bez wątpienia w twórczości Rousseau i w literaturze pozostającej pod jego wpływem. Oczywiście, buduarowo-sypialniana tematyka, pełna konkiet *petit-maître*'ów i psychologicznej finezji, mieści się na antypodach refleksji Jana Jakuba: tu Laclos czerpał pełną garścią z literatury nawiązującej do świata wyobraźni francuskiego rokoka – ze spuścizny Marivaux czy Crébillona syna. Lecz w drugiej połowie wieku te same wątki zostały wprzęgnięte w nowy system odniesień, któremu najpierw wpływy angielskie, a potem dzieło autora *Nowej Heloizy* nadały najpełniejszy wyraz. Czułe moralizatorstwo, stowarzyszone z wizją natury jako rękojmią cnoty i prawdziwej miłości oraz z krytyką społecznego zakłamania, rozlewa się szeroko. Że Laclos był pod wpływem tych tendencji, świadczą niedokończone szkice o edukacji kobiet (pomyślane najpierw jako rozprawa konkursowa dla akademii w Châlons-sur-Marne i ogłoszone dopiero na początku XX wieku) czy projekt napisania wzniosłej powieści „familijnej", którego nie zdążył – chyba na szczęście – zrealizować. W tym kontekście epigraf z *Nowej Heloizy*, umieszczony na karcie tytułowej *Niebezpiecznych związków*, nie jest przypadkowy. Aluzje do Russowskiej powieści pojawiają się również pod piórem pani de Merteuil i Valmonta, rzecz jasna w charakterze persyflażu. Ale ów persyflaż nie znaczy bynajmniej, że cały utwór – jak chcą niektórzy – został pomyślany jako donkiszotowska parodia przygód Julii d'Etanges i Saint-Preux. Idzie o ten sam ideał przejrzystości uczuć, tyle że poddany nader bolesnej próbie. Laclos wpisuje go w świat antynatury, którego konwencje doprowadzone są do granic ich własnej wytrzymałości. Antynomia natury i kultury emanuje tym razem nie z otwartych alpejskich przestrzeni, ale ze sterylnej złotej klatki, w której towarzyska elita coraz bardziej komplikuje swoje rytuały.

Projekt zawarty w *Przedmowie* i zakończeniu jest więc zarazem obwieszczony i zanegowany, cnota i miłość prezydentowej de Tourvel są zarazem wartościami trwałymi i nieprzydatnymi, niewinność Cecylii kryje w sobie zarazem dobro i występek. Co więcej, nie sposób nie dostrzec u autora pewnej fascynacji, gdy buduje wyrafinowaną strategię uwodzicieli i deprawatorów, którą potem pospiesznie niszczy: nawet w takim kontekście pobrzmiewa tu oświeceniowy podziw dla potęgi intelektu. Ideologia *Niebezpiecznych związków* nie ma charakteru wyraźnej deklaracji czy postulatu: jawi się jako układ napięć między poszukiwaniem dobra i uczucia a nieubłaganym postępem społecznej alienacji. Czy oznacza to krytykę klasową? Na pewno nie w tym sensie, jaki próbowano nadać opozycji prezydentowa – libertyni, widząc w niej obraz konfliktu między wartościami wschodzącego mieszczaństwa a schyłkowym światem arystokracji. Górne warstwy szlachty urzędniczej, do której należy pani de Tourvel, tworzą ze szlachtą rodową jedną elitę i to poczucie wspólnoty jest w powieści doskonale widoczne. Krytyka (powtórzmy: przemieszana z nutkami podziwu) wyziera właśnie z opisu tej sfery jako całości i bierze się nie tyle z klasowego dystansu, co z obecnego *implicite* namysłu nad międzyludzką więzią w czasach, w których byt człowieczy zrósł się najsilniej z wyobrażającą go konwencją.

Na tym poziomie ów opis stanu społecznego nie jest „obrazem obyczajów" w realistycznym rozumieniu. W odróżnieniu od wielu współczesnych, coraz chętniej wypełniających fikcję literacką wyraźnym szczegółem, rozbudowaną zewnętrznością, Laclos nawiązuje raczej do uniwersalnej refleksji moralistów francuskich XVII wieku (zważmy, ile w tej powieści maksym i ogólnych prawd o człowieku), tyle że w wyrafinowanej, najrzadszej formie. Tekst *Niebezpiecznych związków* odwodzi od wszelkiej dosłowności.

Czy wiemy naprawdę, kiedy rzecz się dzieje? Cóż z tego, że listy mają dokładne daty dzienne, skoro nie sposób dociec, do którego roku się odnoszą. Czy jesteśmy świadkami współczesności Laclosa z początków panowania Ludwika XVI, czy raczej – przeszłości opod znaku Ludwika XV? A może idzie tu, częściowo przynajmniej, o wspomnienie dawniejszych czasów – owej frywolnej regencji Filipa Orleańskiego, uwertury stulecia? Nieliczne i czasem sprzeczne sygnały płynące z tekstu nie wystarczają, by go wprowadzić na wyrazistą chronologiczną orbitę. Podobnie sprawy się mają z organizacją przestrzeni. Czytelnik znajduje się wobec fantomatycznej topografii, przeważnie paryskiej, opartej jedynie na kilku nazwach, które mają przypominać znany wszystkim teren: Opera, Komedia Francuska, Lasek Buloński, kościół św. Rocha itp. Lecz gdzie są pałace Valmonta, markizy, pani de Tourvel? Gdzie klasztor Cecylii i ten, w którym umiera prezydentowa? Gdzie zamek pani de Rosemonde na prowincji? Niemal zupełnie brak opisów wnętrz, strojów, przedmiotów, nie mówiąc o krajobrazach, miejskich lub wiejskich, czy o szerszym społecznym obrzeżu. Nic nie wspiera wyobraźni czytelniczej jednoznaczną siecią konkretów. Nic nie pozwala ustalić jakiegoś, zakotwiczonego w rzeczywistości, wizerunku tego świata.

Bo prawda o nim ma chyba niewiele wspólnego z prawdopodobieństwem zdarzeń. Jak ktoś zauważył, trudno uwierzyć, żeby machinacje i podwójne życie pani de Merteuil mogły tak długo pozostać nie zauważone. Odarcie tkanki powieściowej z czasoprzestrzennych realiów i sprowadzenie intrygi do kilku, nie zawsze prawdopodobnych elementów to kreacja rzeczywistości złożonej jakby z samych struktur psychologicznych i moralnych. Historyczne i społeczne tło zostało tu poddane szczególnemu zabiegowi: istnieje tylko w wysublimowanym skrócie jako pretekst do studium pewnego modelu postaw i stosunków. Z tego punktu widzenia wiedziony niegdyś spór o to, w jakim stopniu *Niebezpieczne związki* pokazują autentyczne postaci i wydarzenia, ma znaczenie tylko dla erudycyjnych badań nad genezą utworu. Laclos przeobraża i kondensuje, tworząc coś w rodzaju ekstraktu obyczajowego całej epoki, karmiąc się jej mitem i budując go jednocześnie. Dlatego właśnie mogły się zjawić interpretacje powieści wybiegające daleko poza jej historyczne odniesienia: słynna diaboliczna lektura Baudelaire'a (markiza to „sataniczna Ewa"), który czerpie z tekstu mitologię Zła, czy też znacznie późniejsza – André Malraux, który rozważa tekst Laclosa w kategoriach nowocześnie rozumianego erotyzmu, sprzęgniętego z mitologią woli i mitologią inteligencji. Niezależnie od tendencyjności takich odczytań (widocznej zwłaszcza w dosadnych notatkach Baudelaire'a), zwróćmy uwagę na ów uniwersalny wymiar dzieła, na jego otwartość, enigmatyczną trochę, która każe je oblekać w coraz to nowe treści, bo drzemie w nim głębszy, mityczny projekt. I kiedy Roger Vadim tworzy dwie ekranizacje powieści, z których żadna nie dzieje się w XVIII wieku, dowodzi z jednej strony, że *Niebezpieczne związki* prowokują do wieloznacznego odbioru, z drugiej – że nazbyt wyrazista ich konkretyzacja brzmi fałszywie, tak jak obydwa filmy. Znakomity film Stephena Frearsa jest znakomity między innymi dlatego, że bierze za podstawę nie samą powieść Laclosa, lecz jej teatralną transpozycję – sztukę Christophera Hamptona.

Fałsz zbyt pospiesznych konkretyzacji wynika również z tego, że nie mogą naśladować specyficznej formy tekstu, który jest powieścią w listach i w takiej tylko postaci może objawić swoje pełne znaczenie. W ostatnich dziesięcioleciach wielokrotnie rozpisywano się o formalnej perfekcji dzieła Laclosa i szczegółowo to mistrzostwo analizowano. Istotnie, jest co podziwiać.

Sam pomysł ogłoszenia powieści w listach nie był oczywiście, w 1782 roku, oryginalny. Istniała tu już pewna tradycja, która, choć niezbyt odległa, stała się modą od czasu Monteskiuszowskich *Listów perskich* i wielkim wzorem po ukazaniu się *Nowej Heloizy* Rousseau. Ale pod piórem Laclosa powieść epistolarna osiąga apogeum – tak wyraźnie osiemnastowieczne, jeśli zważyć, że zanika ona praktycznie w XIX wieku. W filmowej wersji Vadima trzeba było zastąpić listy taśmą magnetofonową i telefonem ...

W *Niebezpiecznych związkach* są one najpierw, w sposób naturalny, tym, czym były w owych czasach – wyjątkowo częstym i nader kunsztownym narzędziem komunikacji. Tu Laclos nie idzie śladem większości swoich poprzedników, którzy po prostu wykorzystują literacką konwencję i czynią z niej pretekst do przedsięwzięcia innego rodzaju, zmieniając prywatny list w rozległe opowiadanie czy traktat moralny. Nasz autor dostosowuje wymyśloną korespondencję do obowiązującego kodu światowców, którzy pisywali do siebie treściwe epistoły i bileciki w najbłahszych nawet sprawach i z najkrótszego nawet dystansu: jakże często listy krążą z jednej ulicy na drugą, wręcz z pokoju do pokoju, między ludźmi, którzy – jak Valmont i prezydentowa – widują się codziennie. Tym samym list staje się naturalnym narzędziem charakteryzowania postaci. Każda pisze we własnym imieniu, każda naznacza treść własnym stylem. Pierwszy dowód zręczności pisarza widać już w tym zróżnicowaniu: od naiwnej ekspresji Cecylii – którą trzeba dopiero uczyć sztuki słowa – przez wzniosły ton pani de Tourvel, do dominującego w powieści persyflażu markizy i wicehrabiego.

Lecz prawdziwa maestria w wykorzystaniu techniki epistolarnej polega na czym innym. Tutaj listy nie tylko opowiadają, streszczają i charakteryzują, ale i same są elementem akcji. Wysyłanie i otrzymywanie korespondencji, jej wielotorowy obieg, to zasadnicza bodaj tkanka zdarzeń powieściowych. Widzieliśmy już, jak dwoiste słowo kształtuje zafałszowane stosunki i służy manipulacji. Dodajmy teraz, że list u Laclosa jest f a k t e m w mocnym znaczeniu słowa – nie komentarzem, dołączonym do tego, co się dzieje, ale przedmiotem aktywnie obecnym wśród działających postaci i instrumentem tego działania. Oto Valmont umiejętnie i haniebnie przechwytuje listy prezydentowej do innych, aby lepiej pojąć jej intencje, i, rzecz jasna, informuje o wszystkim markizę, zapoznając ją zarówno z treścią epistoł pani de Tourvel, jak z brulionami własnych; oto, kiedy indziej, uwiódłszy już Cecylię, likwiduje jej korespondencyjną próbę i dyktuje nowy list do Danceny'ego, który uważa za właściwszy dla swoich planów; oto, pod koniec powieści, gdy Cecylia zamyka się w klasztorze, a jej matka pisze do pani de Rosemonde, mówiąc o swych supozycjach tyczących tragedii córki, brak odpowiedzi od przyjaciółki (brak listu to również element akcji) jest ustalonym sygnałem, który oznacza, że nieszczęścia pani de Volanges są boleśniejsze niż przypuszczała. Żeby zobaczyć list jako zdarzenie, akt, motor fabuły, trzeba sobie uświadomić jego działanie rozstrzygające, pojąć go jako oręż ostateczny. Listy uderzają w ludzi, niszczą ich, zabijają. Śmiertelne delirium prezydentowej, klasztorny grób Cecylii, szpada przeszywająca ciało Valmonta, ospa markizy de Merteuil, to tylko pseudorealistyczne symbole. Wszystkiego dokonały listy: litania „to nie moja wina", którą Valmont skopiował z listu markizy, zabija panią de Tourvel; wojna między libertynami, zakończona wiadomymi katastrofami, staje się wojną rozgłaszanych listów: markiza daje do przeczytania Danceny'emy listy Valmonta mówiące o uwiedzeniu Cecylii; Valmont udostępnia mu korespondencję markizy; Danceny wreszcie oddaje cały kompromitujący pakiet pani de Rosemonde.

Na koniec więc działanie listów prowadzi do narodzin powieści. Bo ów pakiet właśnie – jak głosi przypis do listu CLXIX – stał się, za pośrednictwem spadkobierców pani de Rosemonde, podstawą całego zbioru, który zestawił „redaktor". W ten sposób zakończenie historii daje początek rzekomo autentycznej działalności edytorskiej: mówi o niej przedmowa, mówią liczne przypisy tłumaczące przyczyny takiej czy innej selekcji, a nawet komentujące bardzo serio zdarzenia i postawy bohaterów. Ale nad tą instancją nadrzędną – prócz pani Rosemonde jedyną, która może znać całą korespondencję — znajduje się inna jeszcze: ów „nakładca", autor pierwszej przedmowy i notatki zamykającej powieść, który niedwuznacznie i ironicznie zwraca uwagę na fikcyjny charakter całości. Laclos poszedł tu, rzecz prosta, za rozpowszechnioną w XVIII wieku konwencją mistyfikacyjnych wstępów powieściowych. Lecz piramida poziomów wypowiedzi tworzy u niego wyjątkowo złożoną i misterną sieć. Czy jest „wydawcą", czy raczej „redaktorem"? Czy na poziomie samej korespondencji wybiera jakąś postać, która częściej niż inne przemawia jego „prawdziwym" głosem? Rzecz w tym właśnie, że jego słowo biegnie po wszystkich tych piętrach, ustanawiając dialog różnych punktów widzenia między listami i obok nich. Technikę epistolarną *Niebezpiecznych związków* oznaczono rychło modnym terminem „polifonia", i istotnie sprawia ona wrażenie wielogłosu, tak wszakże zestrojonego, że każdy jego fragment jest konfrontacją i korektą wobec innego.

Jedynie globalny, czytelniczy ogląd może wydobyć tę strukturę w całym systemie wzajemnych zależności, i ona właśnie budziła największy zachwyt krytyków. Jeśli chodzi o przebieg akcji, mnożono porównania z tragedią klasyczną ze względu na wyrazistość i kondensację zdarzeń, niewielką liczbę bohaterów, ostro zarysowany splot konfliktowych relacji między nimi. Ale najważniejsze, że Laclos wyznacza zadziwiająco aktywną rolę samemu rozmieszczeniu listów, a przez owo rozmieszczenie – czytelnikowi dokonującemu rekonstrukcji

Dla ilustracji – trzy przykłady, często przytaczane. Pierwszy, najprostszy, to ekspozycja: dwa listy – Cecylii i markizy – które otwierają powieść. Dowiadujemy się z nich o przygotowaniach do ślubu opuszczającej klasztor dziewczyny i o diabolicznych planach pani de Merteuil wzywającej Valmonta, by został narzędziem zemsty. Lecz dowiadujemy się też czegoś więcej: jakby p o -
n a d opowiadanymi faktami samo zestawienie obu listów rysuje nam w bezlitosnym skrócie całą opozycję naiwnych i „drapieżców". Nie trzeba nic mówić, albowiem wymowna staje się kolejność, zwykła, pusta przerwa między końcem pierwszego a początkiem drugiego. Mocniej jeszcze i kunsztowniej zaznacza się wymowa kolejności na przykładzie listów CXXV, CXXVI i CXXVIII. Gdyby umieścić w innym miejscu list CXXVI, w którym pani de Rosemonde winszuje prezydentowej, że nie wdała się w romans z Valmontem, byłby on tylko moralizowaniem starszej pani. Ale jakże wyraziste jest jego znaczenie w zestawieniu z poprzednim, w którym Valmont opisuje markizie szczegóły swego zwycięstwa nad panią de Tourvel. Ta, na domiar złego, otrzymuje list pani de Rosemonde z opóźnieniem (co stwierdza rozdzierająco w liście CXXVIII), które przypieczętowuje dynamiczny kontrast między dziejącymi się niemal jednocześnie pochwałą cnoty a upadkiem tejże. Wreszcie psychologiczne i zarazem chronologiczne napięcie drzemiące w układzie korespondencji pojawia się wtedy, gdy jedno zdarzenie otrzymuje kilka konkurencyjnych wersji. Przykładem na to jest seria czterech listów CXXXV-CXXXVIII, w których przypadkowe spotkanie powozów pod Operą, gdy prezydentowa dostrzega Valmonta w towarzystwie śmiejącej się z niej ladacznicy, jest opowiadane i interpretowane podług kolejnych świadectw nadawców i ich projektów wobec adresatów (prezydentowa do pani de Rosemonde, prezydentowa do Valmonta, Valmont do prezydentowej, Valmont do markizy de Merteuil). Tym samym linearny ciąg zdarzeń przedstawia się co chwila jako umiejętnie połamany szyk sprzecznych

i czasowych nawrotów, sygnalizowany już choćby porządkiem nagłówków.

Wielki tekst, wierny łacińskiemu źródłu tego słowa, bo tworzy tkaninę, której sploty i faktura pozwalają dostrzec sensy wzoru; bo apeluje z rzadką mocą do odtwórczej pracy i uwagi czytelnika – ostatecznego adresata, który ma zadbać o to, aby pieczołowicie dlań sporządzony plik nie rozsypał mu się w ręku w zwykłą historię amorów sprzed lat.

*

Zważywszy na wyjątkowość problemu, poświęćmy na koniec nieco uwagi polskiej wersji arcydzieła Laclosa. Tu niestety moja rola jest niewdzięczna. Zacznijmy od tego, że z jedynym przekładem Tadeusza Boya-Żeleńskiego (od 1912 roku) i jego dziewięcioma dotychczasowymi wydaniami daleko nam do europejskiej czołówki, mimo iż poczuwamy się wciąż głośno do uprzywilejowanego kontaktu z wielkimi dziełami literatury francuskiej. Niemieckie tłumaczenie *Niebezpiecznych związków* ukazało się w rok po wydaniu oryginału, pierwsze angielskie – w dwa lata później. Kraje niemieckojęzyczne dzierżą tu prym z około czterdziestoma wydaniami i trzynastoma przekładami, w tym z klasycznym przekładem Henryka Manna. Włosi, którzy – jak my – zaczęli tłumaczyć tę powieść na początku XX wieku, doczekali się w ciągu pięćdziesięciolecia sześciu różnych przekładów. Rzucając okiem na peryferie, znajdziemy nawet dwie wersje duńskie, z których pierwsza powstała w XIX wieku.

Oczywiście nasza sytuacja wynika, przynajmniej po części, ze specyficznej, niemal instytucjonalnej roli Boya jako tłumacza klasyki francuskiej. I tu właśnie zaczyna się problem. Nie tylko prawie nikt nie waży się spolszczyć czegokolwiek po mistrzu, ale i nikt nie próbuje rzetelnie kolacjonować boyowskich przekładów z oryginałami. A w przypadku tekstu Laclosa takie porównanie wywołuje spory wstrząs. Nie chodzi tu o kwestię wierności tego, co przetłumaczono – jakże subtelną, gdy ma się do czynienia z genialną intuicją Boya. Chodzi przede wszystkim o to, czego nie przetłumaczono.

Luki są bardzo pokaźne: z punktu widzenia dzisiejszej praktyki i translatorskiej, i edytorskiej – niedopuszczalne. Boy nie przetłumaczył w ogóle trzech listów (CL, CLX, CLXI), co opatruje na końcu beztroską uwagą, nad którą nikt się jakoś dotąd nie zastanawiał: „Tłumacz opuścił niektóre listy, a ponieważ numeracja listów utrzymana jest według oryginału, stąd powstały luki w ciągłości numeracji". Jednym z nich jest ostatni list prezydentowej, na wpół deliryczny, kierowany do kilku adresatów naraz. Jeśli zważyć, że brakuje też licznych fragmentów w relacji z jej śmierci, nie ulega wątpliwości, że postać została wyraźnie „spłaszczona". Pomniejszył się znacznie jej wymiar tragiczny, tak czytelny na gruncie francuskim, na którym wyczuwa się w pani de Tourvel całe dziedzictwo Racinowskiej heroiny, klasycystyczną niejako płaszczyznę powieści. Dzieje się tak, jakby Boy usuwał w cień to, co zakłócało mu przewrotną „oświeceniowość" tekstu. Chciał, aby *Niebezpieczne związki* tak właśnie były postrzegane przez polskiego czytelnika.

Nie została przetłumaczona *Przedmowa redaktora* należąca oczywiście, podobnie jak *Przedmowa nakładcy*, do tekstu powieści i odgrywająca, jak widzieliśmy, istotną rolę „ramy" ideologicznej i formalnej. Usunięto *Przypis nakładcy*, który zamyka powieść i odpowiada echem pierwszej *Przedmowie*. Podobny los spotkał sporą część „redaktorskich" przypisów, nawet tak ważnych, jak wspomniany wyżej przypis do listu CLXIX, tłumaczący pochodzenie całej korespondencji, czy jak komentujący postawę religijną markizy przypis do listu LI. Zaś przypisy przetłumaczone opatruje Boy arbitralnie i fałszywie skrótem „przyp. aut.". Jest oczywiste, że „wielopiętrowy" system wypowiedzi Laclosa bardzo na tym ucierpiał i że polski czytelnik, który chciałby śledzić meandry autorskiego przesłania, zostaje wprowadzony na mylny trop.

Gorzej. Jak już wspomniałem w związku z postacią prezydentowej, także w listach przełożonych zieją wyrwy i nie sygnalizuje ich bynajmniej żaden komentarz tłumacza. Od drobnych do bardzo znacznych. Brakuje nie tylko słów i zdań, ale i całych akapitów, całych stron. Oto na przykład jeden ze współczesnych komentatorów próbował wywieść intencje Laclosa z fragmentu listu pani de Rosemonde (CLXXI), w którym mówi ona o szczęściu, jakie zapewniają granice wyznaczone przez prawa i wiarę. Próżno jednak szukać tego fragmentu u Boya. Tendencyjność antyklerykała? Ale gdzie indziej pomija passusy brzmiące bardzo po świecku, jak choćby w sąsiednim liście pani de Volanges (CLXX), gdy wyraża ona swą nieufność do klasztornego powołania. Boy zdaje się od czasu do czasu poddawać oryginał takiej samej obróbce, jak rzekomy „redaktor" swoje wymyślone listy: wycina, przerabia, robi kolaż własnej produkcji.

Boyowski przekład odbiega tu od francuskiego oryginału dalej niż tłumaczeniom przystoi. Na dobrą sprawę, należy wziąć byka za rogi i przetłumaczyć rzecz na nowo. Zanim to kiedyś nastąpi, proponuję czytelnikowi rozwiązanie pośrednie, polegające na „dotłumaczeniu" wszystkich braków. Taka hybryda, może nieco kuriozalna z punktu widzenia praktyk wydawniczych, ma jedną zasadniczą zaletę: pozwala u j r z e ć od razu brakujące ogniwa, a tym samym zdać sobie sprawę z wymowy opuszczonych znaczeń. A jeśli coś zazgrzyta w tym zestawieniu dwóch języków, niechże piękno i reputacja świetnego utworu, którego polski czytelnik nie znał naprawdę do końca, będą moim usprawiedliwieniem.

Spis treści

Nota wydawnicza 5

Przedmowa nakładcy. 9

Przedmowa redaktora 11

Część pierwsza 15

Część druga 115

Część trzecia. 207

Część czwarta 297

Przypis nakładcy 393

Andrzej Siemek
Posłowie 395

**Za 2 tygodnie kolejna książka
z serii *Klasyka Romansu:*
„*Rozważna i romantyczna*" – Jane Austen**

Powieść od momentu jej wydania w 1811 roku cieszy się nie-
słabnącym powodzeniem. Głównymi bohaterkami są dwie
siostry, które przeżywają miłosne perypetie. Muszą doko-
nywać wyboru, czy kierować się rozwagą i rozsądkiem, czy
uczuciem miłości i marzeniami.